COMENTARIOS A *CUBA: MEDICINA Y REVOLUCIÓN*

"Excelente libro. Para quienes somos cubanos, la inmensa mayoría de las carencias y vicisitudes que se describen, son cotidianas porque de alguna manera lo hemos sufrido en carne propia. La comunidad internacional debe conocer no solamente los horrores que el personal de la salud ha sufrido y sufre, sino los por qué.

¿Por qué el gobierno trata así al personal de la salud? ¿Por qué es un pecado ser un profesional de la salud? ¿Por qué violar, violentar, atemorizar, amedrentar, coaccionar, manipular y subyugar al personal de la salud?

No debemos olvidar que los médicos y los servicios de salud prestados al internacionalismo, los cuidados a los extranjeros y otros vertientes de la salud son el primer renglón de la economía del país, por encima incluso del turismo".

Andrés Fidalgo
Médico. Especialista en Pediatría
Cabo Verde

"De la medicina cubana y los excelentes profesionales de la salud todos hemos escuchado una y mil veces hablar, pero ¿cuál es la realidad por la que atraviesa el sistema de salud en Cuba? ¿Es tan bueno como quieren la autoridades hacer saber al mundo? ¿Hasta dónde tiene que llegar el médico cubano para poder realizar una práctica aceptable, llena de escasez y de barreras? Quien mejor para informarnos que alguien que ha vivido en carne propia todos los infortunios por los que atraviesa la medicina en Cuba y sus pacientes".

Zelandia A. Morillo
Médico pediatra/Terapeuta marital y familiar
República Dominicana

"Resulta muy interesante conocer la realidad de la práctica de la medicina en Cuba, al menos visto desde el ángulo no oficial".

Ramón Álvarez Arellano
Médico cirujano
Director de Servicios Médicos de Atotonilco El Alto
Jalisco, México

"Con este libro he aprendido como es realmente el sistema de salud en Cuba. Es muy interesante conocer la verdadera cara del sector salud en esa parte del mundo. Al leerlo me sentí algo frustrada por el irrespeto a los pacientes, sobre todo a los pacientes en salas de psiquiatrías que deben ser apoyados dignamente por los profesionales de la salud.

Este ansiado libro, estoy segura, aportará conocimientos a doctores extranjeros que, como yo, quieren saber cuál es la realidad de la medicina en Cuba".

Dra. Ivelisse Capellan
Médico pediatra. Psiquiatra
República Dominicana

"He leído con detención, devoción y análisis esta prosa que relata la tristeza de la trasformación del rol del médico. De ser custodio, guardián y protector de la vida, se convierte en un verdugo implacable de su arrogancia. Sus conocimientos lejos de usarse para aliviar una penosa y dolorosa dolencia, se transforman en una sentencia de muerte para descanso del paciente, de la familia o del sistema. Ahora analicemos, ¿cuán legal es la petición de una persona con severos dolores y padecimientos en solicitar poner fin a su existencia?, o no es esto similar a la confesión del que estando en dolor de tortura confiesa algo que no ha realizado.

Considero desde mi punto de vista legal y médico, que la palabra eutanasia, es el bien morir, pero no dejar el avance de la patología, ni realizar acciones u omisiones para que esta patología afecte los últimos momentos de existencia de ese ser humano".

Dr. Rafael Lara Reyes
Médico y Cirujano /Universidad del Valle
Abogado / Universidad la Gran Colombia
Esp. Derechos Humanos

"Me parece muy buena obra ya que refleja la cruda realidad del sistema de salud cubano y las condiciones tan precarias en que están trabajando los médicos cubanos. Me uno a este gran proyecto porque mi país, Venezuela, está en las mismas condiciones. Lo digo con propiedad porque estuve trabajando como médico ortopédico-traumatólogo".

Dr. Melvin W. Cárdenas
Ortopédico, Venezuela

CUBA:

MEDICINA Y REVOLUCIÓN

Radiografía de un mito

Dr. José Luis Comas
Dr. Luis Ovidio González

Publicado por Eriginal Books LLC
Miami, Florida
www.eriginalbooks.com
www.eriginalbooks.net

Copyright © 2009, José Luis Comas
Copyright © 2009, Luis Ovidio González
Copyright © 2014, diseño de cubierta: Elena Blanco
Copyright © 2014, de esta edición, Eriginal Books LLC
Copyright © 2014, de esta edición, Fundación Cubana de Derechos Humanos

Editor: Luis A. González Ruisánchez

Primera Edición: Octubre 2014

ISBN-13: 978-1-61370-048-8
Library of Congress Control Number: 2012943751

Índice

RAZONES: una breve introducción

El motivo principal que nos llevó a escribir este libro, no obedece a una necesidad económica, a una venganza o algún resentimiento, sino a ese mandato natural que nos obliga a vivir según nuestra conciencia y a hacer patente la verdad por mucho que se le esconda.

Como el tema cubano es tan sensible y genera siempre opiniones encontradas, no queremos hacer de este libro un alegato. Nos urge el deseo y la responsabilidad de que, dentro y fuera de Cuba, se conozca la experiencia que nos tocó vivir como seres humanos y como médicos, por más de veinte años al servicio del sistema nacional de salud cubano.

Con este trabajo, queremos ofrecer una panorámica del surgimiento, desarrollo y práctica de la medicina en la llamada época revolucionaria (después del 1° de enero de 1959). A través de sus 16 capítulos, el lector será testigo de nuestro esfuerzo por desenmascarar las argucias que utiliza el gobierno cubano al referirse a sus logros, fundamentalmente en lo que respecta al tema de los índices de salud, que se han convertido en uno de los principales baluartes del gobierno resaltados como grandes triunfos del socialismo cubano. Oficialmente, la medicina ha sido presentada como una bandera de victoria, es por eso que realizar una investigación que cuestione la visión oficial impuesta, está prohibido por el régimen cubano.

Nos hemos propuesto narrar en detalles el ejercicio de la profesión médica en Cuba que, hasta hoy, ha sido edulcorado, ocasionando que, en muchas partes del mundo, sigan aferrados a una versión tergiversada de la realidad cubana, acodada en informaciones diseminadas, confusas y muy difíciles de entender para los que no son cubanos y no han vivido esas experiencias. Recordemos que el proceso revolucionario cubano se definió como una especie de experimento sui géneris, lo que hace que muchas de las cosas que pasan en Cuba, parecen formar parte de un mal sueño surrealista.

Para escribir este libro, los autores realizamos una investigación a lo largo de cuatro años (2000-2004) en instalaciones de salud de la región central de Cuba. Para ello, entrevistamos a 65 médicos, 18 enfermeras, 24 pacientes y familiares y a un numeroso grupo de trabajadores asociados al ministerio de salud pública. Fuera de la isla también sostuvimos intercambios con profesionales cubanos residentes en Estados Unidos, España, Chile, Venezuela, República Popular de Angola y Puerto Rico, lo que nos permitió ampliar y actualizar algunos tópicos previstos.

Cuando el propósito es realizar una investigación académica libre, situada fuera del espacio de propaganda oficial, escribir en Cuba se convierte en un verdadero reto. En primer lugar porque es un ejercicio prohibido que implica el riesgo de ir a prisión y, en segundo lugar, por la imposibilidad absoluta de divulgar la obra, estas son razones de peso para cuestionarse si vale la pena el esfuerzo y el riesgo. Pero, en nuestro caso, se convirtió en una necesidad moral la alternativa de poder escribir lo que no podíamos decir. El derecho impugnado de la libre opinión y el cuestionamiento constante a toda manifestación en defensa de los pacientes que enfrentara la imagen edulcorada promovida por el gobierno, nos sirvieron de inspiración para este trabajo.

Nuestra investigación se realizó básicamente en un pequeño hospital municipal en la ciudad de Caibarién, al norte de la región central del país, que disponía de 120 camas, con servicios de medicina interna, pediatría, cirugía, ortopedia, oftalmología, angiología y urología. Empeñados en la búsqueda de la verdad, escudriñamos en historias clínicas, certificados de defunción y hojas de cargo, en la pesquisa de datos que demostraran el maltrato estatal a los pacientes y a los propios profesionales de la salud en el desempeño de su trabajo. Bajo constante acecho, ya sea a nivel de bibliotecas, archivos de hospitales y policlínicos e incluso en nuestros hogares, redactamos el manuscrito. Comenzamos a visitar más de lo acostumbrado los archivos médicos, nos interesábamos demasiado por cualquier tipo de muerte, sobre todo si era violenta o en otros hechos que parecían contradecir las estadísticas de la propaganda oficial. Y por lo tanto fuimos blancos de los órganos de control y contrainteligencia, que desataron sobre nosotros una verdadera vigilancia.

Por las tardes, los lunes, miércoles y viernes de algunas semanas, y martes y jueves de otras, nos reuníamos en la casa de uno de nosotros —Luis Ovidio González— adonde llevábamos para cada sesión una vieja maquinita de escribir escondida en la bicicleta, tapada con un saco. Al llegar a su casa, Luis Ovidio esperaba en la puerta y con una señal, indicaba si podía bajarse la maquinita o sí había moros en la costa. No faltaba un vecino que cuando más emocionados estábamos, asomaba la cabeza por la ventana e indagaba sobre lo que hacíamos o nos gritaba desde su casa que hasta cuándo era aquel traqueteo de la máquina, que parecía que escribíamos un libro. Nunca cedimos, siempre le respondíamos que era un trabajo investigativo.

En la otra casa —la de José Luis Comas— sucedía lo mismo. Vivía en el quinto piso de un edificio y los oficiales de la seguridad del estado tenían su puesto de observación en el tercero. Un vecino asumía la tarea de anotar en una libreta todas las personas que subían al quinto piso o utilizaban a otra vecina, periodista y supuesta amiga de la familia, que cuando sentía sonar el viejo teclado corría para la casa a indagar sobre el libro que hacíamos. Así fuimos escribiéndolo capítulo a capítulo, comparando estadísticas, revisado las intervenciones publicadas de los principales dirigentes de la revolución y acumulando testimonios. Luego escondíamos los originales, por separado, en casas de amigos.

Las circunstancias represivas de una sociedad cerrada y totalitaria como la cubana, para la cual el mito de la calidad de sus servicios de salud resulta esencial desde el punto de vista político y económico, nos obligan a proteger la identidad de nuestras fuentes primarias. Sin embargo, no hemos incluido en este libro ninguna aseveración que no esté sustentada por nuestras propias experiencias o que no haya sido corroborada después de escuchar a los entrevistados.

Los nombres reales de quienes ofrecieron sus testimonios para este libro, estamos dispuestos a compartirlos solamente con aquellas organizaciones internacionales prestigiosas que estén relacionadas con temas de salud y derechos humanos, que ofrezcan garantía no solo de objetividad sino de responsabilidad y discreción a la hora de proteger a las fuentes y sus familiares ante cualquier probable represalia. Para proteger la identidad de nuestras fuentes primarias en un libro público al que tendrán acceso las fuerzas de la represión en Cuba, les hemos asignado seudónimos.

Otro de los objetivos que nos hemos trazado es el de exponer al mundo la manera en que el gobierno cubano vincula la práctica de la medicina con la política. Por décadas, el gobierno se ha dedicado a confundir a la opinión pública internacional haciéndole creer que no existe vínculo alguno entre la ciencia, la cultura y la educación con la política. Es común que cuando un representante de alguna de estas ramas sale al exterior, casi ninguno presume que en realidad está representando al gobierno de la Isla, que de alguna manera es un vocero oficial del sistema, que cumple su cometido como propagandista y defensor del régimen.

Por último, queremos que se conozca la falsedad de la imagen de "potencia médica" que han querido vender y, para ello, nos hemos basado en hechos y testimonios ocurridos en la región central de la Isla durante un periodo específico. Hemos tomado como ejemplo la provincia de Villa Clara, ubicada en el centro del país porque nos da la alternativa de manejar cifras y comportamientos promedios, al no ser ni tan desarrollada como la capital (La Habana), ni tan caótica como las provincias orientales. Nos hubiera gustado disponer de estadísticas nacionales, pero la censura y el rígido control de la información nos lo impidieron. Los 45 pacientes fallecidos por negligencias gubernamentales que se mencionan aquí, permiten imaginar el gran universo de muertos durante las últimas cinco décadas a causa de la irresponsabilidad estatal, los que nunca han sido revelados. Precisamente en su memoria hemos hecho este trabajo.

Este libro es solo una pequeña muestra de nuestros desvelos por documentar una parte de la realidad cubana que permanece enterrada bajo muchas capas de mentiras, desmanes y abusos contra el pueblo cubano. Pretendemos ser eco de los humildes, de los que sufren maltratos sin saber, a veces, que son víctimas de abusos, porque en Cuba el insuficiente derecho a la salud, más que una regla es un mal que se ha convertido en endémico.

Para quienes aman y luchan por la verdad, y a través de los testimonios sinceros de quienes cuentan aquí sus vivencias (que son sus protagonistas), hemos hecho pública esta investigación. Esperamos que sirva de inspiración a otros médicos dentro de la Isla, que pudieran aportar sus experiencias en pos de revelar toda la verdad sobre la práctica de la medicina en Cuba para juntos, mostrarle al mundo su rostro verdadero.

Los autores

CAPÍTULO I
Una mirada al entorno histórico

Palabras clave
• Planes emergentes • educación revolucionaria
• asambleas de depuración • nueva escuela de Medicina • parametración
• síndrome de los sesenta • profesores honorables • último cartuchazo
• plan Fidel

El triunfo de la revolución cubana (1ro. de enero de 1959) produjo cambios radicales en todas las esferas sociales, y la medicina no estuvo ajena a ellos. La mayoría de los médicos cubanos se sumaron al éxodo masivo de profesionales que sacudió al país. Tres mil de los casi seis mil médicos existentes en ese momento, abandonaron el país, situación que más tarde influyó en los requisitos exigidos a quienes quisieran estudiar la carrera de Medicina.

Por regla general, al estudio de la Medicina como carrera universitaria, se incorporaban los estudiantes que concluían el bachillerato. Debido a que en la década de los sesenta aún no se conocían los controversiales preuniversitarios (véase el capítulo II), los bachilleres graduados contaban con una formación adecuada pero tenían un inconveniente: eran muy pocos para las necesidades de la nueva revolución; lo cual, sumado al éxodo cada vez mayor de profesionales de la salud, provocó el surgimiento de los primeros planes emergentes, vocablos con los que el pueblo cubano está muy familiarizado. Estos planes consistían en la creación de un contingente de aproximadamente mil estudiantes con un nivel de conocimiento de bachillerato, a los que se les daba una formación completa en tan solo un año.

El 6 de junio de 1961 se estableció la Ley de Nacionalización de la Enseñanza que suprimió la educación privada en el país y los métodos tradicionales de enseñanza fueron sustituidos por la "educación revolucionaria". Así, el 17 de octubre de 1962 tuvo lugar la apertura del Instituto de Ciencias Básicas y Preclínicas Victoria de Girón, perteneciente a la Facultad de Medicina de La Habana, con el objetivo de alcanzar una formación acelerada de médicos como respuesta al déficit de estos profesionales. Al finalizar el primer año de la nueva carrera de Medicina, más de mil quinientos médicos se incorporaban al sistema de salud del país.

El ambiente de inseguridad, cuestionamientos y delaciones reinante, matizaba el entorno universitario con muchos de aquellos estudiantes, embriagados por el espíritu revolucionario que se respiraba, con la salvedad de que esa embriaguez política muy pronto dejó de ser espontánea para convertirse en un mecanismo premeditado de agitación de masas en el que estaban obligados a participar.

Como reflejo de aquellos aires de revolución, milicias y desfiles, la incipiente Escuela de Medicina Victoria de Girón, que ya traía implícito en su nombre el embrión de la política y la guerra,[1] quedó militarizada al convertirse en la Unidad Militar No. 1087 o BON universitario, donde los estudiante recibían preparación militar como parte del programa de estudios (vestían uniforme de milicia que incluía pantalón verde olivo, camisa gris y boina), añadiendo a las asignaturas clásicas (Anatomía, Fisiología, Histología, etc.), lecciones y prácticas de infantería, marcha y tiro.

A finales de 1944, por iniciativa del Partido Socialista Popular se había creado la Juventud Socialista. Mucho después, tras la lle-

---

[1] Invasión de Bahía de Cochinos, también conocida como Invasión de Playa Girón o la Batalla de Girón, fue una operación militar en la que tropas de cubanos exiliados intentaron invadir Cuba en abril de 1961, con el propósito de tomar una cabeza de playa, formar un gobierno provisional y buscar el apoyo de la OEA y el reconocimiento de la comunidad internacional. La acción fracasó, fue aplastada por las Fuerzas Armadas Revolucionarias (FAR) de Cuba. Más de un centenar de invasores murieron y mil doscientos fueron capturados junto con un importante material bélico.

Teniendo en cuenta la amplia actividad opositora de aquellos momentos (llamada "contrarrevolucionaria" con la intención de desvirtuarla), a los estudiantes del sexo masculino se les exigía asumir la custodia de dicha unidad militar, para lo cual recibían un rifle con cuatro cargadores, realizaban guardias en dos turnos (de 8:00 p.m. a 1:00 a.m. y de 1:00 a.m. a 7:00 a.m.), complementando la vida militar con pases o permisos de descanso de treinta y seis horas cada dos semanas.

gada de la revolución cubana, Ernesto Che Guevara creó la Asociación de Jóvenes Rebeldes, con la cual se fusionaría la Juventud Socialista en 1960; más tarde, el 4 de abril de 1962, durante el primer congreso de la nueva organización unificada y por sugerencias de Fidel Castro, adoptaría el nombre de Unión de Jóvenes Comunistas (UJC), conocida popularmente como Juventud Comunista.

Estos jóvenes, siguiendo el consejo de los viejos lobos, quienes no daban la cara, crearon un método para depurar las filas de estudiantes universitarios, descontaminarlas de aquellos jóvenes que no mostraban una plena identificación con el proceso revolucionario, o que tuvieran problemas morales e, incluso, que mostraran un carácter o comportamiento que presumieran rezagos pequeñoburgueses, porque desterrar la moral pequeñoburguesa implicaba obedecer y despojarse de ideas propias.[2] Así surgieron las denominadas Asambleas de Educación Comunista, también conocidas como Asambleas de Depuración. Los responsables de llevarlas a cabo eran los militantes del selecto grupo de la Juventud Socialista.

En estas reuniones se respiraba un ambiente cargado de odio y pasiones desmedidas. El aula magna de la antigua escuela de Medicina, ubicada detrás del hospital Calixto García, se preparaba al estilo de las plazas de toros, engalanada con consignas revolucionarias, llena de micrófonos que ampliarían las acusaciones o la defensa (de los que pudieran defenderse), en espera de quienes vendrían a ser juzgados.

En los primeros años de la revolución, en cada uno de los cursos de Medicina, se expulsó un promedio de 20 estudiantes, la inmensa mayoría de los casos acusados de estar en desacuerdo con el proceso revolucionario o manifestarse en su contra, aunque, teniendo en cuenta las características comunes a todos los comunistas que en aquel tiempo presidían las Asambleas de Depuración y que

---

[2] José Julián Martí Pérez (La Habana, Cuba, 28 de enero de 1853 - Dos Ríos, Cuba, 19 de mayo de 1895) nuestro maestro y Apóstol, como se le conoce a este héroe de la República de Cuba, plasmó sus enseñanzas y su sabiduría en su transcendental obra La Edad de Oro, de la que extraemos este fragmento del capítulo *Un paseo por la tierra de los anamitas*: "(…) los hombres deben aprenderlo todo por sí mismos, y no creer sin preguntar, ni hablar sin entender, ni pensar como esclavos lo que les mandan pensar otros". Martí, J. *Obras Completas*, Editorial de Ciencias Sociales, tomo 18, p. 459.

hoy siguen actuando bajo las misma premisas, la Asamblea imponía sus criterios oficiales a cualquier precio, negando siempre que una idea podía tener otra interpretación, atacando con fuerza a quienes no pensaran igual que ellos, derrotándolos sin dar margen a la tolerancia.

Detrás de su máscara comunista se escondía un gran oportunista

Este modo de defender una idea (o de imponerla) pudiera tener diferentes connotaciones y una de ellas es utilizarla como *modus vivendi*. Los principales actores de este drama son Julián Prieto[3] y Omar Pérez.[4] Al igual que le ocurrió al compositor Antonio Salieri, quien envidió en su momento el talento del gran Amadeus Mozart, Julián lo hizo con Pérez, utilizó la asamblea para eliminar un escollo académico porque, siguiendo una regla que ya se hacía recurrente, detrás de su máscara de comunista se escondía un oportunista. Pérez era un magnífico alumno, un verdadero talento que, a pesar de estar en el cuarto año de la carrera, impartía clases en la nueva Escuela de Medicina de Marianao, mientras que consumía la mayor parte de sus horas juveniles en la autopreparación. Era, sin dudas, un gran estudiante.

Basándonos en testimonios de personas presentes en la asamblea (Raúl Jova Roque),[5] en una fría noche del mes de febrero del año 1964, se depuraría a uno de los elegidos por sus ideas claras, por no dejarse llevar por las consignas, por decir lo que pensaba y oficiar la verdad. Acudían a atar su cabeza a la picota, a depurar a otro más de los llamados "flojos" (en la Cuba revolucionaria identificaba a las persona sin convicciones políticas firmes). ¿Su crimen?, haber intervenido en defensa de un amigo en una asamblea

---

[3] Dr. Julián Prieto, especialiasta en Neuropediatría, reside actualmente fuera de Cuba.

[4] Dr. Omar Pérez, especialista en Neuropediatría reside actualmente fuera de Cuba.

[5] Dr. Raúl Jova Roque, médico del municipio de Caibarién, seudónimo. Pérez solo quiso defender durante su alegato de casi una hora a aquel compañero de curso, Manuel Orihuela (destino desconocido), cuyo pecado había sido el de disentir de las ideas revolucionarias de aquel entonces.

anterior, al cual defendió con vehemencia durante aproximadamente treinta minutos, recibiendo como recompensa amenazas, que esa noche se convertían en realidad. La sala, exaltada por los cabecillas de la mesa presidencial, estallaba por momentos.

El acusado comenzó su defensa pausadamente, narrando con honestidad sus actividades docentes y cada uno de sus esfuerzos en pos de la Medicina. Transcurrieron algunos minutos y el silencio se enseñoreó de todo el recinto, hábilmente logró imponerse con sus palabras y sellar la boca de la mayoría. De repente, alguien golpeó con el puño la mesa presidencial y exclamó: *¡Esta situación es insoportable, no se puede permitir!,* entonces lo recriminaron y culparon de "debilidad política", pidieron que la sanción ideológico-educativa correspondiente fuera su expulsión de la escuela de Medicina; la masa dentro de la sala comenzó a atronar. Sin embargo, los nuevos alumnos provenientes de la Escuela de Medicina de Marianao, apretados tras las ventanas de aquel lugar, mostraban sus rostros enlutados y con su silencio rendían homenaje a aquel que, aunque alumno, era su profesor y se había ganado su prestigio sobre la base de sacrificios y magníficos resultados. Se presentaron como pruebas contra él solo falsos testimonios. Naturalmente, los jueces eran dirigentes de la UJC y de la Federación Estudiantil Universitaria (FEU),[6] cuyo presidente era entonces Jaime Crombet, quien presidía aquella noche el jurado.

La sentencia era la que se esperaba, la misma que cada uno de los procesados recibió durante aquellos años: la expulsión. Pérez no fue el único expulsado esa noche, un tío suyo también salió de la sala sentenciado, además de un pastor de la iglesia protestante que, en busca de clamor y justicia, imploró al Señor y fue atacado verbalmente por Jaime Crombet, quien pidió su expulsión inmediata de la sala.

---

[6] FEU: fundada en 1922 por Julio Antonio Mella, líder revolucionario de la década de los años 20. Esta organización surgió por la influencia de las reformas universitarias desarrolladas en América Latina. Sigue las directrices del Partido Comunista de Cuba, aunque se fundó con el objetivo de defender los intereses del estudiantado cubano, agrupados bajo esta organización, objetivo que no se cumple. Todos los estudiantes de carreras universitarias están obligados a pertenecer a esta organización.

Era suficiente que existieran alusiones reales o supuestas, con intención o sin ella, para que, en esas multitudinarias asambleas, alguno de los ya referidos militantes esgrimiera tales acusaciones, las cuales eran apoyadas de manera inmediata por otros estudiantes (desde luego, preparados de antemano). La técnica era exaltar a las masas aterrorizadas por el espectáculo y el resultado siempre era el mismo: depurarlo.

Hace mucho más de un siglo, nuestro Apóstol, José Martí, señaló: "Todo hombre es la semilla de un déspota; no bien le cae en la mano un átomo de poder ya le parece que tiene al lado el águila de Júpiter y que es suya la totalidad de los orbes".[7] Unas palabras con plena vigencia en este ejemplo.

Julián Prieto fue uno de los déspotas de aquellos años, con su actitud tronchó el futuro de muchos jóvenes estudiantes, escudándose en su ideología para alcanzar objetivos que respondían más a ambiciones o gustos personales, que al verdadero matiz político que se le pretendió dar a las Asambleas de Depuración. Aquellos cabecillas y fiscales políticos usaban este poder como método de chantaje y, como muestra, veamos este testimonio (José Manuel Capote):[8] "En el año 1964, un estudiante cursaba el segundo año de la carrera de Medicina y mantenía relaciones amorosas con una joven estudiante muy codiciada por su belleza. Cierto día, se le acercó uno de aquellos personajes y le advirtió que debía romper su noviazgo porque él pretendía conquistar a la estudiante o, de lo contrario, en la próxima asamblea, testificaría en su contra y sería expulsado de la escuela. Mi amigo, ni corto ni perezoso, se guardó una pistola de su padre en la cintura y en una apartada zona de la universidad sostuvo un encuentro con aquel que era ya su enemigo; con un ademán le mostró la culata de la pistola y le dijo: *en la próxima asamblea me voy a sentar a tu lado y te prometo que ambos vamos a abandonar el recinto de diferentes formas: yo, por mis pies, y a ti te llevarán cargado.* La palidez y el sudor cubrieron el rostro del cabecilla, que en un lenguaje apretado, respondió: *Olvida eso, mi socio.*

---

[7] Martí, José: *Obras Completas*, Centro de Estudios Martianos, tomo 10, p. 189.

[8] Dr. José Manuel Capote (seudónimo), médico del municipio de Caibarién.

Desgraciadamente, no todos los hombres disponen de la misma cuota de valor ni todos reaccionan de igual manera ante la afrenta, tuvo que ocurrir un hecho lamentable para que se frenara en seco aquella tragedia humana, que subordinó el estudio de una ciencia a la política de un país, y no fue una acción preñada de valor sino una reacción, un escape, que por su trascendencia política hizo desaparecer las Asambleas de Depuración, como para refrendar la cita bíblica siguiente: *Los arcos de los fuertes fueron quebrados, y los débiles se ciñeron de poder.*[9]

Un joven estudiante de la facultad de Estomatología, perteneciente a la Escuela de Medicina, de nombre Víctor Alejandro Cuní, procedente de la provincia de Las Villas, quien vivía albergado en la residencia estudiantil ubicada en la avenida G y 25 en la ciudad de La Habana, fue expulsado de sus estudios en una de estas asambleas en el año 1980, donde de manera y sin pruebas (como era habitual), fue acusado de problemas de carácter y presunta homosexualidad. Fue tal el agravio que subió al piso 19 del mencionado recinto estudiantil y se arrojó al vacío, convirtiendo la populosa calle G en su tumba.

Este hecho tuvo tal repercusión en el marco estudiantil y social que asistió a los funerales el expresidente de la República, Dr. Osvaldo Dorticós Torrado (que desempeñó el cargo de presidente entre el 17 de julio de 1959 y el 2 de diciembre de 1976, precedido por Manuel Urrutia Lleó y reemplazado por Fidel Castro). Coincidentemente el Doctor Osvaldo Dorticós se suicidó en 1983.

También un hombre de ciencia como el Dr. Eduardo Balboa, tuvo que sufrir en carne propia las injusticias del régimen al convertirse en uno más de los procesados en las Asambleas de Depuración o de "moralidad comunista", como también se les conoció. Nos permitimos, bajo su consentimiento, reproducir aquí fragmentos de su testimonio, escritos en tercera persona, pero de su puño y letra:

---

[9] Santa Biblia, versión Casiodoro de Reina, (1569). Revisado por Cipriano de Valera, (1602), 1 Samuel, capítulo 2, versículo 4, p. 348.

Y en aquel año de 1980, se reunieron el actual presidente de la República de Cuba, Raúl Castro, un señor nombrado Luis Orlando Domínguez, Secretario General de la Unión de Jóvenes Comunistas, el Ministro de Salud Pública, Sergio del Valle y en un rimbombante discurso anunciaron al pueblo cubano: 'Que iban a limpiar las universidades de contrarrevolucionarios, de diversionistas, de inmorales, que no podían seguir permitiendo que a las Escuelas de Medicina les pusieran el sobrenombre de Jaulas de Oro, por la cantidad de homosexuales que tenían en sus filas y que había que depurar...' Palabras que sin pretensión de comparación alguna, tienen que haber sido terribles también para los primeros cristianos y para todos los perseguidos por la Santa Inquisición.

Y así fueron citados los alumnos del tercer año de Medicina del Instituto Superior de Ciencias Médicas de Villa Clara, que en aquel entonces todavía no tenía el nombre de ningún supuesto mártir, para el 1ro. de abril del 1980 a las 8:00 p.m. en el anfiteatro del Instituto.

A Eduardo y a muchos de los que fueron juzgados, los acompañaban y esperaban fuera los familiares, en su caso fue su madre, él era su único hijo. Destrozada, abatida, incrédula, pero esperanzada de que sucediera un milagro, como también lo esperaba el mismo Eduardo, comenzó aquella pantomima, aquella obra de teatro horrenda, con una representante del secretariado nacional universitario, varios de los principales dirigentes de la Unión de Jóvenes Comunistas y de la Federación de Estudiantes Universitarios, que increíblemente hoy viven en Miami, sobran los ejemplos.

Así se sucedió una larga lista de más de cien alumnos inculpados por delitos increíbles, no probados, ilegítimos, muchos de los estudiantes como ya sabían a lo que se iban a enfrentar, no asistieron, se quitaron de arriba ese trauma, que Eduardo mantiene vivo cada día de su vida. a la una y treinta de la madrugada, ya del día 2 de abril, fue que uno de sus amigos, así era como funcionaba el teatro, pidió la palabra y le expuso a la asamblea, que ahora se veían en la necesidad de analizar el caso 'más delicado' de aquella reunión, es decir, el de Eduardo Genaro, el único de los 'amanerados que se peinaba mucho y caminaba así', que estuvo presente en la asamblea...

A Eduardo lo sentenciaron, porque era una sentencia, no tiene otro nombre, a ser expulsado de la escuela por dos años hasta que en otras palabras, 'se reivindicara', se volviera hombre. Algo risible, irracional, dado el caso que hubiese sido probada su homosexualidad, ¿en qué parte de la constitución o del código penal cubano estaba que un gay no puede estudiar en la universidad?, y solo sería vuelto a admitir cuando entregara pruebas de una conducta intachable en un trabajo rudo, como hombre, como revolucionario y como trabajador.

Nunca ese muchacho pudo olvidar el número de la resolución funesta que le entregaban a todos como un simple cliché, era la 138, inciso C del Ministerio de Educación Superior, que entre muchas otras basuras, aseguraba que Eduardo y otros tantos cientos de inocentes 'habían cometido actos y hechos en público en contra de la moral socialista'... Ahí entraban lo mismo los supuestos homosexuales, los que tenían la suerte de tener contacto con familiares en el extranjero y algún día fueron con un jean o un t-shirt importado, los diversionistas, los cristianos, los que eran demasiado decentes, todos los que eran incompatibles y diferentes a los precocinados que esa tiranía moldeaba.

Eduardo y su madre continuaron apelando y llegaron a hacerlo hasta el Consejo de Estado, todavía tenían esperanzas en la justicia, todavía y a pesar del dolor que sentían en sus propias carnes, la luz que comenzaba a asomar a sus ojos no les dejaba ver lo sencillo que era entender el lógico proceder de todo gobierno tiránico, sin leyes que protejan a sus ciudadanos, es decir, sencillamente desconociendo e incumpliendo todo el tiempo los derechos humanos.

La agonía se prolongó más de tres años, el Ministro de Salud Pública envió una carta para que se personaran a recibir su respuesta el mismo día del cumpleaños de Eduardo y el documento que le entregaron reproducía calumnias peores y supuestamente corroboradas, cometidas por el muchacho. Ese 19 de septiembre, Eduardo y su madre se emborracharon en un bar de un hotel en La Haba-

na. Eduardo había adelgazado tanto y no podía apenas comer, tenía colon irritable, las personas de su pueblo que lo querían y lo conocían nunca lo discriminaron, pero nadie se atrevía a desobedecer al régimen y no le daban ningún trabajo por lo menos relacionado con algo de la medicina, hasta que fue aceptado en la fábrica de bicicletas de Caibarién, como ayudante de electricista y allí trabajó duramente más de dos años y llegó a ganarse el cariño y el respeto de aquellos rudos trabajadores.

Un muy querido amigo de Eduardo Balboa, el ya fallecido Reinaldo Marrero Rubio, padeció similares penalidades. Él no optó por tratar de librar la batalla contra molinos de viento, pero como tantos, tuvo el valor de usar aquel documento difamatorio, la famosa resolución ministerial 138, inciso C que servía como una visa para que te admitieran como escoria y te dejaran montar en un barco en condiciones de hacinamiento para poder llegar a tierras de libertad.

(Texto integro en Anexo No. 1)

Fueron años difíciles que marcaron la primera década de vida de la revolución cubana y se encargaron de dejar huellas imborrables en el recuerdo de los estudiantes de Medicina de aquellos tiempos. Pero no solo en sus recuerdos, también en sus manos, porque en esa misma época se incorporó al programa de estudio una nueva asignatura: ZAFRA, con el mismo carácter de obligatoriedad. Con una estadía de tres meses en un albergue cañero, en su mayoría ubicados en la periferia de la capital (ahora provincia Habana) o, en el peor de los casos, en la provincia de Pinar del Río (muy lejos del lugar de residencia), los estudiantes convivían y trabajaban como obreros agrícolas, desde el amanecer cortaban y limpiaban la caña con machetes, en el atardecer la trasladaban en hombros hasta las carretas que las llevarían al central azucarero. Si no participaban en esta actividad de evaluación agrícola (por llamarla de alguna forma), suspendían el curso.

A finales del año 1969 se graduaban algo más de 500 médicos, la gran mayoría provenientes de los bachilleratos como respuesta al plan emergente creado por iniciativa de Fidel Castro, motivo por el cual recibió el nombre de Plan Fidel, su objetivo de lograr la masividad en la matrícula y obtener un mayor número de graduados para suplir el déficit de médicos, demostró ser un fracaso en los próximos años. Apenas una tercera parte de aquellos estudiantes culminó la carrera.

Después de la primera década de vida de la revolución cubana (1959-1969) se cometieron atrocidades escudadas tras una coraza de cambios, no solo en el campo de la medicina con las llamadas Asambleas de Depuración, sino en otras esferas sociales como la cultura con el denominado proceso de parametración, es decir, la evaluación del cumplimiento de los parámetros establecidos por las resoluciones del Primer Congreso de la Educación y la Cultura.[10] En marzo de 1974 se aprobó la Ley No. 1267, que modificaba la Ley No. 1166 de Justicia Laboral, a la que se le agregó el inciso J relativo a:

> *El homosexualismo ostensible y otras conductas socialmente reprobables que proyectándose públicamente, incidan nocivamente en la educación, conciencia y sentimientos públicos y en especial de la niñez y la juventud, por parte de quienes desarrollen actividades culturales o artístico-recreativas desde centros de exhibición o difusión, el que provocó, entre otros desmanes, la separación de muchos, de sus puestos de trabajo de manera arbitraria.*[11]

A esta década corresponde también la creación de las Unidades Militares de Ayuda a la Producción (UMAP), que en realidad eran campos de trabajo forzado que se nutrían de personas con conductas calificadas como socialmente reprobables (entiéndase por ello a ciudadanos con antecedentes penales, homosexuales, religiosos, sobre todo los Testigos de Jehová, jóvenes que no querían asistir o huían del servicio militar o, simplemente, por no ser lo suficientemente revolucionarios). Estos campos de trabajo estuvieron vigentes desde 1965 hasta 1968, cuando fueron cerrados debido

---

[10] En una época temprana, los congresos de la educación y la cultura establecían y daban cumplimiento a conceptos como estos: *(...) Se sugirió el estudio para la aplicación de las medidas que permitan la ubicación en otros organismos de aquellos que, siendo homosexuales, no deben tener relación directa en la formación de nuestra juventud desde una actividad artística o cultural.*

[11] Leal, Rino: "Asumir la totalidad del teatro cubano", revista *Encuentro de la cultura cubana*, no. 415, 1997, pp. 195-197.

a la presión internacional.[12] Los cambios políticos, sociales y culturales representativos de la criatura que gestaba la mal llamada revolución cubana, hicieron que a esta década se le recuerde con el apelativo de "síndrome de los sesenta".

Del mismo modo que en el siglo XIX el Hospital General de Viena era la meca de la Medicina, el Hospital Calixto García de La Habana lo era para los cubanos del siglo XX. Sus enormes columnas soportaban el peso de los conocimientos médicos de la época. Allí convivían, trabajaban, estudiaban y enseñaban los padres de la medicina cubana, contaba con doctores como Pedro Castillo, paradigma de la ciencia médica, profesor e investigador incansable, clínico eminente con una larga experiencia llena de anécdotas envidiables para cualquier médico.

> Según nos contaba el doctor Raúl Jova Roque, cierto día el profesor recibió la visita de un renombrado profesor estadounidense que seguía de cerca sus trabajos sobre las enfermedades de la sangre, específicamente las anemias, y asombrado contempló que realizaba biopsias de la médula ósea (medulograma) con tal maestría que lo calificó de *un fuera de serie*, más tarde escuchó sus trabajos y perspectivas de estas enfermedades, le mostró una colección de cortes histológicos de la lengua de sus pacientes con su respectiva correlación clínica, demostrándole que era un verdadero investigador con magníficos resultados.

Varios meses después del triunfo de la revolución cubana, el Dr. Castillo fue citado a las oficinas del comandante Ernesto Che Guevara quien (como hicieron los soviéticos con el profesor Pavlov, creador de la teoría corticovisceral), trató de que permaneciera en el país, prometiéndole consideraciones especiales si apoyaba los cambios en su trabajo (se refería a que oficiara como colaborador, inculcándole a los futuros médicos las ideas políticas de aquel entonces). El doctor rechazó la propuesta y abandonó el país semanas después.

---

[12] Véase el documental *Conducta impropia*, de Néstor Almendro y Orlando Jiménez Leal, en el que se refleja esta etapa de una manera muy clara.

Esto se convirtió en una política de moda, denominada "último cartuchazo", mediante la cual le daban la última oportunidad a la persona de recapacitar ante la presión de un funcionario importante. El señor José Yanusa (ministro de Educación en aquel entonces) también la practicó con Omar Pérez, del que ya hablamos al inicio de este capítulo. Yanusa lo hizo comparecer a su oficina, donde lo recibió con las piernas cruzadas encima de la mesa, justificó las medidas que el gobierno había tomado en su contra y prácticamente le rogó que no abandonara el país. Pérez se negó y mantuvo su posición. Aunque nunca pudo graduarse, una vez expulsado de la Escuela de Medicina continuó vinculado al Hospital Calixto García, debido a que era quien informaba todos los registros electrocardiográficos realizados en este hospital en una época en la que no existían monitores ni computadoras. Por su gran talento, su presencia era tan vital para el proceso revolucionario que una vez que reiteró su deseo de abandonar el país, las autoridades tomaron nuevas medidas en su contra (ya la revolución ganaba en experiencia respecto a la manera de tratar a sus traidores), y el día de su partida, minutos antes de despegar el avión, las autoridades aduanales y miembros de Ministerio del Interior lo bajaron (práctica que luego se convirtió en costumbre, como macabro método de castigo), con la excusa de que hasta que no tuviera los veintiséis años de edad cumplidos no podía viajar solo en un avión. Eran nuevas disposiciones y había que cumplirlas.

El Dr. Carlos Manuel Ramírez Corría, profesor y padre de la neurocirugía cubana, le brindó asilo en su hogar a este científico cubano, quien se mantuvo laborando a su lado hasta su partida definitiva del país, poco tiempo después.

A pesar de los cambios que trajo consigo el triunfo de la revolución, en sus primeras dos décadas, la enseñanza de la Medicina en Cuba vivió años de esplendor en lo que a profesores se refiere; los estudiantes gozaron del privilegio de tener magníficos maestros, figuras eminentes como Antonio San Martín Marichal y Fidel Enrique Ilizástigui Dupuy, entre tantos, que elevaron la excelencia de la docencia.

Desde el punto de vista docente, la primera y la segunda décadas de vida de la revolución cubana se caracterizaron por cierta cordura y prudencia, pero sin perder el estilo que la identificaba, no existía la masividad ni se debatía la promoción. Aunque ya existían situaciones muy difíciles, sobrevivían comportamientos y exigencias éticas que se respetaban, los profesores tenían dignidad y se ganaban el respeto de colegas, alumnos y de la sociedad en general. Al inicio, el sistema de evaluación del estudiante estaba muy bien diseñado, la nota obtenida se basaba solamente en los puntos alcanzados en el examen, no se tenían en cuenta otros requisitos. En los murales de la Escuela de Medicina se colocaba una pizarra que reflejaba la evaluación establecida: de 0 a 49 puntos, se suspendía; de 50 a 69 puntos, pasabas; de 70 a 79 puntos, aprobabas; de 80 a 89 puntos, aprovechado, y de 90 a 100 puntos, sobresaliente. Si el estudiante recibía dos evaluaciones de suspenso, era dado de baja automáticamente, sanción que más tarde desapareció por razones políticas, ya que, para graduarse de médico, se tenían más en cuenta los motivos ideológicos en lugar de la constancia y la inteligencia.

Cuando hablamos de docencia, podemos mencionar a muchos profesores ilustres dedicados a ella, pero quisiéramos referirnos en especial al Dr. Ignacio Macías Castro, docente brillante que, al igual que Pérez, fue víctima del abuso de poder por parte del Dr. Neftalí Taquechel,[13] según el testimonio que nos revelara el Dr. Juan Ramos. Escudándose tras la fachada de la revolución, el Dr. Taquechel logró, a través de comentarios malignos y perjudiciales, que Macías Castro fuera trasladado del Hospital Nacional y comenzara un largo peregrinaje por varias zonas de la geografía nacional, lo que a la larga no fue tan malo para los estudiantes de Medicina de las regiones centrales del país, al disponer, en un momento determinado, de sus conocimientos y experiencias.

---

[13] Dr. Neftalí Taquechel Tusiente, Hospital Nacional, Ciudad de La Habana; actualmente es profesor auxiliar de Propedéutica Clínica y Medicina Interna y especialista de I grado en Medicina Interna.

En las provincias de la región central de Cuba existe por tradición una magnífica escuela de Medicina, a lo cual contribuyeron grandes y talentosos profesores, entre los que podemos incluir al mencionado Dr. Macías Castro durante su paso por esas tierras, además de los doctores Ángel M. Díaz Alba y Rolando Cuadrado, ya fallecidos, que dejaron una impronta imborrable en las mentes de sus estudiantes. También profesores que, a pesar de sus achaques y edad, continúan sosteniendo la bandera de la calidad en la enseñanza de la Medicina, como los doctores Rafael González Rubio, Antonio Artiles Artiles, Francisco Martínez Delgado (recientemente fallecido) y Ricardo García Puente, entre otros.

CAPÍTULO ll
Motivaciones para el estudio de la carrera de Medicina

Palabras clave

Masividad • vocación o mejora de la condición económica • carrera gratis • universidad para los revolucionarios • llamado de la revolución • ¿es realmente gratuita la carrera? • doble compromiso con la revolución: ofrecer atención médica y defenderla como un militar más • educación con un marcado carácter ideológico • el derecho de cada persona a vivir en cualquier país • el fraude escolar • el jineterismo académico • el alto precio de estudiar, graduarse y después ejercer • el privilegio de ser dirigente • no practicarás tu fe • creciente desinterés por el estudio de la Medicina

A lo largo de la historia, la aspiración de muchos jóvenes ha sido estudiar una carrera que les permitiera ser útiles y desarrollar habilidades en una profesión para la que se sentían más o menos destinados. En Cuba también ha sucedido así, aunque con particularidades que han ido variando a través de las diferentes décadas por las que ha transitado la revolución cubana. Sin embargo, en nuestro país todas las carreras comparten un rasgo común: están definidas por un marcado contenido político. Y esto se cumple fehacientemente en la carrera de Medicina, ya sea al promocionarla o al seleccionar a quienes la estudiarían, partiendo del hecho de que, para el gobierno cubano, el médico debe estar identificado con la ideología de la revolución, que es tanto o más importante que el nivel científico que se pueda alcanzar.

Haciéndose eco del famoso eslogan de *la universidad es para los revolucionarios,* muchos aspirantes al título de médico fueron separados de sus estudios por causas que nada tenían que ver con su rendimiento académico, sino porque formaban parte de un grupo heterogéneo que abarcaba desde creyentes de diferentes denominaciones religiosas y homosexuales, hasta personas que tenían familiares en el extranjero (sobre todo en los EE.UU).

Recordemos el acto de constitución del Primer Destacamento de Ciencias Médicas Carlos J. Finlay, el 12 de marzo de 1982, en el cual Fidel Castro expresó que para estudiar Medicina había que escoger a los mejores entre nuestros estudiantes, los de mejores cualidades intelectuales, académicas, políticas y morales:

> *Si decimos que la Universidad es para los revolucionarios, el estudiante de Medicina tiene que ser especialmente revolucionario, porque de otra forma la sociedad no puede poner en sus manos a sus hijos, sus familias, sus ciudadanos.*

En ese mismo discurso, Fidel planteó que, *se ofrecieron 14 271 estudiantes de 40 979 alumnos de preuniversitario, y esto para escoger algo menos de 4000, para escoger 3800, alrededor de 3800 estudiantes.*[14] Aquí también se explicó que se organizaron asambleas de aula en las que se hicieron evaluaciones políticas y morales, además del análisis del rendimiento académico. En total, seis mil estudiantes no fueron seleccionados por tener un promedio de menos de noventa puntos y los restantes por otras causas, casi siempre por mala formación político-moral. Del total inicial, quedaron 6640 para elegir de entre ellos, los que integrarían el destacamento. Finalmente, se recurrió a la calidad del expediente estudiantil y de esta forma se decidió la selección.

En realidad no fue así, no se ofrecieron muchos estudiantes, al contrario, cada estudiante que concluía el preuniversitario era presionado por los dirigentes de las diferentes organizaciones políticas, como la Federación de Estudiantes de la Enseñanza Media (FEEM), Unión de Jóvenes Comunistas (UJC), Partido Comunista de Cuba (PCC), durante las asambleas de aulas donde, mediante un profundo análisis en el que se les daba evidente prioridad a lo político y moral, se obligaba prácticamente a cada estudiante, con vocación o no, siempre y cuando tuviera un buen rendimiento académico, a optar por esta carrera, que era en aquellos momentos la

---

[14] Castro Ruz, Fidel: Discurso en el acto de constitución del primer destacamento de ciencias médicas Carlos J. Finlay, *Granma*, 12 de marzo de 1982.

prioridad y, como la educación en Cuba es gratuita, los estudiantes elegidos se sentían obligados a aceptar.[15]

Hubo diferentes motivaciones en cada uno de aquellos estudiantes elegidos. Para muchos (dentro de los que nos incluimos) no mediaron motivaciones políticas, el deseo de sacar ventajas u otros motivos secretos. En aquel entonces estábamos identificados con el proceso revolucionario, por lo tanto, aceptamos el llamado porque, como muchos otros, éramos el resultado de una muy bien diseñada instrucción comunista, matizada por una labor educacional encaminada a impregnarnos sentimientos de amor, respeto y temor al proceso político que se vivía.

Sin embargo otros pensaban diferente.

Un colega del preuniversitario tenía esa visión romántica del médico, creía en el discurso revolucionario de ayudar al prójimo desinteresadamente, dedicarse a la profesión más digna y humana. Recordaba que recién graduado no le importaba que la carrera estuviera en la categoría C (en escala, según orden alfabético),[16] tal vez porque se le daba prioridad a otras carreras (por ejemplo, Agronomía); se contentaba con que le pagaran 250 pesos al mes, para él eran más que suficientes para vestir decorosamente, alimentar a su familia y hasta divertirse en la playa de Varadero, que en aquellos tiempos era un destino turístico del que todavía podían disfrutar los cubanos.

Contaba que cuando un médico ordenaba algo, era una ley de estricto cumplimiento. Ni periodistas, ni cuadros del gobierno, ni militares, ni mucho menos, familiares o pacientes, podían transgredir su diagnóstico en lo que respecta a una conducta terapéutica o un diagnóstico; consideraba que se aseguraba un futuro fabuloso y lleno de esplendor si por su esfuerzo y su inteligencia, lograba hacerse médico.

---

[15] (...) *El problema aquí es otro: los cubanos no podemos elegir el enfoque filosófico, los métodos pedagógicos, la orientación religiosa, ni el tipo de escuela que queremos para nuestros hijos.* En "La educación: el derecho a elegir cómo ser", *Vitral*, Revista Socio-Cultural del Centro Católico de Formación Cívica y Religiosa de Pinar del Río, marzo-abril, año V, No. 24, 1998.

[16] Primero estaban las carreras agropecuarias (A), después otras carreras (B), y por último la de Medicina (C), que era la peor pagada.

Porque en aquel tiempo (década del 50 e incluso hasta mediado los 70), el galeno era muy bien reconocido en la sociedad y solo selectos grupos de profesionales percibían monetariamente lo mismo que él, en dependencia de los años dedicados a la profesión y su nivel científico (así se acercaba al denominado principio socialista de *a cada cual según su capacidad, a cada cual según su trabajo*). Este reconocimiento social era muy superior en el caso de los especialistas, quienes contaban con el respeto de los pacientes. Algunos especialistas tenían automóviles (soviéticos, como han de imaginar) que podían adquirir pagándolos a plazos, o recibían el permiso para comprarlos por su participación en misiones internacionalistas (ver el capítulo IV), otros por realizar consultas a domicilio y, otros, por antigüedad. También les otorgaban casas amuebladas y en buen estado, además, gozaban de un nivel jerárquico (cuanto más tiempo llevaban practicando su profesión, más prestigiosos eran), imprescindible para ejercer sus funciones, a ellos se subordinaban todos los de menor nivel, lo que se cumplía tanto para las consultas como para las guardias, vacaciones, turnos quirúrgicos y otras actividades médicas.

La educación en Cuba ha tenido un marcado carácter ideológico muy sui géneris y excluyente que llega hasta la actualidad. Desde los inicios de la revolución, lo ideológico se ha convertido en la piedra angular de la educación en todos los niveles y ha motivado el desvío de grandes recursos con el fin de reforzar esta política educacional a raíz de la llamada Batalla de ideas.[17]

Los cubanos nos podemos elegir nuestros métodos pedagógicos

Nuestra instrucción política comienza antes de la educación primaria, desde muy pequeños nos enseñan a identificar a los mártires y líderes de la revolución mucho antes de conocer los colores

---

[17] El concepto "Batalla de ideas" emergió a partir del año 2000 como resultado de las movilizaciones por la devolución del niño Elián González. Se podría resumir en diversos programas de alcance social, cultural, educativo, etc., creados por el gobierno cubano para que, según ellos, la población tuviera más oportunidades y mayor acceso a la cultura y la salud, entre otros campos. En realidad, es el mismo perro, con diferente collar.

y los números o las vocales, y a recitar consignas revolucionarias con cuatro o cinco años de edad, preconizando ya que *seremos como el Che* o ejercitándonos (según nuestros maestros, para el correcto desarrollo psicomotor), simulando lanzar granadas. Durante la enseñanza primaria y secundaria (enseñanza media), todos los programas educacionales están dirigidos a exaltar la revolución, a contar una historia de la revolución cubana elaborada cuidadosamente, en la que los máximos líderes (Camilo, Che, Fidel, Raúl...) son considerados héroes. Por lo tanto, el resultado de los primeros años de estudio (incluyendo la enseñanza primaria y media) es producir un estudiante identificado con la revolución, de lo que excluye completamente las críticas de cualquier tipo (recordemos el famoso caso del niño Elián González[18] y la rabia instruida con que hablaron los niños pioneros en la tribuna durante los actos políticos organizados en Cuba mientas duró todo el proceso del niño balsero).

No nos oponemos a que los estudiantes de los diferentes niveles de enseñanza tengan acceso a equipos audiovisuales como televisores, videos, computadoras, siempre y cuando el objetivo sea meramente educacional. Indudablemente, las posibilidades de adquirir el mensaje que brinda el maestro son mayores con la incorporación de los medios audiovisuales, pero nos parece terrible cuando se utilizan para reforzar la vieja ideología de fijación involuntaria y mecánica del pensamiento marxista-fidelista en los estudiantes. Por eso resulta cuestionable cuando dirigentes como Ricardo Alarcón (presidente de la Asamblea Nacional del Poder Popular) critica el sistema educacional y cultural de los EE.UU., acusándolo de usar estrategias seductoras y manipuladoras para su propaganda a través de: *el uso de la televisión, el cine y las imáge-*

---

[18] Elián González (nacido el 6 de diciembre de 1993) salió de Cuba en un pequeño bote rumbo a Estados Unidos en noviembre de 1999. Lo acompañaba su madre quien intentaba emigrar junto a su hijo a ese país. Unos pescadores descubrieron al niño flotando y rodeado de delfines que al parecer alejaron los tiburones. Tras ser reclamado por el padre biológico –quien se había divorciado de su madre desde hacía años– el niño fue devuelto a Cuba por el poder judicial estadounidense. El fallo desató grandes pasiones y protestas en la comunidad cubana donde miles de personas han arribado por esa azarosa vía a Estados Unidos o ha perdido familiares que intentaban lograrlo de forma similar.

nes como instrumentos de dominación de las mentes de los recep-tores.[19]

Los cubanos no podemos elegir los métodos pedagógicos ni el tipo de escuela que queremos para nosotros ni para nuestros hijos. De acuerdo con lo señalado por el papa Juan Pablo II en Santa Clara durante su visita a Cuba en 1998, los padres, al haber dado la vida a sus hijos, tienen la obligación de educarlos, por consiguiente, deben ser reconocidos como sus primeros y principales educadores.[20] Para nosotros, no existen más opciones que las que establece el Estado respecto a la educación de nuestros hijos y debemos resignarnos a que reciban una educación ideológica y manipuladora, no pedagógica, liberadora y respetuosa de la dignidad y los derechos de las personas, porque la educación paternalista que se practica en Cuba, garantiza que todos los alumnos-hijos reciban del Estado-padre una instrucción fija y segura cuya finalidad es que repitan y sean continuadores de las ideas y actitudes de los mayores. De esta manera, no educa a personas sino a máquinas repetidoras, para asegurarse una fidelidad ciega o ingenua, desechando el derecho de los padres de escoger para sus hijos el estilo pedagógico, los contenidos éticos y civiles y las creencias que crean convenientes.[21] Y esta situación comienza con los padres, porque la vida estudiantil de los cubanos ha estado impregnada de un servilismo total a la revolución como resultado de esa política educacional instaurada.

---

[19] "Promover las verdades, denunciar las mentiras", *Granma*, 11 febrero de 2002, p. 1.

[20] *Los padres, al haber dado la vida a los hijos, tienen la gravísima obligación de educar a la prole y, por consiguiente, deben ser reconocidos como los primeros y principales educadores de sus hijos. Esta tarea de la educación es tan importante que, cuando falta, difícilmente puede suplirse (...). Se trata de un deber y de un derecho insustituible e inalienable. Es verdad que, en el ámbito de la educación, a la autoridad pública le competen derechos y deberes, ya que tiene que servir al bien común; sin embargo, esto no le da derecho a sustituir a los padres. Por tanto, los padres, sin esperar que otros les reemplacen en lo que es su responsabilidad, deben poder escoger para sus hijos el estilo pedagógico, los contenidos éticos y cívicos y la inspiración religiosa en los que desean formarlos integralmente.* Juan Pablo II, Homilía en Santa Clara, 25 de enero de 1998.

[21] Véase la Homilía de Juan Pablo II en Santa Clara, que para los autores es lo mejor que se ha escrito sobre la educación en Cuba, 25 de enero de 1998.

Para muchas personas que no han vivido dentro de un régimen tan politizado como el cubano, quizás les resulte arduo entender algunas de nuestras actitudes. En nuestra época estudiantil, esto se reflejaba en lo que los profesores (como representantes de la revolución) esperaban de nosotros. Nos inculcaban cómo debía ser un buen estudiante bajo los estándares de la revolución y como cualquier joven queríamos encajar en ello, cumplir con lo que creíamos que era el ideal de un buen revolucionario, lo que dejaba muy poco margen para controversias y opiniones personales. Si a eso se suma la desventaja de que no existían modelos con cuáles comparar esa realidad es comprensible la conducta de los estudiantes de medicina.

Como también comenzaba a desaparecer (ya desde 1959) el derecho de cada persona a elegir el país donde vivir. Y nos referimos a los famosos "actos de repudio". Este ocurrió en el parque La Güira, en la ciudad de Caibarién, donde estaban ubicadas las oficinas de inmigración y extranjería, a las que necesariamente tenían que asistir las personas que querían marcharse del país. Allí les daban la autorización, un documento en el que ponían las causas por las que deseaban abandonar el país (por supuesto, razones como ser homosexual, contrarrevolucionario o tener delitos de peso mayor, de otra manera no se entendía que quisieras irte de ese país). Aún puedo recordar el rostro de aquellas personas a las que perseguían por calles angostas, mientras huían aterrorizados de las ofensas de una turba agresora que los condenaban solo por haber solicitado la salida del país y los calificaban como traidores.

Los profesores (miembros de la UJC o del PCC) eran los guías agitadores, ellos decidían a quiénes perseguir o maltratar físicamente; los estudiantes que más se destacaran en estos menesteres eran elogiados en la sección matutina, a tales extremos llegó el ambiente de delación colectiva que uno de los estudiantes participantes en esta anécdota, nombrado Jesús Carrillo, fue tratado como un héroe cuando puso al descubierto las intenciones de sus padres y hermanos de emigrar. Fue el año 1980 en el que se llevaron a un nivel inaudito estos actos de violencia, odio, repudio e intolerancia entre cubanos, hechos ocurridos durante los meses de abril a septiembre, en los que aproximadamente 125 000 cubanos huyeron de

Cuba y se lanzaron al mar para alcanzar las costas de la Florida, un año que los cubanos debemos recordar con tristeza y vergüenza.[22]

El Instituto Superior de Ciencias Médicas de Villa Clara

El Instituto Superior de Ciencias Médicas de Villa Clara (ISCMVCL) era parte del primer destacamento de ciencias médicas Carlos J. Finlay y, a diferencia de años anteriores en que los grupos de estudiantes eran pequeños, se caracterizó por la masividad. Formaron un total de dieciséis grupos (con anterioridad eran de ocho a nueve grupos), cada uno con cuarenta estudiantes aproximadamente (antes incluían veinte por grupo), por lo que hubo que reajustar los programas de estudio. Para la confección de este nuevo programa, se creó una comisión de trabajo integrada por ilustres profesores de Medicina que pertenecían a la capital del país y que habían sido enviados a prestigiosas universidades fuera del país con el objetivo de observar sus logros y dificultades y adecuar los resultados a nuestro medio, para así crear el mejor de los programas de estudio concebido hasta ese momento, algo que fue otra de las ideas de Fidel.

No conocemos con exactitud el costo del proyecto, pero estamos convencidos de que fueron varios miles de dólares; con esto no queremos decir que las personas encargadas se dedicaran a disfrutar del dinero, sino que el resultado de su trabajo no estuvo en correspondencia con lo que se esperaba. Aunque no sabemos sus particularidades, sí fuimos testigos de sus innumerables fisuras. Nuestras escuelas de Medicina se caracterizan por una excesiva

---

[22] El éxodo del Mariel fue una huida masiva de cubanos, quienes partieron del puerto del Mariel hacia los Estados Unidos entre el 15 de abril y el 31 de octubre de 1980. El 5 de abril de 1980, diez mil ciudadanos cubanos irrumpieron en la Embajada de Perú en La Habana solicitando asilo diplomático. El gobierno cubano permitió que lo hicieran con la condición de que los familiares los recogieran en el puerto de Mariel con destino a la Florida, Estados Unidos. Esa estampida, alentada por el gobierno cubano, fue una válvula de escape ideal debido al grado de frustración, escasez de todo tipo y violencia contenida que mostraba la sociedad cubana en aquel momento. Para la plana mayor de la dirigencia, fue la mejor manera de liberarse de muchos grupos sociales que le molestaban, desde homosexuales, presidiarios y enfermos mentales, hasta desafectos declarados.

matrícula, ya que el objetivo del programa era obtener un número elevado de graduados con el fin, a largo plazo, de exportarlos en misiones internacionales contratadas por el gobierno, utilizarlos como agentes de influencia y comenzar un nuevo capítulo de esa innovadora trata de esclavos del siglo XX. Estas intenciones quedaron demostradas en el acto de graduación de este contingente médico realizado seis años más tarde, en el cual Fidel Castro adelantaba que todavía era una incógnita los médicos que le pedirían a Cuba para la colaboración internacional y puso como ejemplo que un solo país pidió 500 médicos y que podían llegar hasta 10 000. Aunque no fue recogido por la prensa escrita, también mencionó las ganancias económicas que se pudieran obtener con cada uno de ellos.[23]

Para alcanzar estos resultados, se diseñó un programa de estudio cuyo fin era obtener el mejor médico del mundo, aunque el resultado no fue el esperado. El programa estaba dividido en dos fases o áreas: básica y clínica.[24] Desde luego, antes de iniciar los estudios de Medicina era imprescindible el conocimiento de ciencias básicas como Química, Física, Biología y Matemática, que aplicadas a la Medicina forman parte de la Bioquímica y la Fisiología. Nuestros profesores comprendieron desde el principio que la preparación básica era pésima, sobre todo la de muchos estudiantes que provenían de las llamadas escuelas vocacionales en las que, aparentemente, se preparaban a los mejores. Las escuelas vocacionales debieron haber sido un logro de la revolución, sin embargo, al final desaparecieron porque los estudiantes egresaban con mala preparación y, cuando llegaban a la universidad, los profesores

---

[23] Castro Ruz, Fidel: Discurso en el acto de graduación del primer destacamento de ciencias médicas Carlos J. Finlay, sábado 3 septiembre de 1988.

[24] La carrera de Medicina se inicia con un ciclo de asignaturas básicas biomédicas que, aunque con ligeras diferencias contextuales, incluye la enseñanza de la Anatomía, la Histología, la Bioquímica, la Embriología, la Fisiología, la Genética y la Anatomía Patológica, entre otras. Por su parte, las ciencias clínicas incluyen casi todas las especialidades con presencia activa en los hospitales y otros centros de salud. La carrera de Medicina se desarrolla hoy en seis años, con un ciclo de ciencias básicas de tres semestres, un ciclo básico de la clínica de dos semestres y un ciclo clínico a partir del sexto semestre que culmina con el internado.

descubrían con asombro que ni siquiera contaban con los conocimientos básicos en muchas de las asignaturas.

Comenzar los estudios universitarios es algo complejo, hay que insertarse en un nuevo grupo, aunque se comparta la misma edad, se tienen intereses, aptitudes, gustos y motivaciones diferentes. La mayoría procedía de los Institutos Preuniversitarios Urbanos, el resto provenía de los Institutos Preuniversitarios en el Campo (IPUEC)[25] o de los centros vocacionales, que en nuestra región estaban representados por la Escuela Vocacional Ernesto Che Guevara. Los estudiantes que provenían de este centro vocacional mostraban promedios académicos elevados, a diferencia de los estudiantes que venían de los preuniversitarios urbanos (es decir, ordinarios).

Pero la diferencia la marcaba también el promedio. Difícilmente se veían que estos fueran elevados en los preuniversitarios urbanos, aunque el tiempo se encargó de demostrar que muchos de aquellos estudiantes habían obtenido su rendimiento académico de manera fraudulenta y no contaban con la preparación que pretendían. Porque el fraude siempre existió, es tan antiguo como los papiros y los ábacos, pero tuvo una escalada impresionante en las Escuelas Secundarias Básicas en el Campo (ESBEC), otro sueño revolucionario para hacer cumplir los postulados del maestro José Martí, de vincular al estudio con el trabajo:

> *Puesto que a vivir viene el hombre, la educación ha de prepararlo para la vida. En la escuela se ha de aprender el manejo de las fuerzas con que en la vida se ha de luchar. Escuelas no debería decirse, sino talleres. Y la pluma debía manejarse por la tarde en las escuelas, pero por la mañana, la azada.*[26]

Este pensamiento martiano, con su fuerte carga metafórica, fue tergiversado y, precisamente en estas escuelas en el campo fue donde establecieron por primera vez dentro del mundo educacional, la llamada emulación socialista, que instituía como primer elemento de evaluación de los alumnos, la promoción. Para cumplir

---

[25] Los estudios preuniversitarios se realizan en los Institutos Preuniversitarios Urbanos (IPU) y en los Institutos Preuniversitarios en el Campo (IPUEC).

[26] Martí, Pérez José: *Obras Completas*, tomo 13, p. 53.

con la promoción, cualquier estudiante, aunque tuviera problemas de conducta, bajo nivel de aprendizaje e, incluso, retraso mental o déficit en la atención y el aprendizaje, podía obtener 100 puntos en los exámenes igual que el buen estudiante.

Para los profesores era más difícil, pues el director de la escuela (quien a su vez era presionado por los dirigentes del gobierno municipal, provincial o de la nación) les exigía obtener una buena promoción de sus alumnos. De esta forma, los profesores tenían que utilizar diferentes tácticas para asegurarse de que todos aprobaran; por ejemplo, se dieron casos en que copiaban las respuestas del examen en el pizarrón mientras otro profesor vigilaba desde la puerta del aula o, unos días antes de la evaluación, el profesor anunciaba que ya el examen estaba guardado en el salón privado (oficina de muy fácil acceso donde planificaban sus clases). Los alumnos más audaces entraban por la noche a la oficina, copiaban el examen y luego lo divulgaban al resto quienes copiaba la respuesta; hasta los dirigentes de la Federación de Estudiantes de la Enseñanza Media (FEEM) y de la UJC eran cómplices en aquellos hechos.

A nivel preuniversitario también existía una forma más sutil de asegurar el aprobado: el repaso. El día antes del examen, el profesor repasaba los temas que sabía que serían evaluados, es decir, prácticamente daba las respuestas. Muchos profesores, al menos los más dignos, sufrían por ello. Vivían bajo tal presión que, a veces, eran capaces de arreglar las respuestas y borrar los errores con tal de cambiar la calificación y obtener la buena promoción. Las notas finales siempre oscilaban entre los 90 y 100 puntos.

Ya en la universidad, el fraude se modificó y adoptó una variante un poco más astuta e indignante, pues nació el jineterismo académico (jinetera es el apelativo con que se denominan popularmente a las prostitutas en Cuba). Así, el profesor se encargaba de presionar al máximo (una especie de chantaje) a la alumna más hermosa o al alumno extranjero o con mejor nivel económico; se les podía ver junto al profesor el día antes del examen, la muchacha no tenía más alternativa que ser amable, aceptarle sus galanterías y salir con él. El estudiante extranjero se mostraba muy solícito, le regalaba una botella de buen ron o un pantalón de mezclilla (un artículo de lujo a los que pocos tenían acceso en aquel tiempo), o cualquier otro regalito, a cambio de obtener las respuestas del examen.

La política de promoción, a niveles universitarios, exigía graduar médicos a toda costa. El sistema de evaluación reflejaba esa ansiedad por aprobar a todos a como diera lugar y el que, pese a todos estos trucos para alcanzar la buena promoción, suspendía un examen, era convocado a un examen oral en el que se evaluaban los mismos temas, casi las mismas preguntas y, si volvía a suspender, lo citaban a un examen extraordinario que, de no ser aprobado, se trasladaba a una revalorización o reevaluación. Finalmente, si también suspendía en esta instancia, entonces tenía que ir a los llamados exámenes mundiales, es decir, la evaluación final, la cual se hacía en el periodo vacacional, principalmente en agosto, y en la que todos eran aprobados. No recordamos un solo caso de abandono de los estudios por problemas académicos, la permanencia del estudiante de Medicina estaba determinada por su grado de identificación con la revolución, no por su rendimiento académico.

Por eso, no deja de asombrarnos que en el discurso de clausura del X Congreso de la FEEM (enero de 2002) el propio Fidel Castro haya reconocido de manera pública que:

Hay que analizar los temas medulares relacionados con la formación del estudiante, los factores que intervienen en la realización del fraude académico y la negativa manifestación del alumno finalista.

En ese discurso, también tocó temas como la deserción escolar en la enseñanza media e instó a ponerle fin al fraude académico, señalando: *Mientras haya fraude, hay que hablar de él y la responsabilidad que tiene la sociedad.*[27]

Tuvo que admitir de manera pública que en nuestra sociedad existe el fraude como expresión del poco interés por el estudio y la superación profesional, al igual que la deserción escolar, la cual, entre otras causas, es provocada por esa misma falta de perspectivas futuras, por la inutilidad del estudio, la ausencia de relación real entre una oferta que no tiene demanda, porque es de dominio público que los trabajos mejor remunerados no son los que exigen

---

[27] Castro Ruz, Fidel: Discurso en el acto de clausura del X Congreso de la FEEM, Granma, 29 de enero de 2002.

estudios universitarios, sino los que están relacionados con las áreas de servicio al turismo, por eso se da el caso de que una persona que trabaja en un almacén colocando cajas tenga un nivel económico dos y hasta tres veces superior a un médico, por poner un ejemplo.

Venturas y desventuras de la vida cotidiana en una facultad de Medicina

Como miembros del primer destacamento de ciencias médicas Carlos J. Finlay, éramos bien diferenciados del resto de los estudiantes porque fuimos el resultado (como destacamento) de un proyecto de Fidel Castro que tenía como antecedente un estudio preliminar en el municipio habanero de Lawton, donde se implementó por primera vez el plan de atención médica primaria por barrios, lo que se llamó el Médico de la Familia. Con un universo de trabajo compuesto por ciento veinte familias para un total de doce consultorios médicos, las expectativas propuestas se cumplieron, así como la posibilidad real de que, una vez graduados un gran número de médicos (aunque solo llegaran a ser médicos de la familia), estos potencialmente podían traducirse en elevadas ganancias por la posibilidad de exportarlos a través de las llamadas misiones internacionalistas. Tampoco olvidamos su alto contenido propagandístico, exponerlos como trofeos de la revolución y uno de sus más importantes logros.

Con este objetivo presente, fue necesario, desde el mismo inicio de la constitución del destacamento de ciencias médicas, hacer una constante labor político-ideológica con los jóvenes para obtener un prototipo de médico que respondiera incondicionalmente a la doctrina. De esa manera, pusieron en marcha un costoso programa que incluía el ya usual apadrinamiento a los estudiantes por la Unión de Jóvenes Comunistas, el Partido Comunista de Cuba y las llamadas organizaciones de masas, como la Federación Estudiantil Universitaria y la Federación de Mujeres Cubanas (conocidas por sus siglas UJC, PCC, FEU y FMC, respectivamente).

Como respuesta a la iniciativa del máximo líder de la revolución, en cada provincia comenzaron a construirse facultades de Medicina, se creó una por cada territorio, hasta tener, en la actualidad, un total de 21. Muchas veces, dichas facultades empezaban a funcionar sin terminar de ser construidas (algunas todavía siguen sin terminarse), lo cual, junto a la falta de mantenimiento, dan una apariencia de edificaciones de posguerra. El Instituto Superior de Ciencias Médicas de Villa Clara (ISCMVC) fue uno de los primeros en recibir a los estudiantes de Medicina y Estomatología.

En los primeros años de la década de los setenta se iniciaron los primeros cursos. En ese tiempo se contaba con un pequeño edificio denominado docente, ya que allí se encontraban las aulas, los laboratorios y un pequeño anfiteatro, además de cuatro edificios para el alojamiento de los estudiantes y de algunos profesores. Las conferencias se daban bajo el ruido atronador de los martillos y golpes de los obreros de la construcción. La residencia estudiantil, que estaba separada del resto de los edificios por una arteria de la carretera central de Cuba (muchos estudiantes fueron atropellados por los automóviles), era conocida como La Siberia debido a su lejanía, insuficiente alumbrado eléctrico, escasez o ausencia de agua, así como por el frío intenso que azotaba allí en invierno.

El área de beca (así era como se le decía a la residencia estudiantil), tenía un régimen disciplinario encaminado a obtener un modelo de médico revolucionario que reflejaba la influencia del modelo soviético aplicado a nuestra sociedad. Se creó un grupo (entrenado previamente), compuesto por mujeres destacadas de la Federación de Mujeres Cubanas (llamadas tías), las cuales se convirtieron en nuestras vigilantes y que por la mañana bien temprano, nos apuraban para que partiéramos hacia el docente, luego confeccionaban un informe basándose en sus tablillas o libretas de apuntes, que siempre llevaban consigo, sobre quiénes no arreglaban bien sus camas o tenían sus pertenencias fuera de lugar o el espacio asignado desordenado; de reiterarse esas irregularidades, tenían la potestad de enviarte a un consejo disciplinario en el que los dirigentes de la beca podían expulsarte, en dependencia de la magnitud de la indisciplina. Ellas lo controlaban todo, informaban sobre quiénes estudiaban o no y cuántas horas. A las diez de la noche hacían una ronda nocturna, apagaban las luces y se aseguraban de que todos estuvieran acostados, por las mañanas entregaban su informe. Pero su trabajo no terminaba ahí. A las ocho de la noche daban charlas educativas con el objetivo de elevar nuestro nivel político-ideológico, a pesar de que esas mujeres no gozaban precisamente de un elevado nivel cultural. Por suerte, nuestras carceleras fueron desapareciendo poco a poco.

Existía un edificio que funcionaba de manera distinta, estaba ocupado por estudiantes extranjeros, conformados en su mayoría por ciudadanos árabes (palestinos, libaneses, sirios), algunos africanos y unos pocos latinoamericanos (colombianos, chilenos, mexicanos, uruguayos, peruanos y ecuatorianos). Los que provenían de países latinoamericanos habían recibido sus becas de las organizaciones políticas de izquierda de sus respectivos países, sobre todo del Partido Comunista. Muchos de ellos tuvieron que marcharse de su país porque ya estaban fichados por sus respectivos gobiernos por estar afiliados a organizaciones comunistas o de izquierda, guerrillas y narcoguerillas, como la FARC colombiana. Por lo general eran los peores preparados, aunque los profesores mostraban mucha paciencia con ellos; su presencia en la Escuela de Medicina siempre provocó comentarios debido a que, en ese entonces, creíamos que su formación era totalmente gratuita[28] y, para muchos, esto se debía a que quizás los formaban para que fueran los médicos de las posibles guerrillas en sus respectivos países, o tan solo profesionales que defenderían a capa y espada la revolución cubana, o para satisfacer pedidos de personas que ayudaban a la revolución en el extranjero. Nunca conocimos las verdaderas razones.

El edificio donde estos residían era otra cosa, en sus bajos existía un local donde depositaban la ropa sucia, la que luego recogían limpia y planchada. Les entregaban seis sábanas, tres fundas de almohadas, tres toallas, una frazada, jabón de baño y de lavar, desodorante, perfume (todo eso sin pagarlo), a pesar de recibir un estipendio mensual de 120 pesos (seis veces mayor al de los estu-

---

[28] Después descubrimos que el rumor de que los extranjeros estudiaban gratis era totalmente infundado. Tal vez desde el punto de vista monetario como tal, no se le cobraba un centavo (en algunos casos, sí). Pero no era gratis, el gobierno o la guerrilla que enviaba a esos estudiantes tenía que pagarle al gobierno cubano de alguna manera, ya sea a través de influencias políticas o de intercambios comerciales donde se favorecía a Cuba o mediante venta de armamento u otra clase de cosas que el gobierno necesitara. El gobierno cubano nunca ha hecho nada gratis.

diantes comunes), además de que muchos de ellos recibían una remesa familiar en dólares (en esos momentos estaba penalizada la circulación de esa moneda en Cuba, solo ellos podían llevarlas en sus bolsillos). Fue en ese edificio donde por primera vez contemplamos el embrión de lo que más tarde sería la jinetera (prostituta) actual, y conocimos la realidad de la discriminación social por el origen o lugar de nacimiento en nuestra propia carne.

Por ejemplo, nos quedamos boquiabiertos cuando descubrimos que una estudiante de nuestro grupo (de procedencia campesina), subía escurridizamente las escaleras, para, según ella, ayudar a estudiar a los árabes. Debe tenerse en cuenta que para nosotros, los nacidos con la revolución, no era algo común ver que una persona se prostituyera, al menos en aquel tiempo. Luego vino la preparación del cotidiano té para ellos y de allí pasó a disfrutar de suculentas meriendas (cuyos productos ellos compraban con dólares en las llamadas diplotiendas, escasos comercios con mercancía importada y que vendía solo a personas autorizadas, diplomáticos y extranjeros). De esta manera, poco a poco formaron una cadena de amiguitas que ayudaban "gentilmente" a los extranjeros. Fue así como cayó la primera fruta madura, que inauguró las relaciones sexuales sin mediación de otro sentimiento que no fuera obtener por canje, cosméticos, perfumes baratos o cualquier producto que le ayudaban a vivir mejor.

El trato que se les daba a los estudiantes extranjeros era tan diametralmente opuesto al que recibía el resto, que en realidad era como entrar en otro plano de la realidad. Poco a poco, esta actitud discriminatoria se fue haciendo más y más pronunciada y esa diferencia tan marcada entre el trato dado a los ciudadanos cubanos frente a los extranjeros, nos hacía sentir como ciudadanos de segunda o tercera categoría.

Para nosotros, este momento fue el germen de lo que vendría más tarde. Para un extranjero es muy difícil entender esta situación, durante años los cubanos no tuvieron acceso al mundo exterior, las comunicaciones con otros países eran casi nulas si no pertenecías al gobierno, tampoco se recibía correspondencia del exterior, la televisión no se hacía eco de lo que pasaba en otros lugares (solo cuando era para denigrar al "imperialismo yanqui"), el turismo se limitaba a zonas restringidas. Tal vez fue por eso que los estudiantes extranjeros nos despertaban tanta curiosidad, como no teníamos acceso a su mundo, los veíamos de una manera diferente porque podían tener las cosas que para nosotros estaban prohibidas.

También existía una barrera que nos diferenciaba muy bien y que no era la vestimenta y las cosas materiales, era la distinción en el trato recibido tanto por parte de los profesores como de los dirigentes de la UJC y el PCC. Según nos cuenta Roberto Márquez,[29] debido a su experiencia como dirigente en las diferentes organizaciones (Unión de Pioneros de Cuba y la FEEM, que condicionó su militancia en la UJC, en la que desempeñó cargos directivos que oscilaron desde secretario del Comité de Base hasta miembro del Buró de la UJC en el municipio de Santo Domingo, en Villa Clara y, por último, como miembro del Buró Nacional de la UJC), cuando comenzó sus estudios en el instituto, le asignaron a él y a otros con trayectorias similares a la suya, la tarea de apadrinar a estos estudiantes extranjeros, mediante charlas sistemáticas sobre nuestro sistema político. Trataban de convencerlos en temas como la transparencia de nuestro sistema electoral, de hacerles entender que nuestro enemigo jurado (el "imperio yanqui") era el único responsable de nuestras carencias, porque por culpa del bloqueo o embargo[30] económico de EE.UU. sobre el país, sufríamos un estado

---

[29] Roberto Márquez, seudónimo. Dirigente de organizaciones estudiantiles.

[30] El embargo / "bloqueo" de Estados Unidos a Cuba fue la respuesta inicial de Washington a las masivas nacionalizaciones sin indemnización de empresas estadounidenses realizadas por el gobierno de Fidel Castro. Con el transcurso del tiempo las sanciones se fueron extendiendo a casi toda transacción con la isla y el conjunto de estas medidas fue considerado –según el momento– la principal herramienta económica dentro de una doctrina de reversión o contención de la así llamada "Revolución Cubana". Después de la crisis de los misiles nucleares (1962) la estrategia de reversión se detuvo y la de contención tuvo limitado efecto por el apoyo financiero, militar y económico extendido por la URSS al gobierno cubano. El presidente Ford llego a levantar las medidas para que las empresas pudieran comerciar con Cuba desde terceros países pero la intervención militar cubana en África torpedeó el desarrollo de ese proceso de distención (como le ocurrió también al presidente Carter con la intervención militar cubana en Etiopia cuando ya había comunicado su deseo de normalizar las relaciones bilaterales). En época de los presidentes Clinton y Bush se revirtieron muchas de sus cláusulas (excluyéndose, por ejemplo, la venta de medicinas y comida). El derribo de dos avionetas civiles causando la muerte de dos ciudadanos cubano americanos y otros dos residentes de esa

permanente de necesidades y calamidades. Pero la revolución y sus líderes habían hecho siempre lo correcto y, si no fuera por ese escollo, Cuba sería un país del primer mundo que ya exhibía índices similares a los de los países desarrollados en temas como la salud, la educación y el deporte.

Dos meses antes de comenzar los estudios en nuestro instituto, lo citaron a las oficinas del Buró Provincial de la UJC, donde su secretario general le planteó la necesidad de que asumiera la dirección general de la Federación Estudiantil Universitaria en dicha instalación estudiantil. Según su testimonio, enseguida se dio cuenta de las posibilidades y ventajas que de ello se derivarían y, sin pensarlo dos veces, aceptó.

Cuando apenas llevábamos un mes de estudio se realizaron las elecciones de la FEU. Desde el inicio del curso sostuvo reuniones y entrevistas casi diarias con los dirigentes de la FEU, la UJC y el PCC del instituto; al segundo día de clases ya le habían presentado al rector de la escuela, el Dr. Serafín Ruiz de Zárate, ya sus credenciales estaban sobre la mesa, tenía el apoyo de las diferentes organizaciones, por lo tanto, iba a ser el futuro presidente de la FEU, solo faltaba cumplir un procedimiento burocrático: las elecciones.

Las elecciones suponían una democracia: un miembro de la UJC elegía un representante por aula o brigada, seleccionando a un estudiante que fuera militante de dicha organización o respondiera a sus intereses, se sometía a votación y, en el 99% de los casos, era aprobado por la mayoría (esta es una muestra de cómo se practican las elecciones a nivel de gobierno: los ciudadanos escuchan las propuesta de algún militante y mecánicamente todos la aprueban).

---

nacionalidad facilitó el consenso entre el Congreso y la Casa Blanca para codificar en una Ley (Helms–Burton) lo que hasta entonces era solo un entramado de medidas aisladas decretadas por el poder ejecutivo que cualquier presidente podría haber anulado. Hoy solo el Congreso tiene esa potestad. Por mucho tiempo el embargo –llamado 'bloqueo" por el gobierno cubano– ha sido una eficaz arma de su arsenal de propaganda. No obstante hoy, pese a que la aplastante mayoría de los miembros de Naciones Unidas piden su derogación, ya en Cuba son pocas las personas que culpan a esa medida del progresivo deterioro económico y social en la isla prefiriendo culpabilizar al conservadurismo inmovilista del gobierno cubano por el estancamiento y las penurias que sufre la población.

En nuestra aula fue elegido el amigo Roberto. El día de las elecciones se repartieron las boletas electorales en todas las aulas, hospitales y laboratorios. Roberto esperó, junto al resto del secretariado, en un salón del rectorado; horas después se dio el resultado, todo salió como había sido previsto, aquellos individuos y nuestro amigo conformaban el secretariado y, como era de esperar, él era el nuevo presidente de la FEU.

La boleta electoral contenía doce nombres y se debían seleccionar seis, se marcaban dos cruces para el presidente y una para el resto del secretariado. A veces los estudiantes proponían a algún alumno simpático o que les cayera bien, en otras ocasiones escogían a un "hijo de papá" (como se le llamaba a los hijos de un dirigente del gobierno o de un alto oficial de las FAR o el MININT) o, sencillamente, elegían a uno para burlarse de él. Hubo un caso específico, era todo un personaje, tenía un físico que no podías tomar en serio, él mismo fue elegido jefe del colectivo pioneril en su escuela primaria y así, de cargo en cargo, fue escalonando puestos de dirección por diferentes escuelas hasta llegar a graduarse. Al principio todo funcionó como un juego estudiantil por las particularidades de su personalidad, y llegó a convertirse en todo un dirigente profesional.

En el laberíntico y burocrático sistema de gobierno cubano, tener un cargo directivo se asume como un privilegio, incluso en niveles tan básicos como el estudiantil. Un dirigente goza de prebendas a los que los demás no tienen acceso, no solo desde el punto de vista económico (comida, artículos básicos para el hogar, etc.) sino de influencias (la ley del socio o los amigos adecuados que te pueden solucionar los problemas). Para poder disfrutar de poder se requieren dos características esenciales: ser locuaz y servil; nunca deben apartarse de los principios de la ley de oro del dirigente: *ser un agente trasmisor de órdenes de los superiores, no tener criterio propio, por lo tanto, carecer de autonomía y, lo más importante, nunca contradecir a tu jefe inmediato, si a todo esto le añades un toque de adulonería, entonces lo conviertes en un dirigente vitalicio.*

Y Roberto tenía todas estas características. Navegó con buen viento como presidente de la FEU durante tres años; sus tareas más difíciles eran las incontables horas que pasaba en reuniones a diferentes niveles, reuniones sin sentido donde todos sabían que se decían mentiras, pero él lo entendía como el proceso necesario para formar el carácter del dirigente: primero debía creerse sus propias mentiras para luego tratar de convencer a los demás. No obstante, supo utilizar las reuniones como justificación de sus inasistencias a conferencias, seminarios y clases; los profesores le daban la asistencia y una buena evaluación (no querían buscarse problemas, porque Roberto tenía buenas relaciones en el decanato y podía poner en peligro sus puestos), es decir, utilizaba el cargo no solo para justificar inasistencias a clases sino que, además, obtenía alimentos gracias al jefe de cocina, con el cual mantenía muy buenas relaciones debido a que ambos eran miembros del consejo de dirección del centro, también obtenía equipos electrodomésticos como TV a color y radiograbadora, un producto tan escaso en aquel tiempo y que aunque parezca una cuestión irrisoria, en aquellos años era un verdadero lujo en Cuba.

Muchas veces, sus relaciones con los profesores (no pocos eran jóvenes militantes de la UJC pertenecientes a diferentes comités de base que él apadrinaba por su cargo de miembro del Buró Nacional de la UJC), le revelaron temas importantes para los exámenes y hasta manuscritos con las respuestas de los exámenes o, en menor escala, alguna que otra pregunta escrita. Roberto tenía muchas ocupaciones y carecía de tiempo para poder estudiar todos los temas; estas ayudas mejoraron ostensiblemente su escalafón final, sin embargo, otros alumnos fueron expulsados del instituto por inasistencias injustificadas a clases.

Las ventajas de ser presidente de la FEU en las universidades, que varían según las diferentes escalas en las que se encuentre, también abarcan la esfera del transporte, de modo que podía conseguir cualquier cantidad de litros de gasolina, además de planificar viajes para visitar a sus padres los fines de semana, es decir, lo llevaban el viernes y lo recogían el lunes temprano en su casa, a diferencia del resto de los estudiantes.

En una ocasión consiguió un viaje a la playa de Varadero, invitó a todos los alumnos del grupo al que pertenecía, con todos los gastos pagados, a manera de estímulo debido a que, casualmente, habían ganado la emulación estudiantil del instituto; se encargó personalmente de todas las gestiones, incluido el transporte. Luego de tres años de ser presidente de la FEU, nuestro amigo fue sustituido, sin ser separado de la alta cúpula, con la cual mantuvo siempre buenas relaciones, estaba muy comprometido y conocía muchos secretos, por eso nunca fue marginado. Roberto es solo una muestra, en realidad su posición frente al cargo era igual a la que sostenían y sostienen todos los dirigentes en Cuba, solo que mientras más alto está, más recibe.

La cuestión ideológica

Al igual que ahora, la cuestión ideológica era en aquellos años un tema medular en las filas de la FEU, por lo tanto, se crearon una serie de mecanismos para controlar a los estudiantes, pero de ellos, existían dos que eran los más comunes: las asambleas mensuales de las brigadas y las reuniones, también mensuales, del comité de base de la UJC (allí se ordenaba, sin opción a discutir, lo que había que hacer en las asambleas de brigada).

En esas reuniones mensuales del comité de base de la UJC de cada brigada o grupo estudiantil, siempre existía un tema espinoso en el orden del día, que era el análisis de la situación de los alumnos con creencias religiosas (los pocos que pudieron burlar los filtros de selección inicial del destacamento). Cada miembro del comité de base debía hacer un seguimiento del comportamiento de cada uno de ellos a través de evaluaciones semanales, reporte de indisciplinas en el área de beca, informes sobre alguna manifestación de sus creencias religiosas en público o si predicaban o no su fe. De existir alguna de estas irregularidades, el estudiante corría el riesgo de ser expulsado del centro. Por suerte para ellos, nunca se expulsó a nadie por este motivo (obviamente, ellos sabían que no podían hacer alusión a nada relacionado con la religión, guardaban su fe muy en secreto); eran, por demás, muy buenos estudiantes, cumplidores de todo lo que se les exigía, aunque esto nunca los eximió de ser analizados en cada una de las reuniones. Resultaba evidente que, para los dirigentes, siempre fue extremadamente molesto aceptar que estos jóvenes religiosos fueran magníficos estudiantes, mejores que muchos miembros de la UJC.

La siguiente anécdota ilustra muy bien esta historia:

En una ocasión, uno los estudiantes religiosos[31] tenía un crucifijo (era católico practicante), bien oculto en su billetera y cuando fue a pagar una merienda, se le cayó delante de un grupo (donde había hasta miembros del buró de la UJC). Daba pena ver el rostro sudoroso y pálido del estudiante, fue como si hubiera caído una bomba; recogió el crucifijo y se fue corriendo. No fue expulsado, pero le advirtieron que sería vigilado constantemente y que de encontrarle otra vez alguna documentación o artículo religioso, sería castigado por su creencia, sin embargo, siempre fue un estudiante extraordinario, aunque tuvo que hacer el compromiso de no llevar consigo el crucifijo nunca más.

La relación que históricamente ha tenido la revolución cubana con la religión es un tema tan complejo que no alcanzaría este libro para explicarlo. Solo queremos aclarar que ya desde un año tan temprano como 1961, el gobierno acusó a los colegios y a la Iglesia católica de fomentar la contrarrevolución y anunció la disolución de todas las escuelas privadas y religiosas. Debido a esta persecución, muchos creyentes decidieron profesar en secreto su religiosidad. Esta situación se ha modificado un poco después del colapso de la URSS y, sobre todo, con la visita a Cuba del Papa Juan Pablo II.

En aquellas reuniones también se analizaban las relaciones que pudieran existir entre un estudiante y un familiar en el extranjero; esta situación era altamente preocupante. El estudiante que contaba con un familiar fuera de Cuba recibía una llamada de atención y se hacía un trabajo político-ideológico con él, es decir, le exigían suspender de manera inmediata las comunicaciones, le decían que esas personas ya no eran sus familiares porque habían traicionado a la revolución debido a que decidieron abandonar el país en busca de riquezas, desechando los principios marxista-leninistas y que si no rompía relaciones significaba que los apoyaba y compartía sus posiciones ideológicas. Como si sufriera de una enfermedad, entraba a formar parte de la lista negra de los estudiantes con desviación ideológica, lo que podía tener un efecto *boomerang* al finalizar los estudios y solicitar una especialidad.

---

[31] Jesús Perdomo, médico residente en España.

Debemos decir que, después de esta advertencia, si no rompían relaciones eran expulsados, separados de la carrera; estudiar en la universidad era sinónimo de estar aislado del mundo exterior, a la hora de solicitar una especialidad era menester estar bien identificado con el proceso comunista, tenías que ser "revolucionario": sin contactos con familiares en el exterior o con extranjeros, sin relación con personas no simpatizantes de la revolución, participar de manera activa en actos políticos (en los que se tomaba la asistencia de todos los participantes) y jornadas productivas durante el periodo vacacional (veintiún días dentro de las vacaciones de los estudiantes, ubicados en la agricultura, fábricas, etc., de carácter obligatorio y sin recibir remuneración). Las especialidades después de graduados solo se ofrecían a los revolucionarios probados y eso era más determinante que un promedio elevado; en caso de que fueran dos los solicitantes a una especialidad, la balanza se inclinaba hacia el que fuera más "políticamente correcto".

Ni siquiera para el año 1986 habían concluido las labores constructivas en el Instituto Superior de Ciencias Médicas de Villa Clara (ISCMVC), de tal manera que los nuevos y antiguos estudiantes se habían acostumbrado al ruido constante de las labores de construcción del instituto. Al lado del edificio docente se comenzó a construir el edificio del decanato, construcción que fue un tema de discusión constante, los estudiantes lo planteaban en sus reuniones e, incluso, fue abordado por un grupo humorístico que existía en aquel entonces en el instituto, el grupo ASA-86,[32] conformado por alumnos del cuarto año de la carrera, quienes mediante sátiras contribuían a la defensa de los derechos de los estudiantes. Este grupo humorístico representó valerosamente los problemas más apremiantes, criticó la comida, la falta de mantenimiento al área de beca, el comedor, así como las escaseces en las cuales se veían reflejados los estudiantes. Estas actividades humorísticas siempre fueron censuradas por el decanato, encabezado por la Dra. Mercedes Cairo, quien llegó a amenazarlos con la expulsión del centro si continuaban con sus críticas. Curiosamente, ni la FEU ni la UJC intervinieron en el asunto.

---

[32] Grupo Humorístico ASA-86, integrado por los estudiantes: Antonio Sarmiento Pérez, Jorge Julio Garcet Díaz, Luis Manuel Reyes Hernández, Eduardo Bernal, Carlos A. Mesa y José L. Comas Mendiola.

El trabajo psicológico, del cual fuimos víctimas, produjo sus frutos, porque ya para el cuarto año de la carrera de Medicina, casi todos los miembros del destacamento estaban preparados para, una vez graduados, continuar los estudios en la especialidad de Medicina General Integral (MGI), nombre con el cual fue bautizado el conocido médico de las 120 familias, aunque se debe destacar que con esta primera graduación fueron generosos y ofrecieron un total de 100 especialidades, entre ellas Medicina Interna, Obstetricia y Ginecología, Pediatría y Cirugía General (a esas alturas, todavía no se habían construido suficientes consultorios para ubicarlos).

Este destino final común, el MGI, provocó un creciente desinterés por el estudio de la Medicina, que con los años llegó a convertirse en un verdadero problema, se generalizó el descontento y la falta de motivación y, cuando se les recriminaba por su mala preparación, respondían que no se esforzaban porque al final todos iban a ser médicos de la familia. Se perdió esa hermosa tradición, tan arraigada, heredada de generación en generación, en la que siempre predominaba un inmenso interés por el estudio; desgraciadamente, fue disminuyendo ese ánimo competitivo entre los alumnos de diferentes años por superarse unos a otros, y demostrar tener mejores conocimientos, instigados por nuestros profesores, aquello había pasado a la historia, ahora la batalla era distinta, era muda, nadie quería participar en los pases de visitas y no sentían el menor remordimiento si el profesor les preguntaba algo y no sabían responder o cuando se les llamaba para mostrarles cómo hacer cualquier procedimiento (punción lumbar, pleurocentesis, punción abdominal, exploración del sistema nervioso), ponían mala cara o se iban retirando poco a poco del lugar, porque sentían que ellos no serían clínicos, pediatras, ni cirujanos, ellos estaban destinados a llenar papeles en un consultorio médico, esa era la respuesta que esgrimían al recriminárseles la falta de interés en los estudios.

Tradicionalmente, se accedía a las especialidades médicas según el lugar que ocupara el estudiante en un escalafón confeccionado al finalizar el último año de la carrera (el promedio general se obtenía sumando y dividiendo todas las notas acumuladas en los seis años de estudio). Teniendo en cuenta que el estudio de una especialidad era el mayor anhelo de los recién graduados, la dirección del Partido Comunista de Cuba (PCC) y el Ministerio de Educación

Superior, decidieron poner como condición una serie de requisitos extracurriculares, con lo cual trataban de acercar a los estudiantes a otras actividades que, de por sí, creaban rechazo, como actos políticos, marchas estudiantiles, trabajos voluntarios, labores agrícolas en el periodo vacacional con las llamadas Brigadas Estudiantiles de Trabajo (BET),[33] actividades culturales, deportivas, etc. Era la generación de los estudiantes integrales.

Ahora, con estas nuevas pautas, se les daba la oportunidad a quienes eran menos inteligentes pero defendían con vehemencia la revolución y estaban más orientados a lo ideológico, de poder optar por una especialidad diferente a la MGI. De esta manera, decenas de estudiantes con mucho menos talento, desplazaron a magníficos estudiantes en esta batalla por las especialidades.

Las asambleas de otorgamiento de las especialidades

Al final se efectuaban las denominadas asambleas de otorgamiento de las especialidades, que se desarrollaban en un ambiente mezquino donde se esgrimían argumentos denigrantes. Primero trataron de darle un matiz democrático: reunían en un gran teatro a todos los alumnos del año que terminaba, lo llenaban de micrófonos, mesa presidencial encabezada por dirigentes de la UJC, PCC, FEU y del decanato, alguien leía las propuestas, que eran el resultado del trabajo de una comisión creada para dicho otorgamiento, la cual contaba con representantes de las organizaciones mencionadas y funcionaba unas semanas antes de esta reunión y de antemano, daban o quitaban especialidades a los solicitantes. Este trabajo de la comisión siempre fue cuestionado debido a que despojaron a magníficos estudiantes de las especialidades que deseaban, estudiantes que se habían ganado el derecho de aspirar a ellas por sus esfuerzos y sacrificios a lo largo de seis años, mientras que se las ofrecían a quienes no las merecían, pero que astutamente habían

---

[33] Las Brigadas Estudiantiles de Trabajo (BET) surgieron en el año 1977 como respuesta al XI Festival Mundial de la Juventud y los Estudiantes celebrado en La Habana en 1978. Cada año, los estudiantes de enseñanza media y superior donan quince días de sus vacaciones yendo a hacer trabajos agrícolas o sociales. Estas actividades aparentemente voluntarias, terminaron siendo obligatorias, al punto de decidir más que el escalafón.

participado en las actividades consideradas vitales para ellos, además de contar con una actitud destacada en la UJC o en la FEU.

Una vez terminada la lectura de los estudiantes seleccionados con las especialidades otorgadas, comenzaba el banquete: se iniciaban las intervenciones de las masas (para dar una falsa imagen de democracia), llenas de argumentos y contraargumentos.

Las asambleas que siguieron a las del año 1988 fueron sencillamente vergonzosas; sin el menor respeto sacaron a la luz pública la vida privada de cada aspirante, sus costumbres, su proyección política y un sinnúmero de trampas con el ánimo de desacreditarlo y convencer a las masas en favor del reclamante. Según testimonios del Dr. Octavio Hernández Comas,[34] en la asamblea efectuada en el año 1991, la estudiante María Sánchez[35] llegó al colmo cuando comenzó su intervención expresando el asco que le provocaba aquel espectáculo. Nunca antes, nadie había tenido el valor de decirlo en voz alta, por lo que recibió el apoyo de las personas dignas que allí se encontraban, quienes en actitud solidaria, abandonaron el local. Estas asambleas duraban largas horas repletas de espeluznantes discusiones, donde no existían consideraciones para mujeres embarazadas, madres de niños pequeños, estudiantes con problemas de salud o familiares. Nada constituía un impedimento para ser desacreditado. Al final, muy pocos quedaban satisfechos, pero la dirección del instituto, del PCC, UJC y FEU estaban complacidas, porque creían que aquellas discutibles asambleas eran reflejo de un proceso que ellos mismos calificaban de democrático.

Pero la batalla por las especialidades solo era el primer acto de una larga y dramática obra, después venía el caos: la ubicación del recién graduado en municipios y provincias. Estas asambleas se celebraron por última vez en el año 1995, cuando se otorgaron por el mismo método diez especialidades; a partir de esa fecha, se suspendieron y solo se otorgaron a los médicos que habían realizado un posgrado (de dos o tres años, o más) en áreas como zonas rurales, Fuerzas Armadas Revolucionarias (FAR), Ministerio del Interior (MININT) o mediante el llamado Plan Talento, que abarcaba a

---

[34] Dr. Octavio Hernández Comas, reside actualmente en Islas Canarias, España.

[35] Especialista en MGI, Policlínico II, Caibarién. Seudónimo.

los estudiantes con un rendimiento académico extraordinario que eran capaces de terminar cada año con el máximo promedio de calificaciones (cinco puntos), a los cuales se le adicionaban 0,1 punto por cada examen de premio que ganaran, podían presentarse en todas las asignaturas que quisieran, siempre y cuando terminaran con cinco puntos como nota final.

Una vez graduados, debían cumplir un año de familiarización que, inicialmente era en las montañas de la Sierra Maestra y, a partir de 1998, con el denominado plan integral de salud, comenzaron a hacerlo fuera del país (sobre todo en Haití). Cuando se terminaba el año de familiarización, podían comenzar el estudio de la especialidad. Como reflejo de la creencia de que estos supertalentos eran muy capaces e inteligentes, a los que regresaron de Haití en 2001 se les otorgó el título de especialistas en Medicina General Integral, violando francamente las normas de esta especialidad, que exigen la rotación de los residentes por diferentes especialidades: Pediatría, Obstetricia y Ginecología, y Medicina Interna, como premisa indispensable para su formación, con el objetivo de que adquieran conocimientos teóricos y habilidades prácticas en cada una de ellas, además de su familiarización con los problemas de salud de una comunidad específica mediante la confección y discusión final de una tesis al cabo de tres años de preparación. Tal vez se hizo como otro anuncio propagandístico de la revolución para exaltar aún más a los recién graduados; sin lugar a dudas, la propaganda oficial repetía que *la nuestra era una de las mejores escuelas de Medicina del mundo,* y aspiraba a colocarla mercantilmente, como una buena plaza para aquellos que deseaban estudiar esta ciencia en nuestra zona geográfica.

No queremos terminar este capítulo sin hacer un señalamiento muy importante sobre la FEU, que también se puede aplicar a la Federación de Estudiantes de la Enseñanza Media (FEEM) y a la Unión de Pioneros de Cuba (UPC). Estas organizaciones nunca realizan la voluntad de los estudiantes, por el contrario los utilizan en su nombre. Son las herramientas de que se valen quienes dirigen el país para alcanzar sus metas políticas y mantener sus posiciones a cualquier precio.

Por ejemplo, la FEU fue dirigida por un personaje extremista como Hassan Pérez, quien después de graduado se convirtió en un dirigente profesional con miras a convertirse en uno vitalicio. Fue patrocinado y amamantado por la alta cúpula de la revolución ya que encajaba perfectamente con sus planes debido a su carácter envolvente, su verborrea y su facundia basada siempre en ideas ficticias sobre la revolución. Este personaje llevaba más de tres años de graduado y seguía siendo dirigente de esa organización (según los estatutos de la FEU, se tiene relación con esta hasta solo dos años después de graduado). De igual manera pasó con la Unión de Pioneros, que estuvo dirigida por una vieja militante de la UJC, Miriam Y. Martín González, lo que demuestra la dependencia de estas organizaciones del PCC y de la UJC.

Como ya mencionamos, el proceso de otorgamiento de las especialidades se convirtió en la mayor aspiración de los médicos una vez graduados, lo cual responde al desarrollo histórico de la práctica de la Medicina a lo largo del tiempo. Anteriormente, los médicos no obtenían el título de especialista en una rama específica de la Medicina, aunque debido a determinados gustos, posibilidades de trabajo o influencias docentes, se decantaban por una de las especialidades. Antes de que se graduaran los 3400 médicos del primer destacamento de ciencias médicas Carlos J. Finlay (1988), para los médicos que practicaban en el país la elección de la especialidad no era un problema, como sí lo fue posterior a esa fecha. Inclusive muchos no se sentían motivados porque se encontraban cómodos en el lugar en el que ejercían como médicos generales o porque no estaban en condiciones de volver a estudiar durante tres años más, teniendo en cuenta las vicisitudes económicas que esta decisión acarrearía (problemas con el transporte para trasladarse a la capital de la provincia, alojamiento, alimentación, entre otros).

Cuando Fidel Castro anunció que a partir de 1990 se graduarían más de cuatro mil médicos anualmente hasta el año 1994 (afirmación que se cuestionó hasta por las propias autoridades de la salud, sabiendo que luego tendrían que buscar plazas para todos estos recién graduados), aseguró que nunca sobrarían los médicos, dijo que la gran mayoría de los graduados se especializarían como médicos generales integrales y que, por lo tanto, podrían trabajar como médicos en barcos, trenes, terminales de ferrocarriles o de ómnibus, fábricas, escuelas, en fin, dondequiera. Según sus planes, un día tendría un total de 10 000 médicos de reserva que podrían cubrir los puestos de los demás en un momento determinado, por si estos debían volver a estudiar o tenían que ser sustituidos.

Todas estas hipótesis sobre el futuro del trabajo o la ubicación de los médicos produjo una lucha interna extraordinaria entre los galenos. Muchos que contaban con más de 50 años de edad decidieron realizar una especialidad, porque casi todos temían la posibilidad, aunque fuese remota, de convertirse en médicos de la familia (véase el Capítulo IV, en el que tratamos acerca de los médicos de la familia).

Como señuelo para atraer a los médicos a sectores rechazados por razones como lejanía, bajo nivel científico, condiciones difíciles de vida, entre otros, la dirección de salud creó los diferentes programas de posgrado, es decir, un tiempo de servicio prestado por el médico recién graduado en el cual laboraría como médico general por un periodo de dos a tres años. Inicialmente, se utilizaron las organizaciones políticas (FEU, UJC) como columna vertebral de este proyecto y, de esta manera, antes de concluir el sexto año de la carrera, comprometían a varios estudiantes militantes de estas organizaciones, con la participación en dichos posgrados y así solucionaban el problema; pero debido a que el gobierno comenzó a politizar la medicina y a utilizarla como bandera de los logros de la revolución (afirmando que cada montaña estaba cubierta por médicos y maestros), presionados además por la construcción desmedida de cárceles y prisiones, así como por la militarización creciente del país, fue necesario encontrar una solución más atractiva al requerimiento cada vez mayor de médicos en estos lugares y, para ello, recurrieron al chantaje de las especialidades.

Las autoridades de salud decidieron reservar las mejores opciones para quienes cumplieran con esta actividad, de manera que para poder hacer una super especialidad de la magnitud de cardiología, nefrología, hematología, neumología, neurología, neurocirugía, medicina deportiva y otras, era necesario incorporarse a uno de estos posgrados, que se realizaban en zonas rurales (sobre todo en las montañas o en zonas intrincadas muy alejadas de las ciudades, Ministerio del Interior (cárceles y prisiones) y Fuerzas Armadas Revolucionarias (unidades del ejército, fábricas y hospitales militares).

En el caso de los posgrados en zonas rurales, se creó el destacamento Manuel *Piti* Fajardo. Con él, los médicos eran enviados a zonas apartadas de las montañas del Escambray o la Sierra Maestra, o a provincias distantes de la capital como Guantánamo, Las Tunas u otras regiones del oriente del país en las que no se contaba con los recursos mínimos para brindar una atención médica adecuada. Solo llevaban un uniforme que los identificaba, su estetoscopio y el esfigmomanómetro; algunos eran ubicados en pequeños consultorios construidos al efecto y otros tuvieron que compartir la casa con algún campesino de la zona. Lo más importante estaba garantizado: la presencia del médico. De esta manera, lo condenaban, enviándolo a un lugar olvidado, a tratar de practicar la medicina, pero no lo abastecían con los recursos materiales imprescindibles para ejercerla: transporte sanitario, medios de comunicación, balón de oxígeno, set quirúrgico, laringoscopio, máscaras para el oxígeno, termómetros, cánulas, tubos endotraqueales entre tantas cosas necesarias. Es decir, que cuando se presentaba la emergencia, por lo limitado de sus acciones, el médico solo podía desempeñar la labor del cura en esos apartados parajes. Y así fue por años, hasta que se crearon los consultorios médicos de la familia (CMF), que solucionaron parcialmente la necesidad de contar con un local para ejercer la medicina, porque el déficit de materiales nunca desapareció.

El posgrado en el MININT casi siempre se efectuaba en los puestos médicos de las cárceles y prisiones, allí los médicos se subordinaban al grupo de mando del lugar; ellos, y no el médico, eran quienes diagnosticaban y definían a los enfermos, sobre todo a la hora de realizar una interconsulta con un especialista (Medicina Interna, Cirugía, Oftalmología), la asistencia médica estaba subordinada a la disciplina, por lo tanto, a los reclusos que no se portaban bien se la negaban.

> Nos contó un amigo (alrededor de 1993), quien acudió como clínico militar a una prisión llamada El Pre, en la provincia de Santa Clara, que para asistir a un grupo de reclusos que sostenían una huelga de hambre, sobre una mesa del puesto médico colocaron una gran cantidad de alimentos con el objetivo de estimular el apetito de los reclusos y hacerlos abandonar su posición.

El médico, al percatarse de esta intención maliciosa, exigió valientemente que retiraran los alimentos del lugar para evaluar de manera adecuada a los enfermos, pero al que sacaron de allí fue a él; una semana después fue necesario ingresar a varios de ellos en unidades de cuidados intensivos e intermedios. En este tipo de posgrado ubicaban a los médicos del sexo masculino, militantes de la UJC y con una comprobada trayectoria revolucionaria.

Por último, queda un posgrado muy original, el de las Fuerzas Armadas Revolucionarias (FAR), que al igual que el anterior, exigía un nivel de selectividad reservado y preferentemente se le daba a los militantes de la UJC, aunque en tiempos de crisis también disimulaban su rigor político y aceptaban a cualquiera debido a la escasez tan grande de médicos militares (véase Capítulo VIII). En los capítulos siguientes iremos tratando con mayor profundidad las diferentes vertientes de cada uno de ellos.

CAPÍTULO III
La salud y la emigración en Cuba

Palabras clave

Éxodo de casi el 50 % de los médicos existentes en Cuba • Periodo Especial • liberación por parte del Ministerio de Salud • las deserciones en las misiones internacionalistas • diferencia entre la emigración cubana y las demás • Resolución Ministerial 09-49-99 • retención de la salida del país a los médicos cubanos • separación de sus puestos de trabajo para ubicarlos en los peores lugares y donde más duro sea • el pretexto de la emigración netamente económica • la corrupción en el Ministerio de Salud: venta de liberaciones • una separación dolorosa • el gobierno vive de espaldas a la realidad

Según estadísticas de la Organización de las Naciones Unidas (ONU), en el año 2005 la emigración mundial alcanzó la cifra de 191 millones, es decir, que casi el 3 % de la población vive fuera de su país de origen, cifra que ha continuado en ascenso y actualmente es de 216 millones aproximadamente, con grandes probabilidades de llegar a los 235 millones en los próximos años.

La historia de la humanidad se ha hecho eco de los grandes movimientos culturales, geográficos, económicos y políticos que dieron origen a los movimientos masivos de la población, ya fueran espontáneos o forzados, desde el éxodo del pueblo judío de Egipto hacia la tierra prometida, hasta los viajes de descubrimiento y la formación de los grandes imperios de ultramar, con sus respectivas etapas de conquista y colonización. La era de la revolución industrial trajo consigo el abandono de las tierras y labores agrícolas por parte de los campesinos para buscar mejores oportunidades y empleos en las grandes ciudades, fenómeno que se desarrolló en Europa desde 1800 hasta 1950, etapa en la cual muchos europeos pobres emigraron a América y Australia. A partir de 1950, se ha venido desarrollando un proceso migratorio de dimensiones incalculables en los países del entonces llamado tercer mundo. Millones de personas comenzaron a emigrar hacia países desarrollados, fundamentalmente Estados Unidos, Canadá, algunos países de Europa y Australia, al mismo tiempo creció el movimiento interno como una variedad de migración rural, el cual ha incidido en la sobrepoblación urbana y ha provocado que muchas de las ciudades más pobladas del mundo se encuentren en países tercermundistas (Shang-hai, Mumbai, México).

Cuba no es ajena a estos fenómenos. Si establecemos un antes y un después del triunfo de la revolución cubana de 1959, antes de esta fecha el fenómeno migratorio era casi inexistente, la estampida se inició con la salida del país del presidente Fulgencio Batista Zaldívar el mismo 1ro. de enero de 1959, que dejó tras de sí, a un pueblo eufórico por una nueva etapa de libertad, que pronto se empalagaría con un proceso que, en sus comienzos, se identificó con el color verde y terminó siendo rojo. No podía ser otro el color, debido a que la sangre derramada fue la carta de presentación de aquellos primeros años de la dinastía de los Castros.

El primer semestre de 1959 fue suficiente para que la mayoría de los profesionales, comerciantes y extranjeros sintieran amenazadas sus libertades civiles y económicas. Se inició el proceso de expropiación forzosa, con indemnizaciones irrisorias. Se dictó la Primera Ley de Reforma Agraria el 17 mayo de 1959 y, al año entrante, 13 octubre de 1960, las leyes No. 890 y No. 891, la primera de ellas expropiaba a los dueños de 105 centrales azucareros y 261 empresas industriales y comerciales, la segunda, todo el resto de la propiedad privada tanto a nacionales como a extranjeros.

Como era de esperarse, quienes sufrieron el despojo de sus propiedades, la pérdida de familiares por encarcelamiento o por fusilamiento, o sencillamente no estaban de acuerdo con la política que siempre ha identificado al proceso revolucionario (estabas con la revolución o contra de ella), tuvieron motivos más que suficientes para comenzar el fenómeno masivo de la emigración.

Casi el 50 % de los médicos existentes en Cuba abandonó el país durante los primeros meses de 1959 como reflejo de la angustia y desesperación que se adueñó de este sector. La inmensa mayoría prefería empezar una nueva vida en un país extranjero que conformarse a ver frenadas sus metas. No fue un abandono, como se nos hizo creer, sino una forma de escapar del sistema que les arrancaba de una vez todo lo que con sacrificios, trabajo duro, horas robadas al sueño y capacidad intelectual habían logrado. Pertenecían a una clase social que no se dejaría arrastrar por un caudillo, ni danzaría al compás de himnos militares, eran, sin ellos saberlo, también sus enemigos, por lo tanto, no había otra opción que el exilio.

Durante las tres grandes oleadas migratorias cubanas (utilizadas muy hábilmente por Castro como arma política contra su enemigo jurado, los Estados Unidos), ya fueran por el pequeño pueblo de Camarioca, al norte de la provincia de Matanzas, en octubre de 1965, o por el puente marítimo establecido en los años ochenta entre el poblado del Mariel, al norte de La Habana, y la Florida (del 5 abril al 31 octubre de 1980), o en la sonada crisis de los balseros de 1994, cuando Castro ordenó a sus guardacostas (12 de agosto de 1994), no detener a quienes quisieran abandonar la isla en improvisadas embarcaciones, estaban presentes médicos y paramédicos que, al igual que el resto de la población, querían huir de la Isla.

En las tres primeras décadas de la revolución, con el mencionado éxodo masivo de médicos, el gobierno se las ingenió para tratar de edulcorar un poco la atención a ese sector, los ubicaba en casas modestamente amuebladas (cuando les era necesaria su asistencia en algún que otro lugar), estas eran propiedad del Ministerio de Salud Pública (MINSAP) y que les eran "prestadas" mientras trabajaban en esa área, les vendían autos para que realizaran la atención domiciliaria a pacientes con limitaciones físicas o quizás por ser elegidos trabajadores vanguardias en su centro de trabajo o, muchos años después, al regresar de las misiones médicas internacionalistas, como tratamos en otro capítulo. Desde luego, esto no era para todos sino para un pequeño grupo de "elegidos".

A partir del 9 de noviembre de 1989, después de la caída del muro de Berlín, se desencadenaron una serie de cambios en toda la Europa del Este que trajeron consigo el desmoronamiento del campo socialista. Esta situación en el tablero internacional puso en jaque a la economía cubana y agravó la crisis económica que existía, porque a pesar de que esta fecha se utiliza como punto de partida de la hecatombe económica conocida como Periodo Especial[36], en ningún momento después del triunfo de la revolución existió un estado de confort. Las calamidades, el hambre, los graves problemas con el transporte y la falta de libertades civiles fueron una constante desde el 1ro. de enero de 1959. Tras el fin del sostén económico que entregaba la URSS las cosas empeoraron de manera ostensible.

Dentro de este marco económico en crisis subsisten los trabajadores de la salud, enfrentando un fuego cruzado: por un lado, el desbalance entre lo que percibe (siempre lo mismo, sin otras opciones) y, por el otro, se le esclaviza cada vez más con una política de intimidación y presión constante. El régimen crea un cerco permanente sobre este sector debido a que su objetivo no es convertir a los médicos en un importante eslabón de los servicios de salud, que es en verdad su cometido, sino un elemento más en la fuerza política que luche por sostener y defender la ideología fidelista, porque a estas alturas ya nadie habla de Carlos Marx y Federico Engels.

El asfixiante clima económico, unido a la falta de libertades civiles, así como a la impotencia personal de no poder cambiar la situación imperante (porque ni pensar en unirse para buscar vías de solución), crea un complicado laberinto de frustraciones que convierte sus aspiraciones en un largo túnel que solo conduce al extranjero.

Emigración de terciopelo: los contratos y las fugas

De esta manera, se inicia una emigración muy particular conocida como "emigración de terciopelo", en consonancia con la revolución de terciopelo checoslovaca (fenómeno ocurrido en el otoño de 1989 en Checoslovaquia, que dio lugar a la caída del comunismo de manera pacífica). Se utilizaron diferentes artimañas para lograr este objetivo. Muchos renunciaron al viejo método de hacer-

---

[36] El Periodo Especial fue un largo periodo de crisis económica que comenzó en 1991 tras el colapso de la URSS y los demás países socialistas. La depresión económica que provocó fue especialmente severa en la década de los noventa, con interrupción general en el transporte y los sectores agrícolas, escasez generalizada de alimentos, etc., lo que obligó a reacondicionamientos en la industria, la salud y el racionamiento.

se a la mar como forma de salir del país, porque no cabe duda que era muy riesgoso y había costado la vida de miles de cubanos. Fueron precisamente los médicos, junto a otros profesionales, además de los intelectuales, artistas y deportistas, quienes iniciaron el desfile, que luego siguieron todo tipo de ciudadanos. Primero aparecieron los famosos contratos de trabajo a través de los cuales algún familiar o amigo que residiera en el extranjero, obtenía este documento con la ayuda de alguna institución privada, lo enviaba a Cuba y el interesado salía a hacer los trámites, siempre engorrosos, de obtener la visa en la embajada del país en cuestión. La reacción del gobierno no se hizo esperar y, una vez descubierto este mecanismo de escape, limitó los contratos solo a beneficio del Estado, es decir, ya nadie podía ser contratado si no era "interés" del ministerio al cual representaba.

Ya habían transcurrido los primeros años de la década de los noventa, estábamos en el clímax del estado carencial o Periodo Especial; la asfixia gubernamental obligó a despenalizar el dólar y crear instituciones que lo colectaran con la mayor brevedad posible. Aparecieron, entre otras, las Consultorías Jurídicas Internacionales, que permitían a ciudadanos extranjeros (aunque fueran de origen cubano) ponerle carta de invitación a cualquier ciudadano nacional. Entonces entraron en escena los fraudulentos matrimonios con extranjeros. Los ciudadanos cubanos residentes en el exterior comenzaron a ingeniárselas para enviar a conocidos, familiares e incluso personas contratadas para celebrar estas falsas nupcias, con la consiguiente reclamación marital.

Con el tiempo, este método fomentó el conocido tráfico de personas, que generó ganancias millonarias a individuos, organizaciones y hasta gobiernos, porque funcionarios consulares (muchas veces hasta el mismísimo cónsul), de embajadas asentadas en La Habana, vendían sus visas y luego las autoridades cubanas de emigración les entregaban sin problemas su permiso de salida, sin apenas indagar, a personas que, por ejemplo, tenían visas para Nigeria o la República de Mali, lugares que distan de ser destinos migratorios para un cubano, lo que pone en duda la no injerencia gubernamental (al viejo estilo de los hermanos Antonio y Patricio de La Guardia, generales cubanos condenados a muerte y presidio respectivamente, que fundaron el departamento de Moneda Convertible, conocido como MC, que se dedicaba a conseguir dólares para el gobierno cubano por medios delictivos como el contrabando, tráfico de drogas, creación de empresas fantasmas, lavado de dinero, etcétera).

Las cartas de invitación regresaron en los primeros años del 2000 con similares características para los profesionales de la salud, pero con la particularidad de que les entregaban la tarjeta o carta blanca (permiso de salida emitido por las autoridades de inmigración sin el cual no se puede salir del país), solo después de concedérseles un documento de liberación otorgado por el Ministro de Salud, el cual los obligaba a cumplir con el plazo de espera establecido que, inicialmente, fue de tres meses, luego un año, hasta el 2001, cuando se estableció un plazo que oscilaba entre los tres y los cinco años. Después de 2005 fue de seis a siete años, con perspectivas de llegar a diez y, aunque esto no está legislado, no existen opciones de reclamaciones por vías legales debido a que ningún abogado acepta este tipo de caso. De hecho, conocemos casos como el de la controversial Dra. Hilda Molina que ostenta el récord mayor de espera al ser retenida por órdenes estrictas de las altas esferas del gobierno, por un periodo de catorce años, aunque solicitó su liberación en 1995, lo que confirma que Cuba es un país sin normas, leyes ni códigos, donde el ciudadano está desprovisto de derechos e instituciones que lo representen o defiendan ante las injusticias.

Para terminar, es importante destacar cómo el Estado cubano castiga a quienes se atreven a solicitar su liberación por salida del país. Lo que está reglamentado por leyes de inmigración se desconoce en toda su magnitud por la población, porque son directivas de carácter secreto.

Las personas que quieran viajar a través de una carta de invitación no pueden, bajo ningún concepto, llevar a sus hijos con ellos. En Cuba está prohibido que los padres saquen a sus hijos del territorio nacional para llevarlos de visita a algún país, lo que oficializa un recurso de secuestro gubernamental como forma de obligar al regreso a quienes salen, por eso nos resulta ridículo, una burla mayor, que los diplomáticos cubanos discutan resoluciones de la ONU que promueven este derecho.

Otra de las formas de emigración de los profesionales cubanos de la salud es la de "traidor" o "desertor", que es como se clasifica a todo cubano que sale del país con un estatus oficial para representar y cumplir determinada función de una institución o ministerio, y la abandona para reclamar asilo político, llámense deportistas, artistas, intelectuales y, en muchas ocasiones, militares o sus propios funcionarios. Prácticamente, en todas las misiones internacionalistas en las que han participado los médicos existen deserciones, desde que en 1963 partió hacia Argelia la primera brigada médica cubana, luego en la década de los ochenta y hasta las más recientes misiones a Venezuela, Guatemala, Bolivia, Brasil o los países africanos, aunque puede ser cualquier lugar del mundo, debido a que los tentáculos del socialismo cubano llegaron a todos los continentes, según cifras oficiales del propia gobierno cubano, han salido unos 131 933[37] que, además de trabajar, han promocionado, espiado e influenciado a favor de la revolución cubana en unos sesenta y seis países).

Es muy triste la situación que sufren los médicos clasificados como "traidores" por el gobierno cubano, pues muchos de los que desertan ya tenían el plan trazado con anterioridad y ni a la propia familia le podían adelantar sus planes por miedo. Una vez que logra salir de la isla, el médico debe sufrir las consecuencias de su traición tanto sobre él como sobre su familia. Cuando el gobierno es informado del abandono de su misión internacionalista, automáticamente lo ubica en una lista negra y como castigo le prohíbe el regreso a su país de origen por el tiempo que ellos estimen conveniente, fomentando aún más la separación familiar y el sufrimiento de miles de familias en la isla de Cuba. A la misma vez, la familia del "desertor" es hostigada, pueden ser separados de sus puestos de trabajo, especialmente si ocupan cargos gubernamentales, además, si quieren viajar a otro país para reunirse con el desertor, se les niegan los permisos de salida. Sobran los ejemplos de médicos que desertaron durante las misiones internacionalistas y luego no han podido regresar a ver a sus familiares, ni aun en su lecho de muerte. El resentimiento se derrama sobre ellos de una manera tan brutal que les pueden aprobar una visa de regreso como ha sucedido en

---

[37] *Granma*. Edición digital. 25 marzo 2014.

más de una ocasión y después que están en el aeropuerto cubano, no los dejan entrar al país, por lo que tienen que regresar en el mismo vuelo.

> Esto le sucedió al Dr. Jesús Perdomo, residente en España, que no le permitieron asistir a los funerales de su padre. Hay casos que han tenido que regresar con restos humanos, como le sucedió a una doctora cubana que reside en Sudáfrica, la cual le puso una carta de invitación a su hermano quien, tras sortear mil dificultades, logró reunirse con ella en Sudáfrica, donde sufrió un accidente automovilístico que provocó su muerte. Su hermana hizo los arreglos pertinentes y obtuvo todos los permisos, llevó a Cuba los restos de su hermano cremado, pero tuvo que regresar con ellos porque no le permitieron entrar al país ni entregárselos a sus familiares. Ese es el precio que tienen que pagar los médicos que deciden "traicionar". Humillar a quien te traiciona es la moraleja. Testimonios sobran.

Nos gustaría hacer un paréntesis en el caso de la misión médica cubana en Venezuela, basándonos en testimonios de médicos que desertaron. Por cada médico que Cuba exporta a ese país, recibe al año unos 100 mil dólares, más el mantenimiento de los contratos petroleros, entre otras ayudas internacionalistas al viejo estilo de la dependencia rusa de las primeras cuatro décadas de la revolución cubana. Paradójicamente, este ejército de "médicos voluntarios" es muy bien remunerado (obviamente de no ser así muy pocos abandonarían a sus familias para ir a misiones médicas vitalicias en el exterior), de acuerdo a los promedios salariales existentes en la Isla. Durante el ejercicio de su misión en Venezuela, la familia del médico en Cuba recibe unos 100 CUC[38] por mes en su primer año

---

[38] CUC es el peso convertible cubano, conocido como "chavito", una de las dos monedas oficiales desde 1994. Es utilizada como moneda de cambio y para gestiones oficiales de viajes y salidas del país. Es la única moneda aceptada en las tiendas de productos fuera del sistema de abastecimiento limitado y como pago para la obtención de servicios tales como la renta de un auto o un hospedaje en un hotel. La conversión ha oscilado entre 25 y 27 pesos cubanos por 1 CUC. El gobierno cubano ha establecido la equivalencia de $1 dólar americano a $0,80 CUC.

de misión, 200 CUC por mes durante el segundo año y 300 CUC durante el tercer año. El salario promedio del médico en la isla es de unos 20 CUC al mes y que el CUC es una moneda paralela circulante que está equiparada en su valor al dólar estadounidense.

El dinero siempre está presente en cada una de las actividades del hombre a lo largo de la historia, ha movido el interés humano, por él se han producido guerras, por él se vive, algunos son felices gracias a él, otros mueren por él, abre muchas puertas y también las puede cerrar. En Cuba sirve de control a la hora de disciplinar al hombre. En el caso de los médicos cubanos que prestan sus servicios en estas misiones médicas, de ser amonestados o sancionados por cualquier motivo, la primera medida que se toma contra ellos es disminuirle la cantidad de dinero que recibe su familiar en Cuba.

Por su parte, el salario promedio que recibe directamente un médico cubano en Venezuela es de unos 130 dólares mensuales, con ese dinero tienen que alimentarse y vestirse, además de ahorrar para poder comprar las cosas que quieren llevarle a su familia (lo que en el argot popular cubano se conoce como *pacotilla*). La mayoría de los médicos cubanos vive en casas de alojamientos ofrecidas por el gobierno venezolano, las cuales funcionan con un reglamento interno matizado por la constante vigilancia y delación entre los mismos galenos, una especie de *contra chequeo* al viejo estilo de los órganos de control rusos o alemanes, que ha sido implantado por los miembros de la Seguridad del Estado y está presente en cada una de las misiones cubanas en el exterior, donde se las ingenian para captar a uno o dos de los tres o cuatro que viven en cada casa, para comprometerlos con informar acerca de cualquier "conducta fuera de lo normal", como llamadas a extraños, conversaciones en voz baja, lenguaje en clave, si las compras no son las esperadas, si no acumula *pacotilla* para su regreso a Cuba, es decir, elementos que puedan sugerir que estén gestando una fuga de Venezuela. Ahora, en caso de que alguien logre escapar, el resto de los inquilinos de la casa donde vivía, será sancionado por no reportar a tiempo la traición. En estas casas viven hasta cuatro

En el año 2013 el gobierno cubano anunció la unificación de la moneda como una de las medidas para sanear la economía.

médicos en un solo cuarto, incluyendo las cajas donde acumulan su *pacotilla*. Es realmente incómodo, pues hasta los que quieren fugarse compran cosas para no llamar la atención del delator.

En relación con el impacto social de su presencia en un país extranjero, ellos se dan cuenta de que son rechazados por la clase media, por los médicos venezolanos y por los hombres, porque los venezolanos son muy celosos con sus mujeres y los cubanos suelen tener una conducta melosa. Se sabe de varios colabores que han sido asesinados por esta causa.

El *bombo* y otros argumentos

Dentro de las restantes vías para salir del país también existe el Sorteo de Visas (conocido en Cuba como "el bombo"), que comenzó en 1996 en virtud de los acuerdos migratorios firmados entre Cuba y los Estados Unidos en mayo de 1995, o por reclamación familiar de ciudadanos norteamericanos de origen cubano o por ciudadanos cubanos con estatus de residentes en otro país.

A diferencia de los otros flujos migratorios que existen en el mundo (de África a Europa, de América Latina a los Estados Unidos y Canadá, o hacia Nueva Zelanda o Australia desde Asia o los países de Oceanía), la emigración cubana se distingue de los demás en que no hay una elección específica ni un destino común, sino que, tanto al profesional de la salud como a la mayoría de los ciudadanos cubanos, les viene bien cualquier país, no existe un objetivo migratorio específico. La única meta es la de abandonar el territorio nacional, no importa hacia dónde sea. El problema a resolver es escapar de Cuba.

Ante tal éxodo, cada vez más creciente, el gobierno tomó nuevas medidas. Después de los años "menos difíciles" para emigrar (1989-1999), periodo en que se produce un verdadero alud migratorio de médicos, aparecen nuevos obstáculos. El 10 de julio de 1999 se puso en marcha la Resolución Ministerial 09-49-99 del Ministro de Salud de turno, el doctor Carlos Dotres Martínez, documento clasificado bajo la categoría de secreto, con copias solo en las sedes del Partido Comunista de los diferentes municipios y provincias, y que constituía una orientación directa a los jefes de salud municipales y provinciales en la cual se establecía lo siguiente:

A todo profesional de la salud que solicite la salida definitiva del país mediante sorteo, matrimonio con extranjeros u otras formas, debe retenérsele su salida por un periodo de tres a cinco años, para luego valorar su liberación, en dependencia de cómo ha sido su conducta.

Los profesionales de la salud que soliciten la salida definitiva del país serán inmediatamente reubicados dentro del municipio donde laboran o puestos a disposición de la provincia para enviarlos a otros municipios. (Es decir, separación de sus puestos de trabajo para ubicarlos en los peores lugares y donde más difíciles sean las condiciones).

Si quien solicita la salida es necesario por lo indispensable de sus funciones, pudiera ser retenido por el tiempo que se necesite.

Los jubilados del ramo de la salud que aún no lleguen a los tres años en esta condición, deben solicitar de igual manera la liberación y esperar el tiempo reglamentado.

Las salidas temporales por invitaciones quedan restringidas solo para casos humanitarios (enfermedad) de familiares de primera línea (madre, padre, hijos); las restantes solicitudes serán denegadas.

A los profesionales de la salud que reciban invitación para participar en un evento científico fuera del territorio nacional, solo les será permitido viajar si este evento es de interés para el MINSAP.

Como puede observarse, esta resolución viola los derechos constitucionales de todos los cubanos. Teóricamente se nos brinda la posibilidad de viajar a cualquier lugar del mundo, pero debemos pedir permiso; también viola los acuerdos migratorios entre Cuba y los Estados Unidos firmados en mayo de 1995, en los cuales no se excluye en ningún momento a los profesionales de la salud; además, va contra los principios enarbolados por el propio gobierno cubano, que exaltan la emigración ordenada, legal y segura. Queda en evidencia que la práctica de estas regulaciones incita a los implicados a buscar vías alternativas para emigrar; así lo establecieron hasta el año 2013 en que aparecieron las nuevas regulaciones migratorias, como parte del paquete propagandístico de medidas económicas y sociales dictadas por el Presidente Raúl Castro, que ha permitido la salida de médicos con carácter de turistas al extranjero, flexibilizando en alguna medida las regulaciones previas.

Para demostrar la doble moral del gobierno en este tema, veamos un ejemplo. El periódico oficial del PCC, *Granma*, en su edición del martes 13 de diciembre de 1994 publicó, en su última página, un artículo titulado "Obtiene Cuba una importante victoria en Comisión de la ONU", donde dice textualmente:

> *...que por 78 votos a favor, 4 en contra y 65 abstenciones, la 'Tercera Comisión Temas sociales, humanitarios y culturales' de la Asamblea General de las Naciones Unidas, aprobó el documento: Respeto del derecho a la libertad universal de viajar e importancia vital de la reunificación de la familia.*

En el colmo del cinismo, Cuba invitó a todos los países a abstenerse de promulgar o a derogar las disposiciones legislativas que afecten la libertad de viajar de los emigrantes, la reunificación de las familias y las transferencias de remesas financieras; además, el diario *Granma* acota que el documento se basa en las disposiciones de la Declaración Universal de los Derechos Humanos y en el programa de acción aprobado en septiembre de 1994 en la Conferencia Internacional sobre población y desarrollo celebrada en El Cairo.

No nos causa asombro una declaración como esta, sabemos que es una proyección internacional destinada tan solo a buscar una forma diplomática para evitar la suspensión del envío de remesas del exterior a los cubanos, sobre todo las provenientes de los Estados Unidos, porque en lo referente a la división de las familias o al derecho de los ciudadanos a emigrar, es contradictoria con la postura oficial interna del gobierno cubano, la que incluye un rosario de dificultades como la entrega de las propiedades, confiscación de autos, tierras, ganados y peor aún, la pérdida de su condición de cubano, ya que debe solicitar y pagar otro permiso a la representación diplomática del país donde resida para poder regresar a Cuba.

Es ridículo el solo hecho de mencionar la palabra emigración en una plaza como la ONU, precisamente por el gobierno que impuso un permiso especial para dejar salir a los cubanos al exterior y que se reserva la última palabra para permitir su salida.

La Resolución Ministerial 09-49-99 es un claro ejemplo de esta doble moral. En el instante en que entró en vigor se inauguró una nueva era de injusticias. No ocurrió con todos los profesionales, al menos al principio, y ni siquiera sucedió con la otra cara de la moneda, es decir, los maestros, estos eran liberados a los pocos días de entregar su solicitud. La medida estaba dirigida a los médicos. ¿Es que persiste el temor de que se les vaya la mitad de los médicos de un golpe y no puedan alardear y ofrecerle al mundo cuántos médicos necesitan en tal o cual lugar? Mediante esta resolución cualquier médico que solicitara la salida del país perdía su puesto de trabajo y era "reubicado" en otro que no fuera de su especialidad y muchas veces alejado de su domicilio por el período de tiempo que las autoridades del sector de la salud estimaran.

Se han recogido testimonios de los abusos que generó esta resolución. Si un médico especialista en determinada esfera solicitaba iniciar sus trámites para abandonar el país, era separado al momento de su puesto de trabajo, aunque fuera el único especialista en una zona determinada, había que cumplir las orientaciones y reubicarlo bien lejos de su hogar por el solo hecho de molestarlo y recordarle quién manda en Cuba. Y ni pensar en rebelarse y no incorporarse al nuevo destino, esta disposición ministerial es de carácter obligatorio, de lo contrario, nunca obtendría su liberación. El médico solicitante debía ser castigado y enviado a los lugares más recónditos y apartados de las ciudades, manteniendo sobre él una estrecha vigilancia.

Lamentablemente existen muchos otros ejemplos de ilustres gastroenterólogos, hematólogos, nefrólogos, etc. víctimas de este atropello, que se niegan a que mencionemos sus nombres y sus casos (ni utilizando seudónimos), por los posibles daños que sufrirían sus familiares en la isla. Tan solo vamos a mencionar aislados casos, como el Dr. Félix Duarte,[39] especialista de I Grado en Pediatría, dedicado a la cardiología pediátrica, que laboraba en la sala de Cardiología de dicho hospital provincial santaclareño. Además de él, existía una especialista en esa sala que padecía de un tumor hipofisario, la Dra. María del Carmen Yanes. Sobre Félix recaía el mayor peso de la docencia y asistencia médica, pero al igual que

---

[39] Especialista de I Grado en Pediatría Seudónimo.

otros, solicitó la liberación del Ministerio de Salud por salida legal del país y fue ubicado en el municipio Remedios, a unos cuarenta y cinco kilómetros de su hogar, esta medida lo afectaba desde todo punto de vista.

El Dr. Ibrahim Estévez,[40] especialista de I Grado en Pediatría y especialista en Gastroenterología, con más de veinticinco años de servicio, incluyendo una misión internacionalista en la República Popular de Angola, era uno de los dos gastroenterólogos que existían en el hospital pediátrico provincial, tuvo la suerte de ganarse una de las visas del Sorteo de Visas de los Estados Unidos, razón por la cual fue reubicado en el Policlínico Santa Clara, luego de una acalorada discusión con las autoridades provinciales de salud en Villa Clara, porque para él se había elegido el municipio de Corralillo, a unos setenta kilómetros de su lugar de residencia. En este policlínico se dedicó a dar consultas a niños sanos (puericultura) mientras que los servicios de gastroenterología y cirugía endoscópica, así como la docencia a estudiantes y médicos residentes, perdieron así a un excelente médico y profesor.

El Dr. Federico García,[41] graduado en 1987, especialista de I Grado en Endocrinología Pediátrica, sufrió también igual castigo al ganarse el Sorteo de Visas.

El Dr. Bernardo Gómez,[42] especialista de I Grado en Nefrología y trabajador del Hospital Provincial Universitario Arnaldo Milián Castro, contrajo matrimonio con una ciudadana chilena y decidió viajar a este país para reunirse con su esposa; al solicitar la liberación, lo situaron en el Policlínico XX Aniversario de Santa Clara.

Vemos con ejemplos concretos cómo lo más importante para el gobierno cubano es castigar al médico que pretende irse del país para, de esta forma, frenar un poco la creciente emigración.

Pudiera afirmarse que prácticamente en los ciento sesenta y nueve municipios que conforman la isla de Cuba se han recibido

---

[40] Especialista de I Grado en Pediatría y especialista en Gastroenterología . Seudónimo.

[41] Especialista de I Grado en Endocrinología Pediátrica. Seudónimo.

[42] Especialista de I Grado en Nefrología. Seudónimo.

solicitudes para la liberación por parte de los médicos y también del personal paramédico.

A principios del año 2000, en el municipio de Caibarién, Villa Clara, veinticinco profesionales de la salud solicitaron la liberación del Sistema Nacional de Salud por salida definitiva del país después de establecida esta disposición ministerial (09-49-99), y todos fueron reubicados basándose en los criterios de que estos no podían ocupar plazas donde hubiese tecnología de punta, entiéndase por esto el Sistema Integrado de Urgencias Médicas (SIUM), las unidades de cuidados intensivos o intermedios, laboratorios de investigaciones, institutos de investigación, hospitales provinciales y nacionales, entre otros. Tampoco podían estar vinculados a la docencia ("¿qué pueden enseñar? si se van del país") ni a cargos de dirección y hasta fueron separados de los consultorios médicos porque allí, además de la asistencia médica, tenían que desarrollar una labor educativa, política y social, algo imposible en su condición, por lo tanto, estos médicos fueron ubicados en los cuerpos de guardia de las diferentes unidades de salud, sometidos a trabajos rigurosos e intensos, con menos horas de descanso que el resto de sus colegas, además de ser vigilados constantemente por las autoridades de salud, gubernamentales y por la policía secreta en busca de alguna queja por parte de la población o algún comentario malintencionado.

En el periódico *Granma* del 31 de agosto del 2000, apareció en su primera plana, como parte de un artículo, el subtítulo "El acoso a los médicos cubanos" escrito por el periodista Joaquín Rivery, sobre una mesa redonda donde se dio la respuesta del Ministerio de Relaciones Exteriores de Cuba a la nota del Departamento de Estado norteamericano, en la cual se culpa a Cuba por la no aplicación estricta de los acuerdos migratorios (estaban allí presentes, los presidentes del Consejo de Estado y de la Asamblea Nacional del Poder Popular). En su tercer párrafo, decía:

la esencia de la nota norteamericana emitida el pasado 28 de agosto es una falsa acusación de que Cuba ha violado los acuerdos migratorios suscritos entre ambos países, que demora la entrega de permisos de salida a un número creciente de personas, específicamente a médicos, y que no ha respondido a planteamientos hechos por los Estados Unidos de América en las conversaciones bilaterales, todos contestados magistralmente en la respuesta cubana.[43]

En el programa *Mesa Redonda* de la televisión cubana, Rogelio Polanco, director del periódico *Juventud Rebelde,* señaló que:

> *El Ministerio de Salud Pública de Cuba emitió la Resolución 54 por la cual se regula la emigración de médicos como un acto de legítima defensa frente al hostigamiento, no se prohíbe la salida del país, solamente se establece un plazo de entre 3 y 5 años a partir de presentada la solicitud de emigración, para conceder la autorización, porque muchas veces se necesita formar a los sustitutos de los emigrantes y ha habido casos de recién graduados que no han cumplido el servicio social. La reglamentación establece excepciones por circunstancias casuísticas.*

El señor Polanco habla en nombre de una resolución que fue publicada por la *Gaceta Oficial de la República de Cuba,* y es importante dejar sentado que esta es de difícil alcance para los ciudadanos cubanos, a pesar de ser el documento oficial donde deben aparecer todas las leyes, decretos y resoluciones por las que se rige el pueblo cubano, según estipula la Constitución de 1976. Este ejemplar solo lo reciben entidades estatales escogidas como el Poder Popular, el Partido Comunista de Cuba, el Ministerio de Justicia y algunas bibliotecas públicas después de 1992, no obstante, pudimos acceder a un ejemplar en el que viene publicada dicha Resolución Ministerial No. 54 de fecha 15 de julio de 1999[44]:

> *Tercer por cuanto: en coordinación con el Ministerio del Trabajo y oído su criterio favorable, corresponde a tenor de los fundamentos expuestos, regular el traslado definitivo o temporal de los profesionales o técnicos de la salud a otras entidades, asociaciones económicas, administrativas, de servicio u organizaciones políticas y de masas.*

En su primer resuelvo:

> *Cualquier profesional o técnico del Sistema Nacional de Salud que solicite su traslado a entidades, asociaciones econó-*

---

[43] Ver recorte de periódico *Granma* al final de este capítulo.

[44] Ver resolución en la *Gaceta Oficial* al final de este capítulo.

micas, administrativas o de servicio, o de cualquier otra índole, presentará su solicitud fundada al Director Provincial, el cual elevará con sus criterios al que resuelve, quien será la autoridad exclusivamente autorizada para aprobar la solicitud.

Con estos elementos se puede demostrar la gran falacia del gobierno de Cuba, primero a viva voz y luego publicada en el periódico *Granma*. En primer lugar, no existe ni existió nunca ley alguna que fuese aprobada por ningún órgano judicial, ni parlamento oficial que contemple tales regulaciones.

La resolución que acomodaron a tal evento solo regulariza los casos que quieran cambiar de ministerios, en ninguna de sus cuatrocientas cuarenta y cinco palabras se menciona la palabra migración, para esto se reservó una orden o disposición firmada por el octogenario Dr. José Ramón Machado Ventura (quien fuera ministro de Salud Pública desde 1960 hasta 1967), miembro del Buró Político del PCC, que es un reflejo de lo que pasa en Cuba: la existencia de un "poder a la sombra" que es el que en realidad gobierna la Isla. Los nombramientos de ministros y otros funcionarios son solo de cara a la concurrencia.

La Resolución Ministerial 09-49-99, en su carácter secreto, fue enviada a las oficinas de las direcciones provinciales y municipales del Partido Comunista de Cuba, donde existía un solo ejemplar sin derecho a ser copiado, por lo que no podía salir de estas sedes. Los directores de salud en sus diferentes niveles tenían que asistir personalmente para su lectura y búsqueda de orientaciones; obviamente, los profesionales de la salud que estuvieran interesados no tenían manera de acceder a dicho ejemplar por ser un documento clasificado. A nuestro modo de ver, para que una resolución ministerial tenga validez no puede contradecir a ninguna de rango superior, como la resolución que fue aprobada por la ONU el 13 de diciembre de 1994 (a propuesta de Cuba), en la que se establece el *respeto del derecho a la libertad universal de viajar y la importancia vital de la reunificación de la familia.*

En efecto, Cuba viola los acuerdos migratorios firmados en mayo de 1995 con los Estados Unidos, en los que se incluye, entre otros asuntos, la migración legal, ordenada y segura de sus habitantes; sin embargo, una vez que los profesionales de la salud reciben sus visas, es el gobierno cubano el que, con sus acostumbradas justificaciones rompe los acuerdos al retenerlos de manera injusta, obligándolos indirectamente a que se lancen al mar para lograr sus objetivos.

En la página 5 del periódico oficial *Granma* (31 de agosto de 2000), el presidente de la Asamblea Nacional del Poder Popular, Ricardo Alarcón de Quesada, señaló que:

> *...según los Estados Unidos, la política cubana supuestamente estaría forzando a emigrantes que califican legalmente a considerar la emigración ilegal como un medio de ganar la entrada a los Estados Unidos. Esta absoluta falsedad tiene como réplica lo que la delegación cubana les ha planteado sin recibir respuestas en las conversaciones bilaterales: mencionen el nombre de una persona aunque sea, que habiendo recibido la visa norteamericana haya decidido arriesgar la vida en una travesía ilegal porque Cuba le hubiese impedido hacerlo normalmente.*

Pues, bien, demos respuesta a estas exigencias y citemos solo tres casos como ejemplos, pues de hacerlo con todos los que conocemos, este capítulo sería interminable:

PRIMER CASO: El doctor Gustavo Martínez,[45] graduado del Instituto Superior de Ciencias Médicas de Villa Clara, ISCMVC, en junio de 1996, residente en el municipio villaclareño de Sagua la Grande, fue ubicado como médico general integral en la Empresa de Cultivos Varios de esa zona y obtuvo la visa para viajar a los Estados Unidos en octubre de 1999. Debido a la aparición de la resolución ya mencionada, fue retenido por cinco años y enviado al cuerpo de guardia de un policlínico del mismo municipio. A los pocos meses, se lanzó al mar en una embarcación de pesca deportiva de solo 15 pies de eslora, con motor petrolero KBD de un solo pistón (muy lento), junto a ocho tripulantes más que huían del régimen. El motor sufrió un desperfecto mecánico y quedaron a la deriva en aguas internacionales, a veinticinco millas de las costas cubanas; fueron capturados por guardacostas norteamericanos, él les mostró su visa y lo dejaron a bordo, el resto fue devuelto a Cuba por un puerto de la costa norte.

---

[45] Graduado de ISCMVC. Seudónimo.

El Dr. Martínez fue llevado a la base naval de Guantánamo y, a las pocas semanas, fue entrevistado por un oficial de inmigración, el cual verificó sus documentos y le concedió la entrada a los Estados Unidos, viaje que realizó en avión hasta el aeropuerto de la ciudad de Miami.

SEGUNDO CASO: El doctor José Pérez,[46] médico del Hospital General de Remedios, hostigado por la Seguridad del Estado por intentos de salidas ilegales del país, así como por manifestarse en contra del régimen en varias ocasiones, logró gracias a esto obtener una visa de refugiado político por parte de la Sección de Intereses de los Estados Unidos en Cuba. La dirección municipal de salud de Remedios lo reubicó a unos treinta y cinco kilómetros de su hogar, en el poblado de General Carrillo; no cumplió el castigo pues le era imposible trasladarse diariamente desde Caibarién (lugar donde residía) a este lugar tan intrincado. El 11 de mayo del 2000, junto a otras veinte personas, abordó una lancha rápida por las costas de Isabela de Sagua, poniendo en riesgo su vida, pero fue la única opción para lograr su objetivo. En la actualidad reside en la ciudad de Miami.

TERCER CASO: Este es el más trágico: el Dr. Manuel Cárdenas, estomatólogo de ciudad de La Habana, se lanzó al mar el 20 de agosto de 2002, seis días después se encontró su cadáver en estado de putrefacción y parcialmente devorado por los peces a pocas millas de Cabo Cañaveral, según informes del servicio de guardacostas de los Estados Unidos, dados a conocer por la emisora miamense La Poderosa, la cual cuenta con gran audiencia en la zona central del país. Este doctor había recibido el visado con anterioridad, pero estaba retenido injustamente.

Continuar con la relación de médicos con visado aprobado pero retenidos, haría muy largo el recuento si se tiene en cuenta que en el año 2002, nada más en el municipio de Caibarién, existían casi cincuenta profesionales de la salud esperando por la liberación

---

[46] Médico del Hospital General de Remedios. Seudónimo.

y sabemos que muchos de ellos se lanzaron al mar en más de una ocasión, arriesgando sus vidas, buscando arribar a las costas de los Estados Unidos porque no tenían otro recurso y, en muchos casos, ya se habían separado de sus familias, desesperados y sin comprender qué les podía esperar en ese país, poniendo de por medio el mayor cementerio de Cuba: el estrecho de la Florida.

Frente a esta situación y tomando en consideración el tiempo de espera establecido (por ahora de tres a cinco años), algunos profesionales se arriesgaron y solicitaron la liberación aun sin tener visas, con el ánimo de ir ganando tiempo en caso de ser premiados por el Sorteo de Visas vigente desde 1995, o de conseguir de alguna forma una visa hacia cualquier lugar.

No queremos concluir esta sección sin analizar antes lo que publicó el periódico oficial cubano *Granma* el 22 de junio de 2000, en una entrevista concedida por Fidel Castro al señor Federico Mayor Zaragoza, exdirector general de la Organización de las Naciones Unidas para la Educación, la Ciencia y la Cultura (UNESCO):

PREGUNTA (Federico Mayor): *Desde el triunfo de la Revolución, la décima parte de la población cubana ha abandonado la isla, ¿cómo explica usted este éxodo?*

RESPUESTA (Fidel Castro): *Antes del triunfo de la Revolución, las visas que recibían los cubanos eran insignificantes. Al triunfo de aquella, las puertas se abrieron de par en par, de seis mil médicos se llevaron la mitad, otro tanto hicieron con profesores y maestros universitarios, fue una colosal extracción de recursos humanos, pero soportamos el golpe a pie firme. A nadie se le prohibió emigrar, no fuimos nosotros, sino ellos los que más de una vez cerraron las puertas y establecieron cuotas de visas legales, pero su crimen fue el estímulo a las salidas ilegales, mediante una monstruosa y asesina Ley de Ajuste cubano. Debemos decir que nunca hemos prohibido la emigración de Cuba para los Estados Unidos, y el 90 % de los que lo han hecho ha sido por motivos económicos.*

Estas declaraciones las efectuó un año después de que enviara al señor Machado Ventura a firmar la ya discutida Resolución Ministerial 09-49-99 que prohibía categóricamente emigrar a los profesionales de la salud. La pregunta sería: ¿acaso por tener un título de profesional de la salud estas personas dejan de ser ciudadanos, o es que acaso no cuentan? ¿De qué manera se puede culpar a otro gobierno por el éxodo masivo de su propio país si las verdaderas razones no descansan en una ley por demás justa porque, en definitiva, cuando los cubanos salen de su país de forma permanente pierden sus propiedades y, lo peor, su ciudadanía? Esta Ley de Ajuste les da asilo a quienes huyen de tal sistema.

Todos sabemos que la causa económica (válida para algunos, pero siempre muy por debajo de la causa real, que es política), ha sido un pretexto más por homologar la situación de los cubanos con la del resto de los que emigran en el mundo; puede que algunos lo hagan por una razón económica, si realmente no existiera, como sí existe, un gobierno que ha despojado al país de su infraestructura económica, centralizándola, prohibiendo la propiedad privada y los pequeños comercios como motor generador de ganancias. Es la economía socialista que rige en Cuba la que ha creado ese descalabro económico y las condiciones favorables para un éxodo masivo de cubanos.

Nos gustaría hacer esta afirmación basándonos en un análisis que apareció publicado en el número 89 de la *Revista Vitrales* (revista sociocultural de la diócesis de Pinar del Río, 1ro. de febrero del 2009) sobre este tema: *muchos de los que se marchan afirman simplemente que quieren mejorar económicamente, pero no reconocen que las causas de la crisis económica están precisamente en la errada política del Estado. El Estado achaca toda la responsabilidad al embargo económico de los EE.UU, sin reconocer que la mayor parte del problema está dentro de Cuba, y otros que reconocen y denuncian el carácter político del drama, son perseguidos.*

Por otra parte, aunque el jefe de la revolución diga al mundo que el 90 % de los que emigran lo hacen por problemas económicos (esta es la cara frente a la opinión pública internacional), paradójicamente existen otros funcionarios que dicen lo contrario (de cara a la opinión pública nacional), como el Dr. Juan A. Falcón (vicedirector provincial de Asistencia Médica en Villa Clara durante los años 2002-2005), el cual, en una reunión efectuada en el municipio de Caibarién, presidida también por la señora Cristina Mendiondo Roy, presidenta del gobierno en dicha localidad, y en la que participaron otros funcionarios de la salud, como la actual viceministra de Salud Marcia Cobas, además de unos 130 médicos de este municipio, ante el problema de que había demasiadas quejas de la población con respecto a deficiencias en los servicios de salud, arremetió contra los médicos que estaban reubicados en los cuerpos de guardia por solicitar la liberación y dijo que lo hacían por problemas políticos y no por problemas económicos, que eran traidores a la patria y que, de existir cualquier otra queja, no serían liberados. Esta afirmación echa por tierra lo que siempre se ha vociferado ante la opinión pública internacional. Ninguno de los militantes del PCC allí reunidos alzó su voz en defensa de lo que siempre ha expresado el máximo líder de la revolución, sino que callaron y, con su silencio, pusieron en evidencia la veracidad de tales acusaciones y el verdadero sentir del PCC sobre este tema.

En el *Tabloide Especial*[47] No. 17: "Discurso del Comandante en Jefe en el acto de protesta contra la Ley de Ajuste cubano", en la tribuna antiimperialista José Martí, La Habana, 27 de noviembre del 2001, a raíz del naufragio de treinta cubanos a bordo de una lancha rápida, entre ellos trece niños, que huían desesperadamente en dicha embarcación enviada por sus familiares desde los Estados Unidos, se señala en su sexto párrafo:

> *durante muchos años hemos advertido a los gobernantes de los EUA que la ley de ajuste cubano, vigente desde el 2 de noviembre de 1966, estimula las salidas ilegales, son causantes de enormes riesgos y elevadas pérdidas de vidas humanas, y* en su séptimo párrafo: *desde el triunfo de la Revolución, nunca nuestro país puso obstáculo a la emigración legal de los ciudadanos cubanos a EUA o a cualquier otro país.*

---

[47] Los tabloides se han convertido en un modo privilegiado de comunicación del gobierno cubano, contienen desde los lineamientos políticos del PCC y cursos de Universidad para Todos por televisión, hasta la Constitución de la República y el código de tránsito. Actualmente es una especie de boletín informativo, netamente político, diseñado para defender enteramente a la revolución desde todos los posibles ángulos de análisis.

Sobran los comentarios, el mundo conoce cuál es la causa de la emigración cubana y también el motivo por el cual han perdido la vida miles de personas en el estrecho de la Florida, dejaremos a la interpretación del lector esta cita atribuida a José Martí: *Cuando un pueblo emigra, sobran los gobernantes.*

Para resumir este tema de las liberaciones de los profesionales del Sistema Nacional de Salud, nos gustaría señalar la manera en que el flagelo de la corrupción penetró en las sedes nacionales y provinciales en las que estas se expiden, igual que ocurre en la mayoría de las esferas del gobierno donde se expiden documentos, incluyendo el propio Ministerio de Relaciones Exteriores, donde con el "contacto" adecuado se puede conseguir lo que quieras.

En el caso de los médicos, existe un proceso para obtener tal permiso, que comprende un inicio engorroso con la confección de un expediente en el que hay que asentar los datos generales, el motivo de la salida, el país de destino, las propiedades con las que se quiere abandonar el país y las personas que viajarán con el interesado, acompañado por cartas de su centro de trabajo y del director de salud de la localidad donde reside, confirmando que están en conocimiento de esa situación; luego es reubicado de puesto de trabajo, con evaluaciones periódicas; entonces, si la conducta es buena y ha pasado el tiempo reglamentario, se le otorga el permiso.

Este es un proceso vulnerable a la corrupción debido a que quienes lo realizan y controlan crearon solapados mecanismos para obtener, de manera muy sutil, una recompensa por acelerar el trámite, y en esta actividad han llegado a adquirir habilidades verdaderamente notorias. Nos gustaría denunciar aquí a una funcionaria de la Dirección Provincial de Salud en Villa Clara, quien en franco contubernio con la secretaria del ministro de Salud, vende las liberaciones. Se trata de la señora Noridia Martínez Ramos, vecina de la calle 3ra entre F y G # 308, reparto Vigía , Santa Clara, quien funge como jefa de un departamento creado a tal efecto en esta provincia y que se ha prestado para abreviar este proceso a varios médicos que lograron marcharse a Estados Unidos, Canadá y España, aceptando prebendas. Agente de la seguridad del Estado (DSE), colocada en esa posición para filtrar los casos, su oficina estaba directamente vinculada a la del ministro de Salud.

Un ejemplo de los tantos que pudieran mencionarse es el caso del Dr. Octavio Hernández Comas, residente en Islas Canarias en la actualidad. El Dr. Hernández fue víctima de esta inescrupulosa funcionaria/agente del DSE en sus trámites para obtener la liberación durante los años 2003-2004. Prácticamente se vio obligado a entregarle más de 2000 CUC y una cadena de oro para lograr su salida.

Según referencias de amigos de otras provincias, allí sucede lo mismo, y a nivel del Ministerio de Salud en La Habana.[48] Esto es una constante, por dinero o por relaciones, se obtienen las liberaciones en un periodo tan breve como tres a seis meses, obviamente, si cuentas con el contacto adecuado.

Limitaciones para poder emigrar tales como el derecho a la "liberación" de un Ministerio, la ya mencionada carta blanca o el permiso de salida por parte de las autoridades migratorias (quienes se reservan el derecho de otorgarlo cuando lo estimen conveniente y que muchas veces lo negocian o intercambian por determinado beneficio o información, sobre todo si se trata de alguien que está en la oposición), la confiscación de bienes, la pérdida de derecho ciudadanos por "abandono del país", así como el secuestro de los hijos como método intimidatorio para que se vean en la obligación de regresar al país, sitúan a los ciudadanos cubanos en la categoría de verdaderos esclavos en función de un Estado, el único que tiene el poder de controlar las vidas y bienes de los ciudadanos a su antojo.

Los espías, espiados

El 24 de febrero es una fecha que ha estado muy vinculada a los destinos de nuestro país. Ese día, en 1895, sucedió el histórico Grito de Baire, que dio comienzo a la Guerra de Independencia

---

[48] Por ejemplo, durante el mandato del Dr. Damodar Peña, antiguo ministro de Salud Pública, existían dos funcionarias que preparaban el expediente para la liberación, llamadas Yolanda y Laura. Esta última adolecía de un desmedido despotismo, y ambas aceptaban regalos como pago para agilizar la firma del documento.

cubana contra el dominio español, saldada en 1898 con la rendición de las tropas españolas ante el avance de la armada estadounidense. Ese mismo día, pero cien años después (1996), el gobierno de Cuba toma medidas frente a los "vuelos provocadores" de los Hermanos al Rescate (organización sin fines de lucro que ayudó a miles de cubanos a sobrevivir el endemoniado estrecho de la Florida cuando huían), derribando dos de sus avionetas Cessna con misiles aire-aire lanzados por aviones de combate MIG-23 y MIG-29 piloteados por los hermanos Francisco Pérez Pérez y Lorenzo Alberto Pérez Pérez, altos oficiales de la Fuerza Aérea de Cuba quienes dejaron para la historia un grotesco diálogo grabado que solo inspira indignación.

En la madrugada del 12 de septiembre de 1998, el FBI (Buró Federal de Investigaciones) capturó a un grupo de doce espías cubanos que resultaron ser oficiales de los servicios de inteligencia cubana, los cuales residían en los Estados Unidos bajo identidades falsas y controlaban a otros agentes reclutados para labores de espionaje, infiltración en organizaciones del exilio, manipulación de medios de prensa, organizaciones políticas y opinión pública, conocidos bajo el nombre de Red Avispa. Siete de ellos colaboraron con la fiscalía, el resto ha sido reconocido como los "cinco héroes" por el gobierno de la isla, que entusiasmado por las reconquistas de las calles cubanas cuando manipuló el caso Elián (el niño balsero que arribó a las costas de la Florida como uno de los sobrevivientes del naufragio en el que murió su madre), al movilizar a miles de cubanos y convertir una tragedia familiar en un escándalo político, ha gastado cifras millonarias orquestando un coro internacional que abogue por la liberación de "los cinco".

En su momento, el gobierno de la isla justificó la presencia de los espías diciendo que su verdadera misión era la de evitar los actos terroristas que provenían del exilio cubano en Miami, luego de desmentido en la televisión por uno de los exagentes, Edgerton Ivor Levy López, quien recién llegado de Cuba denunció el caso de la red de espías a las autoridades norteamericanas, motivo por el cual se le ha tildado de posible doble agente al servicio de la inteligencia norteamericana, quien ha relacionado a sus excolegas con labores de infiltración en bases militares de los Estados Unidos con el objetivo de hacer vulnerable la seguridad nacional.

En este lleva y trae, sale a la luz que unos de los espías, Gerardo Hernández, estuvo vinculado al derribo de las avionetas de Hermanos al Rescate, y otro de los cuatro agentes que lograron escapar hacia la isla (Germán Roque) también infiltrado en dicha organización hasta el 23 de febrero de 1996, tan solo a horas del derribo, aportó información valiosa.

El tema de los "cinco héroes, prisioneros del Imperio" se ha explotado hasta la saciedad; con el objetivo de levantar el espíritu revolucionario de una población descontenta por la insostenible crisis económica. Se ha hecho de todo y se han gastado millones en esta campaña, tanto en el territorio nacional como en el extranjero, sin lograr obtener algún respaldo, como sí ocurrió con el niño Elián (sin dudas, son casos diferentes, aquí no existe la cara de un niño desconsolado que mostrar, sino el rostro de cinco hombres que trabajan para un gobierno extranjero, sin autorización y evidentemente comprometidos).

Una separación que duele es el título que la periodista María de las Nieves Gala escogió para su artículo en el periódico cubano *Trabajadores*, publicado el lunes, 14 de enero de 2004,[49] en el que exhibe, además de una foto de René (uno de los cinco espías devenidos héroes en Cuba) junto a su hija, un texto con la pregunta "¿Por qué no me dejan visitar a mi papá?".

Se evidencia la manipulación en semejante titular cuando miles de familias cubanas hoy sufren una separación que duele. ¿Desconoce esta señora a los cientos de presos políticos que en Cuba son trasladados a cientos de kilómetros de sus lugares de residencia con el principal objetivo de hacer sufrir a sus familiares alejándolos de ellos? ¿No le parece que estos últimos setenta y cinco prisioneros políticos (encarcelados durante la Primavera Negra) que fueron mantenidos bajo un régimen carcelario con cortas y espaciadas visitas, aun cuando los condenaran por solo decir lo que pensaban, también tenían hijos, esposas y padres que sufrían?

---

[49] Ver recorte de periódico *Trabajadores* al final de este capítulo.

90

¿Desconoce que en su país hay cientos de niños que tienen que ver partir a uno de sus padres para evitar que su visa legalmente expedida caduque y que el otro progenitor se tiene que quedar en Cuba solo por ser profesional de la salud?

Citaremos solo algunos ejemplos:

El doctor Leonardo Esquivel[50] médico del municipio de Caibarién, recibió un visado del Consulado de los Estados Unidos gracias al Sorteo de Visas; fue separado de su esposa y su hijo, Leonardo, quienes tuvieron que partir para evitar que sus visas caducaran. El médico se quedó sufriendo dicha separación debido a que no fue liberado del Sistema Nacional de Salud y, su pequeño niño, fue una víctima del daño psicológico producido por su partida y separación.

El licenciado en Farmacia Marco Pacheco[51] del municipio de Caibarién, al igual que el anterior fue afortunado al ganar el Sorteo de Visas hacia los Estados Unidos; de igual manera, tuvo que ver partir a su joven esposa e hija por no tener la "liberación" del Sistema Nacional de Salud, con los daños colaterales que esto motiva, entre ellos la ruptura del matrimonio y el daño psicológico a la niña.

La doctora Jazmín Álvarez[52] especialista en Medicina General Integral (MGI) del municipio de Santa Clara sufre la separación de su esposo, ya que se tuvo que quedar en Cuba junto a su hija Jazmín, aun cuando todos tenían la visa y estaban listos para viajar a los Estados Unidos, solo faltaba algo... la liberación.

Estos tres ejemplos, además de ser una franca violación de los acuerdos migratorios, es una violación del derecho internacional de la familia y pone al desnudo la doble moral del gobierno cubano,

---

[50] Médico del municipio de Caibarién. Seudónimo.

[51] Licenciado en Farmacia. Seudónimo.

[52] Especialista en Medicina General Integral (MGI). Seudónimo.

que tiene la desfachatez de llevar propuestas ante la Organización de las Naciones Unidas como solución al problema de la separación de las familias, cuando son ellos quienes generan las causas.

¿Acaso desconoce la periodista que existen esposas e hijos que son tomados como rehenes y castigados a quedarse en el país como mínimo durante cinco años porque nos les conceden la famosa y soñada tarjeta blanca o permiso de salida para poder viajar y unirse a sus esposos o padres, quienes habían tomado la temprana decisión de quedarse a residir en el extranjero? Estos son solo unos pocos ejemplos de los cientos que deben existir en el país:

El ingeniero electrónico Juan Rodríguez[53] exprofesor de la Universidad Central de Las Villas, decidió quedarse a residir en Colombia luego de haber trabajado allí como profesor y, más tarde se trasladó a los Estados Unidos. Por esta causa, su esposa María y su hija Ileana fueron obligadas a esperar cinco años antes de poder siquiera comenzar los trámites migratorios e intentar la reunificación familiar.

El doctor Jacinto Morales[54] médico general del municipio de Caibarién, fue invitado por dos hermanas de la iglesia católica a visitar México en compañía de su esposa; como el gobierno cubano, en virtud de la absurda ley migratoria que rige en el país y que autoriza el secuestro de los hijos de quienes desean viajar, no accedió a que sus dos hijos legítimos (Mireya, de 12 años y Jacinto, de 2 años) los acompañaran, tuvieron que dejarlos bajo la custodia del tío de los niños en Cuba.

La doctora Magda E. Blanco[55], médico del municipio de Caibarién, recibió la visa para los Estados Unidos por reclamación familiar (su padre es ciudadano norteamericano), pero tuvo que ver partir a su esposo y sus dos hijos para evitar que caducaran sus visas.

---

[53] Exprofesor de la Universidad Central de Las Villas. Seudónimo.

[54] Médico general del municipio de Caibarién. Seudónimo.

[55] Médico general del municipio de Caibarién. Seudónimo.

Es evidente que la licenciada María tiene razón en muchos argumentos que menciona en su artículo. Es verdad que dos años de separación es muchísimo tiempo para un niño, pues su mentalidad y fisonomía cambian notablemente; tal vez sea verdad que en los Estados Unidos (según ella) violan la octava enmienda de la Constitución, pero en Cuba se viola, sin ética ni escrúpulo, el cuarenta por ciento de esta (nos referimos a la Constitución de 1976, que por naturaleza ya es violatoria). Es verdad que estar en familia es un derecho bendito; es verdad que nada ni nadie tiene el derecho de prohibir el encuentro entre las familias y, mucho menos, de dividirlas y aislarlas tan cruelmente como se hace en Cuba. Pero resulta ridículo, y denota una postura sumisa de su parte (claro que de no ser así, no pudiera publicar en ningún periódico cubano), abordar este tema únicamente desde la óptica de la defensa del derecho de los "cinco héroes" a reunirse con sus familiares (lo cual apoyamos), sin hacer mención a toda la gama de personas afectadas en nuestro país, en condiciones similares, pero con la atenuante de que estas no han espiado ni han contribuido a la pérdida de vidas humanas inocentes.

¿Por qué los profesionales, obreros, artistas, sacerdotes, deportistas, militantes o gente anónima y sencilla aprovechan cualquier salida temporal, personal u oficial para quedarse en el extranjero? Esta pregunta la hicieron hace más de quince años los obispos cubanos en la memorable carta pastoral "El amor todo lo espera", en la que se abordó nuestra realidad social y, específicamente, la emigración como uno de los fenómenos más alarmantes. Los obispos y nosotros con ellos, estamos esperando las respuestas a todas las preguntas formuladas al gobierno, situación que se eternizará sencillamente porque el Estado cubano vive de espaldas a su propia realidad.

CIUDAD DE LA HABANA, JUEVES 31 DE AGOSTO DEL 2000   AÑO 36 / NÚMERO 191
AÑO DEL 40 ANIVERSARIO DE LA DECISIÓN DE PATRIA O MUERTE   EDICIÓN ÚNICA / CIERRE 2:00 A.M. / 20 CTVS.

ÓRGANO OFICIAL DEL COMITÉ CENTRAL DEL PARTIDO COMUNISTA DE CUBA

Contundente respuesta a del Departamento de Est

Joaquín Rivery

La demoledora respuesta del Ministerio de Relaciones Exteriores de Cuba a la nota del Departamento de Estado norteamericano, leída por Ricardo Alarcón, presidente de la Asamblea Nacional del Poder Popular, sirvió de base para analizar en la Mesa Redonda Informativa de ayer ese último intento de Estados Unidos de descargar sobre nosotros las culpas que ellos mismos tienen por la no aplicación estricta de los acuerdos migratorios.

La mesa fue efectuada para aclarar la clínica política de las autoridades norteamericanas relacionada con los acuerdos migratorios, con la presencia del Comandante en ... a Fidel Castro y los aportes de Ricardo Alarcón, presidente de la Asamblea Nacional del Poder Popular, Dagoberto Rodríguez Barrera, director de América del Norte de la Cancillería cubana, Rogelio Polanco, director de Juventud Rebelde, y Lázaro Barredo, presidente de Trabajadores.

La esencia de la nota norteamericana, emitida el pasado 23 de agosto, es una falsa acusación de que Cuba ha violado los acuerdos migratorios suscritos entre ambos países, que demora la entrega de permisos de salida a un número creciente de personas, especialmente a médicos, y que no ha respondido a planteamientos hechos por Estados Unidos en las conversaciones bilaterales, todos contestados magistralmente en la respuesta cubana.

La acusación de que Cuba ha pasado "torpemente" a la denuncia de la Ley de Ajuste Cubano fue rebatida rápidamente por Dagoberto Rodríguez Barrera, quien declaró que es absolutamente falso, pues Alarcón personalmente, en su función de jefe de la delegación cubana a las conversaciones bilaterales, ha repetido docenas de veces las preocupaciones de nuestro país por la aplicación que hace Estados Unidos de la ley asesina.

Rodríguez Barrera señaló que había reveló

de 13 actas de las reuniones y ese tema sola presente de forma constante. Ya en 1994, Alarcón decía a los norteamericanos que se deseaba lograr un acuerdo que diera posibilidades a los cubanos que querían emigrar con el fin de lograr la reunificación familiar y que hubiese una forma para detener la emigración ilegal.

Como resultado del acuerdo de 1994 Washington se comprometió a otorgar hasta 20 000 visas actuales y en diez años solamente concedieron 11 222 visas y no se comprometieron a tomar medidas efectivas que detuvieran el tráfico ilegal.

En 1994 las autoridades norteamericanas aceptaron tomar algunas medidas e incluso Michael Skol, quien entonces era subsecretario de Estado, declaró que compartía con Cuba el interés de que la emigración descontrolada fuera detenida y llegó a anunciar que se darían pasos para ello, pero la vida demostró que todo era letra muerta.

El alto funcionario señaló que en la acusación a Cuba por la denuncia de la Ley de Ajuste Cubano había temor en Estados Unidos a la lucha, al compromiso del pueblo con el Juramento de Baraguá y a la decisión de continuar el combate por la derogación de esa legislación.

EL ACOSO A LOS MÉDICOS CUBANOS

La actitud de Washington de acosar a los médicos cubanos para llevados a la deserción es una política vieja. Comenzó con el mismo triunfo de la Revolución, cuando lograron sustraer a la mitad de los galenos que había en nuestro país y luego han continuado y arreciado la campaña.

La nota norteamericana cínicamente acusa al Gobierno cubano de crear dificultades para que los profesionales puedan emigrar y, Rogelio Polanco recordó esto al recalcar que Cuba se ha visto obligada a emprender acciones para evitar el saqueo de médicos, que afecta al sistema de salud y crea molestias adicionales en la población.

Polanco señaló que el Ministerio de Salud Pública de Cuba emitió la Resolución 54 por la cual se regula la emigración de médicos como un acto de legítima defensa frente al hostigamiento. NO se prohíbe la salida del país, solamente se establece un plazo entre tres y cinco años a partir de presentada la solicitud de emigración para contender la emigración, porque muchas veces se necesita formar a los sustitutos de los emigrantes, y ha habido casos hasta de recién graduados que no han cumplido el servicio social. La reglamentación establece excepciones por circunstancias casuísticas.

El llamado sorteo por el que la Sección de Intereses concede las visas, añadió Polanco, es algo premeditado para desangrar al país de profesionales y se trata en realidad de un mecanismo selectivo dirigido al saqueo de personas con enseñanza superior.

Polanco señaló que el Ministerio de Salud Pública de Cuba emitió la Resolución 54 por la cual se regula la emigración de médicos como un acto de legítima defensa frente al hostigamiento. NO se prohíbe la salida del país, solamente se establece un plazo entre tres y cinco años a partir de presentada la solicitud de emigración para conocer la eufonización, porque muchas veces se necesita formar a los sustitutos de los emigrantes, y ha habido casos hasta de recién graduados que no han cumplido el servicio social. La reglamentación establece excepciones por circunstancias casuísticas.

Artículo del periódico *Granma* que afirma que la Resolución 54 la cual regula la emigración de médicos es "un acto de legítima defensa frente al hostigamiento. No se prohíbe la salida del país, solamente se establece un plazo entre tres y cinco años a partir de presentada la solicitud de emigración".

94

3.2.6 Los residuales sólidos, líquidos o materiales contaminantes peligrosos que afecten los suelos no se verterán en las áreas exteriores del perímetro de la obra y en caso de ser requerido, se deberá solicitar la licencia para ello.

3.2.7 En caso de dragado en aguas terrestres, los sedimentos aprovechables, incluida la vegetación acuática extraída, deberán utilizarse en beneficio de la agricultura, forestales, áreas verdes, parques y otros.

3.2.8 El constructor, en cumplimiento de lo indicado en la documentación de proyecto para la retirada, almacenamiento y conservación de la capa fértil, procederá de acuerdo con lo establecido en la normativa cubana vigente y con lo establecido en el Decreto Nº 179 "Protección, uso y conservación de los suelos y contravenciones", de febrero de 1993.

3.2.6 El proceso de rehabilitación del suelo se realizará simultáneamente a la actividad que provoque su alteración, a medida que ésta se realice. Cuando esto no sea posible, el proceso se iniciará dentro de los seis meses siguientes a la terminación de la actividad causante de la alteración. El proceso de rehabilitación sólo se considerará concluido cuando las áreas alteradas sean inspeccionadas y aprobadas por las autoridades competentes.

COMPLEMENTO

— Ley 81, "Del medio ambiente", del 11 de julio de

— Ley 21 "Reglamento de la planificación física", del 24 de febrero de 1978.

— Decreto 179, "Protección, uso y conservación de los suelos y contravenciones", de febrero de 1993.

— Ley Nº 76, "Ley de minas", de diciembre de 1994.

— Proyecto "Ley del ordenamiento territorial y el urbanismo", MEP-IPF, de junio de 1998.

Elaborado: Comisión Nacional para la Protección del Medio Ambiente y el Uso Racional de los Recursos Naturales en la Construcción.

Trabajo: Ing. Rafael de La Paz, Dirección de Normalización. M.CONS.

SALUD PUBLICA
RESOLUCION MINISTERIAL Nº 54

POR CUANTO: El Acuerdo Nº 2840 del Comité Ejecutivo del Consejo de Ministros, de 28 de noviembre de 1994, a tenor de lo dispuesto en el Decreto-Ley Nº 147 adoptó las atribuciones y funciones específicas del Ministerio de Salud Pública entre las que se establece la de regular el ejercicio de la medicina y de las actividades con ella afines.

POR CUANTO: El artículo 65 de la Ley Nº 49 denominada Código del Trabajo", establece que la contratación y otras cuestiones de carácter laboral de los técnicos de la medicina se efectúa con arreglo a las características de esas actividades y conforme con las medidas dictadas por el organismo respectivo.

POR CUANTO: En coordinación con el Ministerio del Trabajo y oído su criterio favorable, corresponde a tenor de los fundamentos expuestos, regular el traslado definitivo o temporal de los profesionales o técnicos de la salud

a otras entidades, asociaciones económicas, administrativas, de servicios u organizaciones políticas y de masas.

POR TANTO: En uso de las facultades que me están conferidas como Ministro de Salud Pública,

Resuelvo:

PRIMERO: Cualquier profesional o técnico del Sistema Nacional de Salud que solicite su traslado a entidades, asociaciones económicas, administrativas o de servicios o de cualesquiera otra índole, presentará su solicitud fundada al Director provincial, el que la elevará con sus criterios al que resuelve, quien será la autoridad exclusivamente autorizada para aprobar tal solicitud.

SEGUNDO: De igual forma se procederá en los casos en que las entidades señaladas en el RESUELVO precedente sean los solicitantes de la prestación del servicio del profesional o técnico.

TERCERO: En los casos que la solicitud sea de un profesional o técnico de una unidad de subordinación nacional la misma se tramitará, de igual forma, por conducto del viceministro que atiende la unidad administrativa o la entidad donde labora el profesional o técnico.

CUARTO: Cualquier promoción de un profesional o técnico de la salud para ejercer cualquier cargo electivo o de funcionario en una organización política, social o de masas será previamente presentada, en los casos de las entidades de subordinación territorial a los directores provinciales, quienes la tramitarán ante el que resuelve. En los casos de unidades o entidades de subordinación nacional se presentarán directamente al Ministro de Salud Pública, a los efectos de conceder la autorización correspondiente y disponer de conformidad a la legislación laboral vigente el otorgamiento de licencia especial no retribuida mientras dure el mandato o el tiempo de trabajo del profesional o técnico como dirigente o funcionario en la organización que lo solicitó.

Dése cuenta a cuantos órganos, organismos, dirigentes y funcionarios corresponda conocer de la misma, archívese el original en la Dirección Jurídica del organismo y publíquese en la Gaceta Oficial de la República para general conocimiento.

DADA en el Ministerio de Salud Pública, en Ciudad de La Habana, a 2 de julio de 1999.

Dr. Carlos Dotres Martínez
Ministro de Salud Pública

TRANSPORTE
RESOLUCION Nº 252/99

POR CUANTO: De conformidad con lo dispuesto por el Decreto-Ley Nº 147 "De la reorganización de los organismos de la Administración Central del Estado" de fecha 21 de abril de 1994, el Comité Ejecutivo del Consejo de Ministros adoptó el Acuerdo Nº 2832 con fecha 25 de noviembre del mismo año, mediante el cual aprobó con carácter provisional hasta tanto sea adoptada la nueva legislación, el objetivo y las atribuciones específicas del Ministerio del Transporte, el que en su apartado SEGUNDO expresa que el organismo encargado de dirigir, ejecutar y controlar la política del Estado y del Gobierno en cuanto al transporte terrestre, marítimo y fluvial, sus

Resolución Ministerial No. 54 de Salud Pública que regula el traslado laboral de los trabajadores del sector de la salud en Cuba y la emigración de médicos cubanos.

En la siguiente página artículo del periódico *Trabajadores* que reclama el derecho que la hija de uno de los espías encarcelados en EE.UU: a visitar a su padre. "Estar en familia es un derecho bendito". "Nada, ni nadie tiene derecho a prohibir el encuentro".

¿Por qué no me dejan visitar a mi papá?

MALAGÓN

En el año 2002 a Adriana le fue otorgada una visa, y luego le impidieron llegar a territorio norteamericano. "Fui retenida durante once horas, sin haber cometido ninguna violación y sin que se me explicara la razón por la cual se me hacía este tipo de acción siendo interrogada", diría en conferencia de prensa.

Por su parte, Olga no sólo ha tenido que sufrir el dolor por no poder ver a su esposo, sino el de ser parte del sufrimiento de su pequeña Ivette, su hija de cinco años, que apenas conoce a su papá. "No hay persona en este mundo que me pueda negar el derecho de respaldar a mi hija cuando vaya al encuentro con su padre en tan difíciles condiciones. Será probablemente cuando René conozca realmente a Ivette. En su recuerdo no está René".

Hace pocos días, una frase era común en cualquier familia de Estados Unidos: Merry Christmas. Se respetaba ese tiempo para el reencuentro con los hijos, los nietos, los padres; los minutos eran pocos para dar y recibir amor, se perdonaban los desatinos y se brindaba por el mañana. Estar en familia es un derecho bendito.

Sin embargo, a cinco familias cubanas les está negada esa suerte. Dos de ellas han sentido más con más fuerza el rigor de ese desatino.

"Quiero que sepas —le escribió René a Ivette— que naciste en una familia muy feliz y en un lugar lleno de alegría en el que tanto tu llegada como la de tu hermanita Irmita constituyeron motivo de regocijo y celebración. Yo me enamoré de tu mami en cuanto la conocí y muy pronto decidimos que formaríamos una familia para toda la vida..."

Nada ni nadie tiene derecho a prohibir el encuentro, hasta ahora postergado y dilatado sin ningún tipo de justificación, de Olga Salanueva e Ivette con René, y de Adriana con Gerardo.

postal dedicada a su "bonsai", como Gerardo llama cariñosamente a Adriana, le dice: "si solo ella pudiera mirar dentro de mi corazón, entonces podría ver cuánto su dulce compañía significará siempre para mí. Cuando yo pienso en todas las formas en que tú me haces feliz, casi no puedo creer lo dichoso que soy de tener una esposa como tú"... Una y otra vez les han negado el derecho de poder verse, de mirarse a los ojos, de tocarse las manos.

Otra historia dolorosa es la de Olga Salanueva y su pequeña hija Ivette, quien desde hace tres años no puede ver a René González, su padre.

Durante los primeros meses en que René estuvo preso, sólo en dos oportunidades pudo tener contacto con la niña, nacida en ese país. La primera vez estaba bajo custodia. "Mi papá estaba esposado, sentado. Y nosotros podíamos tocarlo, pero no podíamos abrazarlo ni nada", recordaría Irma, la hija mayor del matrimonio.

La última visita Ivette la hizo junto a su abuela Irma, quien había ido a Estados Unidos para traerla hacia Cuba. "Todavía te recuerdo, perpleja y de pie frente a la puerta que me llevaría de

Fuentes utilizadas:
Entrevistas realizadas por Froilán Arencibia a Adriana Pérez y Olga Salanueva.
¡Sólo queremos ver a nuestros esposos!, trabajo publicado en el periódico Granma Internacional.

CAPÍTULO IV
Medicina general integral

Palabras clave

El médico de la familia • defender, justificar, vigilar y exaltar la imagen de la revolución • meros oficinistas • la medicina tiene un precio • el fraude en las historias clínicas • riesgo preconcepcional • lactancia materna • población adulta exhibe un alto índice de obesidad • los fórums son para ir a comer • investigaciones y sus temas prohibidos: el suicidio • la corrupción que existe en el Ministerio de Salud cubano • desconocimiento de las organizaciones internacionales respecto a la realidad cubana

Queremos comenzar este capítulo recreando un pasaje de la Historia de la Medicina en el que un joven médico rural inglés llamado Edward Jenner, en una de sus rutinarias visitas a una granja, prestó atención a los comentarios de una joven campesina, Sarah Nelmes, quien aseguraba que nunca se enfermaría de viruela (en aquel momento, 1770, la viruela se había convertido en una plaga temible, gran parte de Europa y América estaba bajo el contagio de esa enfermedad, tan letal que en algunas culturas estaba prohibido ponerle nombre a un niño hasta que padeciera la enfermedad y sobreviviera). *No voy a enfermar nunca de viruela, porque estoy vacunada*, afirmaba la joven campesina que se dedicaba a ordeñar vacas y había padecido de viruela boba, una manifestación leve de esta enfermedad en las ubres de las vacas. Edward tomó muestras de pus de unas de las pústulas de las manos de Sarah Nelmes y la inoculó a un joven llamado James Phipps (que nunca había padecido la enfermedad), y a raíz de tal experimento, dicho joven quedó inmunizado; así se inició el proceso de lo que posteriormente se convertiría en la vacuna contra la viruela, ya erradicada desde 1977. La Organización Mundial para la Salud no ha reportado ningún otro caso.

En la isla de Cuba, en los albores de 1990, el gobierno castrista inició un proyecto masivo que involucró a médicos recién graduados, constructores y sociedad civil en general a través de un programa llamado Médico de las 120 Familias, nombre que se simplificó a Médico de la Familia.

Se construyeron consultorios a lo largo de todo la nación y se les exigió a todos los médicos recién graduados participar en él. De repente, todo el país se cubrió de jóvenes médicos. De ninguna manera fue Fidel Castro quien hizo este aporte a la medicina mundial. Ya desde épocas tan remotas como el siglo XIII, existían los médicos vinculados a esta práctica, también conocidos como médicos de cabecera, quienes trataban a varias generaciones dentro de una misma familia. Hombres ilustres como el español Francisco Vallés o los ingleses John Hunter y su alumno, el doctor Edward Jenner, demostraron lo beneficiosa que resulta la comunicación directa con los núcleos familiares, así como las visitas periódicas a sus casas; de esta manera lograron descubrir, curar y prevenir muchas enfermedades, ellos fueron los verdaderos promotores de la conocida atención primaria de la salud, en diferentes momentos de la historia pusieron en práctica las principales funciones de este tipo de medicina que promueve estilos de vida saludables, además de la identificación oportuna de riesgos o daños a la salud para una intervención temprana de los problemas.

Definitivamente, un proyecto de tal magnitud debe ser admirado por lo beneficioso que resulta para la sociedad, lo malo ha sido el matiz político que se le ha otorgado desde su mismo nacimiento, que lo convirtió en otra bandera más de los logros de la revolución. Este proyecto hubiera resultado grandioso debido a la cantidad de recursos invertidos y los resultados ideales que se obtendrían si verdaderamente su objetivo hubiera sido la salud del pueblo, pero terminó siendo otro de los fracasos de la revolución, tergiversaron las funciones del médico, que pasaron de asistenciales a burocráticas y cuyos objetivos fundamentales eran defender, justificar, vigilar y exaltar la imagen de la revolución.

El proyecto en sí (en aquellos momentos el concepto de la atención primaria a nivel mundial se veía como revolucionario) se marchitó con el transcurso de los años, exigía demasiados recursos que poco a poco fueron disminuyendo, haciendo realidad el refrán de *árbol que nace torcido, jamás su tronco endereza*. El generoso, ambicioso y utópico "médico cubano de la familia socialista", bautizado desde el punto de vista docente como Medicina General Integral (MGI), trató de dar cumplimiento a un idílico sueño que luego se transformó en pesadilla para quienes habían elegido la carrera de Medicina, pues todos, sin excepción, han acatado la práctica de esta vertiente como una obligación al no poder contar con otras opciones: o son médicos generales integrales o no son nada.

Es realidad, estamos ante algo impuesto, ajeno a la esencia de la vocación médica. Ninguno de los que la ejercieron, incluyendo los profesores titulares, máximos exponentes en las diferentes disciplinas, encontraron un objetivo convincente desde su inicio, a pesar de que ya contaban con la experiencia y la antigua práctica de la medicina sectorizada, en la cual estaban contempladas las consultas de terreno, con las que se cubría toda la parte asistencial de los pacientes. Claro que entonces era asistencial, no burocrática ni intromisoria en los asuntos familiares o personales, como ocurrió después y, además, existía el acceso fácil al médico internista, al pediatra o al obstetra, no era necesario esperar por las visitas de estos al consultorio una o dos veces al mes, como es la costumbre en estos momentos, pues se rigen por un plan de trabajo que sufre constantes modificaciones que van desde reuniones no programadas del Partido Comunista de Cuba o del gobierno, clases, cursos, reuniones del sindicato, hasta chequeos de emulación y un sinnúmero de actividades. Por lo tanto, para que un paciente pueda recibir la atención de alguno de los especialistas ya mencionados, debe esperar de quince a treinta días o, en el mejor de los casos, ingeniárselas para acudir al hospital y, mediante un "padrino", ya sea un trabajador del centro o un amigo del especialista, lograr la consulta gracias a gestiones privadas e irregulares.

La antigua medicina sectorizada (estructura de la atención médica primaria que se practicó en Cuba durante las décadas de los setenta y ochenta), ahora desplazada por la controversial política del médico de la familia, desarrollaba una labor profiláctica, curativa, puramente médica que no tenía nada que ver con el burocratismo actual en el que están sumidos los médicos de la familia y demostró, como política, ser más veraz y con metas más específicas, además de no ser tan rígidas ni tener el carácter impositivo que tiene en la actualidad.

El joven egresado de la escuela de Medicina, al no tener otra alternativa, acudía a la MGI partiendo de que era su única oportunidad de hacerse de una vivienda. Al principio, edificaron los consultorios en la mayoría de los rincones de la ciudad (incluyendo parques) para el médico y la enfermera de la familia; luego, con la llegada del Periodo Especial, debido a la carencia de materiales de la construcción, convirtieron en consultorios los sitios más insólitos: lugares deshabitados, casas de familias que abandonaban el país, trastiendas, oficinas en peligro de derrumbe, cualquier esquina de un almacén y hasta la sala de algún que otro vecino generoso. Paralelamente, en muchas ocasiones sucedía que el médico que tuviese familia o quisiese tenerla, solo disponía de esta opción para adquirir una casa donde vivir.

Los médicos que no tenían necesidad de vivienda optaban por ser médicos de escuelas, fábricas, terminales de ómnibus o simplemente como "vacacionistas", el modo de nombrar a quienes se dedicaban a cubrir el trabajo de quienes salían de vacaciones. Los médicos de escuelas y fábricas eran convertidos en meros oficinistas que portaban un arsenal de documentos relacionados con la higiene del trabajo o de los alimentos o con diferentes actividades educativas, todo muy bien detallado en una carpeta o fichero para mostrárselo a los visitantes. Ni el médico, ni quien lo supervisaba tenían la más mínima confianza en lo que estaba escrito, pero disimulaba como si lo creyese y así se apartaba, de forma fácil y de manera improductiva, de la labor asistencial, de modo que no resolvían los problemas de salud de sus pacientes, ni modificaban su entorno, porque la última palabra la decía el director del centro donde estos trabajan, quien casi nunca se rige por lo que establece el médico y antepone dificultades económicas o las de valor político, como el cumplimiento eficiente del plan.

En la actualidad, esta tendencia se ha agudizado porque la prioridad para las empresas es la obtención de divisas, la salud del trabajador pasó a un segundo plano, y lo que el médico aconseja que se debe modificar (ruidos ambientales, iluminación deficiente, aumentar la calidad del agua potable, correcto depósito de residuales sólidos o líquidos, la higiene de los alimentos, etc.) pasa a un tercer plano. Para este tipo de médico, lo principal es su comodidad y, para el gobierno, proclamar a los cuatro vientos que la salud de los trabajadores o estudiantes está totalmente garantizada en sus propios puestos de trabajo o en sus escuelas.

Quienes ocupan sin otra alternativa su casa-consultorio, se exponen a las molestias constantes de la población (fuera del horario laboral), que los toma por empleados, llegando al extremo de que a veces un paciente se siente mal durante todo el día y espera hasta las dos o tres de la madrugada para que lo vean y le tomen la presión arterial; estas situaciones obligaron a los galenos a poner en práctica diferentes estrategias:

Al ver que el paciente puede continuar con síntomas o pueden aparecer otros (por ej: fiebre), le dicen que si continúa así va a tener que ir al hospital, porque en el consultorio no puede solucionar el problema, aunque en realidad tenga en su consultorio una reserva de medicamentos básicos.

No estar en la casa los fines de semana o desaparecer en horario no laborable

La última vía para quitarse a un paciente de encima es darle una importancia exagerada a los síntomas que tiene y decirle que es indispensable que sea visto por un especialista lo más pronto posible, de esta manera el enfermo o sus familiares se ven en la obligación de llevarlo al hospital más cercano.

Todas estas variantes se obvian si el paciente es alguien importante, me refiero a un empresario con recursos (que pueda solucionarle algún problema material) o un sujeto con poder monetario, entonces se muestra bondadoso y amable con el paciente. Es de sobras conocido, principalmente en la capital del país, que todo tiene un precio, ya sea una simple radiografía, una tomografía axial computarizada o una intervención quirúrgica.

En las provincias del interior del país no ocurre este fenómeno de manera tan cruda, aunque se percibe el interés material de forma manifiesta por muchos galenos y personal paramédico; con frecuencia esta situación obedece al miserable sueldo que reciben, con el cual tienen que enfrentar a la desnuda y hambrienta realidad cubana.

Ponemos el ejemplo de Olga Barrios[56] la cual padecía de cataratas en ambos ojos, por lo que acudió al Instituto Cubano de Oftalmología Ramón Pando Ferrer, en ciudad de La Habana, para el tratamiento quirúrgico. Al llegar, le orientaron que se anotara en una larga lista de espera para obtener su cristalino (en esos momentos estaban en déficit) por lo que tuvo que regresar en varias ocasiones. En su cuarta visita utilizó una nueva estrategia: llevó un pescado (un pargo) de diez libras como "regalo" a la persona responsable de dar los turnos para la cirugía e, increíblemente… ¡apareció el cristalino! El día de la operación repitió la misma técnica, minutos antes le entregó al jefe del equipo médico dos gigantescos quesos: ese día ella fue la primera persona que operaron y hoy disfruta de una visión perfecta.

El médico de la familia tiene una sección de consultas (mañana o tarde) y otra de visitas de terreno para evaluar la situación de sus pacientes en su medio familiar y llevar hasta allí la atención profiláctica o curativa, aunque esto es solo en teoría pues, por lo general, la consulta se realiza si no es interrumpida por una reunión, una clase, algún curso, un desfile, acto político, actividad sindical o si es el descanso después de una guardia. A todas estas actividades no asistenciales se les da más importancia que a la función médica propiamente dicha. Las visitas de terreno son pura ciencia ficción y solo se hace realidad cuando se realiza a una familia pudiente, o en el caso de una embarazada o un niño menor de un año, porque estos conforman el talón de Aquiles del MGI, su parte más vulnerable y peligrosa. Por supuesto, los médicos saben que más que medicina es política y que el Programa Nacional de Atención Materno Infantil (PAMI) es la primera bandera que esgrime el gobierno en cualquier tribuna, por lo tanto, no cumplir con esta tarea se traduce en una sanción.

Las historias clínicas (expedientes de los enfermos) se encuentran en pequeños archivos en los consultorios médicos, y allí, cómodamente, se preparan estas cuando vienen las visitas municipales, provinciales o nacionales (que siempre avisan con dos o tres

---

[56] Vecina de Villa Clara, seudónimo.

meses de antelación); escriben e inventan las consultas que debieron ser realizadas una vez al año a los pacientes portadores de enfermedades crónicas no trasmisibles que no están descompensados; todos los días a los recién nacidos hasta cumplir los veintiocho días; una vez por semana a los menores de un año, además de todos los controles rutinarios a las embarazadas; toda esta información queda de manera fraudulenta plasmada en las historias clínicas, adaptando los signos vitales (pulso arterial, frecuencia de la respiración y presión arterial) según indiquen las supervisiones del municipio. En más de una ocasión fuimos testigos de cómo los médicos de la familia tenían que alterar las frecuencias cardiacas y respiratorias de sus pacientes (sobre todo neonatos), por la que le indicara el supervisor del municipio de cara a la visita provincial o nacional.

El fraude no solo se comete con las historias clínicas sino también con las llamadas hojas de cargo, unas planillas que incluyen los datos de los enfermos que visitan el consultorio diariamente y en las que además se plasma el diagnóstico y la conducta seguida con ellos, estas se entregan al policlínico semanalmente; las personas que reciben estas planillas en el policlínico no les dan ningún crédito debido a la cantidad de pacientes plasmados, conocedores de que los médicos no trabajan todos los días y que el universo de pacientes vistos siempre es inferior, pero se hacen partícipes del mismo teatro, porque de todas maneras, a finales de mes, les pagan su mísero salario.

Qué lejos estaba Fidel Castro de la realidad cuando planteó en su discurso por el Acto de Graduación de los médicos del Primer Destacamento Carlos J. Finlay: *¿Qué mejor servicio que este para la atención primaria de la población? (...). No lo tienen ni los millonarios de los Estados Unidos de América.*

En este plan de salud todo está normado y con metas bien establecidas. Por ejemplo, deben hacer y reportar no menos de tres esputos Bacilo Ácido Alcohol Resistente (BAAR) a la semana para el pesquisaje y diagnóstico de la tuberculosis, tenga o no el paciente síntomas respiratorios por más de catorce días (SR+14), hay que cumplir con esta meta. Luego de pasar varias tribulaciones para conseguir y esterilizar los frascos, en estos se deposita cualquier deyección bucal, sea útil o no, lo importante es entregarlo a tiempo.

103

Lo mismo ocurre con la gota gruesa (examen para el diagnóstico de paludismo o de meningoencefalitis), cuando el médico de la familia se percata de que se está acercando el día de la reunión del Grupo Básico de Trabajo (GBT) y no tiene reporte de estas, a los primeros cuatro pacientes que llegan al consultorio, independientemente de los síntomas que reporten, se les va a pinchar el dedo índice, pues hay que cumplir, no hay otra alternativa.

Como pretendían hacer algo impecable y perfecto en los consultorios médicos, también existía un tarjetero para los exámenes de mama, pero la gran mayoría de las veces no se realizan o eran inventados, al igual que el examen bucal para los fumadores y la citología vaginal (prueba de Papanicolaou). Con esta última se utilizaron métodos que iban de lo persuasivo a lo impositivo, las pobres mujeres que se negaban a realizarse el examen eran presionadas por las organizaciones gubernamentales (CDR, FMC y PCC). Hasta el centro de trabajo participaba en el control; lo peor es que después de toda esta presión, muchas veces el examen resultaba "no útil para diagnóstico" porque una vez realizado había que trasladar la lámina varios kilómetros hasta donde estaba el laboratorio de anatomía patológica y esta se echaba a perder, ya sea por falta de transporte, de un buen fijador a la hora de montar la lámina o por despreocupación de quienes intervenían en este procedimiento y no lo hacían con una técnica correcta; aquel sacrificio podía desvanecerse y había que arremeter de nuevo contra la paciente, quien no podía darse el lujo de ser dueña de sí y negarse a que exploraran su cuerpo (de ser ese su deseo).

También existen los llamados círculos de adolescentes que tratan de alejar a los jóvenes del alcoholismo, el hábito de fumar y la promiscuidad, buscan métodos para encaminar su conducta e intentar alejarlos del delito teniendo en cuenta que muchos ni estudian ni tienen empleo; estos adolescentes aparecen registrados en bellas listas en los consultorios médicos y, al lado del nombre, se ponen unas fechas que señalan falsamente el día en que se "trabajó" (aconsejó) con ellos; en realidad, solo se hace algo en ese sentido si un mes antes avisan que vienen a visitar dicho círculo, porque cuesta mucho esfuerzo reunir a siete u ocho de ellos, no están interesados y, a pesar de sus cortas edades, entienden hasta qué punto es estéril una aislada y fingida actividad anual.

Otro invento similar es el Círculo de abuelos, pero esta vez con los ancianos, con los cuales se trata, a través de charlas reiterativas y ejercicios aeróbicos, de mitigar los dolores de sus descalcificados huesos, sus bajos niveles de hemoglobina y su carencia alimentaria, antes de realizar sus ejercicios matutinos; aquí se muestra la doble moral del gobierno. En vez de preocuparse por mejorar su asistencia social, se idearon esos grupos de reunión encabezados por profesores de educación física o graduados en licenciatura en deportes, asesorados por los médicos y realizados en los lugares más visibles de la zona para alcanzar una buena exposición publicitaria. Es bueno señalar que la mayoría de esos abuelitos son viejos comunistas, aún militantes del PCC, cuya misión principal en estos momentos es la asistencia diaria a estos grupos.

El riesgo preconcepcional (RPC) se define como la probabilidad que tiene una mujer no gestante de sufrir daño (ella o su futuro hijo) durante el proceso de reproducción, es decir, se trata de actuar oportunamente con aquella mujer en edad fértil que posee algún riesgo para la concepción de un hijo; sin embargo, de ahí a intervenir en la legítima intimidad de la mujer y su libertad para procrear va un buen trecho. La mujer puede tener más de 35 años, pero si es saludable, tiene las condiciones económicas y sociales elementales para concebir y criar a su bebé; debería ser su elección y no que le impongan restricciones e intervengan en su libre derecho a procrear.

En la reunión del Grupo Básico de Trabajo (equipo de profesores médicos conformado por pediatras, ginecólogos, internistas y psicólogos, entre otros) el médico es cuestionado por no tener controlado el RPC. Y si, además, se pone de tan mala suerte que una mujer bajo su cuidado tiene un niño con bajo peso al nacer o que falleciera por cualquier causa, este médico será enjuiciado sin reparos e incluso recibirá una sanción administrativa severa.

En Cuba es casi permanente la carencia de métodos anticonceptivos, los pocos existentes como las tabletas, no son los ideales, las que se encuentran son monofásicas (solo bloqueaban al ovario y luego causan infertilidad), y aparecen esporádicamente algún dispositivo intrauterino (inertes basados en cobre como la famosa T, el ASA, multiLoad o el anticuado anillo, confeccionado a base de pitas de nailon que, a la hora de retirarlos, pueden fraccionarse y ser causa de legrados posteriores. Estos se usaban en las mujeres que hacían intolerancia al cobre por no existir otra opción).

Otro de los métodos anticonceptivos utilizados en el país es el aborto o legrado, conocido en el argot popular como "raspadito". No es patrimonio nacional, sino que anualmente alrededor de unas 42 millones de mujeres de todo el mundo se someten a un aborto provocado.[57] Existen diferentes métodos para realizarlo, ya sea por medicamentos o por cirugía. Los métodos quirúrgicos para la interrupción del embarazo pueden realizarse hasta las catorce semanas completas (noventa y ocho días) de gestación. Se utilizan tres métodos de aborto quirúrgico: (a) dilatación y legrado, (b) extracción con bomba aspirativa eléctrica, (c) extracción con bomba aspirativa manual. Los países del primer mundo recurren por lo general a los métodos farmacológicos para producir el aborto, los métodos de aborto quirúrgico requieren menos recursos y son la mejor opción para los países más pobres, que, es nuestra posición, a pesar de la amplia campaña propagandística que establece el gobierno de la isla, empecinado en presentarnos como una superpotencia médica.

Los reportes publicados en el Anuario Estadístico de Salud que publica el Ministerio de Salud Pública (MINSAP) recogen que en el año 2009 se efectuaron en Cuba 84 687 abortos, estadísticas en ascenso si se compara con años anteriores. La tasa por 1000 mujeres fértiles para el año 1989 era de 11, y para el 2004 fue de 36, según aseveraciones de la Dra. Miriam Grant, funcionaria del MINSAP, publicadas por BBC Mundo (10 marzo del 2011), quien además reconoce que el gobierno debe mejorar la oferta de anticonceptivos en términos de cantidad, calidad y diversidad con respecto a los que actualmente se ofrecen.

La idiosincrasia del cubano, así como los efectos psicológicos generados en la sociedad después del triunfo de la revolución, son caldos de cultivo para que exista una aprobación y tolerancia al aborto como método anticonceptivo. Ni la iglesia, ni el gobierno hacen lo suficiente para influenciar en contra de este. No existe una

---

[57] WHO. *Unsafe abortion: global and regional estimates of the incidence of unsafe abortion and associated mortality in 2003.* Fifth edition. Geneva: World Health Organization; 2007.

ley de aborto, la que hubo fue eliminada en el año 1965. Se cuentan por miles los legrados a lo largo y ancho de la isla, estadística también manipulada por las autoridades de salud. Si tenemos en cuenta reportes no oficiales[58] que por ejemplo citan que en el Hospital Maternidad Obrera de Marianao, en La Habana, se hacen unas veinte a veinticinco interrupciones de martes a viernes, podemos calcular unas cien por semana, lo que suma unas 4800 por año. Matemáticamente, es muy probable que se supere la cifra de 90 000 abortos por año, conociendo que los legrados se efectúan no solamente en los catorce hospitales maternos del país, sino que, además, se realizan en hospitales clínicoquirúrgicos y en la mayoría de los policlínicos de Cuba. Según reportes de un facultativo[59] que prefirió el anonimato, "la sala de legrados del hospital América Arias (conocido como Maternidad de Línea) en la capital del país, tiene más de veinte camas que permanecen llenas y recibe a más de treinta mujeres por legrar cada día".

Poco creíbles las estadísticas oficiales sobre el tema

El aborto quirúrgico practicado en nuestro territorio nacional, se hace básicamente de dos maneras: la regulación menstrual (aborto por aspiración en las primeras cinco semanas) y el aborto provocado (técnica de curetaje usada después de cinco semanas y en teoría hasta las doce semanas).

Existe otra particularidad, el tiempo de embarazo es manipulado constantemente en dependencia de los intereses de la mujer embarazada o de quien efectúa el proceder. Las pocas opciones existentes para prevenir un embarazo no deseado, así como la ausencia de leyes que lo regulen, favorecen su práctica indiscriminada como método anticonceptivo. Hemos escuchado tristes testimonios de doctoras que llevan tratamiento para su infertilidad y paradójicamente tienen que legrar a mujeres que dicen tener doce semanas de gestación y desmembraban niños formados, viendo caer en el

---

[58] "Abortos en Cuba: 'Abre las paticas'". Café Fuerte. 12 mayo 2012 http://cafefuerte.com/cuba/csociedad/1828-abortos-en-cuba-abre-las-paticas/

[59] "El aborto en Cuba: un problema legal más que religioso". Cubanet, 2 de mayo 2013 http://www.cubanet.org/otros/el-aborto-en-cuba-un-problema-legal-mas-que-religioso/

cubo bracitos y piernitas ya formadas del feto. Esta es una práctica de carácter obligatorio para los médicos ginecólogos en Cuba, quienes se nieguen a realizarla corren el riesgo de ser sancionados, convirtiéndose en un verdadero dilema ético. Aunque conocimos de otros profesionales de la salud que no sentían el más mínimo remordimiento al realizarlo, así de complejo se presenta el asunto.

La responsabilidad gubernamental va más allá de permitir que se efectuara esta práctica, si tenemos en consideración que no se hacen esfuerzos por detenerla en un país que se vanagloria del alto nivel cultural de sus ciudadanos. En nuestros años al servicio de la medicina no recordamos ninguna campaña nacional que se enfocara en demostrar los efectos perjudiciales para la salud de la madre, a pesar de que el aborto está dentro de las primeras causas de muerte materna y que más de la mitad de los casos de infertilidad en mujeres tienen como causa las secuelas de uno o más abortos. Se necesitan, más que abortos, una adecuada planificación sexual, el respeto a la vida de la madre y el niño como garantía legal, sabia conclusión a la que arribaron los participantes en el Segundo Foro del Centro de Estudios Patmos, celebrado en mayo del 2013 en la región central de Cuba.[60]

Ejercer cualquier tipo de defensa al derecho a la vida o ir en contra de esta práctica, puede ser considerado como una actitud contrarrevolucionaria. Quienes han convertido esta realidad en su motivo de lucha, como el Dr. Oscar Elías Biscet, han sufrido persecución y cárcel, motivos más que suficientes para convertir este tema en otro de los intocables dentro del panorama médico y social cubano.

En los riesgos de infecciones de transmisión sexual (ITS) se acentúa la falta de delicadeza, tacto y ética, ya que incorporan a este grupo a todo aquel que el chisme de barrio incluya (sorprendentemente, el MGI se nutre de esta información). Este concurrido grupo, encabezado por las famosas jineteras, incluye a los homosexuales, exreclusos, los militares, marineros, artistas y hasta al personal de salud, todo aquel que parezca que pueda ser promiscuo, lo mismo por su carácter que por el medio donde se desenvuelva. Los chequeos abarcan desde un examen de VIH (para determinar si

---

[60] *Ídem.*

108

existe un marcador del virus de la inmunodeficiencia humana o portador del SIDA) hasta una serología (VDRL= *venereal research disease laboratory*) para descartar la sífilis. Sin el más mínimo respeto por la integridad individual, los fustigan hasta que les logran hacer estos complementarios, lo cual no obedece a la preocupación por los pacientes, sino a las metas impuestas.

Un objetivo primordial para el MGI es la atención especial a los factores de riesgo de los pacientes en su población, para prevenir varias enfermedades, es decir, actuar en su morbimortalidad;[61] este es el primer peldaño de su trabajo, pero no se cumple, vemos a diario cómo existe el abandono de la lactancia materna después de los primeros veinte o treinta días de nacido el niño,[62] delante de sus ojos los alimentan con otros tipos de leche (comerciales) que a muchos de ellos les provocan diarreas crónicas, infecciones respiratorias y desnutrición proteico-calórica; a pesar de esto, cometen fraude al informar a los departamentos de estadísticas de sus centros asistenciales, que existe más de un 95% de lactancia materna exclusiva en pacientes hasta los cuatro meses de edad.

La población adulta exhibe un alto índice de obesidad pero no de adecuada nutrición, pues carece de los aportes proteicos elementales y de vitaminas y minerales, su obesidad es a expensas de los glúcidos excesivos en la dieta, asociados al sedentarismo.[63]

---

[61] La morbimortalidad abarca aquellas enfermedades causantes de la muerte en determinadas poblaciones, espacios y tiempos, es decir, hace referencia a la causa por la que se produce una muerte.

[62] Entre los factores que influyen en el abandono de la lactancia materna se incluyen: alimentación materna pobre, ansiedad provocada por carencias de todo tipo, la vida familiar con sus exigencias, debido a que la secreción láctea de la mama necesita concentración, relajación y voluntad de lactar, pues las glándulas mamarias funcionan a través de la estimulación del pezón por la succión del bebé, la cual hace que se liberen las hormonas y se activen determinadas áreas cerebrales, (glándula hipofisaria) que desencadenan la eyección láctea, la cual no puede lograrse si no se está concentrado, se sufre de ansiedad y no se cuenta con una buena y continua educación sanitaria.

[63] Lo que ocurre es que se engorda por el consumo de agua con azúcar cruda, los dulces de harina que a veces se consiguen, los dulces de frutas caseros, el pan que, aunque caro (5 pesos la libra) es mejor que el que corresponde por la libreta de la bodega que solo cuesta 5 centavos, pero es muy pequeño y difícil de digerir por carecer de grasa (los panaderos venden esta grasa a escondidas para mejorar sus ingresos). Por otro lado, no hay cultura física ni hábito de

Definitivamente, el MGI no suele actuar sobre estos factores de riesgo por lo complejo y sistemático de estas acciones.

El hábito de fumar y el alcoholismo afectan a un gran porcentaje de la población cubana, incluso a los adolescentes, y llegan a desencadenar enfermedades respiratorias crónicas a edades tempranas. Muchos de los bebedores de fin de semana se convierten en bebedores habituales que ya son portadores de enfermedades crónicas del hígado, circulatorias y mentales, las cuales los llevan a delinquir y hasta acometer actos violentos.

Las indicaciones docentes que reciben los MGI están barnizadas de paternalismo, superficialidad y desinterés a causa de la falta de motivación en la mayoría de los profesores que imparten las clases, quienes reciben muy poca retribución monetaria por esta actividad. Además, una vez que el médico se gradúa (aunque tenga una pésima preparación) a los profesores les exigen que continúen aprobándolos, de no hacerlo, deben darles múltiples explicaciones al PCC y a los niveles superiores de la docencia, el objetivo queda claro: más graduados de especialistas en Medicina General Integral.

Un ejemplo más que demuestra la inconsistencia de los programas de estudios en nuestro país es el tiempo destinado a la formación de los especialistas en MGI que en sus inicios fue de cuatro años. Pero en menos de una década se modificó a tres y en la actualidad tan solo es de dos. En cada una de sus variantes la modificación obedeció a las necesidades del gobierno, muy distantes de los verdaderos objetivos de sus programas de estudios. El envío de contingentes médicos y paramédicos a numerosos países exige ace-

---

ejercicio ni máquinas para ejercitarse en casa, esto a pesar de que el gobierno dice todo lo contrario, tampoco venden a un precio asequible alimentos proteicos como carne de res, pescado, pollo, huevos, frutas, vegetales... los médicos cubanos no pueden influir en nada, ni siquiera señalar que los alimentos que se venden por la libreta de abastecimiento no guardan un equilibrio nutritivo, que deben elevar la venta de alimentos proteicos como carnes, productos lácteos y aceite. Algunos exclamarán: *¿esta gente cree que se lo merece todo?,* pero la diferencia radica en que en Cuba no existen otras opciones, debes alimentarte básicamente con lo que te venden por la libreta, la otra alternativa es el mercado negro, en el que un trabajador promedio con su salario no puede adquirir más allá de dos libras de carne para todo el mes, por eso aparecen enfermedades, como veremos más adelante con la neuropatía tóxica epidémica cubana.

lerar el proceso de maduración de estos profesionales, la calidad en su formación una vez más queda subordinada a sus intereses.

De esta forma, podemos inferir que el Trabajo de Terminación de Residencia (es la tesis de grado que se hace cuando terminan los cuatro años de residencia, sin la cual no se obtiene el título de especialista en MGI) y otras investigaciones que realiza el médico de la familia, normalmente son plagios, copias de otros que ya investigaron antes y, en sentido general, son recopilaciones bibliográficas que no aportan nada novedoso ni solucionan ningún problema sanitario, económico o social, todo se resume en una retórica insulsa que luego de diez minutos, incita al sueño. Como conclusión, viene la nota final que emite el tribunal, casi siempre de 100 puntos. Lo ridículo es el gran esfuerzo que tiene que realizar este médico para concluir su tesis debido a que nadie del organismo al que pertenece, le ofrece ni le vende una hoja de papel, una carpeta y el trabajo informático y estadístico tiene que pagarlo. Se ha llegado a casos en que sus tesis han rebasado los 500 pesos (una cifra muy alta para el nivel de ingresos cubano) para luego ir a morir a libreros empolvados.

Para el fórum de Ciencia y Técnica (evento en el cual se presentan las investigaciones y cuya participación es de carácter obligatorio), investigar constituye también una meta que casi siempre se deja para última hora y los temas solo se buscan cuando ya falta una semana para su inicio. Como nunca lo investigado vale la pena (porque como en provincias no existen los recursos necesarios para poder investigar o poner en práctica algún resultado, la investigación es una simple revisión bibliográfica) y todo es simple formalismo, este fórum se convierte en puro trámite, tanto para los exponentes como para el jurado. Los profesionales asisten a este evento más bien para disipar un poco el estrés y, desde luego, para satisfacer su apetito; es una realidad que siempre que los médicos hablen de un fórum, jornada científica o congreso, el elemento de mayor interés es la comida, si hay o no cerveza, nunca oímos comentarios sobre si la actividad tuvo un buen nivel científico, si tal tema fue interesante, si hubo cosas novedosas. Lo único que se convierte en obligado son las preguntas referentes a la comida y la bebida. El éxito del evento está garantizado por las ofertas gastronómicas.

Es bueno destacar que no todo es negativo en cuanto a la investigación. Existen lugares donde se practica, sobre todo en los institutos nacionales o entidades vinculadas directamente al gobierno, como por ejemplo, el Centro de Ingeniería Genética y Biotecnología, donde se planifican investigaciones de todo tipo. Para justificar el dinero invertido han dejado correr el rumor de que obtendrán la cura del SIDA o del cáncer. Es obvio que el gobierno castrista no destina los recursos suficientes para la investigación. Dentro del Ministerio de Salud Pública, la esfera de la atención primaria sostiene el galardón del olvido y la mayoría de los trabajos que se realizan son puramente descriptivos, basados principalmente en la experiencia laboral a nivel de consultorio o en los esfuerzos destinados al seguimiento de las embarazadas, los factores de riesgo de la población adulta, entre otros.

Pero, cuidado, existen temas que están vedados, que las autoridades de salud y los órganos de control persiguen y prohíben totalmente su análisis. El más significativo de ellos es el comportamiento del suicidio dentro de la sociedad cubana, el cual se ha disparado a niveles alarmantes durante las últimas décadas y, definitivamente, está vinculado a la gran crisis económica y de valores que sufre el país desde hace tiempo y que se refleja en la gran pérdida de autoestima de sus ciudadanos, su incapacidad total de poder optar por un futuro de posibilidades y la falta de esperanzas de mejorar sus vidas. Cualquier tema que pueda comprometer la revolución está completamente prohibido, los médicos que se arriesguen a ello deben sufrir las consecuencias, que pueden llegar a la expulsión de su centro de trabajo o a la prisión.

De esta manera, se desarrolla la MGI en Cuba, no estaría de más aclarar que la aspiración mayor de estos profesionales es encabezar uno de los tantos programas de salud que se tramitan burocráticamente en los diferentes municipios del país desde una tranquila oficina, donde se inventan cifras y se reproducen otras para, de este modo, evadir el verdadero objetivo de su formación: la labor asistencial. Desde este escalón se evitan las angustias que les proporciona el Programa de atención materno infantil (PAMI) o los inventos y datos fraudulentos en las historias clínicas, hojas de cargo y diferentes programas ya mencionados, además de tener libertad de movimiento (sobre ellos no existe el ojo vigilante de un miembro de los Comité de Defensa de la Revolución o de la Federación de Mujeres Cubanas que anotan atentamente la hora de entrada y salida del médico del consultorio para luego señalarlo en las reuniones del barrio). Además, si el joven médico participa en cargos de dirección, esto le crea un currículo positivo para poder optar por una buena plaza a la hora de solicitar una misión internacionalista o buenas relaciones para que después de graduarse de especialista en MGI, pueda optar por una de las super especialidades médicas.

Por otra parte, el recién graduado no tiene ninguna motivación, no le interesa la especialidad de MGI pero la tiene que hacer de manera obligatoria y sin otra elección para poder optar posteriormente, por la especialidad que realmente le interesa, lo cual no hace más que empeorar su desempeño. Este médico recién iniciado en la profesión muchas veces es intencionalmente ubicado en las zonas geográficas de más difícil acceso, obedeciendo a otro más de los planes del comandante en jefe, que se le ocurrió ubicar a los estudiantes de excepcional rendimiento en las montañas de la Sierra Maestra, conocido el proyecto como Plan Turquino, a cientos de kilómetros de sus hogares, bajo condiciones difíciles, prácticamente sin equipamiento, ni asesoramiento, tal vez imaginando que con este retiro garantizaría un sólido espíritu que los convertiría en mejores médicos, otro más de sus delirios, cuestionado hasta por quienes lo practicaron, según plantea la Dra. Iliana Cuba en un artículo publicado en el periódico *Granma* del 13 de marzo del 2002.[64]

Haciendo honor a la vieja política de corrupción (botella)[65] impuesta a mediados del siglo pasado, donde existían "trabajadores fantasmas" que recibían su salario íntegro sin trabajar, y como parte de la corrupción que sin dudas existe en el Ministerio de la Salud cubana, traemos un caso[66] como muestra de acomodamiento permanente de un MGI que perteneció a la cúpula dirigente por varios años y luego de ser retirado por incompetente de su cargo de director municipal de salud, le ofrecieron una maestría de un año en la capital de la provincia de Villa Clara sin tener que realizar otra la-

---

[64] Ver recorte de periódico al final del capítulo.

[65] El término "botella" hace referencia a la época republicana en la que se desempeñaban cargos públicos en los que se cobraba sin trabajar, es decir, la botella es una cantidad que se percibe sin trabajar, por no hacer nada.

[66] Especialista en Medicina General Integral, Caibarién, Villa Clara, seudónimo).

bor; cuando regresó, la presidenta de gobierno[67] del municipio de Caibarién creó para él una oficina en su sede a la que le dio el nombre de Oficina de proyectos, siendo este el primer y único municipio en Cuba con tal plaza. Este local tiene climatización, computadoras modernas con correo electrónico y acceso a Internet (lujos exclusivos en Cuba) y disfruta de un horario de trabajo abierto. El proyecto que realizan, auspiciado por la Organización Panamericana de la Salud (OPS), está encaminado a mejorar la vida de los pescadores de la Villa Blanca, es decir, de Caibarién, desconociendo que actualmente esta "sufrida labor" la ejerce una clase que se ha convertido en una de las más privilegiadas de la sociedad civil cubana, primero porque tienen acceso a una fuente de comida y, segundo, porque su trabajo es remunerado en los dos tipos de moneda (1 000 pesos cubanos y unos 100 pesos convertibles cubanos o CUC, equiparado al valor del US dólar) además de lo que ganan subrepticiamente por su labor, es decir, todo lo que pueden vender en el mercado negro.

Este proyecto de la OPS es una muestra del desconocimiento que las organizaciones internacionales tienen de la realidad cubana. Resulta ridículo que un esfuerzo lleno de buenas intenciones (piensan que están ayudando a una pobre comunidad de pescadores), se dirija hacia el sector menos necesitado de una sociedad donde está completamente invertida la pirámide social, en la que el confort y el éxito acompañan a quienes no fueron a las universidades ni se esforzaron por estudiar o superarse. Recordamos la frase de uno de aquellos pescadores una madrugada en que estaba de guardia, luego de atenderlo, dijo: *médico, sinceramente lo que siento por ustedes es lástima, cómo se sacrifican y total para nada, viven como miserables*, y que resume con claridad lo que es la sociedad cubana y quiénes gozan hoy por hoy de privilegios.

En teoría, el proyecto del médico de la familia estaba destinado a brindar una atención esmerada a la población cubana, con un local donde siempre encontrarían a un médico y a una enfermera prestos a responder a sus necesidades de salud, eso como primer objetivo y, como segundo, liberar las consultas de los policlínicos y

---

[67] Cristina Mendiondo Roy, expresidenta del gobierno en el municipio de Caibarién, Villa Clara.

los cuerpos de guardia de los hospitales de un número elevado de pacientes que solo necesitaban una simple consulta o una receta médica.

Ahora, con el paso de los años, podemos afirmar que ninguno de los dos propósitos se cumplió. La inmensa red nacional de consultorios médicos fue desapareciendo poco a poco, los médicos y enfermeras hicieron sus propias casas (por diferentes medios), se hicieron especialistas de otros centros y ya no atendían a su población o la abandonaron porque esos locales adolecían de falta de mantenimiento, con peligro de derrumbes, eran víctimas de robos, sin inmuebles, carentes de servicios básicos como electricidad y agua, en fin, el gobierno inició el abandono del proyecto de una manera sutil, justificando por un lado la falta de recursos materiales a expensas del "bloqueo de los Estados Unidos" y, por el otro, enviando a más de la mitad de los médicos y enfermeras a cumplir misiones internacionalistas. De esta manera, solo mantuvieron algunos consultorios abiertos como justificación, lo que condicionó el arribo masivo de enfermos a los hospitales y policlínicos en busca de la receta que les permitiera comprar los escasos medicamentos que existen en las farmacias comunitarias. Como conclusión, pensamos que este proyecto se unió a la larga lista de fracasos de la revolución, atendiendo a sus pobres resultados en comparación con las inversiones dispuestas para su puesta en marcha.

Comienzo de una historia propia

Una joven "saltó" desde la capital del país hasta Limoncito de Bayate, en medio de las montañas del extremo oriente cubano, y allí vive una experiencia singular tras solo unos cinco meses de labor como médico de la familia

■ Haydée León Moya

EL SALVADOR, Guantánamo.—Cada vez que llega a su nueva casa, en Limoncito de Bayate, decidida a tomar un respiro luego de sus caminatas por El Terraplén, Bombí, La Guanábana u otro sitio del montañoso municipio guantanamero de El Salvador, y toca a su puerta un montañés en busca de su asistencia, la joven doctora habanera Ileana Cuba Dueñas recuerda la frase a la cual se ciñe en momentos como esos: la enfermedad es como el amor, no tiene horario, llega en cualquier momento... y abre la puerta del consultorio y de su corazón.

Esta muchacha de 24 años es integrante del III Contingente de jóvenes galenos, compuesto por más de 90 muchachos y muchachas que, procedentes de varias provincias del país, laboran en las montañas de oriente desde octubre del pasado año y donde permanecerán por un año. Mi entrevistada cuenta interesantes experiencias personales y profesionales:

"No pienso que para hacerse buen médico necesariamente haya que estar lejos de la familia o en un lugar de difícil acceso, uno puede serlo en cualquier parte y en cualquier circunstancia, pero esta idea de nuestro Comandante en Jefe de incorporar a los recién graduados en Medicina con excepcional rendimiento académico a laborar en

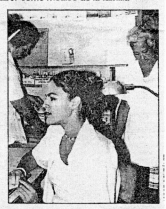

Junto a Georgina, auxiliar general, y a la enfermera Marlene, la joven médico se siente rodeada de afecto, como en casa.

"Estoy viviendo una experiencia tremendamente enriquecedora", dice la habanera Iliana Cuba, integrante del III Contingente de más de 90 jóvenes graduados en Medicina con excepcional rendimiento académico, quienes laboran por un año en el Plan Turquino.

consultorios del Plan Turquino es, por lo que aporta a nuestra formación, tremendamente enriquecedora.

cen sus pacientes, que es muy preocupada por cada detalle y especialmente con las embarazadas, que nunca bajan de 10 en la zona, que la mortalidad materna e infantil se mantienen en cero. Tampoco habla de muchas iniciativas desarrolladas en coordinación con los factores de la comunidad, como la formación de un círculo de abuelos, o que dedica parte de su salario a adquirir algunos materiales para realizar concursos, como uno recientemente convocado para los niños, titulado "Mi amigo, los zapatos", y proyectos de investigación sobre la sexualidad en la adolescencia, tienen como propósitos educar a la población desde el punto de vista de los cuidados de salud, teniendo en cuenta problemáticas de la zona como el parasitismo intestinal y el embarazo precoz.

Confiesa, eso sí, que Georgina Tejeda y Marlene Pérez, ambas trabajadoras del consultorio y oriundas de esa zona montañosa, son allí en Limoncito sus más cercanas colaboradoras y quienes soportan más de cerca sus días en que la ataca

---

Artículo del periódico *Granma* acerca de que los médicos del III Contingente de jóvenes graduados en Medicina con excepcional rendimiento académico, que fueron designados a laborar por un año en el Plan Turquino.

Libreta de Control de Ventas de Productos Alimenticios, más conocida como "Libreta de Abastecimiento". En la imagen inferior la página correspondiente a los productos cárnicos.

En la siguiente página fragmento de un discurso de Fidel Castro donde menciona la importancia de la alimentación en el desarrollo infantil: "Al menos en nuestro país siempre, y aun en los peores tiempos ha habido un libro de leche, y en un litro de leche hay casi el doble de las proteínas que necesita un niño de dos años".

117

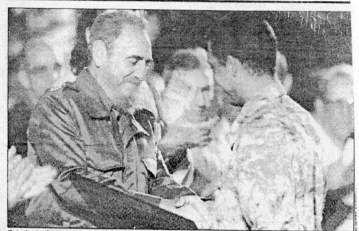

Entre las instituciones y trabajadores a los que el Comandante en Jefe Fidel Castro entregó reconocimientos durante el acto por sus aportes a la nueva institución, figuró el ingeniero Jorge Gastón Olivares Sánchez, director de la flamante imprenta, que lleva el nombre de Alejo Carpentier.

15 dólares. A veces más. Incluye impuestos y otras imposiciones. Rara vez hay un libro que cueste menos de 10 dólares que, en este caso, al cambio de 20 a 1, serían 200 pesos. Pero ya vamos aprendiendo a comerciar con los libros y dónde se imprimen y todo eso.

Aquel libro costó 1,32 dólares; este ha costado 67 centavos en esa moneda. Como ese libro de historia se viene haciendo desde hace rato y había que enviarlo a las bibliotecas sobre todo, en número suficiente, y no teníamos un texto adecuado y todo el mundo tiene que estudiar historia aquí, porque hubo años completos en que nadie la estudió, y el patriotismo se afinca más cuando un pueblo conoce su historia y sus tradiciones. El conocimiento no solo es una necesidad del pensamiento y de la cultura, sino también es una necesidad revolucionaria de cualquier pueblo conocer su historia y conocer la historia del mundo.

Nuestro pueblo tendrá conocimientos incomparablemente superiores

Nuestro pueblo tendrá conocimientos incomparablemente superiores, conocimientos de historia de su país y del mundo, y los tendrá sobre otras muchas materias.

Hoy mismo, durante unos minutos, estuvimos viendo el curso que están dando ahora, creo que de arte. Hoy estaban hablando del cine. ¿Cuál es el curso que están dando los sábados? (Le dicen que es de Apreciación del cine.) Apreciación del cine.

Bueno, más personas podrán ver esos programas, porque como máximo en 18 meses más estará distribuido el millón de televisores a color que hemos adquirido y que se van distribuyendo.

Son cosas que se van combinando unas con otras. La televisión, además, como medio audiovisual, para usar en las escuelas, en muchos casos, y para instruir y educar a toda la población.

Marchamos por esas vías, y siempre buscando cómo se ahorra y se reduce el costo. Y no es poco el esfuerzo que se está haciendo en nuestra capital para tener en septiembre todas las escuelas restauradas y 33 de ellas nuevas. La creación de 2 000 nuevas aulas. Ya hablé de eso y hasta del precio de esas escuelas.

La distribución de los televisores ha sido factible porque tuvimos la oportunidad de recibir un crédito en magníficas condiciones y excelente espacio de tiempo para amortizarlo, algún pago original, y se van pagando y cumpliendo al pie de la letra los compromisos por nuestra parte. Esto no quiere decir que dentro de 18 meses se acaben los televisores, hay que poner la cabeza a trabajar, y poniendo la cabeza a trabajar se encuentran muchas soluciones. Todavía nos quedan muchos televisores en blanco y negro, televisores que gastan 180 watts, 190 watts, los nuevos de tecnología china gastan solo 60 watts, hoy lo que queremos es, principalmente, ampliar el número de los hogares que disponen del televisor.

También hace poco inauguramos 790 salas de video. Explicamos que aquello se había convertido en una microuni-

La inteligencia es el tesoro más grande

Esto es un aspecto además, de lo del libro, del gran avance: ya todas las escuelas primarias de la capital, además de las de secundaria y nivel medio, en este mismo año, están recibiendo clases de computación. Pero no solo en La Habana, La Habana fue la última: todos los niños de primaria del país están recibiendo clases desde el prescolar; 12 000 compatriotas han encontrado un empleo decoroso como profesores, asociados a este programa.

Con los cuatro programas que inauguramos en Manzanillo se han creado empleos, con excepción del de cultura, que fue mucho menor el número; alrededor de 20 000 nuevos empleos.

Estos programas producen empleos y empleo intelectual, trabajo intelectual, porque el país vivirá cada vez más de los frutos de su inteligencia desarrollada, o de su inteligencia cultivada, digamos.

También hay que velar por el desarrollo de la inteligencia. Hay que velar para que un niño, dentro de determinadas edades, no deje de recibir todos los nutrientes que necesita para que cuando llegue al prescolar tenga la plenitud de la inteligencia con que vino al mundo.

Los pobres, hablamos a cada rato de los niños que trabajan; pero habría que buscar las estadísticas, dentro de tantos millones de niños desnutridos y pobres, aquellos que no llegaron a los cinco años con el coeficiente de inteligencia con el que nacieron, sencillamente porque les faltó el alimento adecuado en los dos o tres primeros años. Al menos, en nuestro país siempre, y aun en los peores tiempos, ha habido un litro de leche, y en un litro de leche hay casi el doble de las proteínas que necesita un niño de dos años, así que hemos logrado proteger lo más posible a los niños, al menos su inteligencia.

Hemos pasado tiempos difíciles, y todavía los pasamos, no es que no; aunque se va avanzando indiscutiblemente. Pero la inteligencia es el tesoro más grande. La inteligencia cultivada, el capital humano es lo que hace posible que podamos hablar de miles de médicos ayudando a otros países, es lo que hace posible que podamos ayudar a un país donde los que lo dirigen decidieron no comprar la vacuna.

No quiero hablar de esos temas hoy, ya se ha hablado y habría que hablar de todo eso y otros muchos temas; pero la cito como ejemplo: 300 000 niños están siendo vacunados en aquel hermano pueblo de Uruguay. Vaya, no es que yo quiera sacar en cara eso, pero no tengo más remedio que poner el ejemplo, asociado a la importancia del capital humano, y del capital humano que vendrá nadie puede, tal vez, y quizás ni nosotros mismos, imaginarlo.

La música de nuestro país adquiere un prestigio tremendo; la pintura y otras manifestaciones artísticas marchan hacia arriba; estamos duplicando la capacidad de las escuelas de artes plásticas, elevando las matrículas de las de danza clásica y otras, etcétera, etcétera. Y, bueno, un tercer canal de televisión beneficia ya a tres millones y medio de ciudadanos, como parte de los programas.

No nos detendremos ahí, hemos descubierto muchas

Consultorio de médico de familia abandonado. Otro plan fracasado. 2010

CAPÍTULO V
La atención al trabajador de la salud y las relaciones humanas

Palabras clave

El precario salario de un médico especialista en Cuba • discriminación y abuso de carácter esclavista con el trabajador de la salud • deterioro de la autoestima del médico, pérdida de valores como ser humano y profesional • la subvaloración de su labor por parte de la población • absurda masividad de esta profesión

Nuestros médicos no son mercaderes de los servicios de salud. Reciben lo que necesitan para vivir y pienso que año por año recibirán más a medida que nos recuperemos.[68]

FIDEL CASTRO

La atención al hombre constituye un elemento que se tiene en cuenta en muchas de las reuniones de los organismos políticos o administrativos cubanos, y la salud pública no está excluida, solo que se trata con una visión poco práctica, alejada siempre del aspecto material que tanto necesita el trabajador de la salud, y anteponiéndole cosas tan subjetivas como reconocimientos, diplomas y felicitaciones que no satisfacen a nadie, porque los primeros en juzgar el descuido, la indiferencia y la desatención hacia el trabajador de la salud son los propios pacientes y sus familiares.

En cualquier lugar y a cualquier hora se establece un paralelismo entre estos trabajadores y otros. Se nos mira con una expre-

---

[68] Palabras pronunciadas por el comandante en jefe Fidel Castro a los estudiantes graduados del ISCMVC, Teatro Carlos Marx, Ciudad de La Habana, 9 de agosto de 1999.

sión mezcla de compasión y burla porque ¿qué significan en Cuba 525 pesos, que es el salario de un médico especialista? Y los ponemos a ellos como ejemplo debido a que son los que reciben mayor remuneración en esta esfera y por eso nos pueden servir de referencia.

Un médico especialista en Cuba, recibe en un año aproximadamente 6300 pesos cubanos, equivalentes a 233 dólares (27 pesos x 1 dólar como tasa de cambio, según CADECA.[69] Con el pago de un mes (19 dólares) ellos pueden adquirir muy poco en las tiendas recaudadoras de divisas (TRD) de las diferentes corporaciones, que son en definitiva los únicos mercados que existen en Cuba, porque hay otros, como las llamadas "tiendas de la cadena", que venden productos en pesos cubanos pero a un precio equivalente al dólar.

Si sacamos la cuenta de lo que verdaderamente puede adquirir este profesional de la salud con los honorarios de un mes, sería un par de zapatos, un pantalón o una saya y una camisa o una blusa (siempre eligiendo los más baratos); al concluir la compra, no le queda un centavo. Si por el contrario, lo dedica a comprar alimentos (que son indispensables para la vida), tendría que recurrir a los mercados agropecuarios o a los portales de algunas casas donde se dedican a vender sus mercancías ilegalmente y adquirirlos ahí a precios escandalosos porque en las bodegas del Estado, con su fosilizada libreta de abastecimiento que aún subsiste después de cincuenta años, solo pueden comprar alimento que alcanza escasamente para una semana.

Basados en la libreta de abastecimiento[70] que norma la cantidad de alimentos que recibe una persona, en el año 2001, en la provincia de Villa Clara se podían obtener los siguientes productos:

---

[69] Casa de Cambio S.A. (CADECA) es la única casa de cambio autorizada por el gobierno de Cuba para realizar operaciones con divisas. Facilita el dinero en efectivo y también cambia cheques de viaje.

[70] Ejemplo tomado de la libreta de abastecimiento #57176-96.

PRODUCTOS	ASIGNACIÓN/MES	ASIGNACIÓN/AÑO
Arroz	5 lb	60 lb
Granos (frijoles, chícharos)	10 oz	6,5 lb
Azúcar blanca	2 lb	24 lb
Azúcar sin refinar ("prieta")	4 lb	48 lb
Sal	0,5 lb	6 lb
Aceite	0,5 lb	2,5 lb
Huevos	3-5 unidades	29 unidades
Carne de res	8 oz	2 lb
Mortadela (embutido)	8 oz	6,5 lb
Carne de res molida con soya	8 oz	4,5 lb
Papas	2 lb	10 lb
Café mezclado	4 oz	3 lb
Jabón de tocador	½ unidad	3 unidades
Jabón de lavar	½ unidad	2,5 unidades
Queroseno (combustible)	3 litros	26 litros
Pan (80 g =2.8 onzas)	5,25 lb	63 lb

A los niños de cero a siete años, les vendieron durante el año 2001 los siguientes productos: 7,5 lb de carne de res y 1 litro de leche pasteurizada diario. Para Fidel Castro es más que suficiente, incluso considera que sobrepasa los requerimientos: *en un litro de leche hay casi el doble de las proteínas que necesita un niño de 2 años.*[71]

Lo anterior se corresponde con los artículos de la canasta básica que el Estado vende a sus ciudadanos mensualmente y que permite apreciar que es totalmente insuficiente, por lo que el pueblo tiene que volcarse al mercado agropecuario (uno de los lugares donde se pueden comprar alimentos libremente) o vérselas con los revendedores del mercado negro. A continuación ofrecemos los precios de algunos de los productos para que se comprenda lo ridículo de los salarios en Cuba (2000-2002), los cuales en la actualidad (2014) permanecen inalterables en muchos de ellos y en otros se han elevado.

Nótese cuán irrisorio y vergonzoso es el pago de un médico especialista en Cuba, al punto de que percibía unos 21.80 pesos cubanos por un día de trabajo (2.72 pesos cubanos por hora). Las guardias médicas, el trabajo más duro si se tiene en cuenta el estrés y las faltas de condiciones, no eran pagadas. Y no es que el gobierno desconociera esta situación. Ha establecido como norma el envío a los comedores en el sector de la salud solamente los siguientes alimentos: arroz, granos, sal y viandas, colocando a los médicos y al personal paramédico en un nivel de verdadera esclavitud si tenemos en cuenta cómo se les trata, qué se les da de comer y que retribución reciben.

---

[71] Ver recorte de periódico al final del capítulo.

124

PRECIOS DE ALGUNOS PRODUCTOS ALIMENTICIOS EN EL MERCADO LIBRE

Productos:	Arroz	Frijoles Negros	Carne de cerdo	Pollo	Manteca de cerdo	Pescado mediano	Pescado grande
Precio:	1 lb: $3.50	1 lb: $6.00	1 lb: $27.00	1 lb: $15.00	1 lb: $25.00	1 lb: $6.00	1 lb: $10.00

Productos:	Langosta[1]	Leche de vaca	Queso blanco	Jamón	Malanga	Plátano	Harina de maíz
Precio[2]:	1 lb: $25.00	1 litro: $4.00	1 lb: $13.00	1 lb: $35.00	1 lb: $3.50	1 unid: $1.50	1 lb: $3.50

COMBUSTIBLES PARA COCINAR

Productos:	Petróleo	Queroseno[3]	Alcohol	Carbón	Gas licuado
Precio:	1 botella[4] $2.00	1 botella $3.00	1 botella $7.00	1 lata $10.00	20 lbs. $250.00

Notas
1. Solo se obtiene en el mercado negro.
2. Precios en pesos cubanos.
3. Queroseno o luz brillante (derivado del petróleo).
4. 1 botella de 750 mls.

Es increíble que una década después (2011) la tasa de cambio (peso convertible x peso cubano) se mantenga más o menos sin variación, en dependencia del lugar de la isla donde se haga la transacción, digamos que oscila entre los 25 y los 26 pesos cubanos por un "chavito" (como se le conoce en el argot popular a la moneda convertible o CUC), y en relación con el dólar estadounidense la equivalencia es de 1 CUC por 0.80 centavos de dólar. No sabemos qué pretextos usarán actualmente para justificar esta situación, porque ellos pronosticaban la pronta desaparición de la moneda dura (CUC o peso convertible) y el alza incontrolable del peso cubano frente al dólar.

Años después de este análisis, realizado en 2001, aún persiste la libreta de racionamiento, aunque ahora el gobierno se encuentra en verdaderos apuros para mantener la "venta subsidiada" de los pocos alimentos que conforman la canasta básica cubana. Se rumora su pronta desaparición, pero no debido a que exista una economía fluida con un nutrido mercado que permite a los ciudadanos cubanos vivir sin ella, sino todo lo contrario, el gobierno no tiene los alimentos ni la infraestructura necesaria para producirlos, ni tampoco el dinero para comprarlos, por lo que los meses y años venideros son un verdadero enigma para este pueblo.

Los precios del mercado agropecuario, así como los del mercado negro, casi no cambian, excepto cuando se incrementan, algunos renglones de productos continúan desapareciendo y lo que antes se compraba por un precio, ahora se ha duplicado o triplicado; por ejemplo, un limón ha llegado a alcanzar el precio de un peso cubano; la carne, el arroz y los frijoles se mantienen a esos precios (el que pueda obtenerlos), y existen zonas del territorio nacional en las que prácticamente se vive en estado de hambruna, principalmente en las provincias del oriente de la isla. Hacer profecías no es nuestro trabajo, pero el futuro de Cuba no se vislumbra bueno.

Ya al inicio de la década de los noventa, con el abandono del apadrinamiento económico de la desaparecida Unión Soviética, el estado cubano cayó en una profunda crisis económica que aún no se ha solucionado y que parece profundizarse día tras día, a pesar de que eran los años para los que se pronosticaba la conclusión del llamado Periodo Especial y que sería el tiempo aproximado en el que se lograría el despegue, arranque o despertar (palabras de la retórica comunista) de la economía cubana. Pero fue en aquellos momentos cuando el pueblo cubano comenzó a sufrir una verdadera situación de hambruna y cuando aparecieran enfermedades complejas solo descritas en los casos de personas que habían sufrido los campos de concentración alemanes durante la Segunda Guerra Mundial, empezando por la falta de aportes proteico-calóricos en la dieta, con exceso de glúcidos y ausencia de grasas.

Como referencia, vale la pena citar algunos pasajes de nuestra historia, para ello citaremos *El Ingenio*,[72] del destacado escritor cubano Manuel Moreno Fraginals (fallecido en el exilio). El acceso a este libro está restringido en las bibliotecas del país, al usuario que consulta esta obra se le vigila y solo puede hacerlo dentro de las salas de lectura. En su tomo II, páginas 60-61, señala que, de acuerdo a lo publicado en la *Gaceta de La Habana*, el 5 de diciembre de 1863, las raciones diarias para los trabajadores del camino de hierro Habana-Güines en 1840, eran las siguientes (cantidades base cruda para las dos comidas del día):

"RACIONES PARA TRABAJADORES BLANCOS:

- 8 onzas (250 gramos) de pan fresco
- 9 onzas (259 gramos) de arroz
- 3 onzas (86 gramos) de garbanzos
- 10 onzas (287 gramos) de carne fresca
- 8 onzas (250 gramos) de tasajo
- 8 plátanos machos grandes
- 18 onzas (518 gramos) de harina de maíz

A las raciones de los trabajadores blancos se les agregaban 4 libras (1,840 kg) de manteca de puerco y 2 libras (920 gramos) de sal por cada cien raciones.

A las raciones de los trabajadores negros se les añadía sal, pero la manteca de puerco solamente cuando se servía harina de

---

[72] Moreno Fraginals, Manuel: *El Ingenio: el complejo económico social cubano del azúcar*, tomo II, pp. 60-61, Editorial Ciencias Sociales, La Habana, 1978.

maíz.[73] A modo de ejemplo, pues todas estas contratas son semejantes, anotamos también las de los trabajadores municipales de Cárdenas en 1863 porque introduce la variante del colono chino, al cual siempre se le dio una comida rica en arroz:

RACIONES DE LOS COLONOS CHINOS Y NEGROS EMANCIPADOS:

10 onzas (287 gramos) de arroz

5 onzas (144 gramos) de carne

RACIONES DE LOS CIMARRONES E INDIVIDUOS EN CORRECCIÓN (PARA CADA COMIDA):

5 plátanos o su equivalencia en boniatos, ñame, yuca u otras viandas

6 onzas (230 gramos) de tasajo u 8 onzas de bacalao

Por su larga tradición ganadera, el consumo de carnes en Cuba fue siempre muy elevado y los ingenios situados en la zona rural de Sancti Spíritus y Puerto Príncipe daban a sus esclavos solo carne fresca, que resultaba más barata que el tasajo, por ejemplo: el ingenio Las Coloradas, de la familia Valle Iznaga, con 260 esclavos, consumía 2,5 reses semanales, no sabemos el peso que tenían esas reses, pero calculando con las que entonces se mataban en La Habana, tendríamos una dieta de 220 gramos per cápita de carne de res fresca. Finalmente debemos recordar que todo ingenio tenía una boyada de las cuales se sacrificaban anualmente por inútiles un 10 % y cuya carne era consumida por los negros".

Sobre esta base, podemos concluir que, siguiendo las investigaciones de Moreno Fraginals en su libro *El Ingenio*, los denominados esclavos y los trabajadores asalariados de menor nivel recibían una dieta cuyo aporte proteico-calórico duplica con creces la alimentación actual de todos los trabajadores del país, trabajadores de la salud incluidos.

---

[73] Archivo Nacional de Cuba, Real Consulado y Junta de Fomento, Leg. 37, Nº de Orden 1647.

¿Necesita el médico cubano un aumento de su salario o simplemente mayor justeza por parte de sus empleadores? Haciendo un análisis matemático, podemos demostrar cuánto se le deja de pagar al médico por concepto de guardias médicas. Veamos qué ocurre en un año de trabajo:

Guardias médicas:	Horas/Mes	Horas/Año
De 24 horas (domingos)	1 = 24 horas	12= 288 horas
De 16 horas (sábados)	4 = 64 horas	48= 768 horas
Total	88 horas	1056 horas

Con la excepción de los médicos que hacen más de cinco guardias al mes, estas pueden llegar hasta ocho, si dividimos mil cincuenta y seis horas entre ocho horas (equivalente a una jornada laboral), obtenemos que en un año se realizan ciento treinta y dos jornadas laborales que no se pagan. Y si dividimos estas jornadas entre veinticuatro, que son los días que se laboran en un mes, daría como resultado 5,5 meses trabajados no retribuidos. Si multiplicamos 5,5 meses por 525 pesos de paga mensual, obtenemos 2887 pesos que dejan de pagarle en año, que si lo llevamos a la tasa actual de cambio arrojaría un total de 106 dólares, el 45,4 % de lo ganado al año (233 dólares).

Esta discriminación ocurre mayoritariamente en el sector de la salud, porque es conocido que en otras empresas e instituciones al menos pagan centavos o pesos cubanos por horas extra, un ejemplo elocuente está en los famosos "contingentes" creados por el gobierno, casi siempre constituidos por militantes de la UJC o del PCC, quienes se olvidan de su ideología a la hora de cobrar hasta el último minuto trabajado, además de exigir y contar con una alimentación decorosa en la que no faltan las proteínas, elaboradas de manera correcta y ofertadas en cantidades suficientes como para recuperar las energías perdidas. Estos "aguerridos hombres" (como demagógicamente los llama el gobierno) también gozan de un estímulo en moneda convertible en ropas y zapatos de calidad para su trabajo, por solo citar un ejemplo. Existen otros que disfrutan de mayores privilegios, nos referimos a los trabajadores del turismo (a quienes también explotan), pero entrar en estas particularidades nos obligaría a apartarnos del contenido de este trabajo, solo basta decir que oficios como el de jardinero, fregador de platos, mozo de limpieza o de lavandería, reciben en un mes lo que ganaría el más diestro cirujano cardiovascular en un año de trabajo.

Los trabajadores de la salud reciben para su trabajo, una bata sanitaria al año, la cual solo puede ser utilizada una vez a la semana (a no ser que se lave y planche diariamente), para el resto de los días de la semana, tienen que arreglárselas como puedan, recurren a batas viejas, zurcidas o remendadas, algunos acuden a un pedazo de tela verde o azul para confeccionar una camisa estilo bata, otros utilizan sábanas blancas, porque hasta el momento la bata de médico es de uso obligatorio para el trabajo asistencial.

La situación en el vestuario es deprimente. Recordamos a un distinguido profesor Dr. Evaristo de la Paz[74] que nos impartía clases de Propedéutica Clínica durante 1984 y 1985 en el Hospital Militar Comandante Manuel Fajardo Rivero, de Santa Clara, quien a pesar de disfrutar de los beneficios de tener el grado militar de mayor de las FAR (Fuerzas Armadas Revolucionarias), contaba solo con dos batas sanitarias, ambas con remiendos debajo de sus mangas. Él acostumbraba a sentarse en un sillón para impartirnos los diferentes temas y todos los estudiantes nos quedábamos de pie, rodeándolo, para escuchar sus palabras, ya tenía una edad avanzada y varias enfermedades crónicas que lo limitaban. En una ocasión cruzó una pierna sobre otra sin percatarse de que el tiro de su viejo pantalón estaba descosido, de inmediato por la abertura asomó su bolsa escrotal, al inicio nos contuvo el respeto y el asombro, pero como la risa reprimida es la que más se disfruta, alguien dejó escapar una carcajada y aquello fue indetenible, la risa nos contagió a todos y el profesor, muy hábilmente y como si no fuera con él, bajó su pierna y continuó con su animada charla.

Durante los últimos quince años, el Ministerio de Salud Pública (MINSAP) ha vendido zapatos a sus trabajadores solo en dos ocasiones. La primera vez que esto ocurrió, resultó ser un calzado

---

[74] Dr. Evaristo de la Paz, exprofesor de Terapéutica y Medicina Interna del Hospital Militar Comandante Manuel Fajardo Rivero de 1984 a 1986.

de muy mala calidad (luego nos enteramos de que se habían llenado de humedad al estar guardados en unos almacenes con techos permeables) y, a las dos o tres veces de usarlos, se despegaban sin remedio. Los zapatos que vendieron por segunda vez tenían mayor calidad, pero el inconveniente fue que todos eran del mismo número; además, había que ir a comprarlos a la capital de la provincia, después de hacer una fila interminable. Recuerdo que cuando llegamos era tanto el desorden en aquella tienda del boulevard santaclareño, que parecía que estábamos en una valla de gallos, los transeúntes que pasaban disfrutaban de aquel penoso espectáculo, algunos de los presentes sentimos una mezcla de bochorno e ira y nos retiramos del lugar, naturalmente, nos quedamos sin los tan disputados zapatos.

De una manera u otra, todos los trabajadores de este sector están expuestos a un alto grado de peligro debido a que las enfermedades infectocontagiosas, llámense meningoencefalitis de tipo bacteriano o viral, SIDA, hepatitis, enfermedades respiratorias agudas, entre otras, son el pan nuestro de cada día.

Por otra parte, les acompaña el estrés constante que enfrentan a diario a la hora de tratar una urgencia o emergencia médica, llegan al cuerpo de guardia (sala de urgencias) y se preguntan cómo van a solucionarlo, si tienen el medicamento necesario para tratar a ese paciente, si disponen del equipo imprescindible, si existen o no ambulancias para su traslado, entre otros elementos que conducen al constante desasosiego. En ninguna de las salas o servicios se le paga al trabajador el riesgo al que está sometido, a excepción de los que laboran en sanatorios de pacientes con SIDA. Hemos sabido de médicos que han contraído una meningoencefalitis bacteriana y le han descontado sus honorarios por concepto de certificado médico; todos ellos llevan en sus ropas y en sus manos un sinnúmero de gérmenes a los que exponen inclusive a sus familiares.

Los hospitales no ponen a disposición de los médicos duchas para la desinfección después de concluir su trabajo, ni existen batas estériles que deban dejar en los hospitales luego de su uso, por el contrario, la mayoría de los lavamanos de los hospitales no funcionan por diferentes motivos: falta de agua, llaves rotas, tuberías obstruidas, incontables salideros, ausencia de jabón, de toallas limpias, y un rosario de calamidades que atentan contra la higiene y contribuyen a la transmisión de enfermedades infecciosas. En la historia de la medicina tenemos el ejemplo del Dr. Ignacio Felipe Semmelweis, quien dos siglos atrás tuvo que luchar imperiosamente para hacer comprender a sus colegas la importancia del lavado de las manos, consiguió disminuir de manera sustancial la tasa de mortalidad por sepsis puerperal entre las mujeres que daban a luz en su hospital utilizando el simple lavado de las manos como método para evitar la transmisión de la fiebre puerperal, que provocaba la muerte de dos de cada cinco embarazadas, en un momento en el que el mejor médico era el que más sangre u otras secreciones mostrara en sus ropas; y está visto que, en Cuba, regresaremos a ese punto de la historia.

En cambio, por solo citar un ejemplo, a los trabajadores de la empresa eléctrica les pagan muy bien por peligrosidad (sin dudas que lo merecen), por tener que trabajar con alto voltaje y a esto se le suma la famosa tarjeta magnética (tarjeta de débito donde se deposita cierta cantidad de CUC cada mes), la que inició la discriminación salarial en Cuba, y con la cual pueden hacer compras en las tiendas de divisas.

En las reuniones, los dirigentes políticos, administrativos y sindicales de la salud se jactan al decir que atienden a sus trabajadores porque les dan los buenos días, les preguntan por sus familias, si están enfermos les venden un medicamento (esto se entiende como un beneficio), todo es puro maquillaje del sistema, no existen preocupaciones de ningún tipo, a no ser las que tengan un matiz político cuando un trabajador necesita ayuda no encuentra a ningún dirigente sindical (o de otro tipo) presto a brindarla.

En Cuba todo está politizado y el trabajador tiene que buscar alternativas para vivir, pues lo recibido por su trabajo resulta totalmente insuficiente, es una expresión de lo ineficaz del sistema socialista cubano, que se convierte en el verdadero generador de todas las vicisitudes diarias que tienen que enfrentar los trabajadores, obligándolos a buscar el resto de su sustento en actividades ilícitas porque al médico no se le permite ser trabajador por cuenta propia. Así, muchos galenos se vinculan a oficios como choferes de alquiler sin ningún permiso o autorización ("boteros" se les llama en Cuba, es muy frecuente encontrar médicos que utilizan los automóviles que ganaron como recompensa por su misión internacionalista para el traslado de los turistas hacia los aeropuertos o simplemente rentando sus autos a un tercero), otros devienen ayudantes de restaurantes particulares (llamados "paladares") además de revendedores de productos agropecuarios, vendedores de bisutería en los portales de sus casas (llamados "merolicos"), ni hablar del practicante del jineterismo en la Rampa capitalina, en las playas de Varadero o en cualquiera de los lugares donde transiten extranjeros, vendiéndose como mercancía sexual o buscando favores para obtener de esa manera un carta de invitación y la salida del país.

En el interior de la isla estas actividades se encuentran un poco más restringidas, la población está más prejuiciada, quizás porque son más vigilados y controlados por la policía, los comités de defensa (CDR) o la seguridad del Estado, pero aun así se dedican a labores más rústicas como la cría de cerdos o pollos a gran escala para su venta, también se dedican a la artesanía, incluso existen algunos que fabrican y comercializan zapatos[75] artesanales o venden productos agrícolas y huevos en las puertas de sus casas,[76] o simplemente transportan productos del mar (pescados, colas de langostas) hasta la capital, donde son comercializados en el mercado negro. Otra de las maneras de buscar el dinero es mediante la atención priorizada de aquellos cubanos que residen en los Estados Unidos, que son tan cubanos como ellos, los cuales vienen con dólares y dan dinero al ver tanta amabilidad por parte del médico, su buen servicio con él o con sus familiares cuando lo solicitan y, por supuesto, todos saben que es buscando una propina de 5 o 10 dólares.

Todos estos elementos hacen que exista un deterioro lógico de la autoestima del médico, con una pérdida de valores como ser humano y profesional, unido a la subvaloración de su labor por parte de la población, adaptada a un "igualitarismo" muy dañino que muchas veces trae consigo la falta de respeto mediante el uso de expresiones groseras, chabacanas y hasta despóticas a la hora de llamarlos o dirigirse a su persona.

---

[75] Médico del municipio de Remedios, seudónimo.

[76] Graduado en el ISCMVC en el año 1991 (vendedor de productos agrícolas desde el año 1998), seudónimo.

Desgraciadamente, la ética médica es violada segundo a segundo, en primer lugar por los cuadros dirigentes, que prefieren culpar al médico y que el paciente quede siempre complacido, en vez de poner las cosas en su lugar; además, es tan brutal la masividad de la medicina que en cada barrio existen uno o dos médicos y cada uno de ellos con criterios diferentes ante determinada conducta terapéutica y diagnóstico, quizás para hacer cumplir aquel viejo adagio de *la masividad engorda la mediocridad*.

Esta invasión sanitaria de la sociedad nunca fue necesaria en nuestro país porque esta profesión es un arte y, como tal, hay que sentirla con amor y devoción; llevarla dentro y ejercer esta suerte de sacerdocio no es cosa fácil, ni puede ser impuesto o usado como una vía de escape o meta porque exige aptitudes que van más allá de un simple conocimiento teórico. El médico nace, no se hace.

Del fracaso de la idea de "exportar médicos" y obtener ganancias a su costa (superiores a la decadente zafra azucarera cubana), surgió esta avalancha en la que hoy estamos sumergidos y a la que actualmente el Estado no le retribuye ni un tercio de lo que hace, utilizándola más como una herramienta política que como ente asistencial, pese a las infladas estadísticas de salud, que son modificadas en dependencia del momento histórico.

Cabría preguntarle entonces, ¿se vislumbra en Cuba alguna perspectiva razonable ante este cúmulo de errores y maltratos desde hace más de medio siglo? ¿Están los gobernantes históricos de Cuba en disposición de modificar las reglas de su juego? Nada indica que se pueda acunar una esperanza. Ni tan siquiera, como ya se anuncia, un aumento aproximado entre 20 y 40 CUC para el verano del 2014 sería suficiente para una remuneración digna al médico, como tampoco marcaría una diferencia moral que está apuntalada por la crisis y el deterioro general del sistema de salud en Cuba.

CAPÍTULO VI
Atención secundaria de la salud: el sistema hospitalario en Cuba

Palabras clave

La consulta incierta • relación médico-paciente • el mercantilismo médico • igualitarismo raso • cuerpo de guardia • los análisis tortuosos • un amigo para rayos X • los hospitales contagiosos • electrocardiogramas • laboratorios clínicos • agua ¿envenenada? • los dirigentes potentados • el cáncer, un cáncer • Neumonía Adquirida en la Comunidad • antibióticos ausentes • farmacias vacías • ¿cómo resuelvo una tomografía? • la cirugía imposible • el apagón • argumentos y causas prohibidas • el precio de la gratuidad • burocratismo que mata • el error médico

Para analizar este tema, tomaremos como base lo que sucede en la provincia de Villa Clara (que es la provincia donde hemos vivido y practicado nuestra profesión, aunque estamos seguros que constituye un reflejo de lo que acontece en toda la nación.

Villa Clara está ubicada en la región central del país, tiene una superficie de 8 411,81 km² en la que habita un aproximado de 811 871 ciudadanos, lo que arroja una densidad poblacional de 96,2 habitantes por kilómetro cuadrado, el siete porciento de la población cubana en el año 2006.[77] Cuenta con varios hospitales, cinco de ellos con categoría de provinciales (dos para adultos, uno materno, uno infantil y otro militar), seis municipales y cinco rurales. Esta red de hospitales es la encargada de brindar la atención médica secundaria, mientras que la atención médica primaria la recibe la población mediante el sistema de consultorios médicos (nadie sabe su número exacto debido a su inestabilidad, pero son alrededor de

---

[77] *Anuario Estadístico de Cuba 2011*. Población. Edición 2012. ONEI. Oficina Nacional de Estadísticas e información. República de Cuba. Disponible en: http://www.one.cu/aec2011/datos/03%20Poblacion.pdf [consulta 10 febrero 2013].

1200) que representan el 8,2 % de los existentes en el país (unos
14 600), vinculados a un total de 35 policlínicos o clínicas estatales (recuérdese que en Cuba no existe la práctica de la medicina
privada), que representan el 7,8 % de los de la nación (444 en toda
Cuba, según datos publicados por el gobierno cubano en los primeros años de la década del 2000, información que se mostrará con
más detalle en el capítulo XI).

La consulta incierta

En capítulos anteriores habíamos comentado que la atención
primaria de la salud brindada por la red comunitaria, representaba
una acción de salud casi inexistente e irreal ya que, en la mayoría
de las ocasiones en las que el enfermo acude a los policlínicos, encuentra una edificación solo con personal paramédico, que la mayor parte del tiempo está malhumorada. Por una razón u otra, el
médico brilla por su ausencia de las consultas programadas y los
pacientes pueden consultarse con el que está de guardia, si este
considera que es una urgencia médica.

A estas alturas, para nadie es un secreto (al menos en el país)
que prácticamente la totalidad de las instalaciones de salud muestran un deprimente estado de abandono físico por la ausencia de
labores de mantenimiento. Entre otras: problemas con el abastecimiento de agua, poca iluminación, ascensores que no funcionan,
sanitarios sin higiene, puertas y ventanas rotas, instalaciones eléctricas inseguras, muebles médicos que son un desastre y falta de
pintura.[78]

Los médicos de la familia se las ingenian para permanecer el
menor tiempo posible en sus consultorios médicos. Es bastante frecuente el hecho de que a su arribo a la consulta, el paciente encuentre en su puerta un cartelito o pizarra informativa en el que se
indica el destino del médico o la enfermera porque no se encuentran en el lugar y, en la mayor parte de los casos, lo planteado en
dicho mensaje es solo una justificación de su ausencia ante la población (una manera de cuidarse las espaldas debido a que los vecinos luego los delatan en las asambleas del Poder Popular, falsa

---

[78] Ver fotos al final del capítulo.

forma de gobernar donde aparentemente el pueblo participa), la mayoría cuestionables porque son gestiones que se podrían hacer en otro momento, aunque es justo señalar que en no pocas situaciones, obedecen a exigencias de la propia administración de los policlínicos (inexplicablemente, este horario de la mañana es el favorito de los dirigentes para efectuar sus conocidas reuniones), además, ellos también necesitan tiempo para resolver los problemas cotidianos de sus hogares (como padres de familia, deben enfocarse en la búsqueda del alimento o del combustible para cocinar), tarea esta que se ha convertido en una batalla cotidiana para el cubano.

Si se trata de los médicos especialistas que deben asistir al consultorio (pediatría, medicina interna o ginecología y obstetricia) la situación es muy similar; ellos deben visitar el consultorio dos veces al mes para realizar sus interconsultas, que ya el médico de la familia programó, pero cuando por fin llega el día de la cita, esta no se realiza porque por una razón u otra, el médico no asiste; aunque no sucede siempre, sí con elevada frecuencia por diferentes razones, desde un problema personal del médico (falta de transporte, ciertos problemas familiares, etc.) hasta por asuntos administrativos (al director se le ocurrió cambiarle su plan de trabajo y enviarlo a una zona problemática sobre la que existen muchas quejas o al hospital porque no hay médicos), y tranquilamente se les comunica a quienes llevan varias horas esperando que el especialista no vendrá, que regresen el próximo mes o que vayan al policlínico y tengan la dicha que el especialista de allá los quiera atender (esto es, de existir dos o más grupos de trabajo en el policlínico) y que haya algún médico especialista que consulte allí.

Esta es la primera barrera que debe sortear el paciente cuando sale en busca de una atención médica primaria, aunque aparentemente las direcciones de los policlínicos ya han previsto esta situación e implementado medidas de contención al establecer el funcionamiento de los consultorios médicos en trío, es decir, los dos consultorios médicos más cercanos deben asumir la atención del tercero. En los papeles esto se ve muy bien, pero en la realidad, cuando el paciente llega al segundo consultorio puede encontrarse también con otro de los cartelitos o con una gran fila de pacientes en espera, debido a que el tercer consultorio médico perteneciente al trío tampoco está funcionando por alguna de las razones ya explicadas. Pero el maltrato no termina ahí, el que está realmente enfermo se ve obligado, como último recurso, a acudir al médico de guardia (claro, en caso de una emergencia o urgencia médica, deben ir directo al hospital), el cual se arroga el derecho de asistirlo o no si considera que no es una urgencia y que debe verse en su propio consultorio.

Esa es la realidad diaria del cubano. No queremos establecer comparaciones con la atención médica privada (que también hemos practicado y pensamos que tampoco es la solución), nuestra crítica a esta práctica descansa en la politización de la medicina en Cuba, en el modo en que es utilizada con un fin político y la manera tan burda con que confunden a millones de personas en el mundo al dar esa imagen tan equivocada que los hace creer que la medicina en Cuba es una verdadera panacea y el cubano no tiene de qué quejarse, por el contrario, debe estar agradecido porque no le cuesta nada verse con un médico ni tienen que pagar un centavo por un ingreso o una intervención quirúrgica; dejemos claro que nos parece maravilloso que sea gratis, sin embargo, en la realidad tiene un precio elevado: la libertad. La propia naturaleza socialista del régimen niega la gratuidad, sustituye los derechos individuales por los colectivos, minimiza al individuo, quien tiene que someterse a las necesidades de la mayoría, justificada por un discurso que elude las aspiraciones y metas de las personas e impone las normas y exigencias ordenadas por la voluntad de terceros.

La relación médico-paciente

Dentro de esta gama de dificultades se mueve el individuo enfermo en el socialismo cubano, que está obligado a ingeniárselas de diferentes maneras para sobrevivir, lo cual ha motivado que, por debajo de la mesa, a nivel de consultas, salas, quirófanos, consultorios médicos, etc., exista una clasificación del paciente cubano actual:

• **Paciente agradecido:** hombre o mujer enfermo o alguien que representa a algún familiar enfermo que acude en busca de atención médica y obtiene un cuidado esmerado en dependencia de su relación con el médico, ya sea por amistad o por intercambio (este último término tiene que ver con la posibilidad que tenga de satisfacer necesidades cruciales del médico como alimentos, ropas, zapatos, dinero).

- **Paciente no agradecido:** hombre o mujer enfermo o un representante de ellos que acude en busca de atención médica y la obtiene solo cuando le corresponda por los canales establecidos, es decir, reciben lo estipulado de una manera legal debido a que no aportan nada material ni están dentro del grupo de las amistades del médico.

- **Paciente protegido:** hombre o mujer enfermo o alguien que representa a algún familiar enfermo que pertenece a la cúpula dominante del gobierno o está relacionado de alguna manera con extranjeros.

Del mismo modo, la sociedad cubana se ha encargado de clasificar a nuestros médicos de dos maneras:

- **Médicos consagrados:** son aquellos profesionales de la salud que anteponen sus principios médicos humanitarios a sus necesidades materiales; por lo general, son personas que están bien preparadas y brindan una atención médica esmerada, independientemente de la clasificación del paciente.

- **Médicos mercantilistas:** profesionales de la salud que priorizan sus necesidades materiales y no sus principios hipocráticos, es decir, solo brindan una atención esmerada a quienes satisfacen sus necesidades materiales.

De esta manera, los pacientes agradecidos obtienen una atención médica adecuada, sin considerar la clasificación del médico. No queremos decir que para recibir una atención médica esmerada necesariamente el paciente o sus familiares tengan que aportar algo, porque no siempre es así, todavía existen profesionales de la salud que aman su carrera y que sin tener en cuenta la clasificación del paciente, brindan lo mejor de sí para aliviar el sufrimiento o deterioro del estado de salud de sus enfermos. Por desgracia, cada día escasean más y las necesidades crecientes se comportan como una inmensa telaraña donde quedan atrapadas sus buenas intenciones.

En esta relación médico-paciente, la combinación médico mercantilista y paciente no agradecido casi siempre concluye en un verdadero maltrato a este último. Existen factores objetivos, tales como: consultas médicas inapropiadas y carentes de privacidad, agua, luz, jabón, toallas y sábanas para cubrir al paciente, los cuales muchas veces deben acostarse en el puro metal de la camilla o mesa de exploración, con sillas y escritorios rotos o en mal estado, comúnmente no disponen de papel para escribir o hacer las recetas médicas y deben utilizar un papel bagazo tan duro como una lija que destruye los puntos de las plumas, no existen modelos oficiales para llenar los documentos que se exigen a la hora de ordenar días de reposo a un paciente o indicarle una dieta especial. También, están los factores subjetivos: la mentalidad adquirida por este tipo de médico hace que enfrente esta relación médico-paciente de manera incómoda por la situación ya descrita. Por otro lado, influyen las características propias del paciente, sobre todo si pertenece al grupo de los no agradecidos, que además son personas que en su generalidad no tienen un elevado nivel cultural y están muy influenciadas por la política estatal.

El clima político reinante en Cuba se encargó desde hace cinco décadas de establecer un igualitarismo en esta relación médico-paciente, con preferencia hacia este último, como parte de una bien planificada estrategia política. Al producirse una queja del paciente o de sus familiares a la dirección del hospital, el PCC, gobierno y las diferentes instituciones político-profesionales siempre fallan en favor de este. Independientemente del motivo de la denuncia, es una cuestión de principios (como dicen ellos) y, ¿cuál es el resultado?: que han contribuido a la constante falta de respeto hacia el médico, quien ha perdido toda autoridad dentro de esta relación.

El médico consagrado trata de sobrellevar el carácter de este tipo de paciente, sin embargo, el médico mercantilista lo enfrenta, resultando casi siempre en un maltrato que no tiene que ser personal, también puede ser científico, él sabe que no está haciendo lo correcto, pero se justifica con que "este paciente no merece otra cosa". Los pacientes protegidos no dejan de recibir una atención médica esmerada, a pesar de la clasificación del médico, porque ellos tienen una protección estatal que les crea inmunidad contra el maltrato.

Es importante analizar el papel que ha desarrollado el Estado como el mayor culpable del paupérrimo sistema de salud impuesto; ha sido un objetivo político del gobierno acabar con el ego de muchos profesionales, empecinándose en quebrantar el orgullo del médico cubano, una ardua tarea orientada a que la práctica de la medicina se convirtiera en otro sector más de la mal llamada Central Nacional de Trabajadores de Cuba (CTC). El Estado socialista no podía permitir que existieran diferencias en sus filas de asalariados, ni trabajadores que pensaran que su labor era más importante que la de otros, había que subestimar al médico, por lo tanto, era imprescindible arrebatarle el protagonismo en su mismo sector, debía estar en el mismo nivel que los enfermeros, técnicos de farmacia o de cualquier otra especialidad relacionada, incluso con el personal de servicios, es decir, debía desalojar de la mente de los cubanos aquella imagen del médico que consideraban burguesa, y ser uno más. Había que derrumbar aquella vieja filosofía de que era el alma de un hospital; por el contrario, una de las metas del sindicato era acabar con esas preferencias, los médicos tenían que pertenecer al sindicato junto con el resto de los trabajadores, participar en sus reuniones, convivir con ellos, emular con ellos, participar en sus mismos trabajos voluntarios y competir contra ellos por los artículos de estímulo que oferta esta organización a sus militantes (televisores, refrigeradores, ollas eléctricas, etc.) a manera de política participativa y comprometedora que siempre han utilizado hábilmente. En cada una de esas asambleas se evidencian las intenciones del Estado al repartir esos productos, premiando tan solo a los que más participan y defienden a la revolución, haciendo valer aquella máxima de *con la revolución todo, contra la revolución nada.*

De ninguna manera se premia al médico que más haya operado ese mes, al que mejor solucionó sus casos, al que está mejor preparado, a quienes se destacaron en las salas de emergencias o salvaron vidas en las unidades de cuidados intensivos, por solo mencionar algunos ejemplos. Esas acciones no reciben el adecuado reconocimiento porque de hacerse se premiaría al talento y al esfuerzo, condición esta que se aparta del camino de la política oficial, cuya razón número uno en la emulación socialista que establecen los sindicatos de la salud, el nivel de apego y servilismo al gobierno, por eso el Estado no puede permitir tales diferenciaciones, porque perdería su hegemonía.

Para equiparar la profesión de médico con la de cualquier otro trabajador de la salud en cuanto a beneficios y derechos se refiere, el gobierno los somete a sus antojos, despojándolos de cualquier atisbo de autoridad que puedan inspirar en las salas de ingresos, quirófanos, unidades de emergencias, laboratorios, etc. Por ejemplo, es común que un médico sea insultado por un empleado de limpieza o sea objetado por un enfermero por el tratamiento impuesto, o que un técnico de rayos X o de laboratorio le discuta la indicación de uno de sus exámenes solicitados. Este igualitarismo como táctica de Estado, ha contribuido y facilitado que aparezcan las innumerables indisciplinas e inconformidades que se observan a diario en nuestros hospitales y policlínicos, las cuales están en sintonía con la política de igualitarismo de otros sectores laborales, lo que ha colocado a los profesionales de la salud en una posición social que genera lástima, no solo por el mísero salario que reciben sino porque son víctimas constantes de las exigencias gubernamentales. Recordemos lo que dijo una funcionaria del Comité Provincial del Partido Comunista de Villa Clara en una reunión efectuada en abril de 1997, frente a un gran auditorio de médicos en el municipio de Manicaragua, cuando analizaba la indisciplina laboral y la debilidad ideológica de este sector (y que es una muestra de las verdaderas intenciones gubernamentales):

Ustedes piensan que son el ombligo del mundo… Y se equivocan, ustedes son y tienen que ser iguales a un sepulturero, a un limpiabotas o a un simple trabajador de gastronomía, por lo que con ustedes no hay que tener otras consideraciones que las que ya se tienen.

Es decir, con esta táctica de igualdad frente al resto de los trabajadores de la CTC, el médico perdía aquella imagen profesional que se tenía de él, aquella admiración y respeto popular por su labor, ganada y trasmitida de generación en generación por su tesón, su entrega, sus conocimientos, su capacidad de poder salvar una vida, que lo colocaba en una posición privilegiada. Pero como aparentemente en la sociedad socialista no pueden existir individualidades, ni de grupos ni de personas, fue necesario destruir esa imagen. Primero, con dicha técnica de paridad laboral y, más tarde, con la masividad. Alguien dijo una vez con acierto que la masividad engendra mediocridad: un médico cada ciento sesenta y cinco habitantes, un galeno presente en cada cuadra, que en algunas zonas podía llegar a dos o tres, rompía aquella imagen potente. Porque, anteriormente, en un pueblo de unos 30 000 o 40 000 habitantes tan solo existían dos o tres médicos, ahora existen doscientos o trescientos.

De una manera premeditada, el médico ha sido despojado de dos armas poderosas para poder ejercer su labor: autoridad y confianza. Sin ellas, los galenos se comportan como extraños en los hospitales y no como lo que deben ser, vigilantes de la vida ajena. La mayoría de las veces son poco escuchados y muy cuestionados, al punto de que, con frecuencia, se han convertido en blanco de las ofensas de la población y del personal paramédico.

Como en Cuba todo lo que pertenece al sistema socialista tiene otra fachada, con un solo golpe de vista nos podemos dar cuenta de que estamos en un centro de salud del MINSAP o de la Educación (esferas más representativas, que no reciben inyección de divisas o inversiones extranjeras). Observamos cómo la infraestructura de los hospitales, su acondicionamiento (con excepción de los contados centros que son la pura élite del confort médico cubano, llámense: Clínica Cira García, Hospital Hermanos Ameijeiras o el Centro de Investigaciones Médicoquirúrgicas, CIMEQ, todos ubicados en la capital del país y destinados a la atención médica de extranjeros y altos dirigentes del Estado y sus familiares) son un verdadero desastre y evidencian la falta de gestión y de inversión de recursos para lograr su óptimo funcionamiento. En este apartado analizaremos al conjunto de los hospitales que cubren al resto del país, los que se encargan de brindar atención médica al grueso de la población cubana y que también pertenecen a esas sonadas conquistas de la revolución, solo que están en la parte socialista del país: la presupuestada, con un mísero financiamiento en moneda nacional.

No tuvo suerte la salud pública, tan solo quedó como conquista en el papel. Una verdadera muestra, penosa por demás, de lo que puede y hace el socialismo, solo lo subjetivo es lo fundamental (como señalan los dirigentes): trabajar en la mente del individuo. Lo objetivo: los recursos, el aspecto material, pasa a un segundo plano.

Las corporaciones o asociaciones empresariales con extranjeros conforman la parte capitalista del sistema, la única que es próspera, aunque no se mencionan como rimbombante conquista de la revolución, todo lo contrario, de ellas se habla lo mínimo, pero es la meta laboral de todos, allí existen los recursos para mantener las instalaciones impecables y facilitarle al obrero condiciones decentes de trabajo y de alimentación.

El lado capitalista de este sistema socialista tiene hasta una corporación llamada SEPSA (Servicio Especializado de Protección, Sociedad Anónima) que cuenta con una exagerada atención al hombre (comparándola con la que recibe el resto de los trabajadores), como el transporte para la distribución de los custodios por los diferentes puntos de la ciudad, uniformes, elevadas ganancias con un estímulo en pesos convertibles para que sean menos vulnerables al soborno porque estas personas están destinadas a preservar lugares estratégicos de la economía cubana y de esta manera evitan la fuga ilícita de millones de dólares por concepto de robo. Reciben una dieta especial con más libras de carne de pollo en un mes (increíblemente importado de los Estados Unidos), que lo que recibe un hospital municipal en ese tiempo.

Al adentrarnos en los hospitales que prestan atención en los diferentes niveles, con lo primero que chocamos es con su "rostro" que es el servicio de urgencias, en los cuales predomina, al igual que en las otros servicios, el mal olor que emana de los sanitarios y que es causado por la ausencia de agua, de personal para su limpieza y de productos destinados a la higiene adecuada, estos retretes son un verdadero vertedero. Además, en un alto número de los hospitales (salvo algunos de las capitales de provincias), las salas de espera carecen de asientos suficientes, no brindan agua fría (teniendo en cuenta el calor reinante en nuestro país), no tienen climatización, existe poca iluminación y, para colmo, quienes esperan son víctimas del constante acoso de los vendedores ambulantes, quienes se aprovechan del hambre y la sed para venderles caros sus productos.

En todas las instalaciones de salud del país existe un custodio ubicada en la puerta de entrada, que es la carta de presentación de la instalación. La primera persona con quien tienen que tratar los familiares o el propio paciente al arribar al centro suelen ser trabajadores con un escaso nivel cultural, que muestran además pocos hábitos de cortesía y educación formal. Con frecuencia vociferan para imponer el orden y obligan a esperar su turno a aquellos que están desesperados por mitigar su dolor. Sin embargo, si alguno le brinda un poco de café, una cajetilla de cigarros o una ligera meriendita, se las ingenian para pasarlo de primero (por aquí comienza el soborno en los hospitales).

El servicio de urgencias del hospital, también conocido en Cuba como cuerpo de guardia, en cualquiera de sus niveles municipal, provincial o nacional) es atendido por profesionales de menor nivel y, en algunos lugares laborar en ellos es una especie de castigo al cual destinan a los médicos que legalmente han manifestado sus deseos de salir del país, u otros que han incurrido en faltas de mayor o menor cuantía. Allí comparten el local en con alumnos de quinto o sexto año de la carrera de Medicina que ya prestan sus servicios en la atención directa al paciente. Inusualmente cuentan con un especialista o un médico de mayor jerarquía al cual pueden consultar los casos dudosos o graves, pero en muchas oportunidades no disponen de la ayuda imprescindible, lo que facilita el maltrato garantizado.

El hacinamiento y la falta de privacidad en dichos locales es tan común que atentan contra el pudor. A nadie le resulta extraño dejar expuestas zonas íntimas de los pacientes. Muchas veces no existen lugares para poder examinarlos debido a que todas las camillas están ocupadas y es necesario atenderlos en la misma silla donde están, producto de la presión asistencial. No existen sábanas limpias ni de desecho, las camillas no tienen la higiene adecuada y, para colmo, luego de terminar de examinar a un enfermo muchas veces el médico no dispone de agua y jabón para lavarse sus manos.

El área de enfermería carece de personal suficiente y allí también ubican a los alumnos recién graduados o enfermeros castigados. Cuando arriban al mismo tiempo varios enfermos graves o lesionados por accidentes, se produce un verdadero caos porque no hay suficientes enfermeros para cubrir la demanda.

En muchas ocasiones no se cumplen las normas básicas de enfermería ni las medidas más elementales de higiene para la administración de medicamentos por vía endovenosa, a veces por ausencia de agua, jabón, desinfectantes, toallas, etc., o por la exigente presión asistencial producida por el déficit de personal técnico. Por lo general, se ignora el tiempo destinado para la administración de un medicamento endovenoso (no existen bombas de infusión), y si el médico ordena pasarlo en diez o en treinta minutos, se incumple con esta prescripción médica, ni se aspira la jeringuilla cuando se usa una técnica intramuscular para administrar un medicamento, ni se toma la presión arterial como está establecido porque hay mucho que hacer y apremia el tiempo, tienen a otros pacientes esperando, a los cuales han educado en la falsedad de la potencia médica y de las conquistas de la revolución, pero, si por casualidad el paciente afectado se queja ante la dirección del hospital, PCC o gobierno por las demoras de las que fueron víctimas, el fallo es a su favor y sin dudas puede conllevar a una sanción al médico, lo cual pondría en riesgo su liberación del sistema nacional de salud en caso de estar allí por solicitar salida definitiva del país.

La atención médica al pueblo se ofrece como espada de Damocles que pende sobre la cabeza de quien está en el cuerpo de guardia. El médico debe estar siempre sonriente, poner buena cara sin que importe la ausencia de recursos, la escasez de medicamentos imprescindibles, la falta de balones de oxígeno o con el único regulador del oxígeno roto, sin agua para lavarse las manos, sin ambulancias disponibles para un traslado de emergencia, empapado en sudor, con un hambre voraz, pero debe ser afable y tener una enorme sonrisa en su rostro para que el enfermo se sienta bien y esté satisfecho con la atención recibida, que se cumpla con el factor subjetivo, ¡que esté el médico allí! El resto, los factores objetivos, no son importantes porque siempre existe un culpable, una justificación muy usual como es el embargo de los Estados Unidos.

Cuando internan a un paciente en un hospital, lo primero que hacen los familiares que lo acompañan es la llamada telefónica a la casa del paciente (si tienen el privilegio de contar con una línea telefónica), de lo contrario a algún vecino cercano para que el resto de la familia acuda al centro de salud con el avituallamiento imprescindible (sábanas limpias, toallas, almohada, fundas, jabón, pasta y cepillo dental, pijama, ventilador, chancletas, bombillos y el famoso cubo o balde para el baño) y también ordenan que vayan preparando la sopa porque todos estos artículos escasean en nuestras instalaciones de salud y, de existir, están en pésimas condiciones, la ropa de cama manchada, los pijamas disponibles nunca tienen la talla para el paciente, entre otros. Ya situados en la cama, viene el segundo paso, la revisión y acondicionamiento del colchón, que muchas veces está roto o sin forro, manchado con deyecciones no identificadas, que también pueden estar en las paredes, en el piso e incluso en el techo y ni qué decir del hacinamiento, la mayoría de las salas de medicina interna semejan los antiguos pabellones para esclavos de siglos atrás. Las camas prácticamente están unas encima de las otras, con frecuencia no existe ni un metro de separación entre ellas, son vecinos los pacientes portadores de diarreas, neumonía, un cáncer en estadio final o un síndrome febril agudo de etiología oscura, es decir, de causa desconocida; todos estos elementos contribuyen a las infecciones intrahospitalarias.[79]

Existe algo muy curioso desde el punto de vista epidemiológico y es que no se reportan todas las sepsis nosocomiales (infecciones que se contraen dentro del hospital) porque si hay muchos reportes, crean una pésima imagen del lugar; recuérdese que en Cuba hablan los números y estos, en la esfera de la salud, son consignas, banderas que se levantan para defender el socialismo, por lo tanto, reportar todas las infecciones nosocomiales es un foco de atracción para visitas de supervisión que ponen en riesgo la cómoda plaza de epidemiología, casi siempre ocupada por un acomodado profesional de la salud que ha llegado a ella por influencias políticas.

La higiene es deplorable en el amplio sentido de la palabra, hemos visto transcurrir hasta veinticuatro horas sin que una auxiliar general de limpieza acuda a limpiar vómitos o alguna deyección de otra naturaleza en el piso, muchas veces porque no hay agua en el hospital (por diferentes razones: no hay luz eléctrica, tuberías averiadas, generadores de electricidad que no funcionan durante los

---

[79] Ver foto al final del capítulo.

apagones, etc.), o ausencia de utensilios para la higiene general, además de la falta de personal que realice esta actividad debido a que a estos explotados obreros se les paga una miseria, y con lo que reciben no pueden cubrir ni las más elementales necesidades. La higiene de los alimentos es pésima, debido a que se conservan, procesan y distribuyen violando la mayoría de las normas higiénico-epidemiológicas previstas para los centros de salud, los dietistas encargados de seleccionar el tipo de dieta y alimentos a consumir en dependencia de las enfermedades diagnosticadas, tienen que disimular la realidad porque no hay variedad para escoger, además de no poder velar y exigir por la higiene en el área de la cocina porque sencillamente no hay productos para la limpieza o, en el peor de los escenarios, se cocina en rústicos fogones de leña, con todas las consecuencias que de esto pueden derivarse.[80]

Después del ingreso, vienen las tribulaciones para el médico cuando debe comenzar el estudio de un paciente. Empecemos por las radiografías, que siempre son escasas, solo se realizan al principio del mes; si el paciente ingresa para el estudio de una patología X, esta no se podrá realizar hasta después de la segunda quincena, debido a que el abastecimiento fue insuficiente y las existentes se deben dejar para las urgencias. Por norma (al menos en los hospitales municipales), existe un periodo de unos diez o doce días en los cuales no existen películas para radiografías, por lo que la población queda expuesta al error médico que se puede derivar de esta situación al privar al médico de un recurso diagnóstico como este. Lo mismo sucede con los estudios radiográficos, con técnicas de contrastes, que también escasean. El ultrasonido es un lujo, para realizar un estudio de esta naturaleza existen normativas debido a que es una constante en las instalaciones médicas del país que haya una lista de espera con una cuota reducida de turnos. En cada instalación se hacen con una frecuencia de una o dos veces a la semana, sobre todo en los municipios donde, por ejemplo, se le permite a cada policlínico diez turnos a la semana. Por años se ha visto un solo equipo de estos funcionando simultáneamente para dos o tres municipios de una provincia. Esta situación hace que los pacientes

---

[80] Ver foto al final del capítulo.

reciban maltratos debido a que deben trasladarse en un ómnibus repleto de personas (inclusive estando recién operados) o tienen que asistir al lugar por sus propios medios.

Muchas veces los salones de espera en las consultas donde están ubicados los equipos para el ultrasonido no cumplen con las normas mínimas para una espera prolongada. No disponen suficientes asientos, agua, ni sanitarios. Se puede ver con frecuencia a los ancianos obligados a largas esperas, luego de estar ocho o diez horas sin poder orinar, para hacerse un examen en el que se precisan imágenes de la próstata, y la vejiga debe estar llena de orina; o a un niño menor de un año sometido a un ayuno prolongado porque necesitan efectuarle un ultrasonido abdominal. Ante tal tumulto de personas y la creciente presión asistencial, el técnico de ultrasonido (la mayoría de las veces es un médico) aumenta el margen de error, a veces se llegan a conclusiones ultrasonográficas que varían en un mismo paciente durante cortos periodos de tiempo. No obstante, a pesar de que existen dificultades reales para que un paciente sea estudiado mediante esta técnica diagnóstico, es común encontrarse a muchos que muestran un rosario de exámenes de este tipo, sencillamente porque es un paciente agradecido o amigo de quienes hacen el examen, cuando hay otros que de ninguna manera pueden acceder a este.

Los electrocardiogramas (registro eléctrico del corazón) merecen especial atención y el municipio de Caibarién, en la provincia de Villa Clara, es el ejemplo perfecto. Con sus más de 38 000 habitantes, solo contaba con un equipo para electrocardiogramas y no era de la marca Cardio-CID o Cardio-MED, los que nuestro país exporta a países menos desarrollados, o que existen en las clínicas para extranjeros y dirigentes, sino un viejo Cardio-FAX-1971, con un sello en su extremo superior derecho donde se puede leer *no apto para su uso*. El almacén provincial de distribución de medicamentos (organismo encargado del abastecimiento de medicamentos y materiales médicos) solo envía diez rollos de papel especial para este tipo de aparato para un mes de uso, teniendo en consideración que por cada rollo solo se pueden realizar correctamente doce exámenes, como resultado en un mes, esta población solo tiene derecho a 120 electrocardiogramas. Si le añadimos a esto que en el servicio de emergencias son atendidos a diario casi 100 pacientes y que el dolor torácico es un motivo de consulta muy frecuente, comprenderemos que una gran cantidad de pacientes quedan excluidos de este examen.

La cardiopatía isquémica es la primera causa de muerte en el mundo y en Cuba.[81] La población cubana, víctima de una campaña mediática universal que lo presenta como un pueblo protegido y consentido por su Estado, es engañada constantemente (entre otras cosas) al imaginar que invierten todos los recursos en su seguridad médica. Son numerosos los ejemplos de pacientes que acuden a los servicios de emergencias de los hospitales y policlínicos de todo el país con dolor torácico y no se les realizan como mínimo, estudios enzimáticos o un electrocardiograma para descartar esta enfermedad, por el contrario, son enviados a sus hogares con analgésicos o antiinflamatorios y un diagnóstico equivocado, para que horas o días después, regresen con un paro cardiorrespiratorio o fallezcan.

Como expresión de la política de supervivencia que ha tenido que adoptar el ciudadano cubano común durante las últimas décadas de vida de la revolución cubana, algunos pacientes se las ingenian para obtener su propio rollo de papel para el electrocardiograma (una especie de sálvese quien pueda) principalmente aquellos que padecen una cardiopatía isquémica, los cuales, cuando asisten al cuerpo de guardia, les solicitan al médico que les haga el "electro" y le aclaran que ellos traen el papel. Sin embargo, como la mayoría de los pacientes no entran en ese grupo, recae sobre el médico el problema de la escasez, él tiene que convencer (aun sin estarlo) al paciente de que no es necesario hacerle un electrocardiograma o una radiografía, pero debe hacerlo con cuidado, porque no puede culpar al gobierno por tal situación. La peligrosa inventiva del cu-

---

[81] La cardiopatía isquémica fue la primera causa de muerte en Cuba hasta la primera década del siglo XXI. Ver: Fernández González J.M, G. Fernández Ychaso: "Principales causas de mortalidad general en Cuba año 2004". Rev Habanera de Ciencias Médicas, vol 5 No. 2, Abril-Junio, 2006 pp 1-6, Universidad Ciencias Médicas de la Habana. Cuba.

Según el *Anuario Estadístico de Cuba*, 2013, pag. 31 Cuadro 14, desde el año 2012 los tumores malignos pasaron a ser la primera cause de muerte en Cuba.

bano para burlar su miseria ha conducido a que los técnicos de electrocardiografías busquen, en las historias clínicas de los pacientes, viejos registros de electrocardiogramas y realicen sobre ellos el nuevo, se podrán imaginar hasta dónde puede llegar el error médico al leer un trazo encima del otro.

Vale la pena señalar la incongruencia en los planteamientos respecto a los recursos, lo que se evidencia, sobre todo, en la práctica de la medicina en los municipios. Es pura propaganda el supuesto nivel tecnológico alcanzado por nuestro Sistema Nacional de Salud, que se vanagloria de la confección y exportación de equipos médicos como monitores, oxímetros de pulso, registros electrocardiográficos continuos (*holter*), etc., porque esta tecnología no llega al interior del país, solo se puede ver en los centros privilegiados ya mencionados, no en los municipios ni en los hospitales provinciales donde los pocos equipos que llegan carecen de la calidad mínima imprescindible, salen de circulación rápidamente por su exagerada explotación y falta de piezas de repuesto. Los médicos de los municipios y zonas rurales no reciben materiales para su trabajo de oficina: papel, lapiceros, tinta, existen muchos que no tienen ni estetoscopio o esfigmomanómetro, herramientas imprescindibles para su trabajo; al exigirlas en sus direcciones de salud correspondientes, reciben como respuesta: *lo sentimos, pero en estos momentos no hay*. Debemos recordar que en Cuba no existen lugares donde se vendan estos artículos, el gobierno es el que lo produce y provee a su antojo.

Para mencionar un ejemplo, veamos lo que sucede en el Hospital Provincial Arnaldo Milián Castro, de Santa Clara. Esta es una instalación de salud relativamente joven (25 años, si tenemos en consideración los más de 100 que tienen otras), en la que aparte de las innumerables deficiencias ya descritas y relacionadas con la falta de mantenimiento, comunes en la inmensa mayoría de los hospitales del país, en sus salones quirúrgicos, las camillas o mesas quirúrgicas están desprovistas de piezas de repuesto, lo que trae como resultado que el cirujano no pueda usar diferentes vías de acceso para operar ya que no puede acomodar a su paciente a sus exigencias. Por años, para que los médicos cirujanos de la especialidad de garganta, nariz y oído pudieran operar, tenían que pedirle

151

prestada la camilla quirúrgica a la especialidad de neurocirugía debido a que se necesitan posiciones especiales, con diferentes ángulos para abordar estos órganos, de lo contrario no se pueden realizar esas intervenciones quirúrgicas. Y esto sucede en un hospital relativamente nuevo, imagínense en el resto, tan solo basta decir que en el Hospital General de Caibarién, la mesa quirúrgica existente en la actualidad es una suerte de fósil que nadie sabe cómo fue a parar allí, fue extraída de un barco alemán durante la Segunda Guerra Mundial y sus tornillos han sido sustituidos por vendaje de yeso, del que usan los ortopédicos para inmovilizar.

Para concluir el tema de los salones quirúrgicos en el hospital Arnaldo Milián Castro, mencionaremos que por años existió un monitor para todos los salones, además de un laringoscopio para el procedimiento de entubar y poner la anestesia, especialidad esta que tan solo contaba con viejas máquinas sin la calidad y exigencias de las actuales. Todas las existentes hiperventilan (solo recomendado en caso de que ocurran aumentos críticos de la presión intracraneal) y nadie se preocupa por solucionar esta situación, siempre echan mano a la justificación del embargo a la hora de explicar estas deficiencias.

Los exámenes de laboratorio en Cuba

Las limitaciones diagnósticas que imponen los laboratorios, sobre todo los de microbiología (aquellos que se dedican al cultivo de muestras para definir el crecimiento de bacterias o parásitos), son un duro golpe para los médicos que tratan de estudiar a un enfermo. Es altamente dudosa la negatividad de casi un 100 % de los exámenes de coprocultivo (para la determinación de salmonella, shigella, vibrio y yersinia), aun a sabiendas de que existe un alto índice de contaminación de las aguas y alimentos, con brotes frecuentes de enfermedades diarreicas agudas que enfocan una etiología bacteriana. Lo mismo sucede con los urocultivos, en los que es más común leer en sus resultados *muestra contaminada* que la existencia de alguna bacteria.

Los laboratorios clínicos en la mayoría de los hospitales cubanos no proveen la debida protección biológica para enfermedades hemotrasmisibles (SIDA, hepatitis B). Muchas veces los técnicos se ven obligados a laborar sin guantes por la escasez de estos, o pipetear con la boca con el riesgo que esto conlleva; es común (sobre todo a nivel de hospital rural o municipal) que se funcione sin agua, obligando a los técnicos a traer del vecindario un cubo de agua, lo que pone en condiciones fatales la calidad de los exámenes realizados. Los viejos y obsoletos equipos arrojan resultados poco o nada confiables al utilizar, en la mayoría de los casos, reactivos que sobrepasaron sus fechas de caducidad, una combinación letal en cuanto a confiabilidad.[82]

Conocemos la abnegación de los técnicos de laboratorio, quienes atentando contra la integridad de su persona (debido a la constante violación gubernamental en el incumplimiento de las normas de protección e higiene del trabajo), luchan a diario por servir y diagnosticar, pero se ven limitados por la falta de recursos. Tienen que usar reactivos caducados porque no hay otros. No reciben actualización de los discos donde se realizan las siembras, lo cual limita al médico conocer la bacteria y el antibiótico a utilizar.

Para los cultivos de sangre (hemocultivo), con frecuencia no existen frascos (son envases de cristal reciclados y esterilizados). Si al fin se logran tomar las muestras y obtener un resultado, con frecuencia llegan a las salas de ingreso cuando el paciente ya fue dado de alta o simplemente falleció.

Algunas veces los exudados nasofaríngeos (cultivos de las secreciones) son realizados con sangre humana, lo que provoca falsos positivos porque esta sangre puede contener enzimas que alteran el resultado. La sangre de carnero, ideal para este tipo de examen, nunca está garantizada por parte del Ministerio de la Salud.

Los cirujanos, ante tanta demora e ineficiencia, siempre les administran antibióticos a los pacientes, hasta para las cirugías en las que no está indicado su uso, porque de existir una infección posterior, el cultivo de las secreciones que se tomaría (podría demorar mucho más de lo normal, llegando hasta semanas) y tendría un resultado poco confiable. Además de esperar por un antibiograma que muchas veces no es fidedigno y los obliga a utilizar antibi-

---

[82] Ver foto al final del capítulo.

óticos de amplio espectro (si es que existen en esos momentos) para cubrir la infección por diferentes gérmenes que, de conocerse cuál es, ahorraría gastos al país y posibles complicaciones al paciente.

El estudio de los virus es cosa del pasado, los test de Davison y de Paul Bunnell para el diagnóstico del virus Epstein-Barr (*human herpes virus 4*, HHV-4), que incluyen los virus del Herpes Simple 1 y 2 relacionados con diferentes tipos de cáncer, sobre todo con el linfoma de Hodgkin, carcinoma nasofaríngeo, linfoma Burkitt o simplemente con la mononucleosis infecciosa (enfermedad del beso) posterior a los años noventa se realiza en contados laboratorios del país, lo que obliga al médico a realizar el diagnóstico basado solo en las manifestaciones clínicas del paciente y, como sugerencia de laboratorio, el aumento de las células linfomonocitarias en más de un veinte porciento en la lámina periférica, que cuenta con un elevado margen de error debido a que estas células aumentan en cualquier otro tipo de infección viral.

Los exámenes de heces fecales realizados en estos laboratorios, incluso en los hospitales de mayor jerarquía, solo identifican parásitos del tipo *Entamoeba coli*, *Entamoeba histolytica* y, muy rara vez, *Giardia lamblia*, casi nunca observan huevos de helmintos ni larvas y por todos es conocido el alto nivel de infestación en la población cubana debido a que no cuenta con medios para hervir el agua por la falta de combustible. La mayoría de las redes hidráulicas destinadas a la población están contaminadas con aguas albañales y aguas residuales, por rupturas (corren paralelamente a estas), además de que el agua no recibe un correcto tratamiento en los diferentes acueductos por falta de cloro, sulfato de aluminio, hipoclorito de calcio u otras sustancias químicas por la falta de gestión administrativa o escasa inversión del gobierno.

La vieja estación para el bombeo del agua del municipio de Caibarién, junto a la no menos antigua red conductora, instaladas hace ya más de medio siglo, parece que no tienen derecho a un mantenimiento periódico, lo que significa un riesgo extra para la población, si tenemos en consideración las innumerables fisuras que tienen sus tuberías que viajan en el mismo sentido y muy cerca de las de desagüe, lo cual provoca que en los hogares del cubano común exista un alto índice de contaminación por bacterias y parásitos en el agua, añadiéndose a esto que no tienen acceso a las divisas para la compra de agua embotellada ni cuentan con el combustible necesario para hervirla. Sin embargo, el periódico *Granma* publicó una nota en su edición del 29 de junio de 2002, en la que hace referencia a una obra de la revolución recién concluida, se trata de una estación de bombeo y red conductora de agua potable, pero con la particularidad de que no es para el consumo de la población, sino de los hoteles de la cayería del litoral de Caibarién, para garantizarle el suministro al polo turístico Las Brujas-Santa María. Los turistas sí merecen agua potable y por ellos sí se puede hacer una inversión de más de catorce millones de pesos cubanos (quizás medio millón de dólares).[83]

Por otro lado, el agua embotellada que se vende en los establecimientos de divisas cuesta 0.75 centavos en moneda convertible, lo que equivale a unos 20 pesos cubanos (salario diario de un médico). El ciudadano cubano común no puede darse el lujo de consumir este tipo de agua embotellada porque pone en riesgo el sustento de su familia, lo que recibe monetariamente en un mes apenas le alcanzaría para la compra de una caja de treinta botellas, es ridículo pensar que esta es una opción para la población cubana, que se ve obligada a consumir el agua del grifo tal y como viene, sin la opción de hervirla.

El diagnóstico de helmintiasis (enfermedad en la que parte del cuerpo queda infestada de gusanos como lombrices intestinales, solitarias o gusanos redondos que comúnmente afectan el intestino, pero también se puede encontrar en músculos, hígado y otros órganos) se hace cuando el propio paciente trae el gusano en un frasco porque casi la totalidad de los laboratorios clínicos del país carecen de las técnicas especiales para el diagnóstico de helmintos, que son: exámenes coproparasitológicos con las técnicas de Kato (K), Técnica de Sedimentación Espontánea en Tubo (TSET), Técnica de Baermann Modificado en Copa (TBMC). Al igual que en muchos países subdesarrollados de América Latina, en Cuba (a pesar de

---

[83] Ver recorte de periódico al final del capítulo.

que las estadísticas no lo reflejen) uno de cada cuatro o cinco ciudadanos presentan uno o varios helmintos en su organismo.

Las limitaciones de los médicos para hacer diagnósticos de infecciones intestinales son abrumadoras, teniendo en consideración lo frecuente de esta patología en los cuerpos de guardia de los hospitales y policlínicos del país. Existen verdaderas epidemias de enfermedades diarreicas agudas que no salen a la luz pública, el gobierno vigila constantemente estas posibles publicaciones, cualquier enfermedad que muestre el más mínimo abandono o incumplimiento respecto a la salud de su pueblo, entra en el amplio archivo de secretos de Estado.

Aunque en la actualidad ha tenido que ceder espacio, víctima de la incipiente apertura informática y no ha podido ocultar la reciente epidemia nacional de cólera, denunciada inicialmente por opositores al régimen y ha llegado hasta publicar datos en su prensa oficialista, como la nota informativa del Ministerio de Salud Pública, publicada en su sitio de Cubadebate del 15 de enero del 2013 que señala "que a partir del domingo 6 de enero el sistema de vigilancia clínico epidemiológica detectó un incremento de las enfermedades diarreicas en el municipio Cerro que luego se extendió en otros municipios de la capital y que el análisis microbiológico realizado en el instituto de medicina tropical Pedro Kourí, determinó que el agente causal era el Vibrio Cholerae 01 Tor enterotoxigenico serotipo Ogawa. Confirmaron un total de 51 casos".

Los casos remitidos

Si no bastara con el rosario de dificultades que deben enfrentar a diario enfermos y doctores en los hospitales cubanos, existe un obstáculo que a veces se convierte en una verdadera pesadilla para pacientes y familiares y, frecuentemente, en motivo de sanción administrativa para los médicos cuando no los utilizan según está establecido, se trata de los famosos remitidos o traslados de hospitales sin recursos a otros con ciertos recursos, es decir, de centros hospitalarios rurales o municipales a hospitales provinciales. El complicado mecanismo que encierra este algoritmo, mediante el cual el médico que solicita el traslado tiene que convencer al médico que va a ir por el caso en una ambulancia equipada, de que el paciente cumple con los criterios establecidos, después de haberlo discutido con los médicos que lo van a internar en determinada sala (llámese de observación o una de las salas de terapias), cuando se trata de una urgencia médica o en una sala convencional cuando es para hacerle determinado estudio. Es el primer obstáculo que se debe vencer.

De esta manera se institucionaliza el maltrato. Los pacientes internados en los hospitales ubicados en zonas rurales e incluso en los municipios cercanos a las cabeceras de provincias, son víctimas de estas regulaciones; el clínico, el pediatra o el ginecobstetra que los atiende carga con la responsabilidad de coordinar cualquier posible traslado, ya sea para realizarle un examen o para continuar su atención médica en un hospital de mejores recursos, y debe derribar una muralla de dificultades, desde la imposibilidad de comunicarse por teléfono porque las líneas están sobresaturadas de llamadas, hasta las regulaciones internas de las salas en las que los médicos no atienden las solicitudes por falta de tiempo o porque las evaden.

Es común encontrar pacientes ingresados en hospitales municipales durante largos periodos porque están pendientes de un determinado examen en un hospital provincial, lo cual muchas veces, se convierte en una verdadera odisea por la complicada coordinación, que generalmente no funciona y obliga al paciente o a sus familiares a presentarse en el lugar en cuestión para tratar de lograr su objetivo mediante prebendas.

Sería interminable mencionar todos los ejemplos de pacientes que han vivido este calvario, incluyendo los propios trabajadores de la salud quienes, supuestamente, deberían encontrar algo de solidaridad por parte de sus colegas. Nos limitamos a hacer alusión a dos casos para que saquen sus propias conclusiones, según la experiencia del Dr. José Luis Comas:

Felipe Consuegra,[84] de treinta y ocho años de edad, vecino de la Avenida 17 #1825, de Caibarién, ingresó el 25 de noviembre de 2002 en el Hospital General de Caibarién con historia clínica no. 14581 debido a que durante un cuadro respiratorio dado por tos, dificultad respiratoria y dolor torácico posterior se evidenció por un estudio radiológico del tórax un derrame pleural bilateral (líquido anormalmente acumulado en el espacio pleural). Inicialmente se pensó que fuera secundario al cuadro neumónico porque el derrame pleural es la complicación más frecuente de esta enfermedad, que aparece hasta en un veinticinco porciento de los casos.[85] Después de que se hiciera la toracocentesis (extracción de una acumulación de líquido anormal o de aire en el espacio pleural por medio de un catéter o de una aguja), vino la espera para el tratamiento del cultivo y clasificación del germen. Iniciaron lo más rápido posible la terapia con antibiótico porque, en definitiva, ya conocían de antemano que en estos casos, el resultado iba a ser: "muestra contaminada, por favor, repetir". Luego de tres semanas de tratamiento, existía cierta mejoría, sin embargo, el derrame pleural bilateral persistía, es decir, la acumulación de líquido en ambos pulmones. Se decidió remitirlo al Hospital Arnaldo Milián Castro de Santa Clara el 23 de diciembre de 2002 para que valoraran el estudio del líquido pleural en busca de bacterias o células cancerosas, especificándose en el remitido que en el hospital de donde procedía no existían las condiciones para realizarle estudios citológicos (anatomía patológica) ni bacteriológicos al líquido pleural, que era necesario extraer... El final del cuento fue el previsible: lo regresaron.

---

[84] Vecino de Caibarién, seudónimo.

[85] Roberts, B.R.: "Infecciones por estreptococos no pertenecientes al grupo A", en Jay H. Stein: *Medicina Interna*, tomo II, vol. I, 1987, p. 1717.

Yamila Ramos,[86] de treinta y nueve años de edad, de profesión enfermera general, con más de veinte años de servicio, vecina de la calle 24 # 3311, Caibarién, Villa Clara, con historia clínica no. 2576, ya contaba con dos ingresos anteriores en el Hospital General de Caibarién en los meses de marzo y diciembre de 2002 por dolor abdominal localizado en el flanco derecho; en un examen radiológico de las vías urinarias se evidenció un *stop* del contraste en el tercio medio del uréter derecho, asociado con una dilatación del riñón de ese lado. Mediante un sonograma abdominal se constató una gruesa imagen sugestiva de un tumor renal. Con estos hallazgos, era necesario coordinar la realización de una Tomografía Axial Computarizada de ese riñón, así como un estudio radiológico del colon para descartar una posible compresión del uréter por un tumor del intestino, ambos exámenes no se realizan en dicho hospital municipal. En vano se hicieron gestiones para hacerlos en un hospital provincial, por lo que el 15 de diciembre de 2002 se procedió a su remisión al Hospital Provincial Arnaldo Milián Castro de Santa Clara para su ingreso y estudio. No tuvieron en consideración los argumentos médicos explicados en el remitido,[87] no respetaron que la paciente fue con su uniforme de enfermera, no quisieron ver sus lágrimas, olvidaron sus años de servicio. Y, finalmente, la devolvieron a Caibarién.

Decidimos mencionar estos dos ejemplos para ilustrar lo difícil que resulta remitir un caso desde los municipios hacia la capital. En un alto porcentaje no respetan ni al propio personal de la salud, sea como paciente o acompañando a un familiar, como sucedió con Yamila, o ante una duda diagnóstica, como lo fue con Felipe, que pudo ser portador de una neoplasia de pulmón, por lo que un diagnóstico a tiempo prolongaría su expectativa de vida. Si con estos pacientes jóvenes sucede esto, qué podemos esperar para los ancianos, los desposeídos o el sencillo y cotidiano cubano de a pie que

---

[86] Enfermera general de Caibarién, seudónimo.

[87] Documento emitido por el médico que envía el caso, donde se hace un resumen de la enfermedad con la posible impresión diagnóstica.

no tiene alguna amistad o dinero que ofrecer y comprar; esta es una dura realidad.

Para quienes vienen remitidos de un municipio a la provincia o de zonas rurales al municipio, lograr un ingreso en un hospital se convierte en un verdadero rompecabezas, debido, en primer lugar, a la ausencia de camas, ya que las instalaciones de salud están sobre-saturadas de enfermos. Por otra parte, están a expensas del médico que brinda la atención, de su estado de ánimo, de la clasificación del paciente y hasta de la hora en que arriban al cuerpo de guardia.

La otra cara de los pacientes remitidos lo constituye el dilema de las ambulancias. En su conjunto cuentan con muchos años de uso, sin un adecuado mantenimiento porque no existen piezas de repuesto, lo cual arroja como resultado una flotilla de autos deterio-rados hasta el límite. Existen municipios que por meses se han visto privados de este servicio, solo acuden en su ayuda los municipios más cercanos (con todos los inconvenientes que deben imaginar) o tienen que depender de la capital provincial que les envía, cuando puede, una ambulancia.

El municipio de Caibarién se vio privado de este servicio du-rante el primer trimestre del año 2002, y, obviamente, esta situa-ción produjo muertos (en próximos capítulos ilustraremos el caso del joven Rigoberto Rodríguez). Para suplir este déficit, la empresa municipal de transporte cedió un auto (taxi) en el cual no podían montar un balón de oxígeno ni llevar una venoclisis (acceso venoso con suero). Aún persisten en nuestra mente las imágenes de aquel taxi que salía como un bólido del hospital, con un padre desespera-do en el asiento del acompañante sosteniendo en su mano levantada fuera del auto, un frasco de una venoclisis de su hijo remitido.

Con frecuencia los pacientes remitidos en el horario de la ma-ñana a la instancia provincial tienen que esperar durante mucho tiempo; conocemos de casos que han dilatado su estancia en un cuerpo de guardia más de diez horas, aguardando por una ambu-lancia.

Los familiares pudientes (relacionados con la minoritaria clase social acomodada y la clase oportunista formada por los dirigentes políticos) buscan de manera desesperada un transporte para realizar el traslado por su cuenta, mientras que los funcionarios del gobier-no o del PCC tienen una flotilla de autos a su disposición, no solo para funciones de trabajo, sino también para asuntos personales, todos en perfecto estado técnico, con sus tanques de gasolina llenos, listos para partir. Muchos de los personajes que se dedican a la dirección de las instituciones estatales lo hacen por los beneficios que de ello se derivan, es una carrera con un objetivo: vivir acomodadamente a expensas del gobierno y muy, pero muy lejos de la premisa gubernamental que los ubica como los individuos más conscientes, intransigentes, abnegados y sacrificados de la sociedad.

Los dirigentes (manera socialista de llamar a un individuo con una posición directiva dentro de los distintos estratos del Estado, rodeado de todo tipo de prebendas por su posición en el sistema gubernamental y político) no se ven envueltos en este tipo de problemas debido a que siempre disponen de transporte y combustible para trasladarse él y sus familiares y, en caso de tener el auto deteriorado, existe una camaradería envidiable entre ellos que posibilita que otro de sus amigotes le envíe su auto hasta con chofer para que el camarada resuelva su situación. Mencionemos un ejemplo:

Víctor Ramos Mallonada, primer secretario del Buró Municipal del Partido Comunista de Cuba en la localidad de Caibarién desde 1995 a 2005, cursó estudios de superación ideológica en la escuela nacional del Partido Comunista Ñico López, ubicada en la capital del país. Según referencias de una persona allegada a él (a la cual no mencionamos por su seguridad), este personaje utilizaba inescrupulosamente el automóvil marca Lada destinado por el gobierno para realizar su trabajo, en los viajes furtivos que emprendía los fines de semanas de La Habana a Caibarién y viceversa, para visitar a su familia. Pero, ¿no se supone que estas personas muestren una mayor cuota de conciencia y abnegación? ¿Esta actitud no constituye una alta traición y un robo a las riquezas del pueblo? Él, más que nadie, debería usar el transporte disponible para el común de los ciudadanos cubanos a los que se supone que representa.

El auto Lada, con placa VAF 109, consumió en las gasolineras estatales (sin aportar un centavo de su bolsillo) unos 280 litros de gasolina en cada viaje, que reportaron un total de 1 120 litros al mes, unos 6700 litros en seis meses.

Esto ocurre en el año 1998, en pleno Periodo Especial, en el que se tomaron estrictas medidas de racionalización del combustible. El desvío de recursos fue tal que consumió durante este semestre el combustible que gastan seis ambulancias en un mes (se les destinan unos 1200 litros al mes). Resulta insultante escuchar a este señor cuando menciona consignas y les exige ahorro a aquellos que despilfarran el combustible. Con personajes como este, portadores de una doble moral, tiene que lidiar cotidianamente el cubano.

Desde luego, este es solo un pequeño ejemplo, existen cientos si tenemos en cuenta quiénes son los dirigentes en Cuba, los cuales, durante todo el proceso de la revolución se han encargado de poner la nota de la corrupción como insignia para esta élite (recordemos los sonados casos de Luis Orlando Domínguez, exprimer secretario de la UJC; Carlos Aldana, ideólogo del Partido Comunista durante la década de los ochenta; Roberto Robaina, excanciller en los noventa y los más recientes de Carlos Lage, exsecretario del Consejo de Ministros y Felipe Pérez Roque, exministro de Relaciones Exteriores), todos mimados y adoptados por Fidel Castro como hijos y verdaderas promesas de la revolución y que, al final, traicionaron a su padre por el afán de lucro o aspiraciones políticas. Aunque estos son los casos conocidos, existen cientos de dirigentes a nivel de provincia y municipio a todo lo largo y ancho del país, que durante estas cinco décadas han robado, malversado, humillado y sancionado a otros, mientras ellos escalaban posiciones de mando y que, al final del camino, se descubrieron sus verdaderas intenciones: utilizar la revolución y sus "principios" como modo de vida y sustento, una actitud generalizada y asociada a la extorsión implícita al sistema político cubano, pero que exige cautela, discreción y cuidado, porque evidenciarlo se castiga sin consideraciones. Ese es el molde de hombre nuevo que crearía el sistema socialista perfecto y el ente que cambiaría los destinos del mundo.

El noventa porciento de los autos que transitan por nuestras carreteras tienen chapa o placa estatal, pero resulta indignante que personajes como estos (incluyendo al director provincial de salud en la provincia de Villa Clara durante los primeros años del siglo XXI, José Ramón Ruiz Hernández, uno de los dirigentes políticos más atroces de Villa Clara, que arremetía con odio contra los médicos que intentaban salir del país, sin embargo, era uno de los más corruptos y proclive a los sobornos de la provincia), despilfarren el combustible y luego cuestionen a los médicos que tratan de salvar una vida o evitar complicaciones a tiempo cuando remiten un caso y se exceden en el consumo. Este último personaje autorizó a su chofer, de apellido Bello, el día 10 de julio de 2001, para que llevara a su hermano y su esposa a la Oficina de Intereses de los Estados Unidos para asistir a una entrevista tras haber sido seleccionados en el Sorteo de Visas, solo por mencionar otro ejemplo. Sin duda, la lista de los dirigentes que a lo largo de la historia de la revolución cubana han defalcado y malversado los recursos públicos utilizándolos como suyos, es demasiado larga.

El combustible para los casos remitidos es controlado por la dirección municipal del gobierno que, mediante rígidas normas, lo brinda al departamento de transporte de la dirección municipal de salud, la cual debe soportar fuertes críticas y despidos si se excede lo normado. Cuando el médico termina de confeccionar el caso remitido, se procede a la revisión técnica del carro, después hay que buscar a la persona que autoriza el uso y la cantidad del combustible permitido, que puede ser un dirigente a nivel de gobierno o del Partido Comunista, es un proceso complicado al que tienen que asistir el paciente y sus familiares. Al terminar este proceso hay que buscar al que autoriza que sea abastecido el auto y mientas todo esto sucede, el paciente esperando junto a sus familiares, angustiados a más no poder. Con todos estos elementos, sería bueno hacernos una pregunta ¿es realmente gratis el sistema de salud en Cuba?

Tomemos como ejemplo al municipio de Caibarién, que está a sesenta kilómetros de la capital de la provincia de Villa Clara (Santa Clara), los habitantes del mismo que tengan ingresado a un familiar en uno de los hospitales provinciales que allí existen, sufrirán innumerables gastos en moneda nacional, los cuales nos gustaría analizar. Veamos los precios en los primeros años de la década del 2000, precios que cada vez ascienden más:

- Un auto rentado a Santa Clara: 200 pesos
- Un carro de piquera (alquiler): 25 pesos por persona, que puede aumentar
- Alimentación diaria para un acompañante: 30 pesos como mínimo:

- una piza: 5 pesos
- un bocadito de jamón: 5 pesos
- un refresco embotellado: 6 pesos
- un helado: 1 peso
- un pan con bistec: 5 pesos
- un dulce: 1 peso
- una ración de comida (arroz, carne de puerco y vianda): 20 pesos

Si otros familiares tienen que alojarse en la ciudad, no puede ser en un hotel (son solo para turistas), deben acudir a una casa de huéspedes: un día equivale a 50 pesos como mínimo

Si aspira a contar con una buena y rápida atención en el hospital, debe regalar, como mínimo:

- una caja de cigarros al portero: 7 pesos (el precio puede aumentar)
- un café o merienda para el portero: 1 a 3 a pesos
- un regalo para el médico: aproximadamente 50 pesos

Todo esto pudiera sumar en un solo día doscientos cincuenta pesos. Si el acompañante decide comer en el hospital no quedaría satisfecho, sobran los comentarios.

Estos gastos, unidos a la mala atención médica y paramédica, la escasez de recursos diagnósticos y de medicamentos (en ocasiones vitales, para sobrevivir) rompen el mito de la gratuidad de los fármacos consumidos, así como el de la atención médica recibida, inclinando la balanza hacia el maltrato. De nada vale una atención médica matizada por la falsa imagen de ser gratis, si existen limitaciones que pueden provocar el fallecimiento del paciente por falta de un medicamento o porque no se haga un diagnóstico a tiempo por la ausencia de reactivos en el laboratorio, o porque los equipos estén rotos o no existan películas para un Rx o papel para un electrocardiograma, y por encima de eso reciban un maltrato verbal debido a la amargura y malhumor acumulados con que trabajan gran cantidad de los profesionales de la salud en Cuba.

En Estados Unidos, el cáncer, que se diagnostica en 1,2 millones de personas cada año, causa la muerte de más de 500 000, es decir, más del veinticinco porciento del total.[88] El cáncer ocupa el segundo lugar como causa de muerte y se estima que en el siglo XXI habrá superado a la cardiopatía isquémica y se colocará en la cabeza de la lista. El cáncer afecta a toda la población del planeta. En Cuba, al igual que en cualquier parte del mundo, padecerlo es una verdadera desgracia, lo que marca la diferencia es la publicidad política del gobierno cubano, que se empeña en demostrar que el nuestro es el mejor sistema de salud a escala mundial, vanagloriándose de los logros alcanzados por la especialidad oncológica sin tener en cuenta los innumerables maltratos que reciben estos pacientes.

El Estado cubano, sin la más mínima consideración hacia la población con cáncer, no se ha dignado nunca a invertir recursos para mejorar su situación a la hora de recibir un tratamiento o en garantizar sus necesidades energéticas (calóricas) básicas, que son superiores a las del resto de la población; tan solo reciben una dieta ridícula de dos libras de leche en polvo y carne de res o pollo cada dos o tres meses, la que le retiran al año.

Si tomamos como referencia las distintas modalidades terapéuticas que brinda la oncología,[89] veremos que en cada una de ellas se producen maltratos:

- La cirugía es la modalidad más antigua y radical cuando el tumor está circunscrito (localizado) y las circunstancias son las más favorables. En esta, al igual que en la cirugía general, existe un sinnúmero de dificultades para efectuarla, con la salvedad de que esta es una "urgencia relativa" debido a que horas tardías en el quirófano repercuten en menos días vividos por el paciente; este tipo de cirugía no recibe una atención preferencial ni se desvían recursos específicos para ella, siendo común que a un paciente portador de cualquier tipo de cáncer operable le sea suspendida su intervención quirúrgica por ausencia de guantes, bisturí, oxígeno, petróleo para la cal-

---

[88]Simone, Joseph V.: "Introducción a la Oncología", *Cecil Tratado de Medicina Interna*, 2da edic., Editorial Ciencias Médicas, 1998, p.1153.
[89] *Ídem.*

dera del hospital, sábanas, botas y batas quirúrgicas, paños, etc., o que se produzca el fatídico apagón.

En el Hospital Provincial Celestino Hernández de Santa Clara, desde 1989 a la fecha se han suspendido infinidades de veces operaciones por alguna de las razones señaladas anteriormente; sería interminable la lista de pacientes portadores de cáncer que han recibido este maltrato, esto es si tomamos como referencia solo este centro, que dicho sea de paso cuenta con el mayor servicio oncológico de la región central del país, pero si nos referimos a lo que sucede en los hospitales municipales, donde también se efectúan estos tipos de operaciones, ya sea por los servicios de urología, como ocurre en el Hospital General de Caibarién, por mencionar dos de los 169 del país, las carencias se multiplican por diez.

- La radioterapia es útil para los tumores delimitados imposibles de extirpar o sin morbilidad grave, así como para tumores como el linfoma de Hodgkin (que afecta el sistema linfático y ganglios) que tienden a diseminarse hacia regiones previsibles. La dosis de radiación se basa en un cálculo de la dosis absorbida por el tumor y se mide en unidades de equivalentes llamadas centrigray o rad que, como es lógico, son emanadas por un equipo radioactivo. En las tres provincias centrales del país tan solo existen dos equipos ubicados en el Hospital Provincial Celestino Hernández, el cual ofrece este servicio de radioterapia. Resulta triste la escena de decenas de pacientes que colman los pasillos, muchas veces de pie porque no alcanzan los bancos disponibles, trasnochados porque tienen que salir de sus provincias en la madrugada, son afortunados los que pueden venir en ómnibus destinados a esto (Cienfuegos, Ciego de Ávila), porque otros desdichados pacientes de los municipios de estas provincias tienen que asistir por sus propios medios. Cada sección de radioterapia dura aproximadamente veinte minutos, la espera es larga por la lentitud del proceder, terminan sobre las siete u ocho de la noche, lo que significa una prueba muy fuerte para el paciente y sus familiares, quienes tienen que garantizar la asistencia diaria por un total de cuatro a seis semanas y enfrentar los exorbitantes gastos para el transporte y la alimentación.

- La quimioterapia fue la primera técnica de aplicación sistemática para el tratamiento de cáncer. Suele consistir en una combinación de fármacos, que casi siempre resultan más eficaces que el uso continuo de medicamentos aislados, puesto que los tumores desarrollan poblaciones de células que difieren en cuanto a su sensibilidad a los fármacos antineoplásicos, las combinaciones de medicamentos destruyen más células con mayor rapidez, con lo cual se reduce la frecuencia con que surgen clones resistentes; el inconveniente son las reacciones adversas, tan incómodas e invalidantes, matizadas por vómitos incontrolables, caída del cabello, gran decaimiento, mucho malestar, etc. Para aquellos que tienen que enfrentar este tratamiento, aparte de las reacciones adversas deben asumir el serio problema del transporte desde los municipios a la capital, debido a que estos fármacos están centralizados en Santa Clara, ninguna otra especialidad puede indicarlos, este asunto del traslado es tan difícil que muchos pacientes o familiares optan por abandonarlo porque no pueden pagar un auto de alquiler cada veintiún días, con gastos que oscilan de 300 a 500 pesos, las largas horas de espera debido a la gran cantidad de pacientes, además de la sorpresa que pueden recibir a la hora de realizarse los exámenes de sangre (hemoglobina, plaquetas, leucocitos) previos a la administración del citostático, ya que pueden encontrarse con que se acabaron las jeringuillas para la extracción de sangre, todo lo cual contribuye a completar lo aterrador del tratamiento.

- El tratamiento biológico, que incluye el trasplante de médula ósea u otra de las modificaciones de la respuesta biológica del cáncer ante el uso de linfocinas o de anticuerpos monoclonales, está en vías de desarrollo, sus resultados son prometedores en Cuba, no podemos negar que se ha producido un alentador desarrollo de la ingeniería biológica (biotecnología) y la ingeniería genética, que ha dado como respuesta la creación de varias vacunas con este fin. Hasta aquí todo es muy bonito, ahora, ¿quiénes tienen acceso a estas? A pesar de existir protocolos nacionales de investigación para su uso en los diferentes tumores, existen preferencias a la hora de seleccionar a los pacientes vacunados, quedando reservadas casi siempre para los pacientes agradecidos y los protegidos, ellos enfrentan los

167

mismos problemas de los grupos anteriores relacionados con el transporte, laboratorio, reacciones adversas, alimentación.

Por años, la atención médica al paciente portador de cáncer ha llevado la etiqueta de gratis, pero realmente se ha tenido que pagar un alto costo; el maltrato constante, la escasez de recursos, la humillación e impotencia que impone la ausencia de transporte (solo pueden resolverlo los dirigentes y aquellos que reciben dólares) caracterizan la atención oncológica en nuestro país. El cubano común observa con tristeza la desesperanza que brinda nuestro sistema respecto a la crisis. Según Carlos Lage Dávila, exsecretario del Comité Ejecutivo del Consejo de Ministros, este es el resultado de la *debacle que padece la economía mundial*, aunque en realidad, para él no existen problemas con nuestra malnutrida economía, por eso no tuvo el más mínimo respeto cuando señaló en el Balance Anual del MITRANS, recogido por el diario *Juventud Rebelde* con fecha 5 de marzo del 2003: *por lo que, a sabiendas de que el país no va a disponer este año ni de más transporte ni de más combustible para mejorar el traslado de la población.* Parece ser que estos dirigentes de turno creen que con hacer catarsis pública de los problemas reales de la población, solucionan el asunto y entran en armonía con su conciencia.

Al igual que los cuerpos de guardia, las consultas externas y la atención oncológica, las salas de ingreso de las diferentes especialidades a todos los niveles confrontan numerosas dificultades como expresión del mismo tipo de carencias y maltratos que definen y son la médula de nuestro sistema de salud. Los hospitales con categoría de rurales y municipales dan fe de tal definición: son recintos médicos que se mantienen en las viejas construcciones desde antes del triunfo de la revolución, soportan el peso de la atención médica de poblaciones que han crecido el doble o el triple desde el año 1959. La solución que ideó nuestro sistema de salud ha sido incorporarles camas a los antiguos pabellones, con excepciones como el Hospital Provincial Arnaldo Milián Castro o el Hospital General de Sagua, que son construcciones cómodas, que aunque hubo que esperar muchos años por ellas, ambas instalaciones son las que más espacio entre una cama y otra poseen en la provincia de Villa Clara; en el resto de los hospitales predomina el hacinamiento, los pacientes prácticamente están unos encima de otros, con menos de un metro de separación, con todos los riesgos higiénico-epidemio-lógicos que de ello se derivan.

Sin embargo, inexplicablemente, los proyectos de construc-ción de hospitales municipales siempre han sido abandonados, ya sea a nivel de planos o en sus cimientos, como ha sucedido con los de los municipios de Corralillo y Caibarién, que solo han quedado plasmados en papeles o se han convertido en monumentos a lo in-costeable por la amplia plataforma de columnas y cimientos que yacen olvidadas a la salida del municipio de Manicaragua y la ca-rretera a Topes de Collantes, por mencionar un ejemplo.

El maltrato a los pacientes se divide en dos: personal y estatal; el primero lo producen aquellos profesionales de la salud, ya sean médicos, enfermeros, técnicos o cualquier otro trabajador de la sa-lud, que de manera irrespetuosa con los pacientes y consigo mis-mos, ofrecen un servicio de muy mala calidad, en el cual predo-mina el desinterés y la falta de motivaciones, insípido, carente de soluciones ante el dolor ajeno o inflexible ante normas contrapro-ducentes creadas por nuestro sistema de salud.

El maltrato estatal queda expresado por la irresponsabilidad del mismo para suplir recursos materiales imprescindibles para brindar una atención médica medianamente buena. Esto por un lado y, por el otro, la atención médica que ha dictado el gobierno como política de estado a nivel primario con el ya analizado médico ge-neral integral, o en el nivel secundario con la delirante idea de lle-var a los especialistas de este nivel a un nivel primario. Nos referimos a los endocrinos, neurólogos, gastroenterólogos, cardió-logos, inmunólogos, reumatólogos, etc., para cumplir con el eslo-gan político de *llevaremos los especialistas a las montañas y zonas rurales*.

Con esto logran descongestionar los hospitales de pacientes, pero olvidan algo imprescindible, estos superespecialistas no cuen-tan en esos lugares con laboratorios, equipos y reactivos necesarios para el estudio inmunológico, hormonal, hemodinámico, no dispo-nen de equipos para endoscopias, rectosigmoidoscopia, laparosco-pia, equipos de ultrasonido y ecocardiografía, no existen máquinas para estudios de conducción nerviosa, electroencefalogramas o to-mografías. Con esto ocurre lo mismo que con el conocido médico en la montaña, el Estado pone al especialista en esos lugares, ese es su mérito, pero la calidad de la atención médica no es su problema, y es aquí donde se inicia el maltrato, debido a que estos superespecialistas, al no contar con el equipamiento necesario por no existir una infraestructura descentralizada de laboratorios que garantice los exámenes complementarios a la atención recibida, se ven obligados a recurrir a viejas amistades que dejaron en los hospitales provinciales donde se formaron, debido a que solo allí existen los equipos necesarios para ayudar a los "pacientes agradecidos", hacerles la tomografía indicada, el ecocardiograma necesario o cualquier otro estudio recomendado. Está claro que al paciente "no agradecido" o al hijo de Liborio (expresión popular cubana para nombrar al desposeído) no se le puede realizar el examen indicado debido a que el laberinto de procederes burocráticos para lograr el soñado turno es tal, que la mayoría desiste del empeño.

De esta manera, la demagogia del Estado oculta las carencias y la falta de inversión en esta rama, a expensas del conocido concepto de potencial humano, dedicándose solo a destacar las cifras de índices de salud (como era de esperarse: infladas) y la desinteresada ayuda humanitaria de los médicos a otros países.

La atención médica a nivel de centros terciarios (institutos, clínicas internacionales y hospitales con categoría de nacionales, como los hospitales Hermanos Ameijeiras, CIREN, CIMEQ, IPK) queda reservada a un selecto grupo de personas; aquí atienden a los pacientes protegidos y superagradecidos. Desgraciadamente, solo en la capital del país existen instalaciones médicas con tecnología de punta que permiten la realización de exámenes que no se realizan en el interior del territorio nacional, nos referimos a técnicas de medicina nuclear (gammagrafías), tomografías contrastadas, helicoidal o por emisión de positrones (PET), así como las conocidas resonancias magnéticas. Cada paciente estudiado con una de estas novedosas técnicas goza de relaciones en las altas esferas del poder político o con la posibilidad material de pagarlo subrepticiamente. Los primeros son aquellas personas que por una u otra vía están apadrinados por alguna personalidad política con grandes influencias, quien por medio de un papel firmado o una llamada telefónica es capaz de conseguir un ingreso o el turno para uno de estos sofisticados exámenes y, en el segundo caso, nos referimos al negocio en la medicina, la tan criticada política capitalista de la práctica de la medicina en su nueva vertiente, la de solucionar un problema de carencias a cambio de algo material, provocado por las marcadas necesidades de los médicos, técnicos y personal de enfermería que laboran en estos centros, que definen y hacen pruebas o procederes únicos a lo largo y ancho del país. Apunta directamente al poder de la moneda dura, es decir, disponer de unos cincuenta dólares (un monto significativo en la economía cubana) o regalos equivalentes a ese precio.

Gran parte del personal que está a cargo de estos equipos de alta tecnología está influenciado por la vertiente monetaria a la hora de brindar un turno para una de estas pruebas, sin miramiento alguno, ellos insisten en que la situación está muy difícil (aquí queda implícito su bajo salario, los altos precios de los productos, entre otros), que hay que "presentar el dinero por delante", "entrar por la izquierda", como se dice en el habla popular, no existen consideraciones ni con sus mismos colegas del ramo (una vieja tradición ya perdida), no importa si eres médico o cualquier otro empleado de la salud, al igual que el resto, tienes que entrar por esa ruta.

Mencionaremos un ejemplo basado en el testimonio de la doctora Olga[90] especialista en Medicina General Integral, quien necesariamente tuvo que acudir a la capital para poder realizarle a su pequeño hijo una resonancia magnética, ya que presentaba desde hacía varias semanas cansancio fácil y debilidad en los miembros inferiores.

Los neurólogos de la provincia le orientaron que se pusiera en contacto con alguien llamado Geraldo, en el CIMEQ (Centro de Investigaciones Médicas Quirúrgicas, localizado en La Habana) y que le explicara que ella era médico del interior del país y que su hijo estaba pendiente de ese examen para descartar una enfermedad desmielinizante del sistema nervioso.

Cuando por fin logró comunicarse con Geraldo, su respuesta fue corregirle la pronunciación de su nombre, porque el de él seguía la fonética inglesa (quizás como tributo a la moneda para la cual trabaja).

---

[90] Seudónimo. Especialista en Medicina General Integral.

> El hombre entendió el problema, pero aclaró en varias ocasiones que había que hacer ese tipo de ofrendas a escondidas, no por él, sino por el técnico y el personal de enfermería.
>
> En junio de 2002, bajo anestesia general, se le realizó al pequeño la tan esperada resonancia magnética, su madre tuvo que aportar dos botellas de champán de 7.50 dólares cada una a quienes la aceptaron con gusto e hicieron el trabajo a regañadientes. Si esto funciona así con los médicos y sus familiares, deben imaginar qué queda para el infeliz que no tiene relaciones ni dinero para comprar a esa suerte de mafia que maneja el negocio de los exámenes de alta tecnología. Si a este nivel sucede eso con trabajadores que aparentemente tienen que pasar por varios filtros para laborar en estas instituciones de salud, entonces ¿qué queda para el resto?

El mecanismo legal para que alguien necesitado de uno de estos exámenes acuda a separar su turno no existe realmente, los especialistas relacionados con estos exámenes recomiendan a sus pacientes que si tienen una amistad o familiar en La Habana acudan a él para que les ayuden y consigan un turno y, cuando arriban a la capital, tienen que optar por una de las dos variantes ya explicadas, o de lo contrario, regresar y olvidar la prueba.

Los pacientes ingresados en las salas de los hospitales rurales y municipales de la provincia de Villa Clara (como expresión de lo que ocurre en la mayoría en todo el país) son víctimas de maltratos diarios. En estos lugares, alejados de la capital de la provincia, se ingresan a muchos pacientes, ya sea para un tratamiento emergente o para estudiarlo con el objetivo de definir una posible enfermedad, con las limitaciones ya señaladas, que siempre condicionan un maltrato. Sin embargo, de manera contradictoria y en muchas ocasiones, los pacientes y familiares prefieren este tipo de ingreso a enfrentar las tribulaciones que generan un internamiento lejos del hogar.

Neumonía Adquirida en la Comunidad

En los hospitales municipales y rurales, una de las principales razones de ingreso es la Neumonía Adquirida en la Comunidad (NAC).

Para mencionar un ejemplo de su distribución y frecuencia, tomemos a las pacientes del sexo femenino ingresadas en la sala de medicina interna del Hospital General de Caibarién durante el año 2001. De un total de quinientas dos pacientes ingresadas durante ese año, se internaron 180 mujeres con el diagnóstico de NAC para un 35,8 %, es decir, que esta entidad ocupó el primer lugar dentro de los ingresos emergentes en ese servicio.

La NAC es un importante problema de salud debido a la mortalidad y morbilidad que provoca, tanto que durante muchos años ha ocupado uno de los cinco primeros lugares entre las causas de muerte para todas las edades en nuestro país.[91] La causan numerosos gérmenes que pueden ofrecer cuadros clínicos indistinguibles unos de otros o por manifestaciones que permiten sospechas del germen causal. Sus manifestaciones clínico-radiológicas pueden variar desde pacientes sin síntomas clínicos y lesiones típicas, hasta pacientes con radiografías normales y resultados clínicos o incluso anatomopatológicos evidentes de neumonías.

El tratamiento con antibióticos constituye la pieza básica del manejo de la NAC; a diferencia de lo que sucedía hace relativamente pocos años, las pautas del tratamiento se han ido haciendo más complejas a medida que se han identificado nuevos patógenos y que los agentes etiológicos clásicos han ido variando su susceptibilidad. El caso más relevante ha sido el neumococo, sin dudas el más importante agente causal de la NAC en casi todos los grupos poblacionales, el cual, de manera progresiva, se ha ido haciendo cada vez menos sensible a la penicilina y también al conjunto de los betalactámicos.[92]

Desde hace más de veinte años, el arsenal de antibióticos con que cuenta el médico cubano es muy reducido, es como si nos hubiéramos detenido en el tiempo, a pesar de que la industria far-

---

[91] Padovani Canton, A.: "Bronconeumonías. Estudios de los fallecidos por esta causa durante 1983 en el Servicio de Medicina Interna del Hospital Provincial Docente Clínico Quirúrgico de Pinar del Río", *Rev Cub Med,* 25:691-699, julio de1986.

[92] Dorca J. y S. Fernández: "Tratamiento de la neumonía nosocomial", *Arch Bronconeumol.* (Supl. 2)57-62, 1998.

macéutica ha comercializado un número considerable de nuevos antimicrobianos; en ocasiones el abastecimiento de los pocos antibióticos con los cuales ha tenido que batallar el médico cubano ha sido fluctuante, sobre todo los pertenecientes al grupo de los betalactámicos, cuya máxima representación son las penicilinas, porque otros grupos como cefalosporinas, carbapenems, monobactamas, etc., continúan siendo un sueño inalcanzable para los galenos.

Por ejemplo, veamos los tipos de antibióticos disponibles en un prototipo de farmacia comunitaria (FC): fuera de las penicilinas, que son la cristalina (G-sódica) o rapilenta (G-potásica), cuyo suministro no siempre es estable, ya que por lo general falta una de las dos, sobre todo la primera. Los médicos disponen para los tratamientos ambulatorios a pacientes con diagnóstico de neumonía de dos antibióticos adicionales: tetraciclina o trimetoprin/ sulfametazol (sulfaprim), y aquí se detiene el conteo, por años fue así, solo hace poco han aparecido algunas penicilinas semisintéticas de amplio espectro que actúan sobre microorganismos gramnegativos como Haemophilus influenzae, Proteus mirabilis y Escherichia coli, tales como ampicilina y amoxicilina o cefalosporinas de primera generación representadas por la cefalexina, con la salvedad de que la presencia de estos en la FC es bastante irregular. En los últimos años, también se han visto algunos antibióticos pertenecientes al grupo de los macrólidos como la eritromicina, que llevaba años desaparecida, al punto de que llegó un momento en que solo podía ser utilizada en el Programa Materno Infantil, al igual que la azitromicina.

Es muy frecuente ver a algún paciente o sus familiares reclamando un ingreso en los diferentes cuerpos de guardia porque llevan dos o tres semanas con diagnósticos de NAC que no mejoran, a pesar de haber usado penicilina, sulfaprim o tetraciclinas; sin otra opción, los médicos tienen que proceder al ingreso en tales casos para usar un aminoglucósido (amikacina, gentamicina, kanamicina, etc.). No obstante las dudas que existen actualmente acerca de su eficiencia o usar una cefalosporina de tercera generación (ceftriaxone o ceftazidima) que en los últimos años se encuentran con bastante frecuencia en las farmacias internas de los hospitales, pero trece años (1990) atrás esto era un verdadero problema debido a que los médicos de guardia solo disponían de penicilinas, algún que otro aminoglucósido, además de cloranfenicol, esas eran sus armas para enfrentar la enfermedad. El enfermo y sus familiares recriminaban al médico porque la penicilina que ahora le estaban administrando por vía endovenosa ya la habían utilizado con anterioridad por la vía oral sin resultados.

¿En qué consiste el maltrato a los pacientes portadores de NAC?

El Estado es el responsable del deficiente abastecimiento a las farmacias comunitarias en cuanto a antibióticos fuera de los tradicionales (penicilinas, sulfaprim, tetraciclina, cloranfenicol), que ya existen en el mercado internacional desde hace muchos años. Según las autoridades de salud, la razón número uno es que estos no pueden adquirirse debido al bloqueo de los Estados Unidos, sin detenerse a analizar el mal empleo del presupuesto de la salud por parte del Estado, provocado por la gran cantidad de médicos formados y mal empleados en el sistema de salud, muchos de ellos ubicados en puestos de dirección a diferentes niveles o en otros organismos como la UJC, PCC, CTC, FMC, o atendiendo uno o diferentes programas en sus unidades asistenciales, municipales o provinciales, además de las grandes inversiones por los gastos que generan los miles de médicos y técnicos que cumplen las denominadas misiones internacionalistas, junto con los millones de pesos cubanos destinados a la construcción de consultorios médicos amueblados y equipados con TV, refrigeradores, lámparas, etc., que con el tiempo han demostrado ser un fracaso, otro más de su fundador, quien quedó muy mal parado con la idea de crear "su supuesto mayor aporte de la medicina cubana a la salud a nivel mundial: el programa del médico de la familia".

Por años se ha desviado, politizado y malgastado el presupuesto del Estado a la salud, que ha traído como resultado la ausencia de múltiples fármacos en las farmacias con el consecuente maltrato a la población, que imposibilita al médico poder paliar, tratar e incluso salvar cientos de vidas.

Queremos mencionar un total de veintiún medicamentos pertenecientes a diferentes grupos de antibióticos que, de existir en las farmacias comunitarias, los pacientes portadores de NAC no tuvieran que ingresar en los hospitales, de esta manera se evitarían las molestias que esto ocasiona, además de las complicaciones por pérdida de tiempo y mal uso de antibióticos; recuérdese la resistencia del neumococo al noventa y cinco porciento de los antibióticos disponibles en nuestras farmacias, teniendo en consideración que existe un grupo de patógenos no habitual en la NAC,[93] como *Legionella pneumophila*, *Haemophilus influenzae*, enterobacterias, *Moraxella catarrhalis*, *Staphylococcus aureus*, *Mycobacterium tuberculosis*, que exigen necesariamente el empleo de antibióticos más complejos y modernos, de acción más enérgica contra el agente etiológico, en su mayoría bacterias gramnegativas difíciles de tratar por su resistencia intrínseca o natural (resistencia cromosómica o extracromosómica) o mediante la resistencia adquirida, que incluye la síntesis de betalactamasas o de plásmidos, o en tercer lugar a través de una porción celular externa impermeable; estas son las defensas de las bacterias más conocidas contra los agentes quimioterapéuticos.

Estos fenómenos a nivel celular son los que han dado lugar a la resistencia bacteriana, que podemos resumir como el fenómeno mediante el cual una bacteria deja de ser afectada por un agente antibacteriano. Conociendo lo cotidiano de los factores de riesgo para adquirir esta etiología no habitual, debido a su amplia representatividad en nuestra población enferma, baste mencionar:

- Senilidad.
- Patología crónico-debilitante: enfermedad pulmonar obstructiva crónica, insuficiencia cardíaca, cirrosis hepática, diabetes mellitus, alcoholismo, diversos tipos de inmunosupresión parcial, entre otras.
- Sospecha de aspiración.
- Falta de respuesta aparente a un tratamiento antibiótico.
- Presencia de cavitación en Rx.

Los médicos enfrentan un verdadero problema debido a que el diagnóstico de la NAC es solo desde el punto de vista clínico, con la opción de un tratamiento empírico que desgraciadamente la mayoría de las veces es ineficaz. Por lo tanto, los patógenos comunes

---

[93] Padovani Canton, A.: "Bronconeumonías", *Op. cit.*

176

se han hecho resistentes a la mayoría de los antibióticos que existen en nuestras farmacias comunitarias, unidos a la elevada probabilidad de infección por parte de patógenos no habituales, tomando en consideración la enorme población con riesgo de adquirirlo debido a que son ancianos con patologías crónico-debilitantes asociadas, además de la imposibilidad de una correcta orientación microbiológica porque no existe un laboratorio que los respalde: ausencia de reactivos, de discos de cultivos o frascos para cultivos o la carencia de sistemas eficientes para recogida y análisis de las muestras.

Consideramos que escudarse tras el bloqueo o embargo de EE.UU., como se le quiera llamar, para justificar la falta de inversión en la compra de medicamentos destinados a la población, es una burda patraña. El antiguo presidente de los Estados Unidos, Jimmy Carter, en su intervención en el aula magna de la Universidad de La Habana, el 14 de mayo de 2002, se refirió al embargo de los Estados Unidos hacia Cuba diciendo que: *este tipo de restricciones no son la causa de los problemas económicos de Cuba. Cuba puede comerciar con más de 100 países y comprar medicinas, por ejemplo, más baratas en México que en Estados Unidos.*

Traemos a colación algunos de los datos a los cuales hizo referencia el diputado José Luis Rodríguez, ministro de Economía y Planificación, en el informe que rindió ante la Asamblea Nacional del Poder Popular, el domingo 22 de diciembre del 2002,[94] donde señaló: *Para la Salud Pública se disponen para el 2003, 2 050 millones de pesos, del monto total de $1 205 (58,7 %) corresponden a salarios. El crecimiento previsto en los otros gastos para el próximo año se basa, principalmente, en la mayor estabilidad en el suministro de medicamentos, para lo cual el presupuesto financiará 15 millones de pesos más.*

Durante su intervención, sin trazárselo como objetivo, el ministro se encargó de demostrar que el programa del médico de la familia creado por Castro en el año 1982 y que implicó una formación masiva de médicos, con graduaciones de tres mil a cuatro mil médicos por año, era un verdadero desastre. En capítulos anteriores hemos tratado de dejar en claro que, desde el punto de vista de la atención médica, el médico de la familia no es funcional y ahora, al

---

[94] *Granma,* lunes, 23 de diciembre de 2002.

cabo del tiempo (treinta años), de cierta manera se reconoce que ha sido un fracaso económico, como los quince millones de pesos para la compra de los medicamentos imprescindibles que garantizarían sin falta el buen funcionamiento del programa, requeridos para el abastecimiento de la mayoría de los renglones y que tanta publicidad recibió por parte de las autoridades de salud, fundamentalmente de Carlos Lage, quien trató de controlar el asunto suspendiendo la venta ilícita de medicamentos para garantizar el suministro. Durante los años 2002 y 2003, e incluso poco tiempo después de la campaña, se continuaban vendiendo medicamentos en el mercado negro y se perpetuaba el faltante de renglones básicos en las farmacias. Por ejemplo, en los meses de enero y febrero de 2003, faltaron de las farmacias medicamentos clave como el captopril y enalapril, pilares en el tratamiento de enfermedades crónicas como la hipertensión arterial y la insuficiencia cardíaca. Esos millones dedicados a pagar salarios, pudieran utilizarse para su compra desde hace años si no existiera la delirante cifra de más de sesenta mil médicos.

Tan solo con la reducción de 28 571 médicos, que estamos convencidos que no hacen falta para cubrir las necesidades médicas de nuestra población, se ahorrarían los quince millones de pesos, pero si, además, se redujeran las plantillas infladas de dirigentes de la salud, enfermeros de la atención primaria, técnicos de higiene y epidemiología, sindicatos, planificación, economía, etc., que pululan sin sentido en nuestro sistema de salud, el abastecimiento de medicamentos a nuestras farmacias pudiera mejorar ostensiblemente.

Basados en la *Guía SPILVA de las especialidades farmacéuticas*,[95] publicada en Colombia y con comercialización de sus productos en todos los países de América Latina, hemos seleccionado un total de veintiún medicamentos pertenecientes al grupo de los antibióticos de uso por vía oral (tabletas, cápsulas, suspensión) que, de existir en nuestras farmacias comunitarias, reducirían palpablemente los ingresos en los hospitales y se evitaría la muerte de muchos pacientes quienes, de paso, se ahorrarían el maltrato desde el

---

[95] *Guía Spilva de las Especialidades Farmacéuticas*, XXVI edición, Editorial Tecni-ciencias libros, Caracas 2000, pp. 1-61.

inicio, ganarían tiempo, evitarían complicaciones y eliminarían las innumerables molestias que conlleva un ingreso.[96]

Según el proyecto del Programa Nacional de Medicamentos publicado por el Ministerio de Salud Pública (Centro para el Desarrollo de la Fármaco Epidemiología) del año 2001, el denominado Grupo de Análisis y Planificación (GAP) de la Dirección Provincial de la Salud es el encargado de elaborar el plan de medicamentos de la provincia teniendo en cuenta el consumo y las necesidades y a su vez, presentará el plan del año al Departamento de Planificación de la vicedirección de Economía de la Dirección Provincial de Salud, el cual lo enviará al GAP Nacional del Municipio de Salud Pública junto al Grupo Empresarial Químico Farmacéutico, según lo establecido en el reglamento sobre las relaciones de trabajo entre el MINSAP y el MINBAS en la ruta crítica de los medicamentos.[97]

Es increíble que dentro de las funciones del GAP provincial no se encuentre una propuesta de nuevos medicamentos destinados a la población. En este documento se recogen sus tres únicos objetivos de trabajo:

- Estudio de los consumos históricos y tendencias de cada producto a lo largo de determinado periodo.
- Situación en la prevalencia de determinadas patologías cuyos tratamientos se encuentran estandarizados (tuberculosis, lepra).
- Utilización de un grupo de parámetros demográficos para la confección de dicho plan referente al territorio en cuestión.

Farmacias comunitarias e intrahospitalarias

Al igual que en las farmacias comunitarias, en las farmacias internas de los hospitales (intrahospitalarias) existe un déficit de medicamentos clave que contribuyen con el maltrato a los pacientes ingresados; cada cierto tiempo, desaparecen medicamentos co-

---

[96] Ver anexo 2, fragmento de la Guía Spilva.

[97] *Proyecto Programa Nacional de Medicamentos*, Ministerio de Salud Pública, Centro para el Desarrollo de la Fármaco Epidemiología, 2001.

mo menadionas (vitamina K), diuréticos retenedores de potasio (espironolactona), inhibidores de las enzimas convertasa (captopril, enalapril), así como insulina simple: con este último déficit ponen en riesgo la vida de pacientes diabéticos porque la ausencia de la insulina regular, que es el pilar fundamental en el tratamiento de estos, puede producir una complicación aguda (cetosis, cetoacidosis, coma hiperosmolar) y provocar la muerte.

Para mencionar un ejemplo, en los meses de abril y mayo de 2002, en la farmacia interna del Hospital General de Caibarién, no existía insulina simple o regular, hecho que se discutió en las entregas de guardias de esos meses. Presionada por los médicos, la dirección del centro hizo gestiones de carácter provincial, pero el medicamento no apareció porque era un déficit a escala nacional. Gracias a Dios no tuvimos que lamentar la pérdida de ningún diabético en el hospital por esta negligencia estatal, pero se puso en riesgo real la vida de cientos de diabéticos en todo el país y estamos convencidos de que en algún lugar del territorio nacional alguien pudo haber fallecido.

Según el registro de defunción del año 2001 del Hospital General de Caibarién, en este municipio se produjeron un total de doscientas treinta y tres defunciones, dentro de estas, noventa y nueve pacientes fallecieron por bronconeumonía bacteriana, sesenta y seis como causa directa de muerte y treinta y tres como causa indirecta, con un porciento total de 42,5, que la colocó como la primera causa de muerte en este hospital durante ese año.

Como señalamos con anterioridad, durante los dos últimos años y de una manera bastante regular, se han unido a las penicilinas (cristalina y rapilenta) y a algunos aminoglucósidos (amikacina, gentamicina y kanamicina) dos o tres cefalosporinas de tercera generación (ceftazidima, ceftriaxone, cefotaxima) como únicos antibióticos existentes en las farmacias intrahospitalaria, además del sulfaprim y el cloranfenicol; desde luego, nunca están todos disponibles al mismo tiempo, siempre falta alguno o varios de la lista de existentes que reciben a diario los médicos en la entrega de guardia. Por ejemplo, el 2 de agosto de 2002 en el Hospital General de Caibarién, además de las penicilinas (cristalina y rapilenta), contaban con gentamicina (ámpulas), amikacina (Bbo), cloranfenicol (Bbo) y cefatazidima (Bbo).

Debemos tener en cuenta que del total de pacientes fallecidos con diagnóstico de bronconeumonía bacteriana (99), 89% de ellos tenía más de sesenta años y, en su casi totalidad, había estado previamente bajo tratamiento con antibióticos sin obtener una respuesta adecuada (diferentes antibióticos tradicionales) debido a la resistencia de los patógenos causantes de las mismas a los antibióticos utilizados (casi siempre el tratamiento se iniciaba con penicilina cristalina mas aminoglucósidos y, al cabo de las 72 horas, se cambiaba la primera por una cefalosporina de tercera generación, o se utilizaba esta en un principio, más aminoglucósidos), determinado por la sospecha de patógenos no habituales. Si seguimos las recomendaciones publicadas en los *Archivos de bronconeumología* por los doctores J. Dorca y S. Fernández respecto a la NAC grave, con presencia de factores de riesgo para la etiología no habitual (en la que se encontraba la mayoría de los ochenta y nueve pacientes, ancianos y con enfermedades crónico debilitantes), tenemos que en este grupo el espectro etiológico, además del neumococo, que sigue siendo el agente etiológico más frecuente, existía la *L. pneumo-phila*, *H. influenzae*, bacterias de la flora orofaríngea y, en menor medida, algunas enterobacterias como el *S. aureus*, tampoco es descartable la presencia de algunas bacterias atípicas como *C. pneumoniae*.

Estamos convencidos que de existir en las farmacias internas de los hospitales un arsenal más amplio de antibióticos, elevaríamos la sobrevivencia de los afectados por esta mortal enfermedad, debido a que estos son la piedra angular del tratamiento de la NAC, como mencionamos anteriormente.

Si tomáramos en cuenta el alto índice de mortalidad existente en el Hospital General de Caibarién, a manera de patrón o modelo que indicara cómo se comporta a nivel nacional, nos demostraría que los patógenos responsables de estas infecciones respiratorias han ganado en resistencia (nuestras limitaciones nos han impedido definir con certeza cuáles son los agentes etiológicos responsables; recordemos las particularidades de nuestros laboratorios microbiológicos). Si pudiéramos saber cuál es el agente causal, sería más fácil elegir el antibiótico adecuado.

Estas limitaciones condicionan que estemos lejos de la realidad etiológica y nos obliga a usar un tratamiento empírico como la mejor alternativa en ausencia de una orientación microbiológica. Entre los antibióticos que el denominado GAP de Salud Pública debería gestionar y ubicar en las farmacias internas de los hospitales, los cuales son imprescindibles para detener el riesgo de infección, se encuentran el levaquin (levofloxacino), imipenen, meropenen, ampicillina-sulbactam, entre otros.

Sabemos que por lo general estos antibióticos se comercializan a precios elevados y que para muchos países son imposibles de adquirir. Pero en el caso de Cuba, nos basamos en las tan anunciadas y desgastadas conquistas de la revolución, porque según ellos, no escatiman recursos para brindar una adecuada atención médica a todos los ciudadanos cubanos, por eso nos preguntamos, ¿dónde ha estado el dinero necesario para la compra de estos medicamentos claves?

El antiguo vicepresidente Carlos Lage, señaló que, aunque la economía cubana tocó fondo, ya podíamos hablar de recuperación e incluso de desarrollo, por lo que nos permitimos creer que si en un momento determinado no hubo recursos, ya debía de existir el dinero para esa compra, sobre todo si aceptamos como cierto el hecho de que Cuba tiene intercambio comercial con más de cien países y puede comprar medicinas a mejor precio en México que en Estados Unidos. Debido a que el gobierno nunca se pronunció en contra de esta afirmación de Jimmy Carter, nos preguntamos ¿cuántas personas menores de sesenta años fallecieron en Cuba en el año 2001 víctimas de neumonías por no existir las últimas generaciones de antibióticos? Tan solo en el hospital municipal de Caibarién fallecieron diez pacientes para un 10,1 % de los fallecidos por esta causa, sin entrar a analizar los años de la década del noventa, donde el número tiene que haber sido superior debido a que la ausencia de estos medicamentos era cotidiana en los hospitales y durante años solo existieron penicilinas rapilentas para uso intramuscular y sulfaprim para vía oral.

Sería interesante escuchar las justificaciones que le darían a los familiares de:

Nombre y apellidos	Edad (años)	Dirección	Cert Defunción
Tomas Rodríguez Delgado	56	Calle 6 #913 Caibarién	-
Juan M. Espinosa Aguiar	59	Av.31 # 1403 Caibarién	805477
Norma M. Herrada Pozo	58	Calle 14 #1710 Caibarién	102785
Gustavo Santo Balmaceda	47	B-12 Apt 22 Rpto. Vatro. Caibarién	102711
Caridad Moreno Acosta	32	Calle 6 # 311 Caibarién	102697
Raúl Perdomo Fleites	57	Av. 11 # 2603 Caibarién.	102694
Francisca Márquez Martínez	59	Calle 18 # 1916 Caibarién	102763
José L. Echevarría Cárdenas	45	Calle 10 # 2920 Caibarién	102751
Ibrain B. Romero León	57	Calle 9 # 513 Caibarién	102829
Germán Delgado Ceballos	54	Av. 37 # 1416 Caibarién	102843

Estos pacientes contrajeron neumonías por gérmenes frecuentes, carecían de factores de riesgo para gérmenes no habituales y, quizás, pudieron sobrevivir de haber existido en la farmacia del hospital el arsenal de antibióticos descrito con anterioridad, dándole la oportunidad a los médicos de escoger o cambiar a tiempo el antibiótico necesario.

Por años, a los cubanos se nos ha impedido viajar al exterior; reunirnos y organizar partidos políticos, sindicatos u otros grupos civiles para discutir problemas sociales; tener acceso a un proceso legal abierto y justo; escoger a nuestros propios líderes; hablar libremente sin interferencias; expresar nuestras diferencias o críticas, tener la libertad de movimiento incluso dentro del propio país, y al menos tener los mismos derechos que un extranjero en nuestra tierra. Nos hicieron sacrificar todos estos derechos humanos a cambio del supuesto "derecho fundamental de la salud" pero, cuando necesitamos verdaderamente de este, la respuesta dada ha sido que *por culpa del cruel e injusto bloqueo de los Estados Unidos a nuestro país, no podemos ofrecerles tal o más cual medicamento.* A esto nos referimos cuando hablamos de maltrato estatal; se trata de no escudarse tras algo en lo que las personas no creen, buscar justificación donde no existe, sustituir constantemente a dirigentes ineptos que solo ocupan su cargo por su carácter servil y son totalmente inoperantes. Analicemos las palabras de Fidel Castro el 13 de agosto de 2002 en el teatro Astral de la ciudad de La Habana, publicada en el periódico *Juventud Rebelde* el 14 de agosto de 2002:[98]

Y como expresé hace tres días en la graduación de 741 alumnos de la Escuela Emergente de Enfermería del Cotorro, no está siendo olvidada ni lo será otra esfera de importancia magna: los servicios de salud, golpeados también por el Período Especial, en adición al brutal y cruento bloqueo imperialista, sin que los factores subjetivos y la incapacidad de algunos cuadros dejen de ocupar un importante papel junto a dificultades objetivas.

Ya el expresidente Jimmy Carter se encargó de despejar la ecuación bloqueo=carencias en el ramo de la salud, pero en otra parte de su intervención se refirió a los factores subjetivos y la incapacidad de algunos cuadros del gobierno, que sin lugar a dudas guarda relación con la sustitución del ministro de Salud, Dr. Carlos Dotres Martínez, ocurrida en la segunda quincena del mes de julio de 2002 y a la cual hizo referencia el periódico *Granma,* aunque sin mencionar las causas de su expulsión (como siempre sucede cuando se sustituye a un ministro), acción que ya se veía venir desde hacía más de tres años debido al mal manejo y corrupción dentro del Ministerio de Salud.

Dicho maltrato tiene diferentes matices, veamos por ejemplo el caso de un paciente.

---

[98] Discurso pronunciado por Fidel Castro Ruz en el acto de entrega de doscientas cincuenta y cuatro escuelas de la capital, efectuado en el teatro Astral, ciudad de La Habana, el 13 de agosto de 2002. Tomado de *Juventud Rebelde*, 14 de agosto de 2002.

Antonio Jiménez vecino del reparto La Torre, Caibarién, con historia clínica no. 13074, quien ingresó el 11 de marzo de 2002 en el Hospital General de Caibarién con dolor abdominal. En el examen físico se constató que tenía el hígado aumentado de volumen; fue investigado por el doctor Juan Salas (seudónimo), especialista en medicina interna de ese hospital, quien hizo innumerables esfuerzos para lograr una tomografía axial computarizada con el objetivo de diagnosticar una neoplasia de hígado, su principal sospecha diagnóstica. Su estadía en el hospital rebasó los cien días, finalmente egresó sin poder hacerse el examen; el paciente se convirtió en fuente constante de preocupación y desvelo por parte de sus familiares, quienes tuvieron que sufrir su muerte sin obtener un diagnóstico definitorio. Durante todo ese tiempo de espera, el tomógrafo del Hospital Provincial Arnaldo Milián Castro se mantuvo funcionando, pero por una razón u otra no se logró la coordinación necesaria (aunque no existe un mecanismo que la garantice). Lo más triste de todo es que durante ese tiempo, numerosos pacientes se hicieron TAC, pero el señor Antonio no estaba en la lista de los pacientes agradecidos o protegidos.

Este tipo de maltrato obedece casi siempre a una falla del sistema de salud, que está preñado de fisuras de este tipo. Las famosas reuniones de intercambios (paradójicamente no hay intercambio alguno, siempre terminan con recursos desviados) en las que participan los directores de los diferentes centros de salud de la provincia (que es el lugar y el momento idóneos para que se efectúen las coordinaciones entre centros). Es un acto burocrático y formal en el que ninguno de los directores es capaz de enfrentar a sus superiores.

Quienes administran estas instalaciones son incapaces de llevarles la contraria a los dirigentes provinciales; se pliegan a sus dictámenes; se convierten en ineptos a la hora de señalar o indagar sobre una situación que pueda comprometer sus estatus de dirigentes, interrumpir sus planes de viajar a una misión internacionalista o de hacer una buena especialidad médica. Por lo tanto, a estos individuos no les interesan las ineficiencias, si existen o no películas para hacer estudios radiológicos, cuáles reactivos hacen falta en sus laboratorios, tratar de buscar nuevas generaciones de antibióticos, conseguir un equipo de ultrasonido, disponer de un laboratorio de anatomía patológica, mejorar la estancia de sus médicos durante sus guardias. Al contrario, a estas reuniones no se llevan problemas porque los tildarían de dirigentes hipercríticos, es una constante en el noventa y nueve porciento de los dirigentes municipales de salud, quejarse de algo los colocaría al borde del precipicio, en la mirilla del cañón del Partido Comunista.

Las intervenciones quirúrgicas

Existe otro tema medular en la práctica de la Medicina en el que también se practica este tipo de maltrato y es el que se refiere a las intervenciones quirúrgicas: estas se realizan según las conocidas programaciones que se efectúan en las consultas de cirugía de los diferentes centros hospitalarios. Allí se traza el plan quirúrgico en dependencia del perfil del hospital, dándosele prioridad a los pacientes portadores de neoplasias (cáncer), seguido de operaciones mayores, por ejemplo, en los salones de ginecología, las histerectomías (extirpar el útero) antes que las operaciones vaginales, o en cirugía general, operaciones de colon, estómago, etc., antes de las operaciones menores: lipectomía (extirpar un lipoma), pequeñas tumoraciones de la piel, entre otros.

Veamos un ejemplo:

En el Hospital General de Remedios, durante el año 2002, el tiempo que transcurría entre la consulta de programación y la intervención quirúrgica oscilaba entre los dos y los tres meses, aunque esto no quiere decir que la fecha seleccionada fuera respetada; de esta manera, el paciente debía esperar el día señalado, ingresar unos días antes para que le realizaran (en el caso de una operación ginecológica) curas vaginales y, ya para esa fecha, estarían todos sus familiares y ella misma, preparada psicológicamente para la operación necesaria.

Por fin, cuando llegaba el día, sucedía lo inesperado, alguien le informaba que su operación había sido suspendida por tal problema. Estas situaciones cotidianas las han vivido miles de pacientes, no solo en hospitales municipales, sino en hospitales provinciales e incluso nacionales. Es común que una intervención quirúrgica programada con dos o tres meses de anterioridad, sea suspendida por falta de guantes quirúrgicos, aire acondicionado roto, falta de hojas para bisturíes, ausencia de sueros o de equipos de sueros, sábanas, oxígeno, que la puerta del quirófano esté rota, que haya goteras en el techo… Hay excusas para escoger.

La mayoría de la veces la lavandería no funciona porque tiene la caldera de vapor rota, pero tampoco funciona cuando no existe petróleo suficiente en el hospital u otros aspectos técnicos que imposibilitan el lavado de la ropa, incluyendo los paños quirúrgicos, ropa de los cirujanos, sábanas que, aunque parezca increíble, no son desechables, se reciclan hasta que la tela resista, incluso después de rotas son zurcidas y esterilizadas.

Continuando en este punto del reciclaje debemos añadir que casi la totalidad del material quirúrgico es reutilizado mediante dudosas técnicas de esterilización. En los departamentos utilizados con este fin se destinan personas para lavar guantes y reciclarlos hasta el punto de quedar totalmente colapsadas o lavar y afilar agujas que pierden su filo por el prolongado tiempo de uso, así como a los diferentes trocares utilizados para realizar punciones lumbares, abdominales o torácicas.

Durante nuestros años de práctica en más de una ocasión abrimos set quirúrgicos para alguno de estos procederes y nos vimos en la necesidad de cambiarlos porque dentro de los mismos aún persistían fragmentos de tejidos o coágulos de sangre.

Esta situación es de conocimiento público, las dificultades se convierten muchas veces en objetivos de búsqueda por parte del paciente interesado o de sus familiares, quienes empeñados en el asunto, tratan de solucionar el problema.

Mencionemos un ejemplo:

Ana Martínez,[99] de sesenta y siete años de edad, vecina del poblado Zulueta, Remedios, con historia clínica no. 383314, cuya operación fue suspendida en varias ocasiones por diferentes causas, reingresó en el mes de julio de 2002 para una intervención quirúrgica por un prolapso vaginal grado III, la que, de nuevo, fue suspendida, esta vez porque en el servicio de anestesiología en el Hospital General de Remedios no existían en ese momento trocares para realizar la punción lumbar, debido a que la anestesia que recibiría era por vía raquídea. Los familiares se movilizaron para conseguirlo, negándose al egreso de la paciente; prácticamente en ninguna instalación de salud de la provincia contaban con alguno, pero siempre existe un ángel. Gracias a la generosidad de la Dra. Laura Savedra,[100] especialista en anestesia y reanimación del Hospital General de Caibarién, que tenía algunos en su poder, pudo realizarse la operación, de lo contrario, Ana tendría que regresar a la consulta de programaciones, esperar sus dos o tres meses para ver si en esa nueva oportunidad se hacía su operación; desde luego, este ciclo de dos o tres meses de espera e incertidumbres no se cumple para todos los pacientes, aquí sobreviven los pacientes agradecidos y los protegidos, aunque incluso para estos también existen dificultades, aunque nunca al grado de los pacientes no agradecidos.

Este mundo quirúrgico no escapa de las mandíbulas de los índices de salud, que son las muletas de nuestro Sistema Nacional de Salud; las estadísticas son las que hablan, no importa si existe o no maltrato, lo importante es cumplir con las metas quirúrgicas del hospital, es decir, que ese año en el hospital X hay que realizar quinientas operaciones, esto es lo vital, no importa si el número lo redondean con cirugías menores o con cesáreas si se trata de un servicio de ginecología, o con urgencias, lo que vale es arribar a la cifra y, una vez cumplida, no interesan las carencias ni los pacientes que no son intervenidos, ni el pronóstico y evolución de aquellos que son portadores de cáncer y sufren cuando los pasan de un lugar a otro y no son operados a tiempo, lo que trae como resultado

---

[99] Vecina de Zulueta, Remedios, seudónimo.

[100] Especialista en anestesia y reanimación del Hospital General de Caibarién, seudónimo.

una evolución más avanzada de su enfermedad, estos quedan, como el título de una famosa telenovela cubana *Para el año que viene.*

Referente a este tema de las intervenciones quirúrgicas, queremos detenernos para señalar un hecho insólito que de ninguna manera podemos obviarlo.

Hace unos cuantos años atrás, al revisar la prensa oficial, encontramos una noticia que nos dejó perplejos: Cuba cuenta con una ortopedia de punta, señalaba la periodista Aloína del Pozo Gómez en el matutino *Juventud Rebelde* (25 de octubre de 2003) y explicaba en su párrafo más ofensivo: *Uno de los ejemplos que ilustran tal afirmación está en el hecho de haber logrado alrededor de 1200 prótesis en los últimos 20 años.* Y preguntamos a la señora Del Pozo: ¿Dónde estaba usted cuando apenas diez años atrás los familiares de los pacientes con fractura de cadera tenían que hacer aquellas penosas filas en nuestros cementerios en espera de que sacaran de su sepultura a un cadáver al que hubieran enterrado con una prótesis para extraerla y llevarla al hospital, con el objetivo de que pudieran operar y colocársela a su ser querido?

Sería muy interesante poder escribir una crónica de esta parte oscura y terrible de la historia de la medicina en la Cuba revolucionaria, una que incluyera el testimonio de quienes tuvieron que pasar por esta prueba horrible, y estamos seguros de que esas personas, al leer esto, arderían de rabia e impotencia.

Quisiéramos recordar a una anciana llamada Magdalena, vecina del edificio H, Reparto Vigía Sur, Santa Clara, quien sufrió una caída y la consecuente fractura de cadera, sus familiares desesperados tuvieron que acudir al cementerio de Santa Clara y anotarse en una controversial lista de espera, para cuando desenterraran a algún fallecido que tuviera una prótesis, proceder a lo que ya era una opción: correr con ella para el hospital, donde le aplicaban un discutido proceso de limpieza y asepsia y se la colocaban al paciente necesitado. Así sucedió y creemos que es vergonzoso para un país que se autoproclama potencia médica, que en vez de tratar de buscar una solución a problemas como estos, solo se limite a justificar la ausencia de cualquier material quirúrgico o médico con el bloqueo económico de los Estados Unidos.

189

La anestesia que se brinda en los salones quirúrgicos de los hospitales municipales e incluso de algunos hospitales provinciales, se realiza con máquinas muy antiguas que datan de fechas tan remotas como 1940, con esta tecnología funciona la máquina de anestesia (llamada caballito) del salón principal del Hospital General de Caibarién. En este, al igual que en el Hospital General de Remedios, se utilizan los conocidos Boyle Manual que basan su funcionamiento en el llenado de la bolsa reservorio con presión de oxígeno u óxido nitroso, el que vacían manualmente con posterioridad y pasan con presión positiva al paciente de forma intermitente; estas máquinas, además de tener el inconveniente de que son manuales y presiométricas (presión fija y volumen variable), tienen salideros por sus tuberías, los cuales se evitan con parches de esparadrapo realizados por el ingenio cubano de técnicos y doctores. Imaginen el aspecto de tales artefactos de anestesia y las caras de los pacientes o alumnos al verlas.

Ya es tradicional que el MINSAP carezca de presupuesto para cualquier inversión, situación que se ha generalizado de tal manera que si se aplicara una encuesta al personal de salud, con seguridad se obtendría como resultado que la mayoría no se molestaría hacer determinadas reclamaciones de inversiones en las instalaciones de salud en las que trabajan. Esta es una convicción que comparten casi todos los miembros de este sistema de salud, principalmente sus dirigentes (recuérdese la premisa del dirigente socialista: nunca nadar contra la corriente).

Ilustrémoslo con un ejemplo: durante el último trimestre del 2000 fue necesario dejar de realizar intervenciones quirúrgicas en el Hospital General de Caibarién porque el local que ocupaba la central de esterilización tenía filtraciones en su techo, la placa del mismo era muy vieja y comenzó a desplomarse por falta de mantenimiento, hasta que fue imposible estar en el lugar. Las quejas de la población fueron tales que lograron presionar a los dirigentes del gobierno y del PCC, porque los señalamientos de la dirección del hospital siempre fueron débiles y moldeables por parte de sus superiores, se conformaban con la respuesta de siempre: "no tenemos recursos para esa inversión". ¡Estamos hablando de veinte sacos de cemento para reconstruir la placa, además de varios metros de varillas de acero!

La presidenta del gobierno por aquel entonces, Cristina Mendiondo, se reunió con las autoridades de salud del hospital y del municipio, groseramente les recordó que la rama de la salud no aportaba nada a la economía y no se podía desviar el presupuesto del gobierno para invertir en dicha construcción; su solución fue trasladar los servicios quirúrgicos (ortopedia, urología, ORL, oftalmología) hacia el Hospital General de Remedios. Pero, ¿cómo los trabajadores y los pacientes iban a viajar hasta allá? Ese no era su problema, ella no se podía convertir ni en cemento ni en acero... Lo más sorprendente es que esta dirigente recibió una condecoración por su labor cuando el presidente de la república homenajeó a sus mejores dirigentes, a los más honestos, en una ridícula reunión en la que firmaron su compromiso de lealtad para con su pueblo y la revolución.

Finalmente, utilizaron la habitación que ocupaban los médicos para su descanso durante las horas de guardia (internado), como central de esterilización y a los médicos los ubicaron en un local inmundo, apartado, con carácter transitorio (donde estuvieron casi dos años); de esta sabia manera, brindando la atención al hombre acostumbrada, resolvieron el problema. Esta ha sido y es la forma en que nuestros dirigentes solucionan sus tareas, a expensas del bienestar de los trabajadores, los cuales siempre terminan pagando la ineficiencia de quienes los representan.

Revisemos un caso real en el salón de partos del Hospital General de Remedios:

La paciente Anaisa Santana Perdomo, de 26 años, historia clínica no. 36222, el 20 de febrero de 2002, durante la fase de recuperación de un parto eutócico, es decir, normal, de una hermosa niña, comenzó con un sangramiento profundo, con pérdidas de sangre superiores a los dos litros las que le provocaron un verdadero estado de shock. El diagnóstico fue hipotonía uterina, cuyo tratamiento es la fluidoterapia (soluciones cristaloides, sangre y coloides). Se inició con soluciones cristaloides, el médico ordenó canalizar dos venas periféricas (en ambos antebrazos).

La enfermera señaló que existía un problema porque solo tenían agujas, carecían de bránulas (aguja insertada en trocar
plástico, que se retira posteriormente y se deja la vaina dentro
de la vena, lo que permite el paso de grandes cantidades de
líquido).

Comenzó el tratamiento hidratante a través de las dos agujas
insertadas, pero sucedió lo temido, que se iban constantemente
de venas y la velocidad de infusión era muy lenta, por lo tanto
el estado de shock pasó de no progresivo a una fase superior e
irreversible, es decir, progresivo. El diagnóstico cambió a posible atonía uterina, con un volumen sanguíneo circulante deficiente por la imposibilidad de administrar el líquido necesario. La ausencia de un médico especialista en anestesia (solo
existen tres en el hospital, por lo que la guardia de esa especialidad durante varios días a la semana se realiza por dos técnicos en anestesia; por desgracia, este era uno de esos días),
imposibilitó pasarle un catéter venoso central (vena yugular o
subclavia) ya que para hacer esta acción se necesita práctica y
experiencia por el número elevado de complicaciones que
pueden aparecer por mala práctica. El personal técnico, enfermeros y médicos hicieron todo lo posible, la llevaron al quirófano para hacerle la histerectomía (extirpar el útero) y
solucionar de esta manera la atonía uterina, pero durante el
transoperatorio, la paciente falleció.

El hecho en sí resultó ser "explosivo", había ocurrido lo que
no puede suceder, una muerte materna que afectaría el priorizado
programa materno infantil, entonces vinieron las reuniones para
conocer los detalles, sancionar y acusar a los responsables, buscar
chivos expiatorios, porque habría que discutirlo hasta con el ministro ya que este caso aumentaba el índice de muerte materna.

El asustado médico, el Dr. José Montes[101], especialista en
Obstetricia y Ginecología del Policlínico de Remedios, puso en tela
de juicio su integridad porque no sabía que haber escrito en el certificado de defunción *shock hipovolémico, secundario a atonía uterina* (no contracción del útero) fue una mala decisión. En menos de
veinticuatro horas apareció el séquito de la provincia, encabezado

---

[101] Especialista en Obstetricia y Ginecología del Policlínico de Remedios,
seudónimo.

por el Dr. Heriberto Martínez (jefe del Grupo Provincial de Obstetricia y Ginecología, así como asesor del ministro), además del Dr. Juan. A. Falcón Álvarez, exvicedirector de Asistencia Médica Social de la provincia, con el objetivo de preparar el caso para su discusión en la nación. Había que demostrar sobre el terreno que si existía un responsable, este era el jefe del grupo de médicos, que la dirección provincial no tenía nada que ver con lo sucedido… la falta de recursos que se evidenció durante el tratamiento de la paciente para nada influyó en su muerte. A pesar de los argumentos utilizados en su defensa: ausencia de bránulas en el hospital, falta de un médico especialista en anestesia y reanimación por formación insuficiente de estos o por envío de estos a misiones internacionalistas, ninguna era una justificación aceptable, si no existían bránulas el ginecólogo tenía que pasarle un catéter o hacerle una disección de vena, esa fue a la conclusión a la que arribaron. Con estos elementos, llevaron la discusión a nivel nacional cumpliendo, como siempre, con la ley de oro del dirigente, según la cual ellos no pueden llegar a La Habana exigiéndole al ministro y, mucho menos, decirle la verdad, es decir, que si quiere un índice bajo de mortalidad materna tiene que crear las condiciones y buscar los recursos necesarios.

El caso se analizó y el responsable resultó ser, como era de esperarse, el trabajador: el médico. El gobierno no tuvo nada que ver, allí estaba el especialista y si no supo solucionar el asunto, fue su culpa, los recursos pasan a un segundo plano, nunca se planteó que fue por ningún déficit, carencia o ausencia de gestiones administrativas, ellos decían que existían recursos que el médico no supo explotar y la medida disciplinaria que se le impuso fue la promesa de que esa situación no iba a repetirse más porque habían creado tal proyecto, esa es la forma en la que hacen sus desmanes y esos los métodos que utilizan sin ninguna vergüenza.

La estrategia de asumir la responsabilidad por parte de los implicados fue hábilmente diseñada, consiste en una política que siguen organizaciones como el PCC, la UJC, la CTC; cualquiera que esté involucrado en un análisis en el ramo de la salud tiene que comprender que el Estado no puede ser el responsable de las negligencias, su imagen no puede ser empañada, todos conocen los innumerables esfuerzos realizados por este para brindar una atención médica esmerada y de existir un error, el trabajador debe ser el responsable y no solo eso, sino que debe admitirlo. Al final, nuestro presunto culpable salvó la cabeza gracias al informe de anatomía patológica, donde se concluyó que la causa directa de la muerte fue un embolismo de líquido amniótico (ELA), hasta aquí llegaron las tensiones y amenazas. La tasa de mortalidad por ELA es mayor al ochenta porciento, cerca de la mitad muere rápidamente y la otra mitad que sobreviven a las lesiones iniciales, fallece en pocas horas.[102]

Son innumerables los ejemplos que demuestran estas aseveraciones, lo importante sería definir cuánta negligencia se debe a nuestros dirigentes y la verdadera responsabilidad del Estado respecto a la escasez de recursos y medios imprescindibles para salvar una vida a todo lo largo de la historia de la revolución cubana.

Los apagones y la salud no se llevan bien

Mostramos solo la punta del iceberg. Sin embargo, sabemos que existen miles de casos que no han salido ni nunca saldrán a la luz, hecho que nos apena y nos compromete. Quisiéramos hablar ahora de una situación que ocurre con extrema frecuencia en nuestros hospitales desde hace años y que se ha acentuado durante el llamado Periodo Especial: se trata de los apagones (cortes de electricidad) y su repercusión en la atención médica. Aparentemente, cuando ocurre uno de estos apagones que pueden durar desde unos minutos hasta más de 12 horas, ponen a funcionar de manera automática una planta generadora de electricidad que, por lo general, existe en todos los hospitales, sin embargo, no en todos funcionan. Causas disímiles pueden motivar esto, desde la rotura de cualquiera de sus piezas, con la consiguiente demora en su reparación debido al ineficiente trabajo de las brigadas de mantenimiento que, además de no disponer de piezas de repuesto, carecen hasta de herramientas para su trabajo, hasta el acostumbrado hecho de que no existe petróleo.

---

[102] Colectivo de Autores: *Manual de diagnóstico y tratamiento en obstetricia y perinatología,* La Habana, Editorial Ciencias Médicas, 1997, pp. 388 y 402.

En más de una ocasión hemos visto al jefe de turno (persona responsable de los recursos materiales del hospital durante la guardia) al lado de la planta eléctrica rezando para que se restablezca el servicio, debido a que al tanque solo le quedan pocos centímetros de combustible, de lo contrario, debe montarse en una bicicleta y salir por el pueblo en busca de un galón de petróleo. Mencionemos algunos ejemplos que van desde lo risible hasta lo dramático.

En una noche del mes de enero de 1998, en el Hospital General de Remedios tuvo lugar un hecho que, aunque gracioso, no dejó de ser extraordinariamente peligroso. Es común que en los hospitales aparte de la llamada planta generadora no exista otra fuente de electricidad, a diferencia de las tiendas recaudadoras de divisas (por lo general en cada pueblo existen tres o cuatro), en las que se venden lámparas recargables, linternas, faroles, etc. Aquella noche, sobre las 9.30 p.m., ocurrió un apagón y, según testimonio de la doctora Bárbara Dianella Santana, especialista en Obstetricia y Ginecología del Policlínico de Remedios, la cual en esos momentos estaba realizando el parto a una joven campesina de la zona que ya se encontraba en pleno periodo expulsivo, comenzó a gritar *luz, necesito luz*. Las enfermeras y su ayudante se movilizaron, esta última, en pleno ataque histérico, abrió las puertas del salón de parto y vociferó *luz, necesitamos luz*. El corre-corre fue tremendo, el esposo de la paciente y padre de la criatura, al enterarse de que la planta no estaba funcionando y que no existía alguna fuente de luz dentro del salón, sin pensarlo dos veces se lanzó al patio en busca de su bicicleta…. con destreza increíble la parqueó frente a la puerta del salón de operaciones, le puso el "burro" (soporte lateral que levanta la goma trasera), conectó el dinamo de su luz delantera a la goma suspendida, montó en el sillín y con la energía que se acumula en el pecho de un padre primerizo, pedaleó con ímpetu, proyectando a través de las puertas abiertas la luz necesaria para que la doctora culminara su trabajo. Entre risas y aplausos vino al mundo un lindo niño. Todo salió bien, aunque pudo suceder lo peor, lo que ha pasado decenas de veces, que el niño sea un recién nacido deprimido, es decir, que tenga un sufrimiento fetal, con terribles complicaciones para el resto de su vida.

El sufrimiento fetal (SF) es un disturbio metabólico causado por la disminución de los intercambios feto-maternos que ocasiona hipoxia (disminución de oxígeno en la sangre), hipercapnia (aumento del dióxido de carbono en la sangre), hipoglicemia (disminución de la glucosa en la sangre) y acidosis (disminución del ph en la sangre)[103]. Estas alteraciones provocan un funcionamiento celular anormal que puede conducir a daños celulares irreversibles, los cuales pueden dejar secuelas e incluso provocar la muerte fetal.

Casi siempre, los médicos son capaces de determinar la presencia de un sufrimiento fetal agudo con antelación porque existe expulsión de meconio (líquido amniótico teñido de contenido intestinal fetal), alteraciones de la frecuencia cardíaca fetal y alteraciones del Ph fetal (punción del cuero cabelludo). Si este SF es agudo, la conducta señalada es hacer la extracción del feto por la vía más rápida (cesárea o transpelviana si ya el feto está en un tercer plano), una vez fuera, hay que practicar la reanimación fetal efectiva, que incluye la participación activa de un equipo eléctrico (aspiradora) con el que hay que aspirar todas las secreciones bucales y nasales, las cuales son temibles cuando aparece el ya mencionado meconio, de consistencia espesa y letal cuando ocurre broncoaspiración, conocida como broncoaspiración del líquido amniótico (BALAM), la cual exige una intubación traqueal inmediata para facilitar la aspiración a nivel de bronquios de ese material. Por esta razón, cuando ocurre el periodo expulsivo de este recién nacido que trae un SF agudo, si no existe electricidad que permita primero identificarlo y luego comenzar la aspiración, el problema es muy serio.

Otro caso ocurrido en el mes de noviembre de 1996:

El Dr. José Pérez (seudónimo), especialista en Obstetricia y Ginecología del Policlínico de Vueltas, asistió el parto de una niña que venía con un sufrimiento fetal agudo; una vez producida su expulsión, ocurrió el apagón y la planta generadora tampoco funcionó, no apareció ninguna fuente de luz en el salón, a tientas se hizo la reanimación y se le practicó la reanimación bucal, pero la hipoxia (falta de oxígeno) fue tal que se produjo un daño cerebral irreversible.

---

[103] *Ídem.*

El apagón, combinado con la planta generadora de electricidad rota, produjo una niña discapacitada y la pregunta cae por su propio peso: ¿cuántas veces ha sucedido esto?, ¿cuántas familias sufren por esta situación?

Tomemos en cuenta lo planteado en la provincia de Matanzas por el exsecretario del comité ejecutivo del Consejo de Ministros, Carlos Lage Dávila, y que fue publicado en la primera plana del diario *Juventud Rebelde* el día 3 de septiembre de 2002: *El pasado, que fue el año del periodo especial con menos apagones, hubo cortes del fluido en 66 días.* Damos por sentado que las cifras nunca son las verdaderas, así que nos podemos imaginar las innumerables ocasiones en que, por culpa de los apagones, perecieron o se dañaron vidas, teniendo en cuenta la larga duración del Periodo Especial que, al parecer, siempre acompañará los años que le resten a la revolución cubana.

Al igual que en los salones de parto y quirúrgicos, la electricidad es vital en el tratamiento de otras urgencias médicas, tanto a nivel de cuerpo de guardia como en las salas de terapia intensiva (por mencionar dos lugares importantes que no pueden funcionar sin fluido eléctrico, aunque lógicamente esta situación afecta todos los departamentos y servicios del hospital). En ambos lugares tampoco está previsto que existan otras fuentes de luz o, mejor dicho, los dirigentes del hospital, el PCC o el gobierno, nunca se han preocupado por colocar en los mismos alguna fuente de luz alternativa, ni siquiera las que se venden en las tiendas recaudadoras de divisas. Veamos dos últimos ejemplos en los que esta situación desencadenó la muerte:

En diciembre de 1999 nos encontrábamos de guardia médica en la sala de terapia intermedia del Hospital Provincial Celestino Hernández (Hospital viejo) cuando, sobre las 9.00 p.m., ocurrió el apagón, justamente en el momento en que se recibía a un paciente del sexo masculino en paro cardiorrespiratorio; los familiares exigían que funcionara la planta o que buscaran aunque fuera un mechón (recipiente con petróleo y mecha) pero, como era de esperar, no apareció nada.

> Cuando bajamos a ayudar nos encontramos con una cruda escena, se trataba de un hombre joven acompañado de muchos familiares que comenzaron a encender fosforeras o mecheros (en un lugar cerrado y con balones de oxígeno), así como papeles de periódicos como si fueran antorchas y, en medio de aquella locura, alguien gritó *¡esta paciente también está en paro!*
> Se trataba de una viejita que estaba acostada en una camilla de observación, las fuerzas se dividieron, pero todo fue en vano, no funcionaron ni el electrocardiógrafo, ni el monitor desfibrilador, ni la aspiradora ni el laringoscopio (que no tenía baterías), por lo que ambos pacientes fallecieron.

En el caso anterior, la indignación por parte de los familiares fue tal que aquello se convirtió en un acto político, con críticas fuertes a la revolución y sus dirigentes, de allí partieron hacia la sede del PCC municipal donde, finalmente, fueron aplacados y regresados a sus hogares.

El apagón, como es lógico, afecta todas las áreas del hospital, pero los lugares más afectados y donde más daño puede causar son los locales donde se atienden a los pacientes, incluso con riesgo para sus vidas. Quisiéramos mencionar tan solo un hecho de los cientos que deben haber ocurrido en las salas de cuidados intensivos e intermedios de todo el país, que además del corte de electricidad presentan problemas con sus plantas generadoras y tienen que enfrentar minutos u horas de oscuridad, con la frustración profesional que genera esta situación al imposibilitar brindar una conducta terapéutica adecuada.

Según refieren los doctores Julio César Cárdenas, especialista en Medicina General Integral, y Octavio Hernández Comas, especialista en Geriatría del Hospital General de Caibarién, quienes asumieron la guardia médica el 17 de abril de 2001:

> A las 8:40 p.m., hubo un apagón en el circuito #2 del municipio de Caibarién que afectó el área donde está ubicado el hospital general. Ese trágico día fue uno de aquellos en los que la planta generadora de electricidad no funcionó, por ende, el recinto quedó totalmente a oscuras por más de una hora, durante ese tiempo se presentaron urgencias médicas.

Como consecuencia falleció la paciente Lidia M. Perin Rodríguez, de 82 años de edad, vecina de Caibarién, con certificado de defunción no. 102939 y con el diagnóstico de shock hipovolémico, metaplasia mieloide. La trataron durante más de treinta minutos con fluidoterapia (solución cristaloide) y drogas vasoactivas (dopamina a dosis dopaminérgica para mejorar el flujo sanguíneo renal) con el fin de revertir un estado de shock secundario a un síndrome diarreico y emético de etiología no definida.

Cuando ocurrió el apagón, fue imposible verificar sus signos vitales, evaluar la presión venosa central y, por tanto, hacer las correcciones necesarias a la hora de evaluar el líquido que se iba a pasar. Resultado: la paciente falleció a las 9:00 p.m. según consta en su certificado de defunción.

Simultáneamente se percataron cuando restablecieron el servicio eléctrico (9:40 o 9:45) que la paciente María Luisa López Pérez, de 60 años de edad, vecina de Seibabo había fallecido. Su deceso ocurrió durante el corte de electricidad sin que nadie se percatara del mismo. Certificado de defunción no.102792, bajo el diagnóstico de shock cardiogénico.

Esta ha sido una triste realidad que el médico cubano ha tenido que enfrentar y que, al igual que el resto de los trabajadores, ha aprendido a callar o a manejarlo con cuidado debido a la repercusión política y social que se deriva de estos hechos o de la mala interpretación de estos que pueden provocar daños sobre su persona. Por lo general los médicos que enfrentan una situación como esta deben actuar con mucho cuidado porque, por una parte, no pueden señalar al Estado como culpable de la muerte de un paciente, debe enfrentar a los familiares, quienes irónicamente ven al médico como el responsable, porque para ellos, en ese momento representan al Estado, ellos son la autoridad en la guardia médica y, en segundo lugar, deben enfrentar con posterioridad al Estado propiamente dicho, es decir, a las autoridades de salud quienes en dependencia del resultado de la discusión, pasan el caso a los órganos de la seguridad del Estado y el problema puede derivar en expulsión de los hospitales y hasta posible cárcel por el delito que ellos estimen. Los más osados se atreven a plantearlo al otro día en las ya mencionadas entregas de guardias donde participa la dirección del hospital, de una manera sutil o con fuerza, en dependencia de la gravedad del asunto, pero siempre con astucia, evitando hacer acusaciones directas al gobierno o sus representantes.

Los dirigentes del hospital (director, vicedirector, etc.) escuchan atentamente el planteamiento, si es posible lo escriben en una agenda y si lo consideran imprescindible, lo plantean a instancias superiores, pero con guantes de seda. Está en juego su cargo, su futuro, sus aspiraciones, por lo tanto hay que obrar con inteligencia, nunca dejar entrever que es responsabilidad del Estado que una situación haya salido mal, porque entonces sucede la temida sustitución por inepto o por hipercrítico, tienen que regresar a lo que eran antes (médicos de la familia), a llevar papeles, a enfrentar a la población y ver cómo se reducen a cenizas sus aspiraciones de una misión internacionalista en un buen país donde puedan traer bastantes dólares para sobrevivir o, en el peor de los casos, obtener una buena especialidad que los aleje para siempre de la atención médica primaria.

El último de los casos que vamos a mencionar es el de un paciente, Jesús Carrillo Noa, de 32 años de edad, vecino de calle 18, no. 2509 entre 25 y 27 de Caibarién, su historia clínica es un ejemplo de los diversos maltratos de los que son víctimas innumerables pacientes que no están dentro del grupo de los protegidos o que no tienen nada material que ofrecer. Este paciente ingresó el 17 de septiembre de 2001 en el Hospital General de Caibarién porque sus familiares se percataron de que sus manos habían aumentado de volumen; él lo achacaba a su labor como leñador; además, su voz había cambiado y, cuando lo examinaron, se constató que tenía baja talla y manos prominentes, pero sin otras alteraciones en el examen físico. Se le realizaron exámenes de sangre (hemograma, glicemia, creatinina, TGP) que resultaron dentro de los límites normales. Se le realizaron estudios radiológicos de las manos en los cuales no se observaron alteraciones de los huesos, pero sí un aumento de volumen de las partes blandas; a su vez, el radiólogo que le hizo un Rx del cráneo (vista lateral) informó que la silla turca estaba aumentada de tamaño, con erosión de su fondo y su pared anterior.

Sugirió una tomografía axial computarizada (TAC) de silla turca. Debido a que el hospital no tenía asignación de turnos para realizar TAC en el hospital provincial Arnaldo Milián Castro (Hospital Provincial Nuevo), se trató de hacer la coordinación entre la dirección de ambos hospitales, lo cual tampoco funcionó por mala gestión por parte de la dirección del Hospital de Caibarién; se egresó al paciente el 24 de septiembre de 2001 con la sugerencia de que tratara de conseguir la TAC en Santa Clara.

Por suerte, el paciente tenía una tía que era paciente agradecida de uno de los radiólogos de ese hospital.

A Jesús el 16 de octubre de 2001 le hicieron la TAC de silla turca, que arrojó una gruesa imagen tumoral, con destrucción de la pared anterior de la silla y el suelo de esta, con invasión a esfenoides. El radiólogo sugirió a los familiares que le operaran el tumor cerebral en La Habana, porque utilizaban mejores técnicas y tenían mayor experiencia. Por gestión personal y previa coordinación con un homólogo en el Hospital Nacional Calixto García, Jesús Carrillo ingresó el 22 de octubre de 2001 en la sala de neurología de dicho hospital con la intención de ser intervenido quirúrgicamente por el eminente profesor, Dr. Esteban Roy, pero transcurrió el resto de ese mes y el siguiente sin que lo operaran. La ansiedad del paciente aumentaba por el hecho de saber que tenía un tumor cerebral y que otros eran los escogidos para ser intervenidos y esos otros eran "casualmente", los que usaban pijama y chancletas de la diplotienda (nombre con que se conocen las tiendas que solo venden por divisas extrajeras, es decir, dólares). Tuvo la desdicha de que las dos fechas elegidas para su operación fueran canceladas, una por falta de sangre y otra porque la máquina de anestesia estaba rota. El 4 de diciembre de 2001 fue dado de alta sin ser operado.

La evaluación del tumor cerebral produjo un aumento de la presión intracraneal que provocó en Jesús episodios severos de dolor de cabeza asociados con vómitos, debido a lo cual reingresó en el Hospital General de Caibarién el 19 de diciembre de 2001; esa misma noche fue remitido hacia Santa Clara al servicio de neurocirugía del Hospital Arnaldo Milián Castro, por no existir mejoría clínica a pesar del tratamiento con drogas antiedema cerebral; de allí fue imposible enviarlo a La Habana por falta de ambulancia para el traslado.

Los familiares tuvieron que llevárselo en el tren de pasajeros hacia la capital, donde felizmente fue operado. El 24 de diciembre de 2001 se le realizó exéresis (extirpación) del 80-85 % del tumor mediante un abordaje subfrontal transesfenoidal. El resultado del análisis de anatomía patológica fue el de un macroadenoma de hipófisis. Historias como la de Jesús Carrillo Noa son frecuentes, cientos de pacientes viven esto a diario, sobre todo cuando su situación de salud amerita técnicas novedosas que solo se encuentran en los hospitales provinciales y nacionales.

Continuar mencionando ejemplos como estos nos llevaría a contar la historia de nunca acabar, no obstante, es la única forma de demostrar mediante nuestros propios testimonios las innumerables injusticias que se cometen a diario en el Sistema Nacional de Salud cubano. Es evidente que también ocurren en la gran mayoría de los países, incluso en los más desarrollados, pero en ningún otro como en el nuestro es tan grande la diferencia entre lo que se dice y la realidad, en ningún otro se utiliza la atención médica como bandera política, como justificación de todo lo que tenemos que soportar diariamente. Desde que tomaron el poder nuestros máximos dirigentes han utilizado el derecho a la salud como el escudo protector que los ampara de los constantes ataques que provienen del exterior del país, tapando con ello las incontables fisuras sociales, económicas y políticas.

Todos los que nos hemos educado en Cuba hemos crecido escuchando hablar de los principios de la salud pública socialista, entre los cuales se preconiza que la salud constituye un derecho de todos los ciudadanos y una responsabilidad del Estado, por eso quedamos aturdidos y llenos de interrogantes cuando escuchamos conceptos de salud como el emitido por Gustavo Bergonzoli:[104]

La salud es el resultado del desarrollo armónico de la sociedad en su conjunto, mediante el cual se brinda a los individuos las mejores opciones políticas, económicas, legales, ambientales, educativas, de bienes y servicios, de ingresos, de

---

[104] Bergonzoli, Gustavo: *Sala situacional: Instrumento para la Vigilancia de Salud Pública*, 1995.

202

empleos, recreación, participación social, etc., para que individual y colectivamente desarrollen sus potencialidades en aras del bienestar.

¿Cómo podemos hablar entonces del derecho a la salud de nuestro pueblo si los individuos no tienen otras opciones que la única que les brinda el Estado? Un solo partido (el comunista), una sola economía (la socialista), una Constitución socialista, una educación comunista sin opciones religiosas, muy bajos ingresos, pocas posibilidades de recreación (las que existen por su alto costo están fuera del alcance del ciudadano común); donde la participación social queda reservada tan solo a los actos políticos (marchas, trabajos voluntarios, días de la defensa, etc.). ¿Cómo pueden decir que nuestro sistema nacional de salud garantiza la salud de su pueblo? Todos los cubanos sabemos que sencillamente es otro de los instrumentos políticos utilizados para darle perpetuidad al socialismo en nuestra nación.

Y este absurdo se hace creíble mediante una prensa única, la socialista, que es capaz de publicar artículos como "Empeorará la extrema pobreza de los países más atrasados, según Conferencia de las Naciones Unidas para el Comercio y el Desarrollo (UNCTAD)", publicado el miércoles 19 de junio de 2002 y que nos dice a nosotros, el sufrido pueblo de Cuba, perlas como esta: *La pobreza es particularmente severa en África, donde la población que vive con menos del equivalente de un dólar diario pasó de un 56 % en la segunda mitad de los años 70, al 65 % en la última década transcurrida.*

Existen innumerables artículos como este que publican las desgracias de otros, en uno de ellos se dice que la ONU ha dado a conocer informes que señalan que todo individuo que perciba menos de trescientos cincuenta dólares por año está en la categoría de indigente y nuestra prensa lo publica y lo compara con nuestro país, resaltando los supuestos logros de la revolución desde puntos de vistas muy inteligentes y oportunistas, como categorizamos al señor Osvaldo Martínez (presidente de la Comisión de Asuntos Económicos de la Asamblea Nacional del Poder Popular), quien se vale de complejas artimañas para justificar el crecimiento del Producto Interno Bruto (índice de desarrollo social y humano), empeñado en demostrar que es superior a muchos países desarrollados.

El señor Osvaldo Martínez, en su intervención ante la Asamblea Nacional del Poder Popular (ANPP) con fecha 22 de diciembre de 2002, criticó la metodología utilizada para hacer el cálculo del Producto Interno Bruto (PIB) de un país, ya que mediante esta fórmula capitalista olvidaban muchos servicios sociales y garantías ciudadanas que en un país como Cuba, podrían elevar su PIB y le permitiría ascender posiciones y formar parte de la lista de los países con mejores resultados. Este señor aportó un nuevo concepto: *paridad del poder adquisitivo*, que es un cálculo indirecto del PIB que da la posibilidad de medir o demostrar el poder de la moneda cubana, nada más y nada menos que haciendo mención a la canasta básica o alimentos controlados que oferta el Estado a través de su libreta de racionamiento.

Según sus cálculos, existe un nivel de PIB de unos 5 200 dólares por habitante, si se tiene en consideración que se descuenta el pago que tendrían que efectuar por concepto de educación, salud, impuestos y otros servicios sociales que recibe el ciudadano cubano y que un ciudadano de otro país tendría que pagar en muchos lugares del mundo. Solo haciendo gala del cinismo se puede hablar de una educación gratuita, si ni siquiera se nos permite elegir los métodos pedagógicos ni el tipo de escuela que queremos para nuestros hijos, nuestra educación está plegada a los intereses del gobierno, por lo que más que educación, se recibe una instrucción comunista completa.

Que la salud es un derecho del pueblo y un deber del Estado, es tan solo un juego de palabras y un ardid político. Que el ciudadano cubano no paga impuestos o lo que paga es irrisorio, también es discutible. Los servicios (agua, luz eléctrica, combustible, gas, etc.) aunque eran a bajo precio, se obtenían con mala calidad y de manera discontinua. Hasta hace muy poco (2011) la vivienda no se podía vender, ni transferir. En el caso de salida de forma legal del territorio nacional tenía que ser entregada al Estado con todo lo que hubiese dentro (incluyendo cazuelas, ropas y muebles), independientemente de que quedaran hijos o familia. Estos solo tenían derechos hereditarios si llevaban 10 años viviendo en ella.

Respecto a los derechos ciudadanos contemplados en la Constitución de la República (la de 1976), en el capítulo VI está prescrito y sancionado, según el artículo 42, que: *La discriminación por*

motivo de raza, color de la piel, sexo, origen nacional, creencias
religiosas y cualquiera otra lesiva a la dignidad humana está pros-
crita y es sancionada por la ley. Las instituciones del Estado edu-
can a todos, desde la más temprana edad, en el principio de la
igualdad de los seres humanos.[105]

La discriminación que sufrimos es por motivo de origen nacional. *Los ciudadanos, sin distinción de raza, color u origen na-*
cional tienen el derecho de alojarse en cualquier hotel, ser
atendidos en cualquier restaurante, usar sin privilegios los trans-
portes marítimos, aéreos y automotores, disfrutar de los mismos
balnearios y centros de cultura, recreación y descanso (artículo
43). Del incumplimiento de estos derechos de igualdad vigentes en
nuestra constitución (aunque no sabemos si también fueron aboli-
dos después de la reforma constitucional o modificación en defensa
de la revolución en el año 2002, que según ellos fue una digna respuesta a los groseros pronunciamientos del presidente W. Bush
contra nuestro sistema político, pero todos sabemos que obedecie-
ron a la necesidad de despojar al llamado Proyecto Varela[106] de su
respaldo constitucional), se encarga la actual política de turismo,
que imposibilita al ciudadano cubano visitar los lugares destinados
a los turistas aunque disponga de divisas para efectuar su pago, al
menos hasta hace muy poco tiempo.

¿No le parece, señor Martínez, que sería un buen índice de desarrollo humano medir el cumplimiento de los derechos de igual-

---

[105] Constitución de la República de Cuba, 24 de febrero de 1976.

[106] El Proyecto Varela fue una iniciativa de un grupo de opositores cubanos
denominado Movimiento Cristiano Liberación, dirigido por el activista político Oswaldo Paya (premio Andrei Sajarov a los Derechos Humanos del Parlamento Europeo en 2002 y candidato oficial al premio Nobel de la Paz
durante varios años consecutivos antes de su desaparición física). Falleció en
un dudoso accidente automovilístico el 22 de julio del 2012 que apunta hacia
otro crimen más de los Castros. El Proyecto Varela fue un Proyecto de ley
totalmente constitucional, utilizando una fisura de la Constitución de 1976
(Artículo 88-inciso G) que dejaba abierta la posibilidad de propuesta de ley a
grupos de ciudadanos que en número mayor a 10 000 electores registrados
presentaran firmas a favor del mismo. La organización reportó haber conseguido 11 200 firmas en el año 1998 (1200 más de las exigidas) 11 002 en el
2002 y 14 000 firmas en el 2004. Sin embargo, no fueron escuchados por la
Asamblea Nacional Cubana, quien rechazó el pedido

dad ciudadana en cada país de la misma manera en que lo señaló Fidel cuando se ha referido en más de una ocasión a las deficiencias del PIB para reflejar los resultados del desarrollo de un país sin reflejar los logros sociales, la desigualdad de riquezas o el bienestar de la sociedad? Cabría preguntarse entonces... ¿por qué el ciudadano cubano de a pie tiene que sentirse humillado y despojado no solo de los derechos consagrados en la Declaración Universal de los Derechos Humanos, que Cuba firmó en 1948, sino de los de igualdad, contemplados en nuestra constitución socialista, aprobada por referendo nacional en 1976? Quizás se olvidaron ya de que la ley por excelencia de la República de Cuba se basa en el postulado martiano del respeto a la dignidad plena del hombre. ¿Acaso es digno el hombre que sufre por los privilegios de los que goza el extranjero en su propia tierra?

¿De qué disfrute social habla si a los cubanos les está vedada su asistencia a centros de recreación, hoteles, playas, transporte digno, compra de casas, autos, inversiones en pequeños negocios, viajar libremente al extranjero, incluso a poseer un pasaporte (queda registrado en los archivos de inmigración) y optar por un buen empleo? Penosa situación vivida por más de 50 años.

¿Cómo es posible que personajes como el señor Raúl Valdés Vivó[107], periodista del periódico *Granma*, en uno de sus artículos "Cuba y la crítica al programa de Gotha", publicado el sábado 29 de junio de 2002,[108] hace alarde de una retórica suprema y aduladora para recoger el cumplimiento de los postulados de Marx por parte de Fidel casi un siglo y medio después, señalando que este hace un aporte "admirable" al concebir el socialismo cubano como sinónimo de sociedad solidaria en la que se aplican principios comunistas de distribución e igualdad en esferas como la educación y la salud? De ser así, ¿por qué existen recursos y se hacen esfuerzos para algunos cubanos y para otros no?

Vamos a mencionar un ejemplo muy doloroso para nosotros, porque el paciente beneficiado fue nuestro profesor y es una perso-

---

[107] Rector por más de veinte años de la Escuela Superior del Partido Ñico López.

[108] Ver recorte de periódico al final de este capítulo.

na que se merece eso y muchas cosas más, pero desgraciadamente cayó en el saco del favoritismo:

> En entrevista efectuada al doctor Álvaro Lagomasimo Hidalgo, ilustre profesor y cirujano de manos prodigiosas (publicada en *Juventud Rebelde* el 30 de julio de 2003) este menciona que tuvo que operar de urgencia al Dr. Pedro Alemán de un aneurisma tipo I, ya que se le rompió la capa media de la aorta ascendente ocasionándole un hematoma, con desprendimiento además de dos de las tres comisuras de la válvula aorta; fue necesario hacerle una valvuloplastia (prótesis valvular) y colocarle una prótesis tubular en la zona de la rotura.

> Esta protesis se gestionó y se colocó por tratarse del Dr. Alemán (la trajeron de La Habana), sin embargo, el paciente Rolando García Sáez, de 60 años de edad, vecino de calle Goicuría no. 2122, en Caibarién, portador de un aneurisma disecante de la aorta con manifestaciones clínicas y diagnóstico similar al del profesor Alemán, corrió la suerte del noventa y nueve porciento de los pacientes que hacen este evento: fallecer (22 de marzo de 2002).

Según el Dr. Raúl Dueñas, exdirector del Cardiocentro Ernesto Che Guevara de Santa Clara, en este se atienden cerca dos millones novecientos mil pacientes, es decir, que a dicha institución de salud tienen derecho los habitantes de las provincias centrales (Villa Clara, Cienfuegos, Ciego de Ávila, Camagüey).

Esta aparente bondad se complica a la hora de discernir quiénes son los elegidos y qué tienen que hacer para poder aspirar a que le coloquen una nueva válvula o le hagan una cirugía coronaria. Según el Dr. Dueñas, en el año 2000 se realizaron un total de doscientas treinta y cinco operaciones y, para el 2003, se esperaban casi cuatrocientas.

Es una lástima que no pudiéramos tener acceso a la lista de los pacientes operados. Sin embargo, estamos seguros de que un elevado porcentaje son pacientes agradecidos o protegidos que de una manera u otra lograron su intervención quirúrgica, muchos de ellos incluso desplazando a otros que no tenían nada que dar o ninguno de sus familiares pertenecía a la élite de dirección de estas provincias.

Mencionaremos dos ejemplos de pacientes relativamente jóvenes, víctimas del maltrato.

Un primer caso con diagnóstico de estenosis de la válvula mitral, que necesitaba una prótesis valvular desde hacía más de cuatro años y que a pesar de todos sus esfuerzos no logró la operación que necesitaba debido a que no tenía gran cosa material que ofertar ni familiares poderosos o influyentes:

Claribel Manso Yanes, de 47 años de edad, vecina de calle 26 #3103 de esta localidad con historia clínica no.12730, quien además de recibir maltrato durante los últimos cinco años de su vida, también fue víctima de vejación y ultraje en su último día de existencia, el 4 de marzo de 2004. Ese fatídico día ingresó en el Hospital General de Caibarién con manifestaciones de insuficiencia cardíaca, a las 3:20 p.m. cayó en paro cardiorrespiratorio, después de veinte minutos de reanimación cardiopulmonar apareció pulso periférico y actividad eléctrica, aunque desde el punto de vista neurológico estaba en estado de coma, pero con pupilas reactivas a la luz, debido a que en este hospital existen serios problemas con el oxígeno, solo disponen de once balones y un total de ciento quince camas en salas convencionales, cinco en UCIM (Unidad de Cuidados Intermedios) y un pequeño salón quirúrgico, dicha paciente necesitaba ventilación mecánica, la cual se prestaba con un viejo equipo Mark-7 (consume un balón de oxígeno cada dos horas o menos). Se llamó al Hospital Provincial Arnaldo Milián Castro, se obtuvo comunicación con el Dr. Armando Caballero López (jefe de la sala de terapia intensiva y de este tipo de servicio a nivel provincial, además de ser diputado de la Asamblea Nacional del Poder Popular), el cual, con una actitud inhumana, se negó a recibir este caso con el pretexto de que él no era responsable de tal deficiencia, orientando a que prácticamente dejaran a la paciente morir, que ese no era su problema, y señaló que no existían criterios para su ingreso en su sala. Cinco horas después (remitida bajo la responsabilidad del especialista en Medicina Interna de guardia, municipio Caibarién) y a cinco kilómetros escasos del Hospital Provincial Arnaldo Milián Castro, la paciente falleció.

Decisiones absurdas, carentes del más mínimo respeto por la vida, arrogante e imperativo como el Dr. Caballero ante un caso como este, son comunes y frecuentes en nuestro medio.

Un segundo caso: Humberto González del Toro, un hombre de 47 años de edad, vecino del edificio 13 apto 23, Reparto Vantroi, Caibarién, Villa Clara, que al igual que Maribel no cumplía con los requisitos imprescindibles para obtener una atención médica rápida y oportuna. Humberto gozaba de un aparente buen estado de salud hasta el 15 de marzo del año 2010, en que fue llevado al hospital por un fuerte dolor en el pecho, teniendo que enfrentar las ya mencionadas deficiencias en un cuerpo de guardia, que incluían la no realización de un registro electrocardiográfico debido a que el equipo estaba roto, pero con la recomendación por parte del médico de que tratara de verse con un cardiólogo en el cardiocentro de Santa Clara. Humberto se ve en la necesidad de buscar la forma de ser atendido, usando métodos explicados con anterioridad, de esa manera le realizan sus primeros estudios cardiovasculares (electrocardiograma y una prueba ergometría) el ecocardiograma no se le hace porque el aire acondicionado estaba roto, egresándose tan solo con tratamiento médico a base de vasodilatadores coronarios y antiagregantes plaquetarios, eludiéndose posteriormente de manera intencional las otras opciones terapéuticas que finalmente son las que resuelven este cuadro agudo de la cardiopatía isquémica en un hombre joven, como son la angioplastia, la colocación de un stent (procederes que permiten agrandar la luz de los vasos coronarios, mejorar la circulación y evitar complicaciones isquémicas), es decir, opciones más agresivas pero costosas, debido a que exigen de recursos que existen pero que se reservan para pacientes protegidos. Tuvieron que pasar 40 días para completar el estudio, que incluyó la ultrasonografía del corazón y las arterias.

Por desgracia, los exámenes confirmaron que Humberto estaba en el no deseado grupo de pacientes portadores de una severa cardiopatía isquémica,[109] pero Humberto era el número quince de una lista de espera que manejaba y autorizaba el actual director del

---

[109] Ver coronariografía al final de este capítulo.

hospital (Dr. Luis M. Reyes), condición que dejó bien claro su Dr. Dueñas, el cual se negó a operar hasta que el director no autorizara, debido a que el orden de la lista de espera era inviolable. La autorización nunca llegó, enviaron a Humberto para su hogar a esperar. Debido a que era un joven lleno de vida, en apariencia sano, con ansias de vivir, su familia no cejó en luchar por él, todos desesperados le rogaron al Dr. Dueñas que interfiriera, que hablara con el director del hospital, que era imposible que Humberto pudiera sobrevivir con el lugar quince en la lista de espera. En vano fueron los pedidos para el Dr. Reyes y el Dr. Dueñas, tampoco para el gobierno, este paciente no era lo suficientemente importante como para hacerlo, sus padres no eran de la cúpula dirigente, ni destacados militantes del PCC, ni disponían del suficiente dinero como para facilitar un salto de lugares en la lista de espera.

Los miembros del equipo de cirugía cardiovascular del mencionado hospital discutieron su historia clínica en múltiples ocasiones, incluso el Dr. Roger pudo operarlo, pero como ya era un caso con muchas repercusiones, el Dr. Lagomasimo (jefe del equipo) decidió operarlo. Lo internaron por manifestaciones catarrales luego de tres meses de iniciados los síntomas y de haberle suspendido una operación y, en el quirófano, Humberto hizo un cuadro de insuficiencia respiratoria aguda que exige pericia de los médicos, y lograron sacarlo vivo.

Al fin, el 14 de septiembre del 2010 decidieron practicar la revascularización (seis meses después del inicio de los síntomas). El Dr. Lagomasimo solo puede sustituir una arteria, Humberto tuvo un paro cardiorespiratorio del cual no logró salir, el afamado médico no asistió a la reanimación y fríamente en su certificado de defunción apareció el diagnóstico de infarto cardíaco perioperatorio.

Historias como estas abundan a lo largo y ancho del país en las últimas cinco décadas, casos dilatados hasta la máxima expresión por el hecho de que el paciente no pertenece al grupúsculo de los favorecidos del gobierno. Resulta controversial para los familiares de Humberto tener que leer artículos referentes a temas de la salud, como el publicado por el periódico *Granma*[110] en el que se

---

[110] Ver recorte del periódico al final del capítulo.

resalta el elevado porciento de supervivencia quirúrgica en el cardiocentro de Santa Clara.

Aunque no solo se maltrata y se establecen desigualdades en los hospitales municipales y provinciales. Este es un fenómeno con etiqueta nacional que se ha convertido en el sello distintivo de nuestro Sistema Nacional de Salud. Por ejemplo:

> Alejandro Rangel (seudónimo) de 45 años de edad, vecino de ave. 11, Caibarién, con diagnóstico de litiasis renal derecha, tributaria de litotripsia extracorpórea, es decir, destrucción de cálculos mediante un disparo de ondas de choque de alta energía, también llamadas sonoras, tuvo que viajar en nueve ocasiones a la ciudad de La Habana, específicamente al Hospital Hermanos Ameijeiras, centro insigne de la medicina poscastrista, donde existe el equipo necesario para producir este tipo de disparo que destruye el cálculo. En este hospital no existe la opción para que alguien del interior del país pueda ingresar y, mucho menos, para este procedimiento, por lo que tuvo que valerse de amistades que lo llevaron a la consulta del Dr. Castillo, urólogo de este centro, quien hizo las gestiones para su ingreso valiéndose de una supuesta urgencia, debido a que por consulta no lo podía internar. Hasta la fecha, Alejandro no ha logrado su objetivo, de nada le han valido los casi diez mil pesos gastados en trámites y regalos.

¿Cómo es posible hablar de igualdad en la esfera de la salud? Este es un tema meramente político, cualquier ciudadano con sentido común lo reconoce, porque todos de una manera u otra, ya sea personal o a través de un familiar, vecinos o amigos han tenido que enfrentar los sinsabores, escaseces, el desinterés y las desigualdades que matizan la atención médica en nuestro país. Aquí nada es fácil, ni con los vivos ni con los muertos, existe un laberinto burocrático para obtener la más insignificante atención desde una receta médica hasta un certificado de defunción.

Morir cuesta caro

La Dra. Adela Borges Díaz, especialista en Medicina Interna del Hospital General de Caibarién, considerada como una excelente médica y una persona justa, se vio involucrada en una reclamación por parte la dirección del hospital, que le exigía que "reparara" un certificado médico de defunción (CMD) que ella había llenado en el que se atrevió a colocar el nombre de una de las enfermedades intocables en nuestro medio: diabetes mellitus, la que, al igual que el asma bronquial y más recientemente el infarto miocárdico, conforman el triángulo de las enfermedades crónicas no trasmisibles que solo bajo sobradas justificaciones pueden escribirse en los CMD.

Incluir en este documento médico legal algunas de las enfermedades mencionadas significa entrar de manera inmediata en contacto con los dirigentes de salud y sufrir disímiles cuestionamientos. Para que se tenga una idea de la magnitud del problema, de los 46 pacientes diabéticos que fallecieron en el Hospital General de Caibarién durante el año 2002, solo en seis ocasiones los médicos que llenaron los certificados de defunción plasmaron la enfermedad, para un 13%, esto pudiera servir como muestra.

Según Robert S. Schwerin, en su capítulo sobre diabetes mellitus: la causa principal de muerte en diabéticos es la aterosclerosis de arterias del corazón, extremidades inferiores y cerebro. La prevalencia de hipertensión aumenta por lo menos dos tantos en sujetos con diabetes tipo II, lo que se debe en parte al agrupamiento o coexistencia de ambos problemas en individuos con obesidad y resistencia a la insulina.[111]

El Dr. Francisco Lancís Sánchez, en su libro *Lecciones de Medicina Legal y Toxicología*, recoge la secuencia de las causas múltiples de muerte a la hora de llenar un certificado médico de defunción. En él plantea que existen tres tipos de modelos, uno es el CMD para ser utilizado en los fallecidos de veintiocho días o más de edad, otro el CMD Neonatal para los recién nacidos de menos de veintiocho días de edad y el CMD Perinatal para los fetos de veinte semanas o más.[112]

---

[111] Sherwin, R.S.: "Diabetes mellitus", en *Cecil. Tratado de Medicina Interna*. 20ª edición, Editorial de Ciencias Médicas, La Habana, 1996, pp. 1449-1974.

[112] Lancis Sánchez, F., I. Fourier Ruiz *et al*: *Medicina legal*, Editorial de Ciencias Médicas, 1998, pp. 218-219.

En la sección correspondiente a las causas de muerte, el Dr. Lancís señala que se debe anotar una sola causa en cada renglón sin repetirlas y, de ser posible, se procurará consignar cuatro enfermedades o condición morbosa que responden a un encadenamiento patogénico y cronológico del proceso de la muerte. En el número uno se consignará: a) el estado patológico que fue la causa directa de la muerte; b) la causa por enfermedad, estado patológico o lesión que dio lugar o que precedió a la consignada en (a); c) la causa que antecedió a (b), y d) la que antecedió a (c). No siempre es necesario o posible llenar todas las líneas b, c y d, pero es imprescindible que la causa que inició todo el proceso o la cadena de acontecimientos que llevaron a la muerte, ocupe la última línea que se llena en la parte uno.[113]

> También traemos a colación el caso de la señora Felicia Fernández Bareza, vecina de calle 22 no. 2713 en Caibarién, con historia clínica no. 8631, quien ingresó el 27 de enero de 2003 con un cuadro de insuficiencia cardíaca franca con un derrame pleural derecho en el Rx de tórax, a las 9:25 p.m., y falleció a las 9:00 a.m. del día siguiente.

La Dra. Adela Borges Díaz, al cerrar el certificado médico de defunción, lo hizo de la siguiente manera:
- Tromboembolismo pulmonar
- Insuficiencia cardiaca
- Hipertensión arterial II-C
- Diabetes mellitus tipo II

De manera imprudente señaló que la diabetes mellitus era la causa que inició todo el proceso que concluyó en muerte. En primer lugar, los "compañeros" de la Dirección Municipal de Higiene, alarmados porque durante el primer trimestre de 2003 se habían cerrado nueve casos de diabéticos, trece más que en 2002, quienes por tener seis casos ya habían sido recriminados duramente por la dirección provincial, se dieron a la tarea de convencerla para que arreglara el certificado de defunción y dejara fuera la enigmática

---

[113] *Ídem.*

enfermedad. Y así sucedió, mediante mentiras, amenazas e intimidación se consignan los índices de salud en Cuba, esos fríos números que se utilizan de una manera caliente y estratégica para demosdemostrar los logros de la revolución cubana.

Por años hemos escuchado decir que en el sistema capitalista la vida es tan dura que incluso hasta los muertos son explotados, que es una verdadera desgracia que fallezca alguien en la familia debido a los altos precios que hay que enfrentar por cuestiones de honras fúnebres y sepelio, hasta la saciedad nos han inculcado que la muerte es una tragedia y que el velorio y entierro de alguien es un verdadero lujo, no lo dudamos, pero nuestra sociedad tampoco escapa a esta penosa situación.

Después de diagnosticada la muerte de un paciente, le sigue la confección del certificado de defunción por parte del médico que, como el resto de los documentos, es adulterado con el objetivo de mejorar los índices de salud. El certificado tiene que ser redactado de manera fraudulenta, de acuerdo a las exigencias de las autoridades de salud. De este tema nos encargamos en este acápite.

Enfrentar la muerte de un familiar ha sido también materia de comparación entre lo que ocurre en el socialismo y en el capitalismo. Al hablar de los logros de la revolución, nos dicen que en Cuba no se cobra nada por el servicio fúnebre, incluyendo el ataúd y el cementerio. Dicho así, fríamente, quizás haga que alguien se pregunte qué más se puede pedir.

Pero no todo es color de rosas y el tema ha motivado no solo análisis sino sátiras, al punto de que uno de los más destacados cineastas cubanos, Tomás Gutiérrez Alea, no tuvo reparos en llevar a la pantalla grande el tema de la muerte vista a través del prisma cubano del burocratismo como doctrina dominante en los métodos de dirección, no una sino dos veces, con *La muerte de un burócrata* (1966) y *Guantanamera* (1995). Muchas veces el cubano se ve atrapado en el puro surrealismo nacional y no sabe si lo que está viviendo es verdad o si lo está soñando.

Después de diagnosticada la muerte de un paciente, le sigue la confección del certificado de defunción por parte del médico, que como el resto de los documentos, es adulterado en busca de una mejora de los índices de salud.

He aquí un ejemplo:

> Sofía Caridad Hernández Bravo, vecina del Reparto Vantroi, Caibarién, falleció el 18 de octubre de 2002, a las 12:30 a.m., según consta en su certificado de defunción, víctima de una insuficiencia cardíaca grado IV. El cuerpo de Sofía tuvo que permanecer por más de cinco horas en su domicilio por la simple razón de que nadie se responsabilizaba con la confección del certificado de defunción.

Expliquemos en qué consiste este documento, cuáles son los mecanismos y cómo funciona.

Según lo estipulado, cuando fallece un paciente en la comunidad es responsabilidad del médico de la familia llenar el documento imprescindible para su velorio y posterior entierro, pero ¿qué pasa en realidad? No se sabe cuáles son las razones, pero lo cierto es que la mayoría de estos enfermos terminales fallecen en horas de la madrugada y aquí es donde comienzan las calamidades. Lo primero es localizar al médico de la familia y si este vive lejos, ir corriendo o buscarlo en una bicicleta para abreviar la distancia; si el médico no está en el consultorio (como sucede casi siempre), entonces hay que buscar el médico del trío al que pertenece su consultorio y, si ninguno de estos dos aparecen (ocurre en un gran porcentaje de los casos), deben ir hacia el policlínico para que el médico de guardia asuma esta actividad. En el caso de que este tampoco esté, o de que simplemente se niegue a confeccionar el documento alegando que ese no es su problema, los atormentados familiares tienen que asistir al hospital más cercano para pedirlo de favor (ya han transcurrido al menos dos o tres horas) o, de lo contrario, armar un escándalo por todo lo alto para que alguien de la guardia llene el certificado de defunción. Así, "felizmente" puede acabar la odisea o sucederle como a Sofía.

El médico seleccionado en el hospital exigió un transporte para ir al domicilio, verificar el fallecimiento y descartar otras posibles causas de muerte (médico legal), que es en definitiva lo que está reglamentado, pero, en este caso, los familiares tuvieron que esperar que apareciera una ambulancia para llevar al médico al hogar de la fallecida, que este se cerciorara de la muerte y llenara el certificado de defunción. Después de este trámite, puede ocurrir que al llegar el carro fúnebre con el ataúd (por cierto, de pésima calidad, muchas veces con unos centímetros de cabezas de clavos sobresaliendo en su interior, tal vez para fijar bien el cadáver en su camino hacia su última morada) el chofer, que a su vez es el mismo que se encarga de preparar al fallecido, es decir, vestirlo correctamente, peinarlo, maquillarlo, además de llenar los documentos legales (aquí se cumple el concepto socialista de idoneidad o tal vez tratan de llevar hasta sus últimas consecuencias la racionalización de plantilla), revisa el documento y es entonces que aparecen los temidos errores en su confección: faltó la localidad (que hay que ponerla cuatro o cinco veces), no se entiende bien este numerito, no escribió a cuál área de salud pertenecía, entre otros.

El familiar tiene que salir una vez más en busca del médico para que corrija el documento; si tiene suerte lo halla rápido, de lo contrario, tiene que empezar por el principio de la historia. Por fin, en la funeraria, si hay un solo difunto los problemas son "enanos" (como diría un buen amigo), alcanzarían los bocaditos y el café, pero si son más de uno, no alcanzan ni las sillas donde sentarse. Luego vienen las flores, tan solo permiten 10 coronas, si se quieren más hay que pagar a escondidas para obtenerlas, además de la bajísima calidad de las flores que se utilizan, ¡y con qué flores! marpacíficos, algunas margaritas... Y por fin la sepultura, rezándole de favor a Dios que quienes la realicen no estén ebrios, porque si es así, corres el riesgo hasta de que se les caiga el ataúd. Sobre este tema también pudieran escribirse magníficos guiones para cine y quizás Tomás Gutiérrez Alea, el director de cine cubano, estaba pensando en eso cuando le respondió a Gary Crowdus[114] en una entrevista dada a conocer por Ambrosio Fornet en su libro *Una retrospectiva crítica, solución, prólogo y notas*, a propósito de su película *La muerte de un burócrata*: *Ahora, unos años después, ¿estás satisfecho? ¿Volverías a escribir así?*, a lo que Gutiérrez Alea respondió: *De motivarme el tema, creo lo haría de una manera diferente.*

Visto de esta manera, ¿podemos decir que resultan gratis los servicios fúnebres en nuestro país? Es verdad que no cobran el servicio, pero en el orden humano y psicológico te hunden hasta el

---

[114] Tomás Gutiérrez Alea en "Un apoyo moral a las víctimas del burocratismo", entrevista de Gary Crowdus, *Cineaste*, Nueva York, 1979.

cuello, te conviertes en víctima de la desesperación y la impotencia; aparentemente no tienes que desembolsar nada, pero corres el riesgo hasta de perder la vida si en un momento determinado se necesitan elementos clave para salvarla y por falta de gestión e inversión no existe el recurso vital o, incluso te puedes ver involucrado en un error médico, un tema que está bajo el archivo de asuntos intocables en la práctica de la medicina en Cuba. Se puede hablar de este tema siempre que sea para criticar otros sistemas de salud en otros lugares del mundo, sobre todo si se trata de ridiculizar a los Estados Unidos (la constante política del odio) o compararnos con los países del primer mundo, para ratificar mediante numeritos la solidez y excelencia de nuestro sistema nacional de salud.

Según el Dr. Eugenio Selman-Housein Abdo[115] en su libro *Guía de acción para la excelencia de la atención médica* (cubana, lógicamente), los médicos de muchos países, sobre todo los de gran desarrollo tecnológico y científico, a menudo cometen errores por el abandono del tradicional método clínico y el uso y abuso de la tecnología médica, he aquí un resumen de algunos resultados negativos de la no aplicación del método clínico, según el autor:

- En los Estados Unidos se producen entre 48 000 y 98 000 fallecidos por errores médicos. En un estudio realizado en los hospitales de veteranos de los Estados Unidos durante diecinueve meses, se detectaron 3000 errores médicos con setecientos doce fallecidos.

- La comisión Auditora del Servicio Nacional de Salud de Gran Bretaña encontró un aumento del 52,5 % de errores al recetar en los últimos diez años, que produjeron un total de 1200 fallecidos.

- El Ministerio de Salud Pública de Japón examinó los ochenta y dos hospitales principales del país y halló que en los últimos años se produjeron 15 003 accidentes médicos, 39 % de los cuales fueron severos y llevaron a la muerte en distintos casos.

¿Y en Cuba qué? Es muy fácil criticar el error médico ajeno, porque es casi la única forma de lograr una publicación médica en

---

[115] Eugenio Selman-Housein Abdo, doctor Honoris Causa en Ciencias Biológicas de la Universidad de Oriente. Profesor de Mérito del Instituto Superior de Ciencias Médicas, especialista de II grado de Cirugía.

nuestro país: criticando al enemigo o exaltando la revolución. En este caso (no estamos juzgando al autor), lo justo sería hablar también del error médico de los profesionales de la salud en Cuba, porque de lo contrario el que lea este reporte puede llegar a pensar que nuestra nación no es víctima de este mal y que somos perfectos. Pero es que, precisamente, el texto habla de eso, de nuestra excelencia en la atención médica, de que en nuestro país no se produce este tipo de errores, de que nuestros médicos son máquinas perfectas. Todo marcado por la premisa dictada por el expresidente Fidel Castro: *Ocuparemos el primer lugar del mundo en el campo de la salud, cuyos nobles y humanos beneficios estarán al alcance de todos, en centros de salud que serán de excelencia y sin pagar un centavo.*

Ya no se habla del término "potencia médica", ahora es otro el eslogan. La pregonada "excelencia" en la atención médica proclamada como triunfo político obliga a que, como era de suponer, el Dr. Selman-Housein bajo ningún concepto, haga mención del error médico cubano, por desgracia cada día más frecuente y que, como consecuencia de la política de la excelencia, ha pasado a ser otro de los temas intocables de nuestro Sistema Nacional de Salud, un tema sobre el que, absolutamente nadie, puede investigar, el que lo haga corre el riesgo de caer bajo la etiqueta de contrarrevolucionario, con las graves consecuencias que de ello se derivarían (desde luego que el trabajo nunca se publicaría).

Aunque nuestro universo de acción ha sido muy limitado, podemos aportar unos cuantos ejemplos que demuestran el elevado índice de frecuencia con que ocurren estos. He aquí dos errores médicos que se produjeron en el Hospital General de Caibarién en un corto periodo de 15 días y por culpa de los cuales perdieron la vida dos personas jóvenes:

Estrella Pérez Hurtado, de cuarenta y ocho años de edad, vecina de la localidad de Dolores, Caibarién, con historia clínica no. 15099, fue remitida al hospital el 28 de abril de 2003 con un cuadro de vómitos y diarreas que le provocaron un estado de shock. Debido a un error médico, esta paciente fue mal diagnosticada en el cuerpo de guardia ya que solo le administraron un litro de solución salina.

> Posteriormente fue ingresada en una sala abierta de medicina sin haber recibido una correcta valoración de su medio interno, razón por la cual no se le administró la cantidad necesaria de líquidos y electrolitos, lo que provocó un estado de shock irreversible debido al cual falleció tan solo diez horas después del ingreso.

> José Alfoso Oramas, de veintisiete años de edad, vecino de calle 14 # 3500, Caibarién, con certificado de defunción no. 030461, fue recibido el 11 de mayo de 2003 en el departamento de emergencias debido a una obstrucción de las vías aéreas por un cuerpo extraño; el personal emergencista que lo recibió no le realizó las maniobras y técnicas de apertura correctas de las vías aéreas que hubieran posibilitado la sobrevivencia del paciente, lo cual evidenció la pésima preparación del personal a cargo y la ausencia de recursos para permeabilizar la mencionada vía; no le realizaron la cricotomía percutánea, también conocida como cricotiroidotomía, por desconocimiento de que para hacerla solo se necesitaba una aguja larga gruesa, tampoco le practicaron una traqueotomía (aunque esta es una técnica más compleja, también pudo haberse realizado).

Tan solo hemos querido mencionar estos dos ejemplos que demuestran lo vulnerables que somos al error médico; lo que sucede es que en países como Japón, Gran Bretaña, Estados Unidos y otros, existe plena libertad para abordar y exponer estos temas, los ministerios de la salud en dicho lugares no prohíben, obstaculizan ni impiden estas investigaciones. Nosotros, al igual que el resto del mundo, cometemos errores. Desgraciadamente esto siempre ha ocurrido y ocurrirá, el hombre no está exento de ellos, los diferentes sistemas políticos no pueden ser escudos que los protejan y como cualquier hombre dedicado a una rama de la ciencia, los médicos se equivocan y lamentablemente un error suele tener resultados fatales. Pero con ignorarlos no desaparece el problema, la solución está en reconocerlos, estudiar por qué ocurrieron, sus causas, cómo se pudo evitar y, sobre todo, darlos a conocer por medio de su publicación como enseñanza profesional.

No por gusto el doctor Selman-Housein ha participado de alguna manera en los cuidados médicos al expresidente Fidel Castro. Parece que, al menos ahí, ha comprobado sus argumentos.

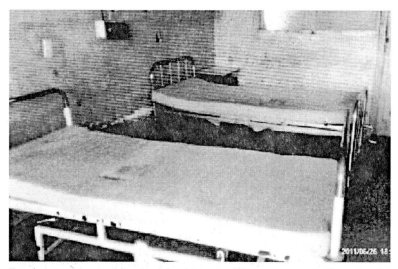

Estado en que se encuentran las camas y colchones en una de las salas del Hospital Clínico Quirúrgico Julio Trigo, 2011. Ubicado en el municipio capitalino de Arroyo Naranjo. La Habana, junio del 2011.

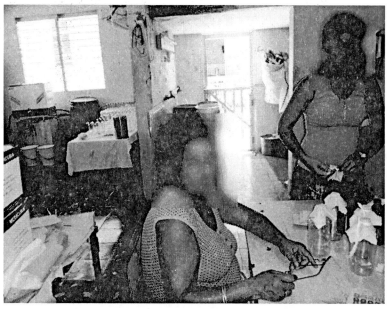

Central de Esterilización del hospital General de Caibarién. Sobre la mesa están los frascos reciclados, listos para ser esterilizados y luego enviados a las diferentes salas donde se recogen muestras para cultivos (2010).

Exterior de la Central de Esterilización del Hospital General de Caibarién, muestra soporte donde se colocan los guantes quirúrgicos usados que una vez lavados y secados serían posteriormente esterilizados para su reuso, 2010.

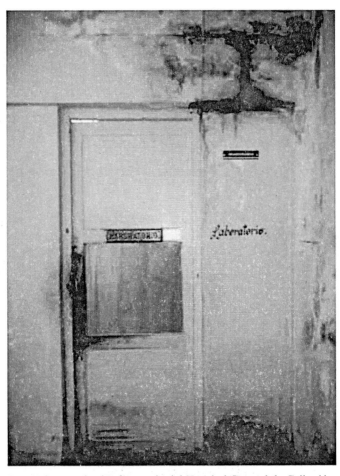

Puerta de entrada al Laboratorio del Hospital General de Caibarién.

Cocina del Hospital General de Caibarién

Parte de la cocina del hospital General de Caibarién. Villa Clara, 2010.

Sala de espera. Hospital General de Caibarién

Sala de esperas en el área de consultas externas del Hospital Provincial Celestino Hernández. Nótese la inseguridad reinante debido a la improvisada red eléctrica. Santa Clara. Villa Clara, 2010.

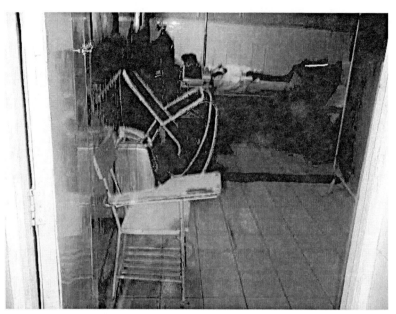

Sala de Cuidados Intermedios. Hospital General de Caibarién , 2010.

Una de las fachas del Hospital General de Caibarién, 2010.

Techo de una sala del Hospital Clínico Quirúrgico Julio Trigo. La Habana, junio del 2011.

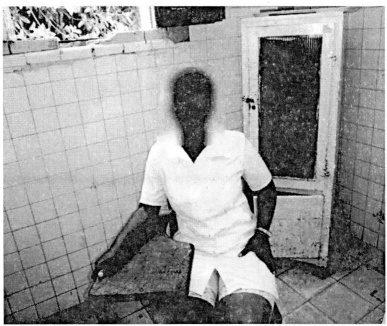

Estación de Enfermería. Sala Medicina de Mujeres . Hospital General de Caibarién, .2010. Nótese el estado deplorable de la vitrina de medicamentos y el mal estado de la ventada

Típica imagen de una Consulta médica en un país que se autoproclamó potencia médica.

Pizarra informativa en un consultorio médico "No hay receta en el consultorio". Santa Clara, Villa Clara, 2010.

Logra mayor índice de supervivencia quirúrgica de su historia

9/29/13

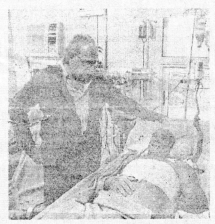

Cardiocentro de Villa Clara. FOTO DEL AUTOR

Freddy Pérez Cabrera

SANTA CLARA.—Un resultado significativo ha conseguido en lo que va de año el Cardiocentro Ernesto Che Guevara, de Villa Clara, al lograr una supervivencia quirúrgica en los pacientes operados de un 97,7 %, cifra que lo ubica al nivel de los países más desarrollados en esta materia en el planeta.

De acuerdo a las precisiones del doctor Jesús Satorre Igualada, presidente de la Sociedad Cubana de Cardiología y Cirugía Cardiovascular en el territorio, ese éxito se logra teniendo en cuenta los 317 pacientes que hasta la fecha salvaron su vida luego de ser intervenidos de forma total por los especialistas de la prestigiosa institución, que en sus 26 años de existencia alcanza un promedio histórico de supervivencia quirúrgica de un 95 %.

Añadió Satorre, quien también es vicedirector primero del centro, que otro logro del cardiocentro es arribar a las dos mil cirugías coronarias, resultado que debe concretarse la próxima semana cuando se realicen las cuatro operaciones pendientes para alcanzar esa cifra, un éxito que dedican a la celebración del Día Mundial del Corazón, cuyas actividades centrales tendrán como sede al Cardiocentro Ernesto Che Guevara.

Al respecto, el doctor Álvaro Lagomasino Hidalgo, eminente cirujano de la institución, señaló que esa cifra pudiera ser mayor, de no ser por las nefastas consecuencias que provoca el bloqueo económico y financiero norteamericano hacia Cuba, que impide adquirir insumos necesarios para realizar los complejos procederes.

Entre ellos, el doctor Lagomasino señaló la imposibilidad de comprar en el mercado de Estados Unidos o sus transnacionales, estabilizadores cardiacos, guías de angioplastia y piezas de repuesto para los novedosos equipos de que dispone el centro, entre otros productos, lo cual provoca dolor y sufrimiento en las personas aquejadas de padecimientos cardíacos.

Como parte de las celebraciones por el Día Mundial del Corazón, cuyo acto central tendrá lugar el próximo viernes en la Universidad Médica de Villa Clara, Doctor Serafín Ruiz de Zárate Ruiz, también acontecerá el encuentro de directivos y especialistas de la red cardioquirúrgica de la región central, integrada por las provincias de Villa Clara, Cienfuegos, Sancti Spíritus, Ciego de Ávila y Camagüey.

Artículo del periódico *Granma,* 29 septiembre del 2013, que menciona un 97.7% de índice de supervivencia en el Cardiocentro Ernesto Che Guevara de Villa Clara ubicándolo al "nivel de los países más desarrollados en esta materia en el planeta".

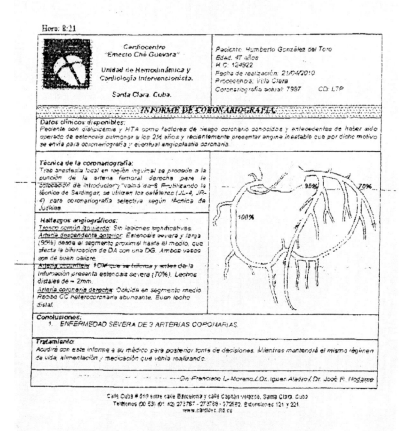

Reporte de Coronariografía de un paciente del Cardiocentro Ernesto Che Guevara. Se puede observar que se hace un diagnóstico de "enfermedad severa de 3 arterias coronarias" y no se define un tratamiento: "posterior toma de decisiones. Mientras mantendrá el mismo régimen de vida, alimentación y medicación que venía realizando".

En la siguiente página un editorial de Raúl Valdés Vivo en el periódico *Granma* el cual afirma que elogia a Fidel Castro "al concebir el socialismo como sinónimo de sociedad solidaria Cuba aplica principios comunistas de distribución en esferas vitales como la salud, la educación, la cultura... ".

Cuba y la Crítica al Programa de Gotha

■ RAÚL VALDÉS VIVÓ

A MENCIÓN que hizo Fidel en la reunión extraordinaria de la Asamblea Nacional de la Crítica del Programa de Gotha sorprendió a todos. Sin embargo tiene
mucho que ver con la sustancia más profunda de los de-
bates que han culminado esos 27 días que han estreme-
cido a Cuba y que acabarán teniendo, por mucho que se
oponga el imperio, creciente repercusión internacional, incluso en el seno del pueblo norteamericano, encimado a
la hora de su verdad.

La fecha en que Marx escribió esta pequeña y fundamental obra sobre el socialismo y el comunismo es 1875.
Vale la pena recordar su contenido para analizar su vincu-
lación a la reunión en que, por vez primera, debatieron
juntos el órgano supremo del poder del Estado revolucionario cubano y los representantes de las principales instituciones de nuestra sociedad civil socialista, parte de
ellos diputados. Esto significa una nueva calidad en la democracia directa participativa de masas que viene rigien-
do nuestros destinos desde el Primero de Enero de 1959.

Marx se vio obligado a escribir unas notas marginales,
luego conocidas como Crítica al Programa de Gotha, para
salirle al paso al enfoque erróneo, idealista y dogmático
adoptado en esa ciudad por el Partido Obrero Alemán,
destinado a servir de base a un futuro partido unificado
de los socialistas de Alemania.

Con el aplauso de Engels, su otro yo, el fundador de
nuestra teoría científica utilizó la cuestión para formular
una de sus pocas referencias concretas sobre el modo
de producción comunista y sus semejanzas y diferencias
entre sus dos etapas, la socialista, que surge una vez de-
rrocado el capitalismo, y la propiamente comunista, que
corona el milenario proceso histórico de la humanidad. Un
regreso a sus orígenes, pero, ahora no por dictado de la
ignorancia, sino de la más alta cultura. ¿Acaso no es ese
precisamente el supremo ideal fundamentado por el Comandante en Jefe ante los que encarnan de manera ge-
nuina el pasado, el presente y el futuro de nuestra inven-
cible Revolución?

El Programa de Gotha hacía concesiones a la corriente
de Ferdinand Lassalle, un abogado reformista que ayudó
a organizar el movimiento sindical de Alemania, pero aca-
bó predicando que la clase obrera fuera un apéndice de
la burguesía liberal en la lucha contra el feudalismo y has-

ta aceptara la política dictatorial de Bismarck, el Canciller
de Hierro, que con mano dura unificó a la nación alemana
para su paso al capitalismo, seis años después de morir
Lassalle en 1864, nada menos que en un dueto caballe-
resco.

El Congreso de Gotha era una mezcolancha de ideas jus-
tas y disparatadas y Marx se sintió obligado a decir que
de ese modo el Partido no sería el Partido. Por esos días
reía a raudales ante el calificativo que le daba la prensa
burguesa de "doctor terrorista rojo" al achacarle la autoría
intelectual de la gloriosa Comuna de París de 1871, sin
embargo, en cuestiones de principios y en particular en
el saco de la fuerza de vanguardia de la futura revolución
europea, actuaba con toda seriedad.

Entre las ideas falsas aceptadas en Gotha en aras de
la unidad, estaba que había que abolir una llamada "ley
de bronce" según la cual el aumento de los salarios provocaba el aumento de los precios. Marx había demostrado que era al revés y, por tanto, se trataba de abolir, no
esa mítica "ley", sino la explotación capitalista mediante
la expropiación de los medios fundamentales de producción, pasándolos a manos de los trabajadores, sus únicos
creadores.

No logró comprender Lassalle que el capitalista no adquiere como una mercancía el trabajo, sino la fuerza de
trabajo de los obreros, a la que pone a su servicio para
que produzca un remanente sobre su salario, del que se
apropia sin dar nada a cambio, alegando que es el dueño
de los medios de producción.

La falsa concepción llevó a los seguidores de Lassalle
a demandar en Gotha que los trabajadores reciban el producto íntegro de su trabajo una vez establecido el socialismo, refutándolos Marx porque hay que dejar una parte
del producto social global para la salud, la educación, el
funcionamiento y la defensa del Estado, la reposición de
lo consumido en la producción, el desarrollo, la asistencia y seguridad social, las catástrofes naturales, etcétera.

Otra idea descabellada de los lassallianos era que el
trabajo es la fuente de toda riqueza, cuando en verdad
esto corresponde a la naturaleza, de la que salen los valores de uso (cosas útiles) que verdaderamente integran
la riqueza material. La fuerza de trabajo tiene por misión
transformar la naturaleza en beneficio del hombre.

Marx aprovecha el debate que abre para fijar lo que hay

de igual y diferente en las dos etapas del desarrollo social
a conquistar mediante la Revolución, la socialista y la comunista. En ambas, ya libres de toda explotación del
hombre por el hombre, los trabajadores aportarán según
su capacidad para trabajo. Pero en la primera etapa recibirán según su trabajo, lo que no rebasa los horizontes
estrechos del Derecho burgués, mientras en la segunda,
según sus necesidades.

En este aspecto, al dar realidad terrenal a esos principios de la distribución, Fidel hace un aporte sencillamente
admirable, que no se limita a enunciar, sino que ha en-
trado en nuestro socialismo. Al concebir el socialismo
como sinónimo de sociedad solidaria Cuba aplica principios comunistas de distribución en esferas vitales como
la salud, la educación, la cultura, todos los bienes espiri-
tuales y los perfecciona constantemente.

Junto a la defensa intransigente de la independencia,
soberanía y dignidad de la Patria, ahí está la clave de por
qué nueve millones votaron con los pies en las marchas
y actos frente a los exabruptos del señor W. y de inmediato el 99,34% de todos los mayores de 16 años votaron
con las manos al firmar que nuestro socialismo es irrevo-
cable y que Cuba jamás negociará con nadie bajo la presión, la amenaza y ni siquiera la agresión.

Por otro lado, para la etapa propiamente comunista Fidel proclama que, al margen de los servicios anteriores,
serán satisfechas las necesidades materiales que esta-
blezcan la razón y las posibilidades que brinde la naturaleza. Por ejemplo, hasta que no se invente un combustible
que no sea perecedero, habrá que combatir la ilusión con-
sumista, propia de la enajenada sociedad burguesa, de que
cada persona aspire a tener un automóvil particular.

Con la cultura general integral, de inspiración martiana,
la Revolución Cubana avanza hacia la idea más audaz y
hermosa de Marx al concebir el comunismo: la desaparición de la división entre el trabajo manual y el trabajo intelectual, que los hace opuestos, buscando que de veras
el trabajo sea no solamente un medio de vida, sino la primera necesidad vital.

Siempre la práctica precede a la teoría, pero el llamado
de Fidel a retomar el estudio y fomento de la última repre-
sentará, sin duda, un necesario apoyo a iluminar la práctica en los cuadros y en el pueblo, único dueño de nuestro
país.

Inauguran estación de bombeo y conductora de agua potable

José Antonio Fulgueiras

CAIBARIÉN.— Una moderna estación de bombeo y una conductora de agua potable de 60 kilómetros de largo, la cual enlaza a través del pedraplén los cayos Las Brujas, Ensenachos y Santa María, fue inaugurada aquí, y con ella se garantiza el suministro del líquido a un hotel de 300 habitaciones y otras instalaciones ya existentes en este polo turístico.

La obra, que fue construida con tecnología de punta, es capaz de bombear 75 litros por segundo, con excelentes condiciones hidrosanitarias, pues posee un punto clorificante en la propia estación, que será operada por cuatro trabajadores y cuenta con dos bombas, una de trabajo y otra de reserva, además de la tecnología necesaria para asegurar una larga vida útil, pues posee sensores de presión que impiden someter a la conductora a sobrepresiones, así como supresores de pico que introducen a tierra cualquier descarga eléctrica, y un autómata capaz de controlar todas las operaciones, único en el acueducto de la provincia.

La construcción fue acometida por la ECOING 25, a un costo de más de 14 millones 900 000 pesos, de ellos 556 000 en divisas, con equipamiento de la firma italiana EAGLE, que ha suministrado a nuestro país más de 300 equipos de bombeo similares a este y que mantienen un excelente funcionamiento hasta el momento.

Manuel Fong, vicepresidente nacional de Recursos Hidráulicos, elogió la calidad de esta obra edificada en menos de un año, lo cual permite algo muy importante para las inversiones: contar con el agua potable para el turismo, el servicio y el desarrollo estables, que en el caso de este polo se propone cerca de 2 000 habitaciones en los próximos años.

Artículo de la prensa cubana que anuncia una nueva estación de bombeo de agua potable con un costo de más de 14 millones de pesos para "contar con el agua potable para el turismo".

232

CAPÍTULO VII
Venta de medicamentos.
Las farmacias comunitarias

Palabras clave

La tragedia de la receta • la farmacia sorda • el tarjetón • medicamentos en falta • sillas de rueda • extranjeros vs. cubanos • el guiño de los logros • ¿voluntarios u obligados? • medicamentos perdidos • venezolanos vs. cubanos • medicinas al extranjero • donaciones de sangre • legrados al por mayor • remedios caseros • diplo-farmacias

Antes de tratar del tema que nos ocupa en este capítulo, quisiéramos mostrar uno de los tantos artículos que se publican constantemente en cualquier medio de comunicación cubano, en los que se destacan datos e informaciones de cara a la opinión pública nacional e internacional y adolecen de un defecto: no tienen nada que ver con la realidad o la reflejan de manera sesgada.

Visita la Industria Farmacéutica el cuerpo diplomático acreditado en Cuba

CUBA, 25 de abril de 2008. Los miembros del cuerpo diplomático acreditado en Cuba recorrieron varias entidades de la Industria Farmacéutica del Ministerio de la Industria Básica donde constataron los resultados y el desarrollo alcanzado por la Isla en esta esfera.

Los diplomáticos visitaron el Instituto de Farmacia y Alimentos de la Universidad de la Habana, ubicado estratégicamente en el Polo Científico al oeste de la capital.

El cuerpo diplomático, previo recorrido por diferentes centros de producción, almacenamiento y distribución de medicamentos, fue cordialmente recibido por la Ministra de la Industria Básica, Yadira García Vera; el Rector del Instituto Dr. Oscar

233

Ros López y el director del Sistema Empresarial del MINBAS, Jorge Carballo, quienes tuvieron a su cargo las presentaciones sobre la producción y distribución de medicamentos y alimentos en el país.

Durante el intercambio inicial, la ministra enfatizó el interés del gobierno cubano en seguir elevando la salud del pueblo y explicó que el sistema permite y garantiza que el medicamento llegue directamente a la población.

Al igual que muchos otros temas relacionados con la salud en Cuba, este es también muy controversial, por lo que nos gustaría ilustrarlo con otro ejemplo que es la cara opuesta de la moneda, una vertiente de la manipulación del la prensa que apareció en una publicación del periódico *Juventud Rebelde,* correspondiente a la edición del 13 de mayo de 2003, donde se da fe del complicado laberinto de gestiones burocráticas y limitaciones que tiene que sortear el cubano para obtener cualquier medicamento. En la sección Acuse de Recibo, del periodista José A. Rodríguez, expuso el siguiente caso:

Víctor Manuel Marce Suárez le escribe desde Santa Fe, municipio Playa, Ciudad Habana, y le cuenta que sufrió una interminable odisea para adquirir un medicamento reglamentado, el parkisonil, para su esposa, quien padece del mal de Parkinson.

Aunque la paciente posee el conocido tarjetón que controla la adquisición del medicamento, él visitó al médico de la familia para que le hiciera la receta correspondiente, la cual tiene sus especificaciones. Sin embargo, la doctora estaba de vacaciones. La sustituta le dijo que no tenía ese tipo de recetario, que debía pedirlo al policlínico. Al otro día, Víctor volvió, pero no pudo obtenerlo porque la persona que daba el recetario no se encontraba en el almacén del policlínico. Le prometió mandar a la enfermera. Fue al día siguiente y tampoco el responsable del almacén estaba, entonces la doctora se ofreció personalmente para traerlo. Le indicó que regresara el lunes. Pero tampoco ese día lo consiguió.

El paciente fue al policlínico y habló con la subdirectora, quien para sorpresa suya le comunicó que los médicos de la familia conocían que ese recetario no estaba en el almacén, sino en la dirección del centro y llamó a la doctora para que fuera a buscarlo. Al día siguiente fue al consultorio y por fin le dieron la receta. Pero en la farmacia de Santa Fe le informaron que debía llevar la receta duplicada. Volvió al consultorio y como la doctora seguía de vacaciones, la suplente le dijo que a ella no le correspondía, pero que le iba a hacer un favor. Volvió al policlínico y habló con la subdirectora, quien señaló que lo establecido en ese caso era que la suplente lo hiciera. Por fin, le confeccionaron la receta doble.

Cuando creía tener resuelto el asunto, en la farmacia le dijeron que una de las recetas tenía tachaduras y así no la podían aceptar. El hombre regresó y esta vez fue a su esposa a la que le volvieron a hacer la receta doble. Cuando Víctor Manuel creyó que había concluido todo en la farmacia, le explicaron que las recetas estaban mal hechas, pues había que poner el número del expediente. De vuelta en el consultorio por enésima vez, la doctora ya se encontraba de vuelta de sus vacaciones y le puso el dato que faltaba. Pero en la farmacia le dijeron que las recetas tenían enmiendas y la letra era de otra persona, por lo que eran inaceptables. En el policlínico la directora, máxima responsable del área de salud, le hizo las recetas. En la farmacia le comunicaron que faltaba el número del expediente. Ya era primero de enero y en Cuba no se trabajaba hasta el día 3 de enero. Fueron más de 15 días los que necesitó Víctor Manuel para adquirir un medicamento y no precisamente porque faltara en la farmacia, sino por descuidos e inexactitudes.

Anécdotas como las de Víctor Manuel son frecuentes a lo largo y ancho del país, este caso no es exclusivo del municipio Playa, en ciudad de La Habana, ocurre en los 169 municipios del territorio nacional y obedece, como es lógico, a una política del Estado. En el Capítulo IV analizamos, respecto a la Medicina General Integral, cómo funciona el médico de la familia y de qué manera se maltrata a la población desde el punto de vista médico.

Ahora haremos un bosquejo general sobre el funcionamiento de las farmacias, lugar donde aparentemente se concreta la acción médica, debido a que allí el paciente adquiere el medicamento para realizar el tratamiento indicado. Nos gustaría dividir en dos grupos las deficiencias en la venta de medicamentos.

- Burocracia farmacéutica
- Desvío de medicamentos para su venta en divisas debido a su escasez.

Respecto a la primera, a lo largo de los difíciles años del Periodo Especial, se ha ido creando una serie de mecanismos formales muy complejos que condicionan la venta y adquisición de los medicamentos; aquí nos limitamos a mencionar algunos que han tenido una representación nacional, porque vale la pena destacar que ha habido "iniciativas" en algunos lugares que han complicado todavía más el asunto, las cuales no vamos a mencionar por ahora porque sería interminable.

Por regla general, algunos medicamentos se destinan a ciertos médicos especialistas, ya que solo ellos pueden emitir las recetas para su compra, digamos, por ejemplo, crema esteroideas como clobetazol o triamcinolona, que solo pueden ser vendidas con recetas dadas por el especialista de dermatología (enfermedades de la piel). Ahora bien, existen municipios en los que solo hay un especialista de su tipo y cientos de pacientes con enfermedades tributarias de medicamentos que solo él puede autorizar. Estos dos medicamentos han estado ausentes de las farmacias durante años, pero cuando están disponibles es una verdadera odisea obtener una receta, lo que trae como resultado un maltrato de altos quilates porque el paciente o sus familiares tienen que salir en busca del especialista, el cual se encuentra en la disyuntiva de evaluar muy bien a quién darle la receta, ya que se pone en evidencia si su entrega de recetas es muy amplia —en la farmacia las contabilizan— y, si sobrepasa el margen permisible, corre el riesgo de ser emplazado por las autoridades de salud. Esta medida no es solo discriminatoria sino humillante para gran número de galenos, quienes tienen que cruzarse de brazos ante un paciente que precise este tipo de medicamento y no se lo puedan recetar, lo cual crea las condiciones para que aumente su demanda y se conviertan en supercodiciados e imposibles de alcanzar y así, debido a estas características, pasan a engrosar la cada vez más extensa lista de medicamentos que solo se consiguen en el mercado negro y salen de las farmacias y almacenes subrepticiamente para su venta ilícita.

No contamos con elementos para dar a conocer el mecanismo que utilizan en los almacenes para su desvío. Creemos que puede ser por medio de los vales de entrega de las diferentes unidades a los que, mediante un proceso complejo, se les cambia la cantidad real del producto enviado. Lo cierto es que en las calles circula un número extraordinario de medicamentos que no provienen de una sola fuente; también proceden de las farmacias, en las que de igual manera se produce el desvío, aunque es ínfimo. Algunos empleados retienen el medicamento y le informan a la población que se terminó, pero luego contactan al especialista responsable de emitir las recetas y, usando el viejo axioma de *resuelve que después yo te resuelvo*, lo comprometen con la entrega de varias recetas.

Con anterioridad habíamos utilizado el ejemplo de dermatología para ilustrar la cadena especialista-medicamento, pero también podemos mencionar lo que ocurre respecto a los medicamentos antiinflamatorios, reservados solamente para los especialistas en ortopedia; los sedantes y tranquilizantes menores, destinados a psiquiatría; las vitaminas, para determinados clínicos o médicos de la familia; algunos antiparasitarios, destinados solo a los pediatras o algunos antibióticos, para cirujanos o gastroenterólogos.

También es justo señalar que en estos momentos el médico cubano ya se acostumbró a ser marginado y discriminado. A casi ninguno o a muy pocos les molesta el hecho de que tan solo sirvan para emitir recetas y ver únicamente a los enfermos del área a la cual han sido destinados, es decir, si eres médico del municipio de Santa Clara, no puedes consultar a ningún enfermo fuera de esta localidad porque no está permitido usar las farmacias de otro lugar, esta es una realidad que, como otras, ha sido aceptada.

Pero esta situación se extiende a muchas otras esferas sociales impulsada por la política de aislamiento oficial, que se refleja en casos y medidas absurdas en las que, por ejemplo, un ciudadano de la región oriental de Cuba no puede ir a visitar a un familiar de la parte occidental, ni cambiar su casa para otra en la capital si no tiene un permiso especial del gobierno para hacerlo. Los residentes de las provincias del extremo oriental de la isla son acosados si se encuentran en la capital del país e interrogados por las autoridades, quienes tienen puestos de control cerca de las terminales de trenes u ómnibus, y si no da una justificación convincente o muestran un permiso, son regresados en los mismos medios de transporte en los que vinieron. Por décadas el ciudadano cubano no podía salir al extranjero sin burlar un complejo sistema de permisos, ni visitar la mayoría de los hoteles, playas, clubes y restaurantes del país que exigen moneda dura como pago, al punto de que muchas veces, aunque contaran con el peso convertible, les negaban la entrada a dichos lugares, los médicos no escapaban a las arbitrarias medidas impuestas por el gobierno cubano, así fue hasta hace pocos años.

El archiconocido tarjetón, al cual hicimos referencia al inicio de este trabajo, ha venido a completar el horrendo burocratismo farmacéutico en nuestro país. Mediante este recurso, se buscó una solución a la falta de medicamentos imprescindibles para el tratamiento de enfermedades crónicas no transmisibles como asma bronquial, cardiopatía isquémica, hipertensión arterial, diabetes mellitus, entre otras. Consiste en una tarjeta de identificación personal que se confecciona en la farmacia, destinada a la localidad en la cual vive el paciente, llamada Tarjeta de Adquisición de Medicamentos Controlados, la cual está foliada e identificada con el modelo 30-45, en el que se registra el nombre y apellidos del paciente, el número de identificación permanente, su dirección, la dosis, la fecha en que fue emitida y fecha de expiración.

¿Qué debe hacer el paciente para obtenerlo? Primero, tener mucha paciencia para llenar esta tarjeta, es obligatorio que el paciente presente en la farmacia un certificado médico donde conste el diagnóstico y el tratamiento que se debe seguir. Estos certificados médicos los expiden los diferentes especialistas de los policlínicos u hospitales que atendieron o atienden al paciente; luego, el paciente debe de acudir a su consultorio médico para que el médico de la familia lo registre y plasme su cuño personal en el certificado médico. El próximo paso es acudir a la farmacia. Allí le revisan el certificado para ver si existen enmiendas, tachaduras, si no se especifica el tiempo de duración del mismo o no se entiende bien el nombre de algún medicamento; si es así, se lo devuelven para que busque al que lo emitió (esta búsqueda puede durar días, incluso semanas, como vimos en el ejemplo de Víctor Manuel).

En sentido general, es un proceso lleno de obstáculos, creado para dilatar la entrega del medicamento, en el que se pone a prueba la paciencia de cualquiera, es la manera que encontraron para frenar la demanda, debido a que aquellos pacientes explosivos (recuérdese el elevado nivel de agresividad colectiva que existe en Cuba como reflejo de las carencias cotidianas que enfrenta la población), en un impulso colérico, omitan los pasos legales para obtener el medicamento, es un proceso a prueba de infarto, porque se debe tener mucha paciencia y un elevado nivel de aguante para recorrer el laberinto de gestiones burocráticas impuestas por las autoridades para obtener el medicamento.

En teoría, quizás se pudiera justificar la creación del tarjetón como una medida para controlar y organizar la venta de medicamentos imprescindibles pero que están en déficit, aunque la práctica ha demostrado que esta incómoda medida tampoco es la solución debido a que en infinidad de ocasiones, el medicamento controlado no se encuentra en las farmacias. Mencionemos, por ejemplo, que en el mes de abril de 2003 en las farmacias de Caibarién, no existían nitratos (nitropental, isosorbide) y en mayo de ese mismo año no contaban con inhalador de salbutamol para los asmáticos. Solo hacemos alusión a estos dos meses, pero si revisáramos el año entero, podríamos demostrar que cada mes faltó al menos un medicamento controlado. Así ha sucedido en las últimas décadas.

La incidencia de úlceras pépticas duodenales y gástricas se ha elevado en nuestra población, quizás como expresión del constante estrés bajo el que vive el ciudadano cubano y los malos hábitos dietéticos; por años, el único antagonista H2 (receptor) disponible ha sido la cimetidina y, para adquirirla, se ha necesitado algo más que un escudo y una espada. El tarjetón solo puede emitirlo el cirujano o el gastroenterólogo y tan solo por tres meses, según el protocolo establecido para el tratamiento con la cimetidina, el cual recomienda un tratamiento de cuatro a ocho semanas con evaluación endoscópica posterior, incluso combinándola con otros medicamentos. El tiempo de duración del tarjetón es muy reducido, en la mayoría de las ocasiones durante el plazo de tiempo de vigencia, la farmacia no dispone del medicamento y cuando llega, ya está vencido el tarjetón. Luego, el paciente tiene que ir en busca del especialista que emitió el certificado para implorarle que le dé un nuevo certificado. En la farmacia le venden ciento veinte tabletas, independientemente de que en el certificado se establezca una dosis superior (lo recomendado para la úlcera duodenal es 1 gramo/día, cinco tabletas, que serían ciento cincuenta al mes).[116] Después de un mes el tratamiento es una incógnita, si entra el medicamento le venden ciento veinte tabletas más, de lo contrario, aquí se rompe el tratamiento y hay que esperar a que entre a las farmacias o habrá que buscar otro certificado médico.

Es necesario aclarar que bajo ningún concepto en las farmacias se ofrece el medicamento de manera gratuita; existen casos aislados de algunas donaciones que se han entregado a las farmacias a través de recetas médicas, pero ha sido extremadamente infrecuente y en cantidades mínimas, adonde en realidad van a parar es a las manos del personal a cargo de las farmacias, por lo tanto, la población apenas si se entera.

Existe un número muy reducido de casos sociales (categoría bajo la que engloban a los pacientes con graves problemas económicos). Desde luego que para ser parte de este selecto grupo se necesita una categorización de la trabajadora social del área de salud a la cual se pertenece, quien confecciona un expediente y determina si se le puede categorizar o no en dependencia de la entrada económica del hogar; sin dudas, tienen que ser casos de muy poca solvencia económica para obtener un número de expediente, lo cual resulta extremadamente difícil y, una vez logrado, casi siempre caen también en el laberinto burocrático ya mencionado. Los médicos se protegen frente a estos casos debido a que corren el riesgo de ser "analizados" si le dan muchas recetas a un mismo caso, porque las mismas tienen sus datos personales, es decir, dirección particular y doble firma, por lo tanto, cuando el paciente acude a ellos en varias ocasiones es maltratado, no le dan todas las medicinas que necesita.

Sabemos que muchas personas de otras partes del mundo piensan, de manera equivocada, que los cubanos recibimos las medicinas gratuitamente; es cierto que algunas de ellas se comercializan a precios módicos, por ejemplo, diez tabletas de sales biliares cuestan solo 0.25 centavos; una tableta de levamizol cuesta 0.15 centavos y un tratamiento con digoxina durante treinta días solo cuesta $1.20 pesos, pero existen medicamentos de uso muy fre-

---

[116] Ebbels Bruce, J.: "Úlcera péptica", en Howard F. Conn: *Terapéutica*, Editorial Médica Panamericana, 1982, pp. 459 y 462.

cuente que se venden a precios extraordinariamente elevados, si se tiene en consideración que el salario promedio a finales de 2002 era de 262 (con una tasa de cambio del dólar a 27 pesos cubanos, para un total de 9.60 dólares, según el presidente de la Comisión de Asuntos Económicos de la Asamblea Nacional del Poder Popular, Osvaldo Martínez).[117]

No obstante, podemos mencionar fármacos del grupo de los antibióticos (que por décadas estuvieron ausentes de las farmacias y solo a partir del 2000 reaparecieron algunos de ellos, aunque su suministro no es constante), que resultan extremadamente caros, en especial para los más pobres. Vemos, por ejemplo, que un tratamiento con tetraciclinas a dosis de 1 gramo/día para una semana cuesta 11.20 pesos, o de azitromicina de 500 mg al día durante tres días equivale a 10.98 pesos, o de ciprofloxacina de 1 gramo/día durante diez días serían 7.60 pesos. Quizás para determinados grupos sociales, por ejemplo, los profesionales, esto no constituya un problema, pero desde la óptica de los pensionados o discapacitados, por poner un ejemplo, significa más de lo que pueden pagar. Este último grupo recibe entre 70 y 110 pesos al mes, aunque habitualmente se mantienen por debajo de los 100 pesos.

Según las estadísticas del municipio de Caibarién (como muestra de lo que sucede en toda la nación) y considerando como reales las estrategias del Instituto Nacional de Seguridad Social (INSS), en su filial en este municipio se registró, en febrero de 2002, un total de 4849 pensionados, para un 12,7 % del total de la población (aproximadamente 38 000 en ese año). De estos jubilados, 2149 (44,3 %) percibían menos de 100 pesos mensuales. Sería muy interesante conocer cuántos del 1 410 420 beneficiarios de la seguridad social en Cuba, según Alfredo Morales Cartaya, ministro del Trabajo y Seguridad Social,[118] son jubilados y qué porcentaje percibe menos de cien pesos mensuales, si casi el 50 % de los del municipios de Caibarién entran dentro de esta categoría.

Este ejemplo nos ayudará a llevarnos una idea:

---

[117] *Granma*, lunes, 23 de diciembre de 2002, p. 10.

[118] *Juventud Rebelde,* 20 de diciembre de 2002, p. 5.

> Marcial Díaz Hernández, de sesenta y dos años de edad, veci-
> no de calle 14 no. 3319, con historia clínica 1930006, es por-
> tador de dos enfermedades crónicas: diabetes mellitus e
> hipertensión arterial, para las cuales lleva tratamiento con cap-
> topril (una tableta cada ocho horas) y glibenclamida (cuatro
> tabletas diarias). Si tenemos en cuenta que el captopril se co-
> mercializa a 38 centavos la tableta y la glibenclamida a 6 cen-
> tavos, vemos que tiene un gasto mensual de 34.20 pesos para
> el primer medicamento y 7.20 pesos para el segundo. Si por
> casualidad Marcial necesitara administrarse algún antibiótico
> por alguna infección sobreañadida, digamos ciprofloxacina,
> sus gastos mensuales en medicamentos ascenderían a 49 pe-
> sos, de ser azitromicina a 5.38 pesos, o tetraciclina a 52.60 pe-
> sos, eso sin contar lo que pudiera costarle algún que otro
> antihistamínico, antiinflamatorio o analgésico. Por tanto, de
> los 100 pesos que recibe, tiene que destinar un 50 % a los me-
> dicamentos.

Si a esto añadimos que del total de discapacitados en el municipio de Caibarién (cifra secreta y muy bien protegida), aproximadamente 250 casos reciben menos de 50 pesos mensuales por
concepto de seguridad social, un hecho insólito, como lo calificó la
asesora de salud del Comité Central, Marcia Cobas, en la clausura
de las actividades realizadas por la Comisión Municipal de Discapacitados en febrero de 2003. Podrán imaginarse de qué arte se
valdrán para comprar sus medicamentos y cubrir el resto de las necesidades cada vez más crecientes del cubano.

Si tomamos como referencia el salario promedio del cubano
común y le restamos el gasto promedio que tendría un paciente que
tuviera dos enfermedades crónicas, como es el caso de Marcial, con
una dolencia sobreañadida (52.38 pesos), descubriríamos que se
necesita el 20 % del mismo para cubrir estos gastos.

En un artículo de Nicanor León publicado en la página cinco
del periódico *Granma* en la edición del miércoles 7 de agosto de
2002, con el título "Los pobres duermen mal", se plantea que en los
Estados Unidos los llamados *homeless* (los sin techo) y los inmi-
grantes ilegales, entre otros, tratan de combatir padecimientos como la gripe, la artritis o la sinusitis con productos menos costosos
destinados a perros y gatos. Estamos convencidos de que, de existir

en nuestro país locales destinados a la venta de estos medicamentos para animales, acudirían miles de personas en busca de precios más asequibles (sin hablar de la variedad de medicinas), sobre todo aquellos jubilados, incapacitados, ancianos y otros grupos que apenas reciben lo necesario para alimentarse y el resto de sus necesidades quedan al amparo de Dios.

Como es costumbre en nuestro país, no solo es acuciante el problema de los precios, sino la ausencia de los medicamentos y su mala distribución, y como pasa siempre que se trata de Cuba, los problemas se solucionan por rachas, es decir, el Estado cubano ha practicado durante años la política de desviar recursos y fuerzas de un área menos problemática hacia otras con mayores dificultades para crear la falsa imagen de que sí se puede. Así sucedió con la industria farmacéutica: a finales del 2000 y principios del 2001, surgió un nuevo programa que tenía como objetivo eliminar el faltante de medicamentos; el mismo contó con una amplia divulgación de la que se encargó el controvertido Carlos Lage, quien visitó cientos de lugares, hospitales, farmacias y centros comunitarios, comprometiéndose en cada uno de ellos a la erradicación del medicamento en falta y su venta ilícita. Años después, vemos el resultado: las cosas siguen iguales.

El ministro de la Industria Básica, Marcos Portal León, fue otro de los abanderados de esta cruzada y fue capaz de hablar de avances en el programa explicando que esto obedecía *al interés de responder a las necesidades de los enfermos, a partir de más previsión y una labor cohesionada.*[119] En Nueva Gerona, Isla de la Juventud, señaló que de los trescientos cincuenta y nueve renglones que se debían garantizar como parte del referido programa, había disminuido a veintiuno el número de los que se mantenían en falta en las farmacias del territorio, es este el comportamiento más bajo del país. Entre los medicamentos controlados, solo se registraba la ausencias de tres.

Hubiera sido muy interesante escuchar otra vez al señor Marcos Portal haciendo una valoración actual de la situación farmacéutica en Nueva Gerona —que no conocemos—, pero estamos seguros de que se comporta de manera muy parecida a otras regiones,

---

[119] *Granma*, 12 de julio de 2002.

en las que cada día las deficiencias son mayores. A estas alturas, esperamos que al menos reconozca que es imposible garantizar los trescientos cincuenta y nueve renglones del referido programa y mucho menos completar el llamado cuadro básico de medicamentos que, según la doctora Yilian Jiménez, directora del Departamento de Cooperación Internacional del MINREX, asciende a 780 productos.[120]

Como es de dominio público, después del derrumbe del campo socialista vino la debacle del sistema socialista cubano y la rama farmacéutica ha sido uno más de los espejos en los que se refleja a diario la escasez y el descontrol. Desde hace muchos años, más de cien renglones están en falta en más del noventa porciento de las farmacias del territorio nacional (estimados conservadores), y la razón nos la da el propio ministro Portal al informar que en Nueva Gerona es donde menos renglones faltan (y son veintiuno), además de que solo faltan tres renglones de los medicamentos controlados por el tarjetón. En casi todos los municipios del país, esta última cifra promedia diez. Por ejemplo, en junio de 2003, en el municipio de Caibarién, estaban en déficit siete medicamentos (inhalador de salbutamol, captopril, enalapril, fenitoína, levotiroxina sódica, propiltiuracilo e insulina regular). Y uno se pregunta: ¿qué hace el paciente que depende de estos medicamentos para sobrevivir?

Quitar de un lado para llenar el otro

Este comportamiento obedece a la vieja y gastada política de Estado de aparecer ante la opinión pública nacional e internacional, como los benefactores de los desposeídos (otro de los llamados "logros de la revolución"). En los últimos cincuenta años, los medicamentos nunca han sobrado, por el contrario, ha sido uno más de los tantos talones de Aquiles que hacen tan vulnerable la medicina cubana.

Analicemos pues el artículo publicado en el periódico *Granma* del 20 de mayo de 2003 en su página cuatro, bajo el título "Donación de medicamentos de Cuba a argentinos damnificados", en el

---

[120] *Juventud Rebelde*, 23 de junio de 2003, p. 5.

que se señala: *Donados 4,8 toneladas de medicamentos a Argentina, ciudad de Santa Fe, afectada por inundaciones. Inicialmente se desviarán 2 149 kilogramos, para posteriormente completar las 4,8 toneladas, según la embajada de Cuba en Buenos Aires. La donación consiste en medicamentos cubanos, entre ellos fármacos seguros y eficaces, tales como: analgésicos, antihipertensivos, anticonvulsivantes, antihistamínicos, diuréticos, y otros esenciales.*

Esto sucedió en el mes de mayo y, al mes siguiente, las farmacias de todo el país tuvieron déficits de medicamentos, justamente los que estaban dentro del grupo enviado a Argentina, en particular, los antihipertensivos (captopril y enalapril), además de anticonvulsivantes como la fenitoína, o broncodilatadores como el salbutamol; los cuatro grupos reportaron deficiencias en el mes de junio de ese año tanto en el municipio de Caibarién como en la mayoría de los municipios del país. Sobran los comentarios.

De nada vale el esfuerzo desplegado por los trabajadores del Sindicato Químico Minero Energético, quienes, según palabras de su secretario general Ángel Morfi Lozada, elevaron en un ocho porciento la producción de medicamentos en los últimos dos años, cuando la Industria Básica asumió a la farmacéutica, lo que permitió reducir entre cuarenta y cuarenta y nueve la cantidad de faltantes del cuadro básico de más de ochocientos medicamentos (tomado del periódico *Trabajadores,* lunes 14 de julio de 2003). Esta aseveración demuestra claramente que dos años antes, el déficit en las farmacias del país abarcaba casi cien renglones, situación además que se viene arrastrando durante décadas sin que el gobierno se haya acercado a una solución.

En 2003, la doctora Yilian Jiménez en una comparecencia en la mesa redonda de la TV (martes, 22 de julio) titulada "Denuncian groseras falacias del diario El Universal de Venezuela", aclaraba que el 67,5 % de los medicamentos que se consumen en Cuba son de producción nacional. ¿Cómo explica el gobierno de Cuba la demora de cuarenta y dos años para crear los mecanismos con los que producir sus propios medicamentos?

Analicemos con más detalles la política del gobierno cubano frente a las enfermedades que sufre la población cubana y su tradicional falta de actitud para dar una respuesta acertada. Las dos grandes epidemias de dengue que ha sufrido nuestro país (1981 y

2002) han demostrado lo vulnerables que somos frente a este vector y la gran falta de recursos que afrontamos; aun así, nuestro gobierno se da el lujo de enviar decenas de termonebulizadores o bazucas a Centroamérica, sin importarle que casi la totalidad de los municipios del país no cuente con estos equipos. En el periódico *Granma* del 9 de junio de 2002 se publicó el artículo "Llega primera ayuda cubana a Honduras para combatir el dengue" en el que se lee: *A la contribución cubana de recursos humanos se une la material, consistente en un equipo SUMA, se han donado tres, más efectivo, en la realización de diagnósticos rápidos, así como también Kits diagnósticos para 25 000 muestras de sangre y termonebulizadores o bazucas, que completan 86.*

En Cuba no tenemos termonebulizadores, ni existen recursos para hacer diagnósticos rápidos de las enfermedades en los municipios del territorio nacional, tampoco contamos con equipos SUMA u otros encargados de la detección de anticuerpos neutralizantes, inhibidores de la hemaglutinación o fijadores de complemento en suero. Si se desea hacer el diagnóstico, es necesario enviar las muestras a las diferentes capitales de provincias con el consecuente gasto de combustible y sobre todo de tiempo, muchas veces imprescindible para salvar una vida.

Con este tipo de política, el gobierno se encarga de echar por tierra uno de sus lemas favoritos, *lo mío primero*. Por desgracia, el paciente cubano ha visto cómo a lo largo de estos años ha tenido que ceder su lugar ante el ciudadano extranjero, no solo sus playas, hoteles, centros de recreación y transporte, ahora se incorpora a esta larga lista la privación de los recursos médicos que le corresponden simplemente porque se envían al extranjero. Pero también en nuestro propio país, el gobierno ha hecho convenios que debe cumplir, y nos referimos a los ciudadanos venezolanos que han sido atendidos en cinco provincias del territorio nacional hasta el 17 de julio de 2003, debido a lo cual, cientos de pacientes cubanos han tenido que ceder sus turnos para cumplir con este compromiso (ver recorte de periódico al final del capítulo JLC). Nos limitaremos a mencionar un nombre:

Sonia G. H,[121] residente del municipio Caibarién. Ingresó en febrero del 2003 en el Hospital Hermanos Ameijeiras de ciudad de La Habana (al cual logró ingresar por ser dirigente de los CDR), tuvo que entregar su turno porque durante un examen endoscópico del tubo digestivo, la bajaron prácticamente a la fuerza de la camilla para atender a un venezolano.

Este convenio de salud entre Cuba y Venezuela se une a la lista de maltratos recibidos por los pacientes cubanos. Resulta indignante leer noticias como la del periódico *Granma* del miércoles 4 de septiembre de 2002 del periodista José Antonio Fulgueiras: "En Caibarién, Villa Clara, exportarán sillones de ruedas": *La fábrica Heriberto Mederos abrirá aquí, por vez primera, la exportación con el envío de más de 300 sillones de ruedas hacia la República Bolivariana de Venezuela.*[122]

Durante estas décadas de vida de la revolución cubana, este ha sido uno de los problemas más acuciantes, es una verdadera desgracia enfrentar la situación de un allegado que necesita un sillón de ruedas, los desdichados familiares tienen que conseguir a alguien que se los preste, que a su vez lo heredó de algún miembro de su familia que lo utilizó y ya falleció, nunca se ha logrado establecer un lugar para su venta, ni tan siquiera para su alquiler; este gran problema golpea incluso las instalaciones de salud, que en la mayoría de las ocasiones no cuenta con sillones de ruedas para facilitar el traslado de los enfermos en el cuerpo de guardia o en el área de consulta. En el Hospital General de Caibarién, al igual que en el de Remedios y en más de un setenta porciento de los del territorio nacional, no existen sillones de ruedas en condiciones aceptables porque los que hay están tan deteriorados que no pueden ser utilizados, por lo tanto, es humillante que sucedan estas cosas y más aún cuando las publican presentándolas como conquistas de la revolución.

---

[121] Residente del municipio Caibarién, seudónimo.
[122] Ver recorte del periódico a final del capítulo.

¿Donaciones o tráfico de sangre?

Su afán por lograr que nuestro sistema nacional de salud sea vanguardia a nivel mundial no se traduce en un deseo de beneficiar al pueblo, sino en mostrar otro de sus índices para confirmar que el socialismo está en un nivel superior al capitalismo. Tal es el caso del artículo publicado en el periódico *Granma* del 14 de agosto de 2002, bajo el título "Supera Cuba parámetros de la OMS en donación de sangre", de la periodista Lourdes Pérez Navarro, y en el que dice que, *la Organización Mundial de Salud (OMS) establece entre los parámetros para medir la eficiencia del sistema médico, una donación de sangre por cada 20 habitantes (*Ver recorte de periódico al final del capítulo*). Cuba ha superado esta cifra al tener una por cada 10. Este es un gesto altruista de nuestro pueblo, ejercido voluntariamente y resultado de la labor de los trabajadores del sistema de salud, los bancos de sangre y los CDR.* [123]

Esta aseveración aparecida en *Granma* responde a una falsedad. Es de conocimiento general que las donaciones de sangre, al igual que las antiguas misiones internacionalistas (sobre todo las guerras en Etiopía, Angola y Nicaragua), la asistencia a trabajos agrícolas o los desfiles y marchas del pueblo, tienen el apellido de voluntarias pero no lo son. En Cuba cualquier persona que quiera mantener su puesto de trabajo tiene que plegarse a estos designios, sumarse a todas estas actividades con carácter "voluntario". El Estado, se vale de estas técnicas para obligar a la masa trabajadora a participar activamente en sus requerimientos políticos, económicos, culturales o de otra índole, siempre concebidos bajo una óptica ideológica y propagandística.

¿Cómo es posible que califiquen las donaciones de sangre como "gesto altruista del pueblo" cuando se sabe que para lograrlo usan el viejo recurso del compromiso y no la espontaneidad? Este tema también se utiliza en el juego de las estadísticas que tanto gustan al gobierno, aunque dudamos de que en el país existan seiscientos veintiún mil cincuenta y dos donantes. Veamos de qué manera involucran al pueblo en este logro de la revolución.

---

[123] Ver recorte de periódico al final del capítulo.

Unas de las tácticas más utilizadas es la del banco de sangre móvil (que también usan otros países). Arriban al lugar escogido y previamente coordinado, que puede ser una escuela (preuniversitario en el campo), una unidad militar, una facultad universitaria, una fábrica e, incluso, una prisión. Allí están los "donantes voluntarios", cada uno con un objetivo trazado y, desde luego, el acto de donar su sangre contribuirá a lograrlo, porque de no hacerlo el estudiante de preuniversitario no podrá aspirar a estudiar una carrera universitaria, el soldado no obtendrá el soñado permiso de fin de semana u otra prebenda mejor, el estudiante universitario tendrá que olvidarse de una buena ubicación una vez graduado, el trabajador no podrá optar por un mejor puesto de trabajo o por los artículos materiales que se distribuyen entre los trabajadores, y el recluso que done su sangre puede aspirar a salir de su prisión cerrada para una abierta o contribuir de alguna manera a reducir su condena.

Últimamente ha resurgido una antigua modalidad, las donaciones de sangre establecidas por el Comité de Defensa de la Revolución (CDR). Esta organización también creó su estrategia, la que consiste en distribuir un televisor fabricado en China (marca Panda) por cada CDR y así, el cederista destacado, que es el que participa en los llamados trabajos voluntarios, desfiles y donaciones de sangre, obtiene uno de acuerdo a su desempeño como revolucionario, incluso es ridículo y hasta difícil de creer, que muchos donantes se sienten felices porque después de donar reciben un vaso de jugo y algunos alimentos, un lujo para los cubanos.

Ese es el universo de los donantes de sangre en Cuba: se suman, luego se dividen en tres, el número total de la población, luego se "redondea", y de esa manera aparece el resultado debajo del sombrero del mago: *uno de cada diecinueve cubanos dona su sangre.*

Si esto fuera verdad absoluta, entonces no sería necesario que tuvieran que recurrir a la innoble tarea de exigirles a los médicos que, para ingresar a un paciente, tienen que solicitarle una donación de sangre, aunque el motivo de su ingreso sea un estudio que no requiera una intervención quirúrgica; esta exigencia es válida en todos los centros hospitalarios del país y se cumple en mayor o menor medida en dependencia del rigor del centro (como se describe en el capítulo: medicina militar).

Las donaciones de sangre se convierten en un acto obligatorio para aquellas mujeres embarazadas (menos de doce semanas de gestación) que solicitan una interrupción del embarazo mediante un legrado, estas son las dos condiciones que les exigen antes de llegar a la mesa de legrado. Desde luego, no se les administra esta sangre, que se convierte en el cobro de este proceder. Es una lástima que no dispongamos del dato exacto sobre la cantidad de mujeres que se hacen diariamente legrados en Cuba. Sirva como dato mínimo que solo en el Hospital Municipal de Remedios se realizan entre veinticinco y treinta casos tres veces a la semana, es decir unos trescientos por mes, que al año serían casi 3600, si nos basamos en esas estadísticas, en una localidad que en el 2004 tenía una población de 46 482 habitantes, podríamos deducir cuantos legrados y cuantas donaciones de sangre se obtienen por esta vía en todo el país.

Existe otro sector en el que prácticamente es obligatorio el acto de donar sangre, nos referimos al turismo. Todo "buen trabajador" tiene que cumplir dos exigencias: entregar su propina al sector de la Salud y donar su sangre cuando haya campaña de donación.

Si el objetivo de las donaciones de sangre tan solo fuera utilizarla en quienes la necesiten pudiera justificarse esta manera "voluntaria" de obtenerla. Pero según una reciente investigación de Maria Werlau, presidente de la organización no gubernamental Cuba Archive: *las importaciones de extractos de glándulas y órganos crecieron fenomenalmente desde casi nada en 2003 (25 804 dólares) a 88,4 millones de dólares en 2013.*[124] ¡Es el colmo que el gobierno cubano robe la sangre y órganos a sus ciudadanos para comercializar e invertir en megaproyectos como el puerto del Mariel!

De farmacias a restaurantes

Retomando el tema de los medicamentos y su venta, nos gustaría traer a colación las palabras del entonces ministro de Econo-

---

[124] Werlau, María, "¿Son Cuba y Brasil socios en el tráfico humano". *Diario de Cuba*. 24 de octubre de 2014

mía y Planificación, José L. Rodríguez, en su informe sobre los resultados económicos correspondientes al año 2002, presentado el 22 de enero ante la Asamblea Nacional del Poder Popular: *Uno de los objetivos priorizados en el 2002 en la esfera de la salud ha sido el programa con vista a mejorar la disponibilidad de medicamentos, reparar 15 almacenes mayoristas y 2053 farmacias comunitarias, lo que deberá concluirse próximamente* [125]

Transcurrieron ocho meses y no concluyeron; después escuchamos en el noticiero nacional de televisión que de las dos mil cincuenta y tres farmacias existentes en Cuba, se habían reparado 1073 (un 52 %) mediante este programa, bautizado como de recuperación y reparación de la red de farmacias; según el periodista, faltaban 43 de las 364 existentes en La Habana, lugar donde más esfuerzo hicieron para cumplir esta tarea y aparecieron los recursos, pero, una vez transcurrido un tiempo se suspendió, como casi siempre sucede.

Es justo reconocer que en una gran cantidad de municipios del territorio nacional al menos comenzó la tarea al reparar la farmacia principal del pueblo, pero dejaron las otras para el futuro, como sucedió en el municipio de Caibarién, que cuenta con cuatro farmacias (una por cada diez mil habitantes, aproximadamente), repararon una farmacia y trataron de recuperar otra que ya no ejercía esa función. En los municipios, al igual que en la capital, la escasez de medicamentos obligó al cierre de inmuebles deteriorados por la falta de mantenimiento y recursos, tal es el caso de la farmacia localizada en la esquina de Justa y Goicuría (calle 6, entre 15 y 17), en Caibarién, conocida antes del triunfo de la revolución con el nombre de Bodega de Yeyo y Olimpia, y después de 1964 como farmacia de Puerto Arturo. En los primeros años de la década de los noventa su techo estaba muy deteriorado y, al no existir los recursos para su reparación, decidieron utilizarla (como a muchas en carnicerías y cafeterías), para la venta de bebidas alcohólicas. Esta farmacia entró también dentro del programa de reparaciones, pero una vez terminada, se encargó de demostrar lo ineficiente del pro-

---

[125] *Granma*, lunes 23 de diciembre de 2002.

grama por la falta de medicamentos ya que nunca logró llenar sus estantes (Ver ejemplo de este tipo de farmacia al final del capítulo). De esta manera, dejó de ser farmacia y se destinó a la gastronomía, bautizándose con el nombre de minirestaurante Mégano.

Venta de medicamentos en divisas

Por último, está la venta de medicamentos en divisas. Este ha sido un tema que las autoridades han manejado con mucha cautela, tanto las de salud como las gubernamentales, quienes han sabido protegerse de las implicaciones políticas del asunto, razón por la cual ubican en esos locales a personas plenamente identificadas con el gobierno, al punto de que muchos los califican de lacayos, ya que bajo ningún concepto brindan información o manipulan los datos con personal que no esté autorizado. Es por eso que nos fue sumamente difícil obtener esta información, que desglosaremos en una lista representativa de los fármacos más vendidos en estos lugares. En el noventa porciento de los casos, esta red de venta se encuentra ubicada en los hoteles de las diferentes líneas turísticas del territorio nacional, y el resto, en las denominadas clínicas internacionales.

Los medicamentos que se venden en los hoteles son destinados para los turistas que se enferman durante su estancia en Cuba, pero se ha filtrado que más del 85 % de las compras las realizan los ciudadanos cubanos. Y uno se pregunta: ¿de qué manera, si la población tiene prohibida la entrada a los hoteles?

La respuesta a la pregunta podría ser: de la misma manera en que se las ingenian para calzar, vestir, buscar sus alimentos, es decir, "inventando", como lo define el argot popular. Siempre, por alguna vía, conocen a alguien (algún familiar, un amigo) que trabaja en el hotel y les hace el favor de comprarle el medicamento necesario para su hijo, padre o cualquier familiar (aunque en ocasiones esto no es necesario, porque existen hoteles que tienen normado "dejar pasar" a los ciudadanos cubanos, no a reservar una habitación o disfrutar de sus áreas recreativas, sino solamente para hacer compras en las farmacias ubicadas en el puesto médico o en la tienda).

Mencionamos como ejemplo al hotel Los Caneyes, de Santa Clara, en el cual está reglamentado "dejar entrar" a los ciudadanos cubanos exclusivamente a estos dos locales, donde son vigilados mientras realizan su compra y en cuanto terminan tienen que abandonar el hotel, así sucedió hasta hace pocos años.

Esta práctica se realiza en innumerables instalaciones turísticas del territorio nacional y obedece a una estrategia de sus gerentes, quienes para elevar los ingresos del hotel buscan alternativas como estas, gracias a la cual garantizan sus cómodas plazas, aunque en ocasiones funciona de una manera centralizada, encargándose de estos trámites una de sus corporaciones, como en el caso del Convenio Cubanacán-Turismo-Salud. En este caso, la corporación Cubanacán es la encargada de la compra y distribución de los medicamentos y accesorios médicos que se dedican a la venta.

La Empresa del Turismo ofrece sus inmuebles y a los huéspedes que se hospedan en ellos, y el Ministerio de la Salud coloca al personal encargado (médicos y enfermeras), quienes además de ejercer sus profesiones se encargan de la venta de los fármacos. Muchas veces, esta actividad es supervisada por una de las clínicas internacionales, como es el caso del Hotel Los Caneyes, en el cual la clínica internacional ubicada en Cienfuegos se encarga de su control.

Sería conveniente hacernos algunas preguntas: primero, ¿cómo es posible que el ciudadano cubano tenga que reunir unos dólares para comprar medicamentos en los hoteles, cuando según sus dirigentes, el llamado cuadro básico de sus farmacias está por encima de los ochocientos renglones, suficientes para cubrir sus más disímiles necesidades? ¿Los medicamentos producidos en Cuba reúnen las condiciones necesarias para las exigencias actuales? ¿Ha sido necesario acudir a la llamada "medicina verde" para arribar a la cifra de ochocientos renglones? ¿Conocen nuestros dirigentes cuáles son los medicamentos de mayor demanda en la farmacias? ¿Qué hacen para que sus empleados no tengan que decirles a sus clientes: *lo sentimos, pero en este momento no disponemos de ese medicamento?*

Desde hace varios años la elevada tecnología en la industria farmacéutica mundial ha permitido obtener medicamentos combinados que unen en sí mismos acciones farmacológicas distintas para reducir la frecuencia de ingestión de estos, y en un mismo comprimido combinan un betabloqueador y un diurético o un antiarrítmico y un diurético, por solo mencionar dos ejemplos, pero son cientos de ellos los que evitan molestias al paciente y logran mejores resultados con su uso. Este tipo de medicamento no se produce en Cuba y es uno de los motivos por los cuales los cubanos necesitan comprarlos en los hoteles.

Para enfrentar el carácter multifactorial en la etiología de varias enfermedades, han surgido farmacos con diversas propiedades que tratan de incidir en distintas causas de las enfermedades. Digamos, por ejemplo, para enfermedades de la piel como la psoriasis o algunas variantes de dermatitis se utiliza el cuatroderm (cuenta con propiedades antimicóticas, antibacterianas y esteroideas), y con este patrón se producen medicamentos para muchas especialidades, entre ellos, óvulos vaginales recomendados por los ginecólogos por su acción frente a hongos, bacterias y parásitos, con magníficos resultados ante infecciones no específicas, por mencionar otro ejemplo. Difícilmente estos se encuentran en la red de farmacias cubanas.

Por años, en especial durante el Periodo Especial, las farmacias destinadas a la población han carecido de los medicamentos de mayor demanda. Por un lado, la producción de estos siempre ha sido reducida y, por el otro, está el afán del cubano por acaparar (guardar para cuando se acabe, vender con posterioridad el medicamento o cambiarlo por alimentos en el campo).

Estas dos variantes condicionan la perpetuidad de la escasez de los mismos. En este caso sería bueno patentizar un viejo lema de la medicina que se refiere a las enfermedades al momento de diagnosticarlas: *lo más frecuente, es lo primero*. Así debería funcionar la industria farma-céutica, orientando sus producciones hacia los fármacos de mayor demanda.

Sin embargo, para no ser injustos, sabemos que en ocasiones no es tan sencillo. La industria carece del presupuesto necesario para la compra de nuevos equipos, materias primas, etc., lo que se convierte en caldo de cultivo para la aparición de justificaciones que se derivan de la ausencia de los medicamentos. A nadie le interesa informarse sobre cuáles son los problemas de salud más frecuentes en una localidad para luego distribuir los medicamentos de mayor demanda en sus farmacias. En teoría, los médicos de las familias deben confeccionar un análisis de la situación de salud de su área, la cual debe contemplar este punto, pero sucede lo de siempre, se enreda en la burocracia y muere en los papeles.

Por ejemplo, veamos algunos problemas de salud y cuáles son las opciones que nos brinda la red de farmacias cubanas:

PROBLEMAS DE SALUD	OPCIONES EN FARMACIAS
Parasitismo intestinal (giardias, amebas, estrongiloides, necátor)	Metronidazol y levamizol
Reacciones alérgicas producto de dermatitis, rinitis, psoriasis, intoxicaciones alimentarias, medicamentos, entre otras	Difenhidramina
Infecciones	Penicilina cristalina y rapilenta, tetraciclina, oxacillin y sulfaprim
Déficits de vitaminas, oligoelementos y minerales	Multivitaminas (solo del complejo B)
Afecciones del aparato respiratorio superior que requieran antitusivos y descongestionantes	No existen
Situaciones de salud que requieran antioxidantes y suplementos dietéticos	No existen
Antidiarreicos	No existen
Antiácidos	A veces, hidróxido de aluminio
Vasodilatadores cerebrales	No existen

Debido a que las opciones que brinda la red de farmacias al cubano común son, en muchos casos, muy poco eficaces, están obligados a buscarlas en el mercado farmacéutico en divisas. Digamos, por ejemplo: para el tratamiento de la giardiasis —problema de salud común que se ha eternizado por la ausencia de agua para la correcta higiene— solo tienen el metronidazol como opción terapéutica, el cual es poco eficaz en nuestro medio, por lo tanto, los pacientes acuden a esos lugares en busca del secnidazol aconsejados incluso por el médico de cabecera para solucionar su problema o quitárselo de encima. Lo mismo sucede con una lista de medicamentos buscados con ansias y pagados con sudor y sacrificio por su déficit en las farmacias.

En este último caso, nos referimos a los fármacos utilizados para el tratamiento de las enfermedades cerebrovasculares, las cuales tienen una incidencia elevada en la población (5%), hasta convertirse en la tercera causa de muerte en Cuba, así como en otras partes del mundo, con una tasa de mortalidad de 61,5 por 100 000 habitantes en el año 1984, y que aumentó en 2001 (casi veinte años después) a 71,8 por 100 000 habitantes.[126]

En Caibarién, la tasa de mortalidad en los años 2001 y 2002 fue de 66,25 % y 61,32 %, respectivamente.[127] No obstante, a pesar de la mortalidad tan elevada, por desgracia para los sobrevivientes no existen posibilidades terapéuticas, a excepción de antiagregantes plaquetarios como la aspirina o el dipiridamol, pero no hay medicamentos pertenecientes a diferentes grupos que tienen como objetivo mejorar la función cerebral, digamos:

- Medicamentos que actúan para mejorar y proteger la función de la corteza cerebral (piracetam, ciclofalina, gabapentin).
- Medicamentos con efectos antivasoconstrictor y antiisquémico cerebral (nimodipino).

Existe un medicamento, la pentoxifilina (trental),[128] de gran demanda en esta red de ventas por divisas, utilizado como vasodilatador periférico y para la enfermedad arterial y venosa de naturaleza arteriosclerótica, con gran aceptación por sus efectos ante trastornos circulatorios cerebrales (secuelas de arteriosclerosis cerebral); además, es excelente en casos de dificultad en la concentración (vértigo), compromiso de la memoria y estados isquémicos post apoplécticos. Desde hace más de veinte años, este medicamento se usa en el mercado mundial como un fármaco que facilita el

---

[126] "Tratamiento del paciente con enfermedad cerebrovascular izquierda y traumatismo craneoencefálico", *Revisiones de conjunto*, vol. 10, no. 1, 1987, p. 24.

[127] Archivo del Departamento de Higiene y Epidemiología del municipio de Caibarién.

[128] *Diccionario de las Especialidades Farmacéuticas* (26ª edición), 1998, editorial PLM, S.A., p. 809.

flujo sanguíneo cerebral y, lo que es más importante, del regional y su mecanismo de acción principal es el mejoramiento de la deformidad de los eritrocitos, con acciones secundarias que inhiben la agregación plaquetaria y reducen la viscosidad sanguínea.[129]

En cuanto a los medicamentos antivertiginosos y antiespasmódicos vasculares, nos referimos específicamente a la cinarizina de 25 a 50 mg (stugeron), que inhibe las contracciones de las células de la musculatura vascular lisa, al bloquear los canales de calcio, además de mejorar la microcirculación deficiente al incrementar la deformidad de los eritrocitos y disminuir la viscosidad de la sangre.[130]

Hemos traído estos ejemplos a colación por ser parte de los medicamentos de mayor demanda, sin embargo, existen otros, pero su cantidad abrumadora nos impediría concluir este capítulo; baste mencionar los grupos a los cuales pertenecen (que desde luego, no se encuentran disponibles en la red de farmacias): antivirales, antitusivos, inmunoestimulantes, descongestionantes, vitaminas asociadas con remineralizantes o con analgésicos y antirreumáticos, así como reductores del colesterol.

CUADRO COMPARATIVO DE LOS PRINCIPALES MEDICAMENTOS DE MAYOR DEMANDA		
FÁRMACOS	PRECIOS EN DÓLARES	PRECIOS EN MONEDA NACIONAL
Antibióticos		
Ciprofloxacina (10 tab)	$14.00	$378.00
Claritromicina (10 tab)	$40.00	$1 080.00
Vitaminas		
Aceite de hígado de bacalao (cápsula)	$8.05	$217.35
Aceite de hígado de bacalao	$6.05	$163.35

[129] "Tratamiento del paciente con enfermedad cerebrovascular izquierda y traumatismo craneoencefálico", *Revisiones de conjunto*, vol. 10, no. 1, 1987, p. 24.

[130] *Diccionario de las Especialidades Farmacéuticas. Op. Cit.*

(frascos de 185 ml) (1 frasco)		
Antiinflamatorios		
Piroxican (gel) (1 tubo)	$2.58	$69.66
Naproxeno (gel) (1 tubo)	$7.80	$210.60
Voltarén (diclofenaco sódico) (1 tubo)	$3.55	$95.85
Dioxaflex + vitamina B-12 (ámpula) x unidad	$7.00	$189.00
Cremas		
Nizoral (1 tubo)	$4.85	$130.95
Contractubex (1 tubo)	$8.05	$217.35
Antihistamínicos		
Cetirizina (10 tab)	$20.00	$540.00
Loratadina (10 tab)	$15.00	$405.00
Colirios		
Diclofenaco (1 frasco)	$9.85	$265.95
Prednisolona (1 frasco)	$2.85	$76.95
Digestivos		
Alka-Seltzer (1 paquete)	$0.40	$10.80
Imodium (Loperamida) (6 tab.)	$4.25	$114.75
Hidróxido de aluminio + H. de magnesio (1 frasco)	$3.15	$85.05
Cimetidina (tab.) (20 tab)	$13.00	$351.00
Antiparasitarios		
Secnidazol (10 tab)	$7.50	$202.50
Ocnidazol (10 tab)	$15.80	$426.60
Vasodilatadores		
Pentoxifilina (trental) (10 tab)	$9.25	$249.75
Cinarizina (stugeron) (10 tab)	$2.15	$58.05
Hipotensores		
Captopril (tab) (20 tab)	$1.75 c/tab.	$47.25
Antitusivos		
Breacol (guaifenesina) (10 tab)	$5.65	$152.50

Tasa de cambio: 1 dólar equivale a 27 pesos en moneda nacional.

Tómese esta tabla como muestra, ya que aquí se recogen los fármacos preferenciales de nuestra población, aunque es válido señalar que en las farmacias de ventas con CUC no solo se venden medicamentos, sino agujas y jeringuillas desechables, vendas elásticas, almohadillas sanitarias, tampones y sillones de ruedas.

Paradójicamente el gobierno envía de manera gratuita a Venezuela sillones de ruedas, pero se pueden adquirir en este tipo de farmacia al precio de 505 dólares equivalentes a 13 635 pesos cubanos.[131]

> Los familiares de Antonio A. T. vecino de Calle 6, con historia clínica no. 16169, Caibarién tuvieron que comprar un sillón de ruedas en un local ubicado en Centro Habana a 505 dólares (13 635 pesos cubanos) .

---

[131] "El salario medio cubano sube un 1% pero no llega a los 15 euros mensuales", ABC. es 21 junio 2014. http://www.abc.es/internacional/20140619/abci-salario-medio-cubano-sube-201406181909.html

El salario medio estatal en 2013 es 471 pesos (20 dólares: 14.7 euros). En el 2006 la remuneración media era de 387 pesos (16 dólares).

Exportarán sillones de ruedas

■ José Antonio Fulgueiras

CAIBARIÉN.—La fábrica Heriberto Mederos abrirá aquí, por vez primera, la exportación con el envío de más de 300 sillones de ruedas hacia la República Bolivariana de Venezuela.

Esta unidad, inaugurada por el Che en 1964, da los toques finales a la primera remesa y a finales de año remitirá otra cantidad similar al hermano país.

La fábrica trabaja también para asegurar las producciones destinadas a la Asociación Cubana de Limitados Físico Motores (ACLIFIM), destacó Luis Reyes Fernández, director de la entidad.

Ese constituye su aporte al programa estatal para beneficiar a las personas con discapacidades y también un importante medio de empleo para los habitantes de la llamada Villa Blanca.

Los sillones hechos aquí recibieron el premio a la calidad en la Feria Internacional Metánica 2002, del Ministerio de la Industria Sidero-Mecánica.

En el proceso de producción utilizan elementos confeccionados en la Heríberto Mederos, que fabrica este medio auxiliar con un buen acabado y probada eficiencia.

MIÉRCOLES 4-9-02.

Artículo del periódico *Granma* que anuncia la exportación de más de 300 sillones de ruedas hacia la República Bolivariana de Venezuela (2002).

260

Supera Cuba parámetros de la OMS en donación de sangre

Lourdes Pérez Navarro

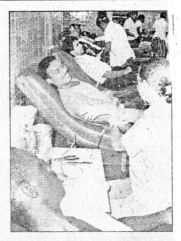

La Organización Mundial de la Salud (OMS) establece entre los parámetros para medir la eficiencia del sistema médico, una donación de sangre por cada 20 habitantes, Cuba ha superado esa cifra al tener una por cada 19. Este es un gesto altruista de nuestro pueblo, ejercido voluntariamente, y resultado de la labor de los trabajadores del sistema de la Salud, los bancos de sangre y los CDR.

Lo anterior lo expresó Juan José Rabilero Fonseca, vicecoordinador de esta organización de masas en el acto nacional realizado la víspera en el Banco Provincial de Sangre ubicado en el capitalino municipio de Plaza de la Revolución, que puso fin a la jornada de donación de sangre iniciada el primero de este mes.

El plan cederista —que va desde inicios de octubre hasta el 28 de Septiembre—, es de medio millón de donaciones, agregó el dirigente de los CDR. Hasta el momento se han realizado 474 600 y todas las provincias marchan con buen paso, de ellas, Cienfuegos y Guantánamo ya concluyeron, y Santiago de Cuba, Matanzas y Camagüey están próximas a cumplir el compromiso.

Durante el acto, 42 cederistas y centros laborales, organismos e instituciones como los hoteles Habana Libre y Nacional, el hospital Cira García, las Brigadas Especializadas y de la Policía del municipio de Plaza, y el Banco Provincial de Sangre de Ciudad de La Habana, recibieron reconocimientos por su destacada actuación en esta tarea.

"En estos tiempos en que se habla de grandes adelantos en la ciencia, la sangre sigue siendo imprescindible para el sistema asistencial en cualquier parte del mundo. Los trasplantes, la cirugía y todo lo que requiere una intervención quirúrgica, necesitan este recurso. En nuestro país se realizan más de 400 000 transfusiones al año, y esto no se podría lograr sin la sangre que dona el pueblo", afirmó Luz Marina Pérez Torres, directora del Banco Provincial de Sangre de la capital, centro Vanguardia Nacional por tres años consecutivos.

"Este es uno de los actos más hermosos de solidaridad humana, y gracias a los esfuerzos del Ministerio de Salud Pública, los médicos de la familia y de cada cederista, se superan las donaciones de sangre estipuladas por la OMS, cifras que logran muy pocos países y que en América Latina solo Cuba alcanza", agregó.

Refiriéndose al valor médico, social y económico de la sangre, la dirigente del Banco afirmó que este producto cada vez escasea más en el mundo por la cantidad de infecciones que existen, como los virus del SIDA y el de las vacas locas; por ello su precio aumenta considerablemente hasta llegar a duplicarse en algunos países. Además, la industria farmacéutica trabaja con uno de los componentes de la sangre: el plasma, del cual se obtienen medicamentos valiosos. En nuestros bancos se prioriza la calidad de este producto humano, al realizarles un chequeo previo a los donantes a fin de evitar la propagación de enfermedades de transmisión sanguínea.

Donantes voluntarios cada año ceden un poco de su sangre para ayudar a salvar otras vidas. Entre ellos están Alfredo Uría y Clara Rivero, de la Brigada Especializada de la Policía del municipio de Plaza; Manuel Fabián, trabajador del Ministerio de Comunicaciones; Miguel Fleitas, carpintero, y Joan Pérez, estudiante del Instituto Politécnico Aracelio Iglesias, quienes ayer donaban su sangre "como el mejor regalo para cualquier ser humano que lo necesite".

Artículo del periódico *Granma* que se resalta el aspecto competitivo con los países desarrollados en el área de salud. "La Organización Mundial de la Salud (OMS) establece entre los parámetros para medir la eficiencia del sistema médico una donación de sangre por cada 20 habitantes. Cuba ha superado esa cifra al tener una por cada 19".

Destacan logros de Convenio de Salud Cuba-Venezuela

CARACAS.—Las autoridades venezolanas recibieron el viernes a la paciente número 57 mil atendida por el Convenio Integral de Salud Cuba-Venezuela, luego de haber sido tratada por especialistas cubanos en la Isla caribeña.

Durante el acto celebrado en el aeropuerto internacional de Maiquetía, el vicepresidente ejecutivo de Venezuela, Jorge Arreaza, recordó que este acuerdo binacional de cooperación surgió en el 2000 gracias a la iniciativa de los líderes de Cuba, Fidel Castro, y de Venezuela, Hugo Chávez.

Desde entonces, comienza esta relación hermosa y recíproca entre ambos países, tras lo cual vino el surgimiento de las misiones y programas sociales para el bienestar del pueblo venezolano con el aporte y la ayuda de los colaboradores cubanos y de este Convenio, afirmó.

Con iniciativas como esta, 57 mil venezolanos han recibido de manera gratuita no solo la mejor atención científica médica, sino también amor, buen trato y respeto, agregó.

Agradecemos a Fidel Castro, a Raúl Castro y a Cuba por todo lo que han hecho por el pueblo venezolano, expresó el Vicepresidente Ejecutivo al destacar el impacto positivo de la colaboración cubana en los

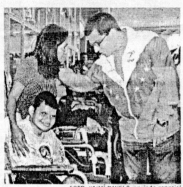

FOTO: YAIMÍ RAVELO, enviada especial

diversos programas sociales que impulsa el Gobierno bolivariano.

Asimismo, Arreaza recordó al líder bolivariano como genuino artífice y promotor de las políticas de corte social aplicadas durante los últimos 14 años en beneficio del pueblo venezolano.

Por su parte, el ministro del Despacho de la Presidencia y Seguimiento de la Gestión del Gobierno, Wilmer Barrientos, resaltó la profunda sensibilidad y visión social de Chávez. **(PL)**

Recorte del periódico Granma del 17 de agosto del 2013 donde se destacan los logros del convenio de salud entre Cuba y Venezuela. Se recogen cifras por encima a los 60 mil enfermos venezolanos tratados en el país, pero desgraciadamente muchos pacientes cubanos reciben maltratos debido a tal convenio.

Farmacia urbana en Caibarién, 2011. Nótese los estantes de medicamentos casi vacios y los fallos estructurales en el techo.

CAPÍTULO VIII
Medicina con un fusil al hombro

Palabras clave

Instrucción teórica y práctica de carácter militar • Cátedra Militar • médicos con grado de tenientes • preparados para la guerra • concentrado militar obligatorio • industria militar • Topes de Collantes • opción docente • previas • servicio militar para mujeres • Hospital Militar de Santa Clara • abuso de los oficiales de la contrainteligencia militar • comisión médica • cartílago de tiburón • trabajadores civiles de las FAR

Desde el triunfo de la revolución cubana el sector más importante del país ha sido el militar. A medida que la revolución se fortaleció purgando a todos sus enemigos internos, el ejército se fue puliendo hasta llegar a ser el más importante símbolo de poder del gobierno cubano. Desde que las Fuerzas Armadas Revolucionarias (FAR) fueron creadas, el gobierno castrista ha controlado completamente al ejército y ha contado siempre con la sumisión y alianza del Ministerio del Interior, entre otras organizaciones.

Fue en 1975, cuando en el entonces Instituto de Ciencias Básicas y Preclínicas Victoria de Girón (hoy Instituto Superior de Ciencias Médicas de La Habana) nació el Sistema de Preparación para la Defensa de los estudiantes de los centros de educación superior. Desde entonces, decenas de miles de graduados en diferentes especialidades se han formado como oficiales de la Reserva de las FAR y han pasado a integrar sus filas como oficiales activos.

Debemos aclarar que los estudios de medicina en Cuba implican una instrucción teórica y práctica de carácter militar (al igual que cualquier otra carrera universitaria en nuestro país), pero con la diferencia de que, por ejemplo, el que estudia en el instituto pedagógico y se gradúa de profesor o los que estudian carreras como ingeniería o arquitectura, entre otras, pocas veces son molestados por el ejército, al menos no lo son con el rigor ni con los objetivos

265

con los que se forman como médico; los estudiantes de Medicina, como los demás, tienen una asignatura programada que se llama Cátedra Militar, la cual se realiza en un edificio construido especialmente para esa actividad donde existen los famosos polígonos en los que se realizan las prácticas de marcha e infantería, además de las aulas y laboratorios para los estudios y las prácticas.

En la formación del médico socialista, militar y científico, la medicina militar está contemplada como un eslabón clave. De manera que no se gradúan de simples médicos civiles como en cualquier lugar del mundo solo comprometidos con la ciencia, sino de médicos con grados de tenientes en los servicios médicos de las FAR. Esos médicos recién graduados son incorporados de inmediato a las diferentes unidades militares, unidades de reserva y comités militares urbanos para poner en práctica lo que aprendieron a su paso por la Cátedra Militar en asignaturas tales como Infantería, Prácticas de tiro con fusil y pistola, además de ejercicios especiales en la construcción de trincheras, lanzamiento de granadas, estudio detallado del ejército de los Estados Unidos, cirugía de campaña, armas de exterminio de masas y sus implicaciones para la salud, planes de protección frente a agresiones con armas de exterminio masivo y armas biológicas, guerra bacteriológica, las diferentes formas de practicarla, el uso de gases venenosos, bacterias, virus, hongos y cómo deben actuar los servicios médicos militares en la evacuación y traslado de heridos, cómo funcionan los puestos médicos y cómo es su estructura en la ofensiva y la retirada o en la defensa.

En un intensivo de tres semanas los estudiantes de medicina rotan por la Cátedra Militar, con uniformes militares, cascos, botas y fusiles, le impregna un sello particular a una escuela de Medicina cubana y la hace diferente a cualquier otra universidad del mundo en la que se estudie esta carrera. Pero quizás lo más importante es el verdadero objetivo de esta formación militar: graduar a un médico que es a la vez un oficial de las FAR preparado para una acción militar. Un ser incondicional, revolucionario y soldado, quien ante cualquier situación deja de ser civil para usar su uniforme y su fusil, preparado para la guerra, para invadir, para hacer espionaje; por eso, cualquier misión médica internacionalista incluye un ejército de médicos, pero no se debe olvidar que son militares y que como tal pueden ser activados, no son misiones médicas civiles, son además, militares.

Recuérdese que el contingente que creó Fidel Castro en el año 2005, después del paso del huracán Katrina, lleva el nombre de un general de brigada mambí, Henry Reeve, un patriota neoyorkino que luchó por la independencia cubana contra el ejército español, de valentía innegable, quien ascendió por todos los grados militares del ejército mambí, pero fue un militar, no uno de los cientos de científicos que existen, médicos dignos para nombrar a un contingente de médicos que supuestamente realizan misiones humanitarias; aquí dejó muy claro su afán de enlazar la medicina con la guerra.

Preparación militar

En el mes de abril de 1987, asistieron al Instituto Superior de Ciencias Médicas de Villa Clara tres altos oficiales representantes de las FAR, los cuales tuvieron una reunión en la cátedra militar del instituto con todos los alumnos del quinto año de la carrera de Medicina. Comenzaron su discurso exaltando el papel de las FAR en nuestra sociedad como ángel protector del enemigo imperialista, así como la necesidad de contar con un personal médico entrenado para cuidar la salud de cada uno de sus miembros. Hablaron de cuán importante y transcendental son los servicios médicos para la tropa, aseguraron que la propuesta que iban a ofrecer era una oportunidad única para emplear los conocimientos impartidos por esta cátedra en su formación, hicieron un recuento de los esfuerzos realizados por la patria para que los presentes pudieran convertirse en médicos, en especial el efectuado por las FAR, que había construido el edificio de dos plantas con un polígono donde funciona la cátedra, había formado a los profesores en las diferentes especialidades militares y realizado la preparación, dirección y ejecución de los denominados concentrados militares. Fue la primera vez que oímos hablar del acuerdo MINSAP-MINFAR que preveía la participación de los médicos civiles en la vida militar como "oficiales médicos transitorios" por un periodo de dos años.

Esa era la misión de aquellos adiestrados oficiales de las FAR, quienes prometieron un rosario de beneficios a los que desde ese mismo instante se comprometieran con el programa de posgrado; aseguraron que una vez cumplido el plazo de dos años, los médicos podrían incorporarse a la vida civil si este era su deseo, y que la Dirección Provincial de Salud les mostraría la lista de las especialidades médicas disponibles en ese momento por las cuales podían optar o, de lo contrario, si deseaban continuar perteneciendo a la rama militar, les garantizaban también una de las llamadas superespecialidades. Este fue el gancho que usaron y con él, lograron que diez de los veinte mejores estudiantes de ese año, con mayor promedio académico y quienes encabezaban el escalafón, se incorporaran al proyecto.

Dicha cátedra militar fue el lugar elegido para dar instrucción militar a los estudiantes de medicina, instrucción que se iniciaba en el cuarto año de la carrera por un periodo de dos o tres semanas, con evaluaciones periódicas y examen final; esta era la continuación de la preparación militar que se daba en todos los niveles de enseñanza en Cuba, desde la enseñanza primaria, media, preuniversitaria y universitaria (otro de los planes del comandante para lograr un pueblo preparado que pudiera enfrentarse a la futura agresión yanqui, que sin dudas ocurriría en cualquier momento).

Para concluir la preparación militar y pasar del quinto al sexto año de la carrera, el estudiante de medicina tenía que participar durante su periodo vacacional (julio-agosto) en el llamado concentrado militar. Por la dureza de este, las condiciones difíciles y la lejanía, solo participaban los estudiantes del sexo masculino. Durante tres semanas, recibían clases teóricas sobre el terreno, que abarcaban temas muy similares a los recibidos, entre ellos cartografía y armas de exterminio masivo, se impartían clases prácticas de infantería, táctica y estrategia militar, así como prácticas de tiro con fusil, pistola y lanzamiento de granadas. Aprobar este concentrado militar era obligatorio, de lo contrario se le negaba al aspirante la graduación al año siguiente y, por ende, el título de médico.

De esta manera, a cada estudiante de medicina que se gradúa en Cuba se le exige una preparación militar que concluye en el famoso concentrado militar. Cada médico graduado, aparte de su título, recibe a su vez el grado de teniente de la reserva militar del país,[132] lo que significa que cumplen una doble función en cualquier lugar donde se desenvuelvan; incluso están a disposición de los órganos de control, ya sea la contrainteligencia militar o el departamento de seguridad del Estado, que le pueden exigir su colaboración en cualquier tarea que lo requiera. Naturalmente, esta disponibilidad también funciona cuando sale del país en las misiones internacionalistas, sobre todo si Cuba está relacionada con alguna acción militar en el país de destino, como ocurrió en Nicaragua durante 1978-1990 con la Revolución Sandinista protagonizada por el Frente Sandinista de Liberación Nacional y en la cual Cuba desempeñó un rol injerencista al ofrecer apoyo logístico, militar y médico, o en países como: Argelia, República Popular de Angola (R.P.A), El Salvador, Colombia, Etiopía, Libia, El Congo y Chile, entre otros.

Al concluir el sexto año de la carrera de medicina, cada estudiante del sexo masculino recibía, además del título de Doctor en Medicina, una certificación militar con el objetivo de presentarla en su área de atención militar (oficina pública que controla a cada ciudadano desde el punto de vista militar). Cada egresado universitario obtenía de manea automática el grado de teniente de la reserva militar, con una calificación buena, regular o mala determinada en gran medida por la evaluación final del concentrado.

El concentrado militar

En la segunda quincena de julio de 1987 todos los alumnos que concluimos el quinto año de la carrera de medicina en el territorio central (que incluía las facultades de medicina de las provincias de Cienfuegos, Sancti Spíritus y Villa Clara) recibimos uniforme verde olivo, un par de botas, gorra y mochila y, en una tarde nublada, medio centenar de viejos autobuses nos depositaron en una apartada zona rural de la provincia de Matanzas llamada Cantel; allí, en un potrero abandonado lleno de marabúes[133] y escasos árboles, nos ordenaron bajar nuestras pertenencias.

---

[132] Ver certificado al final del capítulo.

[133] Planta arbustiva espinosa africana de la familia de las leguminosas que en Cuba es una plaga y recibe este nombre común.

Los oficiales que nos recibieron aquella tarde de julio, sobre las cuatro de la tarde, nos ordenaron que nos desplegáramos en compañías; bajo gritos y amenazas construimos nuestros refugios (no nos entregaron casas de campañas, lonas o nailon para resguardarnos), por increíble que parezca estaba dentro de nuestras obligaciones buscar esos artículos en un país donde no se venden, por lo que tuvimos que utilizar ramas, pencas de palmas y algún que otro nailon que alguien pudo obtener... la naturaleza la emprendió con furia sobre nosotros dejando caer un verdadero diluvio; sobre las ocho y treinta de la noche, aún bajo la lluvia, nos dieron los primeros alimentos: arroz, chícharos aguados y una fina rebanada de carne enlatada. La lluvia duró hasta la medianoche. Amanecimos mojados y hambrientos, muchos durmieron aquella noche en charcos de agua.

Nos agruparon en escuadras, pelotones, compañías y batallones. Los jefes de escuadras y de pelotones eran alumnos seleccionados, por lo general militantes de la UJC (Unión de Jóvenes Comunistas) o dirigentes de la FEU (Federación Estudiantil Universitaria). Sin embargo, los jefes de compañías y batallones eran oficiales de la Reserva, por lo general, trabajadores civiles movilizados por las FAR para esta actividad, así como sargentos instructores en servicio activo. A todos nos dirigía una plana de oficiales activos de las FAR comandados por un teniente coronel de apellido Iturria, y al mencionarlo, viene a mi mente el momento de regreso, cuando a medida que los autobuses se alejaban de aquel repugnante lugar, todos cantábamos: *Iturria, ¡todo en la vida se paga!*, parodiando la letra y melodía de un viejo bolero son cubano muy popular.

Este teniente coronel encabezaba un grupo numeroso de oficiales y reservistas encargados del control y la disciplina de aquel proyecto que nos trató como a ordinarios soldados en una "previa" (nombre con el que se conoce la jornada de ocho semanas previas al ingreso a las FAR durante la cual entrenan a los futuros soldados) y funcionábamos bajo un rígido régimen militar. Nos dieron un rifle de asalto ruso AKM con dos cargadores, un casco de metal y una máscara antigás; todos estos artículos eran de obligatorio uso diario. El campamento ocupaba un kilómetro cuadrado, vivíamos en espacios identificados por los números de nuestras escuadras, pelotones y compañías, hacíamos las necesidades fisiológicas entre las plantas de la manigua y nos bañábamos cuando había agua, que a veces demoraba días en llegar.

A las 6:00 a.m. nos levantaban con el odiado despertar "¡De pie!", media hora después venía el desayuno (que en la primera semana fue leche aguada con pan, con posterioridad fue sustituida por la tradicional agua con azúcar cubana); a las 7:00 a.m. ya debíamos estar formados correctamente vestidos con el uniforme militar, nos pasaban revista en busca de alguna violación, ya sea en el uso del uniforme (botones sin abrochar, camisa fuera del pantalón) o del porte y aspecto personal. Después que ellos organizaban las actividades del día, nos hacían emprender largas caminatas que oscilaban entre los cinco y los diez kilómetros, hasta que arribábamos al lugar preseleccionado en el que se efectuaba la clase teórico-práctica y, luego de un regreso agotador, nos premiaban con un almuerzo que, al igual que la comida, casi siempre consistía en arroz mal cocido, potaje de chícharos o frijoles (semicocinados) y carne enlatada. Las escasas veces que nos daban carne de puerco o pescado, siempre era en pequeñas porciones.

La estancia en el campamento era de carácter obligatorio, los oficiales controlaban todo muy bien haciendo supervisiones constantes a cualquier hora, listas en mano; además, registraban nuestras pertenencias buscando algún fusil escondido debido a que el arma era de uso personal y obligatorio. Cuando las entregaron, tuvimos que firmar un documento en el que nos hacíamos responsables de ellas; en caso de extravío, corríamos el riesgo de ir a prisión (todavía no logro explicarme cómo nos permitieron portar estas armas todo el tiempo sin que nos las quitaran por las tardes), por lo tanto, los alumnos más audaces que decidían escaparse por las noches en busca de alimentos o para acudir a la hermosa playa de Varadero (a unos pocos kilómetros de allí) guardaban su arma con algún amigo o en el cañaveral más cercano. Recuerdo que en una ocasión, durante una de estas supervisiones, encontraron cuatro fusiles ocultos. Al otro día, el teniente coronel Iturria descargó toda su ira sobre aquellos estudiantes responsables de los fusiles; fue un acto ejemplarizante en el que procedió a su expulsión deshonrosa. Aún guardo la imagen de desconsuelo y tristeza con la que abandonaron el campamento, sin dudas habían pasado la etapa más difícil (la primera semana), el próximo año tendrían que regresar de nuevo, no se podrían graduar junto a sus compañeros de curso, ese era el mayor castigo.

La etapa final de aquella preparación militar incluía el supuesto desembarco del enemigo (los marines norteamericanos) frente a nuestras posiciones. El ejercicio comenzó tres días antes de concluir el concentrado y se denominaba supervivencia. Recibimos víveres para tres días sobre la marcha, que consistían en seis laticas de jugo de naranja, seis laticas de frijoles en conserva, tres de pescado y seis de tamales en conserva. Acabamos con cuanta fruta encontramos en el camino, así como con alguna que otra gallina extraviada, algunos no tuvimos tanta suerte y nos conformamos con aquel "majá" (serpiente) que el alumno/soldado Antonio Sarmientos Pérez nos preparó. Caminamos unos veinte kilómetros diarios durante los cuales nos hacían constantes emboscadas, tanto de día como de noche, a pesar del hambre, el cansancio y la sed. Al segundo día ya conocíamos la estrategia de los oficiales de la reserva y los activos, quienes utilizaban a nuestros propios compañeros de otras compañías para efectuar los ataques comando, así como para las emboscadas; cuando imaginábamos alguna, los esperábamos con excrementos de vaca secos que arrojábamos sobre ellos, de esta manera nuestro pelotón nunca más fue emboscado. La marcha concluyó por fin, desde luego, con nuestra doble victoria: la del ejercicio y la del concentrado.

El médico recién graduado en la unidad militar

El médico recién graduado trataba de evitar el servicio de posgrado en las FAR debido a que comúnmente se efectuaba en las unidades militares y allí era considerado un oficial más de bajo rango. Por encima del teniente de los servicios médicos (que era el grado militar que ostentaba el médico), estaban el jefe del puesto médico —quien podía tener el mismo grado militar— o todos los médicos que existieran en dicho puesto médico, ya que en las grandes unidades militares podían laborar entre cuatro y cinco médicos; además, recibía instrucciones del jefe de servicios médicos de la división, así como de sus homólogos a nivel de ejército y de ministerio.

En la unidad militar, el médico era un subordinado más del jefe de unidad, del oficial político, así como del jefe y segundo jefe de retaguardia.

La verdadera función del médico en una unidad militar no consistía en curar, era puramente burocrática: tener en orden los libros para las supervisiones. La actualización de estos en los oficiales y soldados incluía la vacunación, el chequeo médico semestral o anual de los oficiales en dependencia de su edad, así como el chequeo estomatológico. También se debían evaluar los diferentes registros que tenía que llevar el médico, los cuales incluían el reporte diario de las enfermedades, recorrido higiénico-epidemiológico diario de la unidad militar y registro mensual sobre el consumo de medicamentos.

En su gran mayoría, los medicamentos disponibles pertenecían a cuatro grupos (antidiarreicos, analgésicos, anti-inflamatorios, antitusivos y algún que otro antibiótico de uso oral). Uno de los jefes, el teniente coronel Ramón Diéguez, exoficial de la DAAFAR (Defensa Antiaérea de las Fuerzas Armadas Revolucionarias) afirmaba, con una sonrisa cínica, que *los soldados no se enfermaban, que no tenían derecho a enfermarse.*

De no existir irregularidades, la evaluación era satisfactoria; para nada importaba la higiene del agua y los alimentos, a nadie le interesaba cuántos uniformes, sábanas o toallas le entregaban a los soldados, si contaban con jabón de baño o pasta dentífrica, si se podían cambiar a diario de calcetines y botas, no les preocupaba la elevada tasa de enfermedades de la piel como escabiosis (sarna), pie de atleta (hongos en los pies) o dermatitis (inflamaciones de la piel). Para erradicarlas, debían hacer una inversión que no tenían planificada, por lo tanto, hacían oídos sordos cuando los médicos tocaban esos puntos neurálgicos, saliéndoles al paso con la misma frase de siempre: *eso lo vamos a resolver pronto.* En cuanto a las posibles medidas higiénico-epidemiológicas que frente a una situación determinada el médico pudiera establecer, era imprescindible el apoyo de la jefatura, que en definitiva era la única que podía dar la orientación precisa en dependencia de sus intereses, aunque desgraciadamente estos casi nunca coincidían con las verdaderas necesidades de los soldados.

Laborando en la industria militar

El servicio de posgrado en las FAR también podía realizarse en empresas pertenecientes a la industria militar. Según testimonios del Dr. José Luis Comas, quien realizó este servicio de posgrado en la empresa militar industrial Ernesto Che Guevara (unidad militar No. 9595) entre los años 1988 y 1990, ubicada en Hoyo de Manicaragua, a unos quince kilómetros del poblado de Manicaragua, Villa Clara, la asistencia médica a los trabajadores y soldados estaba condicionada por las exigencias de la administración, encabezada en aquel entonces por el teniente coronel Eladio Fernández, quien fuera luego director nacional de la Empresa de Geodesia y Cartografía (GEOCUBA). Esta fábrica estaba encargada de producir municiones de guerra como proyectiles para los fusiles soviéticos AKM y para las pistolas rusas Makarov; proyectiles de largo alcance para cañones y tanques de guerra soviéticos (T-64, T-72, T-80); minas antipersonales, antitanques y marítimas; granadas de mano; estaba perfeccionando el visor lumínico VILMA que eleva de un ochenta a un noventa porciento la precisión del tiro con fusil AKM para tiradores no muy experimentados; cartuchos para la caza deportiva, e incluso municiones para rifles de aire (conocidas como *pellets*). Tal producción exigía complejas naves o talleres mecánicos donde laboraban cerca de tres mil obreros, doscientos profesionales y decenas de técnicos.

En este complejo militar industrial, la labor médica se enfocaba en la medicina del trabajo (variante de la práctica médica destinada a la protección del trabajador para evitar enfermedades producidas por su labor), por lo que la exigencia médica se dirigía al cumplimiento de las normas de higiene y protección en el trabajo. Durante aquellos años, la jefa del puesto médico del lugar, Georgina González, no era médico, sino técnico en protección e higiene del trabajo —precisamente la persona a la que el médico debía exigirle por el cumplimiento de dichas normas— e incumplió, con el beneplácito de la administración de la empresa, la mayoría de las medidas de protección por las cuales debía velar. Mencionemos algunas: en el taller en el que se fabricaban pellets y donde laboraban cerca de cuarenta trabajadores en dos turnos de trabajo, se manipulaba, transportaba y almacenaba plomo y nitrato de plomo; aquí se violaban constantemente las medidas generales de protección personal y de higiene[134] al no cumplir con:

- el uso de ropa de trabajo adecuada para evitar que la piel entrara en contacto con sustancias químicas.
- el uso de una máscara o respirador adecuado a la concentración de compuesto químico existente en el aire.
- el uso de espejuelos cuando existiera la posibilidad de contacto de las sustancias químicas con los ojos.
- el cambio de ropa de trabajo cuando esta se contaminara.

El médico de la empresa les practicaba un examen preempleo a estos trabajadores, que consistía solamente en un breve examen físico, principalmente de la piel y el aparato respiratorio; prácticamente no se les realizaba el examen periódico debido a que ni la administración del centro ni la jefa del puesto médico, se preocupaban por hacer las coordinaciones necesarias para llevar a cabo los estudios radiológicos y exámenes de laboratorio (sangre, orina y función renal), pero tampoco autorizaban a que los empleados se ausentaran del centro para hacérselos por su cuenta porque afectaba la producción, que era en definitiva la razón de ser de la fábrica.

Lo mismo sucedía con los obreros del taller No. 11, quienes estaban en contacto con el ácido tricloro acético (ATC); no cumplían con ninguna de las medidas de protección personal e higiene ni les hacían exámenes periódicos de estudios radiológicos de tórax, estómago y duodeno, electrocardiogramas ni los estudios oculares necesarios para descartar un daño por exposición.

Pero lo peor se lo llevaban los trabajadores del taller No. 52, quienes laboraban con uno de los compuestos más tóxicos del lugar, el trinitrotolueno (más conocido como TNT), tampoco les garantizaban las medidas de higiene y protección, ni les hacían exámenes periódicos y las pocas veces que se los efectuaban, no les practicaban todos los estudios necesarios, entre ellos los de la función hepática.

Se ha sabido de trabajadores fundadores de esa fábrica, con una trayectoria de más de veinticinco años de exposición a estos

---

[134] Pulido Touza, Héctor: *Manual Práctico de Toxicología*, Editorial de Ciencias Médicas, 1988, pp. 428-434.

productos, a los que nunca se les completó un estudio como parte del examen periódico, el cual debía de efectuarse cada doce meses y, desde hace algún tiempo, es que han comenzado a filtrarse reportes de varios trabajadores que han muerto por insuficiencias renales y hepáticas (eran obreros que laboraron en esos talleres). Por supuesto que estos reportes han sido manipulados hábilmente por la administración, que ha señalado el consumo de alcohol y cigarro como causas de estas enfermedades, y ha encontrado el apoyo de médicos comprometidos con el proceso revolucionario y no con los pacientes, que lo confirman.

Esta unidad militar, la No. 9595, fundada en la década de los sesenta por el icono de la izquierda, el comandante Ernesto Che Guevara, en la que se utilizó tecnología rusa y checa, era en el año 1986 un enorme complejo industrial controlado y dirigido por un equipo de oficiales que se encargaba de los puntos claves de cada una de las fábricas, además existía un reducido número de soldados, alrededor de unos veinticinco, que conformaban una pequeña unidad de bomberos. El complejo, conformado por tres fábricas, contaba con más de ochenta talleres en total, incluida la fábrica No. 3, llamada cartuchería, la cual fue el resultado de un proyecto de construcción con un grupo empresarial español que mantenía a tiempo completo dos o tres asesores, aunque en el año 2002 hubo cambios y, hasta donde nos han informado, están asociados a un grupo chileno que se encarga de la calidad en la producción. Ahora se fabrican cartuchos para la caza deportiva (exportables, porque en Cuba está prohibida su comercialización debido al férreo control que existe sobre las armas de fuego), además de mechas para detonar explosivos a distancia.

Estas violaciones se mantendrán siempre y serán la carta de presentación de dicho lugar, se podría esperar que con los años el cumplimiento de las normas de protección personal e higiene del trabajador iría ganando en sistematicidad pero, desgraciadamente, no sucede así, la administración ignora estas normas debido a que este tipo de inversión siempre genera disputas con dirigentes de un nivel superior, en este caso los de la Unión Nacional de Empresas Militares, a los cuales solo les interesan las ganancias. Tiene que ocurrir un accidente, con pérdidas de vidas inocentes (es bueno aclarar que los familiares nunca reciben compensación alguna) para que ocurra el milagro de la inversión. La violación constante de las medidas generales y específicas de protección personal en este complejo militar industrial provocó en el año 1984, la voladura de un depósito de pólvora ubicado en la nave No. 24. El 14 de noviembre del 2000 volvió a ocurrir otra explosión mayor que la primera donde murieron nueve personas en total, casi todas mujeres jóvenes. Dijeron que estaban investigando las causas del accidente, lo que significa que no se sabrá nunca.

Según testimonios de los médicos que han laborado en este lugar (entre ellos el Dr. Vicente G. Fraga), aquí la función del médico era solamente consoladora, tenían que plegarse a los dictámenes de la administración y esperar a que transcurrieran sus dos años de posgrado.

El sueño de Topes de Collantes

En los párrafos anteriores señalábamos cómo era la medicina militar aplicada a las unidades y empresas industriales militares, en los párrafos siguientes vamos a tratar de dar una idea de la medicina militar aplicada al turismo y los centros de recreación. Y qué mejor ejemplo que el Centro de Rehabilitación y Fisioterapia para turistas y militares Topes de Collantes, complejo médico-turístico o unidad militar 9800 (como se lo quiera llamar), posiblemente el mayor del país, ubicado en el corazón del macizo montañoso Escambray, en la región central del territorio cubano, un bello lugar perteneciente al Parque Nacional Topes de Collantes.

El doctor Gustavo Aldereguía Lima, en su artículo titulado "La lucha antituberculosa en Cuba", aparecido en una publicación del año 1961[135] preñada de espíritu revolucionario desmedido, esta-

---

[135] *Estudio sobre tuberculosis pulmonar. Orientaciones para la lucha antituberculosa en Cuba*, Subsecretaría de Asistencia Médica, Dirección Nacional de Tuberculosis, Habana, Cuba, 1961.

ba a cientos de años-luz (pura ciencia ficción) de lo que sería la realidad años después:

Topes –el Sanatorio General Batista AMDG (a la mayor gloria del general) está cerrado para siempre, como tal y en espera de que Fidel le asigne otra función, luego de adecentarlo en lo higiénico y sanitario y quitarle en lo revolucionario la costra de mugre con que lo empuercaron los contrarrevolucionarios y pillos que pululan como sabandijas. Dice el comentario de la calle, adelantado y sabichoso, que será destinado el sanatorio y sus instalaciones aledañas, zona urbana inclusive, para establecer una gran estación climática y vacacional en provecho y de parte de las organizaciones sindicales.

Compuesto por dos grandes edificios de varios pisos cada uno, que conforman el eje del complejo, donde están ubicadas las habitaciones de pacientes y acompañantes (siempre uno), así como las inmensas salas de rehabilitación y fisioterapia equipadas con las más novedosas y sofisticadas máquinas; las consultas médicas (el sueño de cualquiera que ejerza la medicina) están equipadas con todo: buró médico nuevo y moderno, cómodas sillas, reluciente camilla para el examen médico, pesa, negatoscopio (equipo para ver las radiografías), como debe ser, solo se ve en un lugar como este. Exigir algo similar a lo que hay allí en cualquier otra instalación médica cubana, es una manifestación de locura.

Aquí se trata un amplio universo de padecimientos, principalmente enfermedades crónicas no trasmisibles (cardiopatía isquémica, hipertensión arterial, asma bronquial, diabetes mellitus) y otras como obesidad, hiperlipidemia (exceso de grasa en la sangre), insuficiencias orgánicas cardiacas, hepáticas, renales o enfermedades inflamatorias del intestino. A su vez, se ofrece el ya mencionado tratamiento de rehabilitación y fisioterapia a pacientes con incapacidades físicas secundarias por accidentes, enfermedades cerebrovasculares y cirugías ortopédicas o neurológicas.

El centro cuenta con especialidades de todas las ramas de la medicina, así como médicos recién graduados que acuden a este lugar a realizar su posgrado en las FAR; desde luego, aquí solo pueden hacer el servicio de posgrado aquellos que están muy bien identificados con la revolución, los hijos de los poderosos dirigentes del país con muy buenas influencias en el sistema. Antes de ir a trabajar a Topes de Collantes, los órganos de control (contrainteligencia militar o seguridad del Estado) les confeccionan un expediente con todos sus datos, antecedentes policiales, filiación política, relación con algún extranjero o familiar que viva fuera del país, etc., expediente que es actualizado periódicamente y cuyo resultado determina la selección. Este lugar es una verdadera panacea para realizar el posgrado, aquí quieren ir todos, pero ya sabemos de antemano quiénes podían hacerlo.

Fuera de este centro o sanatorio en sí, pero formando parte del mismo complejo, existen tres hoteles: Los Pinos, Los Helechos y el Hotel Serrano, este último era el recinto de los médicos que allí laboraban, en el cual disfrutaban de las comodidades de una habitación para turistas, buena comida, salas de recreación, incluyendo salas de videos, piscinas, canchas de tenis, es decir, un confort envidiable que para la mayoría del pueblo es inalcanzable. Definitivamente, eran médicos privilegiados, que trabajaban de traje y corbata, no tenían que atender a los soldados ni relacionarse con jefes, tampoco darle solución a situaciones higiénico-sanitarias desastrosas o hacer maniobras militares, ni participar en tantos círculos políticos como se acostumbraba en las tropas.

Los médicos militares que allí laboran se incorporaban a algunos de los programas de atención a las enfermedades crónicas que ya mencionamos, de lo contrario, trabajaban en el cuerpo de guardia del complejo (también equipado con tecnología de punta); este era el único sitio al cual tenían acceso los pobladores de la zona y donde eran atendidos, con la salvedad de que si necesitaban internación (según la enfermedad que motivara su asistencia al lugar) eran remitidos rápidamente al hospital de Manicaragua, y si allí no contaban con camas o por la gravedad del padecimiento lo enviaban al de Santa Clara.

Por ejemplo, a Guillermo Manzanares, vecino del municipio de Manicaragua, quien sufrió un infarto cerebral en el año 1997, no se le pudo brindar un correcto tratamiento de rehabilitación y fisioterapia por no tener acceso a este servicio; debido a que en este municipio no existe el personal adiestrado, el equipamiento, ni el local para dicha terapia. Guillermo tenía que viajar al municipio cabecera (Santa Clara) ubicado a casi 28 kilómetros, con el inconveniente de que carecía de transporte personal o estatal para efectuar el traslado. Como él, estaban todos los pacientes que necesitaban una terapia física ya sea producto de una intervención quirúrgica de ortopedia, neurocirugía o por la misma enfermedad cerebrovascular, la cual tiene una incidencia de 5 % en la población y los que sobreviven a esta enfermedad, quedan, casi siempre con un daño neurológico motor, es decir, que no pueden movilizar un grupo de músculos, ya sean los de un brazo, una pierna o ambos, teniendo la fuerza muscular disminuida en dichos sitios, que se traduce en una incapacidad física, la cual necesita un esmerado tratamiento de rehabilitación y fisioterapia para poder recuperar parcial o totalmente dicha fuerza muscular, para ello se necesitan fisioterapeutas, equipos y un local.

Este lugar, con tal equipamiento y personal adiestrado, existe en esa zona geográfica, tan solo a unos veinticinco kilómetros de Manicaragua, aunque para acudir a este y recibir las atenciones que allí se ofertan, Guillermo debía ser oficial de las FAR o del MININT (de alta graduación) o un dirigente político destacado a nivel provincial o nacional, ya que estas eran las únicas personas cubanas que podían recibir atención médica allí.

Topes de Collantes no era para ellos. Los pobres campesinos de la zona tenían que conformarse con observar de lejos aquel majestuoso complejo, ya no era un lugar donde pululaban como sabandijas los contrarrevolucionarios, ahora les tocaba pulular a los revolucionarios, pero no todos los revolucionarios, sino la alta jerarquía o altos representantes de la dictadura del proletariado (la nueva burguesía). Muy lejos quedaba el sueño del Dr. Aldereguía cuando imaginó que aquello se convertiría en una estación vacacional para los obreros.

Los pacientes y acompañantes usaban una ropa identificativa; para el paciente (oficial de alta graduación o dirigente de elevada categoría) su estancia y tratamiento eran gratuitos, en cambio, a los acompañantes (quienes también podían recibir atención médica si lo exigía su estado de salud) les pedían la irrisoria cantidad de cinco pesos cubanos diarios que cubría desayuno, merienda, almuerzo, merienda, comida y otra merienda, que podían efectuar en alguno de los restaurantes o cafeterías; además, tenían acceso a un enorme bar donde estaban autorizados a ingerir bebidas alcohólicas. Aquello era el edén comunista.

Los oficiales subalternos (subtenientes, tenientes, primeros tenientes y capitanes) también podían visitar el lugar, pero a distancia; a ellos se les daba el derecho (como estímulo o premio en sus unidades militares, según su comportamiento) a disfrutar de uno de los dos hoteles autorizados (Los Helechos o Los Pinos) y, al igual que los campesinos de la zona, debían de conformarse con contemplar de lejos el majestuoso recinto. Para ellos los precios también eran módicos, pero no podían recibir asistencia médica, solo de urgencias.

Debido a la popularidad y calidad de los servicios prestados, el complejo médico-turístico Topes de Collantes alcanzó gran fama nacional e internacional que lo convirtió en una plaza de gran demanda. Todos los oficiales y dirigentes del país querían visitarlo, por lo tanto, fue necesario la creación de comisiones de otorgamiento de plazas, las cuales laboraban en los diferentes hospitales militares del país. Estaban dirigidas por la dirección del hospital y el PCC del lugar y funcionaban como hasta entonces, con el mismo nivel de selección. Los médicos que brindaban sus conocimientos en dichas comisiones veían el favoritismo campeando por sus respetos y su trabajo subvalorado cuando recibían una nota del director del hospital o del oficial político ordenándoles procesar a un determinado jefe militar o dirigente provincial que, la mayoría de las veces, no estaba enfermo, solo quería ir a descansar.

La desaparición del campo socialista trajo como resultado una mayor profundización de la crisis económica cubana, convirtió a este centro en una de las alternativas para la entrada de dólares a través del turismo, algo a lo cual el gobierno siempre temió por la posible fractura que pudiera provocar en la ideología revolucionaria. Ya no podían seguir escondiendo la realidad tras la férrea cortina con que la ocultaban a diario, barnizándola de "cultura revolucionaria", para que los cubanos solo pudieran ver, leer y escuchar lo que el gobierno quisiera, e incluso privándolos de escuchar la opinión de sus propios hermanos cuando esta difería de la gubernamental.

Sin dudas, este hermoso lugar del Escambray cubano, con su inigualable belleza, matizado por una vegetación exótica, surcado por ríos con innumerables saltos de agua cristalina, cielo azul turquesa y sol constante era, sin temor a equivocarnos, oro turístico. Y si a esto le añadías una buena atención médica (que a veces se exageraba), el destino turístico estaba garantizado. De esta manera, en los últimos años de la década de los noventa, el célebre complejo médico-turístico fue invadido por gran cantidad de turistas, quienes acudían, fundamentalmente, a recibir atención médica sin dejar de disfrutar de ofertas recreativas; así comienza una nueva etapa en la trayectoria de este sanatorio donde antes habían pululado los contrarrevolucionarios, luego los revolucionarios de la *nomenklatura* y, ahora, los turistas extranjeros.

Otras opciones

Otra de las variantes del servicio de posgrado en las FAR, reservada también a médicos muy escogidos que al igual que en el caso de los elegidos para centros como Topes de Collantes conformaban el grupo de los individuos muy integrados al proceso revolucionario, es decir, los "hijos de papá" (hijos de los altos cargos de las FAR y militares de alto rango del país), era la docencia. Por solo poner dos ejemplos, citemos a la hija del General de Brigada de la Reserva Carlos Carballo Betancourt, alto jefe del Ejército Central, y el hijo de Alfredo Hondal, exprimer secretario del PCC en la provincia de Ciego de Ávila.

Ambos jóvenes realizaron su servicio de posgrado en el Hospital Militar de Santa Clara Comandante Manuel Fajardo Rivero y se mantuvieron ligados a la docencia (lástima que a ninguno de los dos les interesara tanto), por lo que nunca estuvieron vinculados a las tropas, no sufrieron el rigor de la vida militar, no tuvieron que pasar por ninguna de las vicisitudes que tan comúnmente enfrentaban los médicos en esos lugares, fueron premiados con el trabajo asistencial, se les dio la oportunidad de participar en los pases de visitas diarios, discusiones de casos, clínicas radiológicas, clínicas patológicas, conferencias magistrales, es decir, que asistían a las mismas actividades que un médico residente, con la ventaja de que no eran juzgados como tales (no los evaluaban, por lo tanto, no sufrían la presión de tener buenas calificaciones), no tenían problemas de lejanía porque vivían en la misma ciudad, y del transporte ni hablar, porque ambos disponían de autos con piezas de repuesto y gasolina garantizados, a diferencia de, por poner un ejemplo, el profesor interconsultante (máxima categoría docente), eminente clínico de esa institución. Ramón García (seudónimo), quien padece de cardiopatía isquémica (enfermedad del corazón por déficit en la circulación de sangre), debe hacer caminatas diarias (no terapéuticas, sino obligatorias) de más de tres kilómetros para trasladarse de su hogar al hospital.

Los médicos recién graduados que se incorporaron a los ya mencionados posgrados en las FAR en 1988, recibieron en abril de 1990 (cuatro meses antes de concluir su servicio social de dos años) una comunicación por escrito, firmada por el jefe de los servicios médicos en las FAR, el teniente coronel Humberto Ortega, en la que les informaba que el acuerdo MINSAP-FAR[136] había sufrido modificaciones: ahora existían limitaciones en el número de especialidades que serían ofertadas (ya que el número de especialistas había aumentado ostensiblemente), por lo tanto, todo médico que cumpliera su posgrado en los meses siguientes solo tenía dos

---

[136] El acuerdo consistía en que el MINSAP le "prestaba" un médico a las FAR por un periodo de dos a tres años durante el cual se comportaba como militar y debía acatar todas las órdenes militares igual que cualquier otro militar, y cuando concluía el plazo de tiempo, el médico podía regresar a la vida civil y, como premio, recibía entonces la opción de poder estudiar una especialidad, en dependencia de las necesidades de la provincia, es decir, que tal vez mediante este acuerdo el médico entraba a las FAR porque quería hacerse oftalmólogo, pero en realidad cuando concluía su servicio y regresaba al MINSAP, ese año, por ejemplo, la provincia en la que vivía no tenía necesidad de oftalmólogos, por lo tanto, debía optar por otra especialidad o quedarse otro año más de servicio en las FAR en espera para el próximo año. Hubo médicos que estuvieron más de cinco años esperando.

opciones: una era incorporarse a su sectorial provincial de salud (desde allí se controla, dirige, orienta, ubica y autoriza cualquier actividad relacionada con la práctica de la medicina de la zona geográfica donde esté ubicado), el cual le asignaría un consultorio médico en un municipio (en dependencia de las necesidades) para que se estableciera como médico de la familia (ya para ese entonces, sus compañeros de clase concluían el segundo año de la especialidad de Medicina General Integral o algunas de las especialidades que se ofertaron en el año 1988).

La segunda opción, convertirse en oficial permanente de las FAR. Para ello, debía firmar un juramento en el que se comprometía a prestar servicios como oficial médico de dicho organismo por un periodo de veinticinco años a disposición del Ministerio de las Fuerzas Armadas, para luego poder optar por una especialidad por la vía militar, con el inconveniente de que debía participar en un concurso de oposición de carácter nacional por la especialidad deseada, que contaba con un número muy reducido de ofertas (la cantidad y cuáles eran las especialidades ofertadas se mantenían en secreto).

Estos jóvenes fueron vilmente engañados, los usaron como a tantos, llenándolos de falsas promesas mediante patrañas y falacias para luego no cumplir, rompiendo pactos, obligando por decreto, colocándolos en callejones sin salida; esa es la forma en que la mayoría de las veces las FAR atrae a los jóvenes oficiales, sobre todo a los profesionales que necesita en sus filas y así, de una manera tan fácil para ellos, cambian el destino de muchos de esos recién graduados, los despojan prácticamente de las especialidades que se merecen, pero además, por la fuerza de la traición, arrancan de sus almas la semilla de la fidelidad a la revolución que, en un principio, albergaban.

La gran mayoría de aquellos médicos tuvieron que convertirse en oficiales permanentes de las FAR debido a aquel engaño, ellos sabían que los seleccionados eran magníficos estudiantes y que ninguno de ellos pretendía convertirse en médico de la familia (lo hubieran hecho una vez graduados sin necesidad de pasar dos años en las tropas), casi todos rechazaron otras especialidades más generales, tenían un sueño que terminó en desastre.

La otra cara de la medicina militar

No quisiéramos terminar el tema de los posgrados en las FAR sin hacer referencia a otros más específicos relacionados con la medicina militar y que nos tocó vivir directamente, como los vinculados con los servicios de salud que prestaron para las FAR algunos galenos en las llamadas previas, o sea, el periodo de entrenamiento que oscila entre las seis y las ocho semanas antes de entrar al Servicio Militar Obligatorio (SMO), es decir, la primera experiencia militar de los jóvenes reclutados.

Las previas efectuadas por las unidades de defensa antiaérea (DAAFAR) del Ejército Central de 1988 a 1994 se efectuaban a unos doce kilómetros de la ciudad de Santa Clara, a dos o tres kilómetros de distancia del poblado de Hatillo, en un lugar abandonado con tres largas naves, una acogía las oficinas de mando, el puesto médico y el albergue de oficiales, y las otras dos funcionaban como albergue de los soldados, con literas de sacos y un local al final de la nave que servía solo para el aseo personal, porque las necesidades fisiológicas debían realizarse lejos del albergue, en letrinas de muy mala calidad, sin patrón alguno de higiene ambiental.

La preparación militar se recibía de un grupo de sargentos instructores formados solo para este tipo de eventos, por eso mismo, funcionaban como verdaderos robots, diseñados para hacer daño físico. Recuerdo que llevaban a los soldados desmayados por causa de la fatiga muscular, el hambre, la sed y el calor a aquel improvisado puesto médico que solo disponía de una cama de observación, muy pocas veces se podía disponer de un balón de oxígeno, de los medicamentos ni hablar, solo recibíamos medicamentos antidiarreicos y algunos analgésicos, el resto era extremadamente escaso, nunca pudimos contar con un verdadero *stock* de urgencias; por suerte no falleció nadie, pero la posibilidad estaba latente, había hombres, armas y muchos riesgos.

Las enfermedades más frecuentes eran las diarreas agudas relacionadas con la incorrecta manipulación de los alimentos, cocinados de manera insuficiente, la pésima higiene en la cocina y el agua de beber contaminada, así como el mal estado de los alimentos debido a que no existían neveras para su conservación. En una ocasión un médico fue separado de una de estas previas por la franqueza con que señaló estos problemas a su jefe inmediato, quien lejos de solucionarlos, determinó su expulsión. También sufrían enfermedades de la piel debido a la poca higiene personal y las condiciones del calzado, por lo que la incidencia de flictenas (ampollas) era elevada, las cuales se infectaban provocando celulitis (enrojecimiento con calor y dureza de un área del cuerpo) e incluso linfangitis (aumento de volumen de una de las cuatro extremidades por infección que compromete el drenaje linfático); la mayoría de las veces no podían curarlos en el puesto médico, había que esperar a que empeoraran para trasladar a estos soldados al hospital militar.

El trabajo del médico siempre fue escudriñado por los jefes inmediatos porque, para ellos, una muestra de su buen trabajo era el bajo índice de soldados fuera de servicio; si el número era elevado, recibían una llamada de atención, por lo tanto, los médicos (los que eran débiles e inhumanos) se cuidaban mucho de ordenar estas bajas, abundaban los ejemplos de soldados con enfermedades agudas como apendicitis (atendidos en estos lugares como si solo tuvieran dolor abdominal fingido) o una neumonía mal tratada que terminaron en salas de cuidados intermedios o intensivos, o con cefaleas intensas mal diagnosticadas que resultaron en meningoencefalitis (infección del cerebro y de las capas que lo cubren). No tenemos ninguna experiencia personal sobre algún fallecimiento producto de este tipo de negligencia médica, pero sí fuimos testigos de muchos que estuvieron al borde de una complicación mayor.

Pero sin duda, las escenas más escalofriantes las vivimos en las previas para mujeres. Estas obedecían a un proyecto de la Federación de Mujeres Cubanas (FMC) que entre 1985 y 1986, ideó e impulsó la creación del servicio militar para mujeres por un periodo de dos años, el que debían realizar en una unidad militar de las FAR, con las mismas obligaciones y derechos que los soldados. Al terminar este periodo (siempre y cuando sus evaluaciones y comportamientos fueran destacados) a las interesadas se les brindaba la oportunidad de cursar estudios superiores o, de lo contrario, podían renovarlo ("reenganchar") por cinco años, ahora como sargento y con un estipendio.

Teóricamente, la idea no era mala. A las jóvenes que no podían obtener una carrera universitaria al finalizar los estudios preuniversitarios o que eran egresadas de las famosas escuelas de economía de aquellos años (otro de los proyectos de la revolución que terminó en un fracaso), algunas de las cuales estaban sin empleo, con este proyecto se les daba la oportunidad de estudiar una carrera.

La entrada masiva de mujeres a las FAR fue un acontecimiento muy bien recibido por algunos jefes, quienes se interesaron por la estancia de las jóvenes en sus unidades militares. Por ejemplo:

> El general de brigada Nivio Sánchez Arce, Jefe del Estado Mayor de la DAAFAR en la región central del país, perteneciente al ejército central entre la década de los ochenta y mediados de los noventa, vivía muy pendiente de sus ayudantes del sexo opuesto. Él, al igual que otros viejos jefes de División, trataban de sacar ventaja de su posición ante ellas; las que se dejaban "ayudar" recibían una recompensa posterior con ubicaciones cercanas a su domicilio o un buen aval que facilitarían sus estudios.

Estas previas para damas se efectuaban en los mismos lugares que las de los hombres, con idénticas condiciones de vida, pero con la particularidad de que, para muchas mujeres, era demasiado el esfuerzo debido a las duras condiciones de entrenamiento, al punto de que algunas terminaban en llanto. Recuerdo a una oficial con grado de primer teniente que, de 1990 a 1991, estaba al frente de las previas femeninas en el campamento de la DAAFAR ya mencionado. La muchacha hacía de manera deliberada su selección de las recién iniciadas, a las que ayudaba a pasar gratamente dicha prueba pero, de no cooperar con ella, la infeliz tenía que abandonar el campamento y con ello sus planes. En la actualidad, ese personaje se pasea por las calles de Santa Clara convertida en una de las más célebres lesbianas de la ciudad, la traemos a colación no por el hecho de serlo, sino por la forma en que abusó de muchas jovencitas apoyada en su posición de jefa, con el beneplácito de los oficiales de la contrainteligencia y sus superiores, los cuales no dejaban de felicitarla por la cruel manera en que trataba a sus subordinadas.

La unidad militar de la DAAFAR La Bayoya, subordinada a la unidad militar No. 3702 (a unos cinco kilómetros del aeropuerto militar de Santa Clara), contaba con un elevado número de soldados y sargentos del sexo femenino que habían renovado su estadía.

Estas (unas 1988, según testimonios de Tania Comas),[137] sufrían constante acoso sexual por parte de los oficiales de alto rango. Tradicionalmente, el desahogo sexual está muy restringido en el ejército por la poca presencia de personas del sexo femenino y por los reglamentos internos, que restringen las relaciones sexuales, pero esta avalancha de mujeres encerradas en un lugar alejado de la ciudad, evaluadas según su comportamiento y presionadas sexualmente, facilitaba las condiciones idóneas para que esta unidad militar fuera una especie de cabaret en horario nocturno.

Sin embargo, desde el punto de vista médico, estos comportamientos se convirtieron en un verdadero problema debido a la elevada incidencia de enfermedades de transmisión sexual, muchos soldados de ambos sexos comenzaron a padecer blenorragia (gonorrea), condilomas e incluso casos aislados de sífilis, además de embarazos no deseados, inflamaciones pélvicas, etc. Es decir, enfermedades que requerían el uso de equipos y medios diagnósticos extras que obviamente no existían en los puestos médicos militares ni en el hospital militar regional.

El Hospital Militar de Santa Clara no contó con servicio de ginecología y obstetricia hasta 1993, cuando se estableció un ginecólogo de edad avanzada, enfermo y al que no le interesaba solucionar este problema, por lo tanto, a lo largo de todos esos años de la década de los noventa, las pacientes de las FAR de la región central con problemas ginecológicos fueron maltratadas e ignoradas, al punto de que se creó un "subregistro" de tales afecciones en las estadísticas oficiales de los servicios médicos de las FAR debido a que no estaba permitido o era mal visto recoger estadísticas de tal magnitud. Las enfermedades ginecológicas, principalmente las infecciones, así como los embarazos y las interrupciones del embarazo, no formaban parte de las estadísticas, ya que "supuestamente", en estas unidades militares las muchachas no mantenían relaciones sexuales, por lo tanto, una mujer enferma de gonorrea significaba reconocer una situación inadmisible de la que nadie quería hablar y, mucho menos, los médicos y enfermeras.

---

[137] Tania Comas Mendiola, exsargento de las FAR, desaparecida en el estrecho de la Florida tratando de salir de Cuba en febrero de 1998.

El Hospital Militar de Santa Clara

El Hospital Militar Comandante Manuel Fajardo Rivero o unidad militar No. 9958 de la ciudad de Santa Clara, que tenía a su cargo la atención médica de la mayor parte del ejército central, contaba en el año 1991 con unas 120 camas. Teniendo en cuenta que en esta zona geográfica solo existen otros dos hospitales militares (más pequeños) ubicados en la provincias de Matanzas y Ciego de Ávila, debían tratar aproximadamente a unos cincuenta mil hombres, comandados en aquel momento por el general de cuerpo de ejército Joaquín Quinta Solás, es decir, una gran cantidad de unidades militares del centro del país que abarcaban unidades de la Marina de Guerra, tropas guardafronteras, tropas de infantería, de la DAAFAR, del Ejército Juvenil del Trabajo (EJT), además de las del Ministerio del Interior (policías), Departamento de Seguridad del Estado, guardias de prisiones, agentes de seguridad y protección, auxiliares de la policía y un largo etcétera. Además de este elevado número de pacientes con derecho al hospital, en 1992 el director del hospital de aquel entonces, el teniente coronel Calixto García Gómez, fue elegido diputado a la Asamblea Nacional del Poder Popular por el municipio de Ranchuelo e hizo el compromiso electoral de asumir la atención médica de este municipio; de esta manera, el hospital también se encargaría de todos los pacientes remitidos por este municipio que necesitaran una atención médica secundaria, es decir, en los hospitales.

Todos los militares del territorio central que se encontraran prestando servicios en algunas de las unidades militares antes mencionadas, así como sus familiares inmediatos, tenían derecho a la atención médica que se ofrecía en dicho hospital, a diferencia de los residentes en el municipio de Ranchuelo, quienes solo para ingresar en este centro (aunque no necesitaran una intervención quirúrgica) debían hacer una donación de sangre para el hospital como condición impuesta por el director del mismo. De esta manera tan astuta, elevó el índice de donaciones del hospital (este es otro ejemplo de cómo la atención médica es gratuita en Cuba, siempre buscan la manera de cobrarla), un aspecto que se tenía muy en cuenta cuando el MINFAR efectuaba sus visitas de supervisión, y este fue uno de los indicadores que permitió el ascenso de dicho oficial, así como su posterior traslado a la capital.

En este hospital, al igual que en las unidades militares, existía una marcada diferencia de clases, incluso dentro de los mismos oficiales. Las salas de ingreso estaban divididas en salas comunes, en las que ingresaban a los soldados y los civiles residentes en Ranchuelo, así como un selecto grupo de dirigentes de menor rango y las salas de oficiales. Ambas eran espaciosas y bien iluminadas, limpias, con camas y muebles cómodos, sin tanto hacinamiento como en los hospitales civiles; además, en estas salas los pacientes no necesitaban llevar sus propios enseres porque les daban ropa de cama, pijamas, toallas, jabón, pasta dentífrica y un cubo para bañarse entre otros artículos, esto sin contar con la comida, que era de buena calidad ya que se brindaba diariamente proteína animal, leche y sus derivados, a diferencia de los hospitales civiles donde es sustituida la leche por agua con azúcar en incontables ocasiones (véase el capítulo VI).

Ahora bien, la diferencia radicaba en que la sala de oficiales contaba con sendas consolas de aire acondicionado, televisores marca Sony, servicios sanitarios amplios y en buenas condiciones, camas excelentes en perfecto estado con accesorios modernos, buena iluminación para leer y un comedor independiente. A esta sala no tenían acceso los oficiales subalternos, solo era para los oficiales con grados militares superiores a los de capitán, los de grados inferiores los admitían en la sala junto a los soldados; pero estas no eran las únicas diferencias, desde el punto de vista médico existía la norma de que primero debían ser atendidos los altos oficiales. Los médicos primero pasaban visita a la sala de oficiales y luego a la de los soldados, así también funcionaban las consultas externas, los laboratorios y las salas de emergencias.

Recordamos el siguiente caso:

> Un soldado de la raza negra de dieciséis años de edad, ingresado en este hospital porque llevaba un mes con dolor de cabeza que le ocupaba todo el cráneo y en ocasiones, tomaba la región occipital, haciéndose muy intenso. Fue remitido por el médico de su unidad militar quien ya no sabía que más hacer con él, permaneció casi tres semanas internado, los exámenes practicados estuvieron dentro de los límites de la normalidad.

Al final de la tercera semana el soldado presentó vómitos cuando la cefalea se hizo más intensa, asociada con mareos. Se hizo una interconsulta[138] con un neurólogo, quien sugirió llevarlo al Hospital Naval de La Habana para realizarle una tomografía axial computarizada (TAC) porque en Santa Clara no existía este servicio; se realizaron gestiones para una ambulancia, pero por una causa u otra esta nunca apareció. Transcurrido un mes, los familiares decidieron llevarlo por su cuenta y bajo su responsabilidad, una semana más tarde falleció. Luego, por anatomía patológica, se demostró la presencia de una masa tumoral en la región supratentorial de su cerebro.

Durante este mismo periodo ingresó el teniente coronel de la DAAFAR Dagoberto Villarreal, quien refería pérdida de sensibilidad en el hemicuerpo izquierdo, visión borrosa, vértigo, impotencia funcional, constipación y signo de Lhermitte (sensación breve de choque eléctrico precipitada por la flexión del cuello que se origina en el mismo y se desplaza hacia abajo); se sospechaba que podía ser esclerosis múltiple, una enfermedad crónica del sistema nervioso central de tipo degenerativa, sin embargo, para este paciente (quien actualmente deambula sin problema alguno por las calles de la ciudad de Santa Clara, ya licenciado de las FAR) sí que apareció el transporte y no una vez, sino dos, primero para hacerle el TAC y luego una resonancia magnética, ambas resultaron negativas y se fue sin un diagnóstico.

Son innumerables los ejemplos en los que se mostraba descaradamente el nivel de selectividad y preferencia por los altos oficiales, desde las consultas externas en las que se atendía no por orden de llegada o dolencia sino por el grado militar, comenzando por el de mayor jerarquía, tanto para ellos como para un familiar y, si estos oficiales llegaban tarde, interrumpían la consulta médica para anunciar su presencia sin ninguna consideración hacia los que esperaban, fueran oficiales o no. Los soldados estaban obligados a esperar a que terminara toda aquella comparsa para ser atendidos, la mayoría de las veces mal atendidos, porque el médico no creía en sus dolencias (una tendencia negativa muy extendida entre los

---

[138] Es la derivación, por parte del médico tratante, a otro profesional o centro en convenio.

médicos militares) porque pensaban que el soldado estaba simulando para lograr una baja de servicio y ausentarse de la unidad militar. Lo mismo sucedía con la consulta del cuerpo de guardia, que se acentuaba si había un solo médico consultando, lo que provocaba largas filas de espera de soldados y civiles pero, cuando arribaba un alto oficial, el médico dejaba lo que estaba haciendo para atenderlo. Esa era la orden.

Los oficiales de la contrainteligencia militar

A tal punto llegaron las insolencias de estos altos oficiales que se sentían con el derecho de exigir y prácticamente ordenar, un ingreso. Este fue el caso de un alto oficial de la contrainteligencia militar de la región central.

El teniente coronel Mesa, quien acudió una noche al hospital con su madre en el momento más álgido del Periodo Especial (1993). La señora estaba con un cuadro catarral en el que predominaba la tos y una discreta dificultad respiratoria; el hijo exigió que la atendiera el médico mejor preparado del cuerpo de guardia y fue atendida por el doctor Carmona (seudónimo), quien al examinarla descartó un cuadro neumónico. Mesa, no satisfecho con el diagnóstico, exigió un estudio radiográfico que demostrara que no tenía neumonía, fue necesario utilizar la única radiografía disponible (reservada para una urgencia o accidente). Este estudio tampoco evidenció lesiones inflamatorias en la misma.

El galeno, basándose en las características del cuadro clínico y los resultados de su examen físico y radiológico, le diagnosticó una bronquitis viral, aunque no descartó la posibilidad de una infección por bacterias, por lo que le impuso un tratamiento con antibióticos (eritromicina de 1 g/día) más profiláctico que curativo, para la tranquilidad del oficial. Pero esta acción tampoco agradó al oficial Mesa, quien disgustado ordenó el ingreso de la paciente debido a que él era un oficial de mayor rango y, a pesar de que no era médico, podía darle una orden. Pero llegó a más, con su arrogancia también se dio el lujo de ordenar que se le administraran penicilinas en vena.

Para evitar más problemas, los médicos, evidentemente disgustados, efectuaron el ingreso (aunque todo lo sucedido lo plasmaron por escrito en su orden de ingreso).

Tal y como ordenó Mesa, le pusieron una venoclisis a la señora, no sin antes preguntar si era o no alérgica a la penicilina, la internaron y, desgraciadamente, luego de administrarle los dos primeros bulbos de penicilina cristalina comenzó con urticaria (picazón) y enrojecimiento de todo su cuerpo, dificultad respiratoria, cianosis (cloración azul de piel y mucosas). Luego de batallar con ella durante unos treinta minutos, los médicos de guardia la declararon fallecida debido a un paro cardiorrespiratorio en el curso de un estado de choque anafiláctico (fallo brusco en los órganos y funciones vitales por alergia a la penicilina). Evidentemente aprendió la lección, pero aún no convencido, tomó los bulbos de penicilina y se los llevó consigo para mandarlos a examinar al laboratorio de medicina legal al otro día y descartar un posible atentado contra su madre. No se tomaron medidas contra los médicos gracias a la inusual valentía de un subordinado suyo, el teniente Danilo, representante de la contrainteligencia en el hospital, quien declaró ante el director del hospital que los médicos sí habían preguntado a la paciente si era alérgica o no a la penicilina y que la decisión de administrársela había sido de su superior.

Los impopulares y arrogantes oficiales de la contrainteligencia militar, apodados como "trincas", eran los encargados del control personal de cada uno de los oficiales médicos, aunque también vigilaban a los médicos y trabajadores civiles del hospital. Su trabajo estaba orientado a la recopilación de información sobre cada uno de los oficiales en su radio de acción, elaborando expedientes para cada uno de ellos, analizando su conducta y comportamiento político. Les interesaba cualquier opinión que pudiera interpretarse como inconformidad o que cuestionara el mando de la unidad, así como las relaciones con individuos poco confiables o que no estuviesen claramente identificados con el proceso revolucionario, y en el peor de los casos, que existieran contactos con extranjeros tanto a nivel personal como por correspondencia. Precisamente en la década de los noventa, estuvieron a cargo del trabajo sucio de la contrainteligencia en el Hospital Militar de Santa Clara, dos jóvenes oficiales,

Ricardo y Danilo, dirigidos y supervisados por el capitán Frank Ortega Alemani.

Era práctica común que dichos oficiales llamaran a un oficial médico a su oficina para intimidarlo con cualquier información sobre él previamente recogida, con el objetivo de comprometerlo y, de esta manera, lo obligaban a colaborar para obtener cualquier información acerca de alguien que les interesara en esos momentos. Quien se negara a colaborar, pasaba a formar parte de la lista negra de este órgano de control y una de sus consecuencias era la expulsión o la prisión. Mediante esta técnica, aproximadamente uno de cada tres trabajadores del hospital colaboraba con ellos, sobre todo quienes estaban comprometidos (sabían algo de su persona que ellos consideraban comprometedor o simplemente se basaban en calumnias), algunos recibieron casas, autos o algún artículo como televisor, bicicleta, pero los peores eran quienes lo hacían aparentemente por convicción y mostraban una intransigencia de magnitud incalculable, pero en el fondo eran unos oportunistas. (Ver Carta de licenciamiento al final del capítulo).

Gracias a este turbio trabajo efectuado a dos manos, los oficiales de la contrainteligencia y sus colaboradores lograron expulsar y encarcelar a varios oficiales médicos que les molestaban. En 1992 fue expulsado de las FAR y del Hospital Militar de Santa Clara, el teniente Ricardo de los servicios médicos, residente de cardiología, acusado de intento de salida ilegal del país (le firmaron un video sin su consentimiento que luego publicaron en todas las unidades militares a manera de método persuasivo); fue expulsado el doctor Antonio, residente de oftalmología, junto con su esposa (médico de una unidad militar) porque les interceptaron correspondencia con extranjeros en la que mencionaban las intenciones de abandonar el país. A ellos y al piloto capitán de la DAAFAR Vladimir Simón, les filmaron videos editados a su conveniencia y alevosamente, en los que estaban sus declaraciones de arrepentimiento por los errores cometidos y por el desprestigio causado a las fuerzas armadas por sus acciones, en ellos exhortaban a los jóvenes soldados y oficiales a que no se dejaran influenciar por desvergonzados y traidores a la patria (lo que en otros países es algo normal, en Cuba, abandonar el país está considerado el mayor delito por ser una traición a la patria). Estos videos fueron exhibidos con carácter obligatorio en todas las unidades militares del ejército central para su análisis y discusión, buscando atemorizar a quienes tenían esos planes.

El año 1993 fue crítico para este hospital en lo que se refiere a comportamiento y conducta política de sus oficiales, al punto de que iniciaron el proceso de renuncia los médicos recién graduados como cardiólogos,[139] quienes habían sido médicos en el sanatorio Topes de Collantes y como premio por su desempeño, recibieron la especialidad de cardiología, antes de que se impusiera la ley de 1990. A su vez, argumentando problemas familiares, lograron la salida de las FAR los oficiales médicos especialistas en Medicina Interna Aarón y Pastor.[140] A finales de 1993 se realizó una corte militar a la que fueron citados los oficiales médicos doctor Rogelio[141] y su tío, el Dr. Santiago Laborde, mayor de los servicios médicos y especialista en Cirugía general y de guerra, por una acusación de traición a la FAR al estar involucrados en un intento de salida ilegal del país.

Frente a esta acusación, Laborde argumentó en su defensa que su interés por viajar a los Estados Unidos se basaba en las ideas del Che Guevara y, con el ánimo de buscar una circunstancia atenuante, dejó a todos boquiabiertos en el salón de oficiales cuando esgrimió la idea loca de que quería difundir las ideas comunistas en ese país, ese era su objetivo. El fiscal se burló calificándolo de "mesías rojo en tierras del exilio". Ambos fueron condenados a dos y tres años de prisión, respectivamente. Al cabo de los años, en un noticiero de la televisión cubana, apareció el Dr. Laborde como médico personal de un presidente africano y nos vino la idea de que

---

[139] Estos entraron al Hospital Militar de Santa Clara como médicos residentes de cardiología y su posgrado lo hicieron en Topes de Collantes; una vez graduados, en el último año de su residencia (1993) decidieron recurrir a un olvidado acuerdo entre la unidad de Topes de Collantes con el Hospital Militar de Santa Clara que contemplaba que una vez graduados, los médicos que ellos enviaban a hacer la especialidad debían regresar al sanatorio de Topes. Estos médicos aprovecharon ese acuerdo para solicitar la renuncia del Hospital Militar, y cuando se la dieron, en vez de irse para Topes se fueron para un hospital civil en Santa Clara, esta fue la forma que encontraron para lograr salir del Hospital Militar.

[140] Especialistas en Medicina Interna, seudónimos.

[141] Médicos oficiales de la FAR, seudónimos.

quizás todo había sido un montaje, no sabemos con qué objetivo, o simplemente le tomaron la iniciativa durante los años de prisión (cosa que dudamos), aunque no dejamos de pensar que de una forma u otra, estaba vinculado a los órganos de control.

Ante esta avalancha de decepciones, delaciones y expulsiones, y con el ánimo de elevar el espíritu revolucionario de la masa de oficiales y trabajadores civiles del hospital, la estrategia del mando de la unidad estuvo encaminada a aumentar la frecuencia de los círculos de estudio políticos de una vez a la semana a dos o tres (reuniones de dos horas en las que se hacía un verdadero lavado de cerebro, machacaban los mismos conceptos, palabras, frases hechas y los discursos de siempre), además, recrudecieron los métodos de intimidación mediante viajes programados a diferentes cárceles y prisiones de la región, principalmente a las de contrainteligencia militar, donde cursaban invitaciones personales a los *oficiales que estaban en su lista negra para dejar bien claro el mensaje de mira, esto es lo que te puede suceder.*

Las intenciones maquiavélicas de la contrainteligencia militar se pusieron de manifiesto en una actividad recreativa celebrada en el hospital en la que un joven oficial médico, especialista en Medicina Interna, tuvo un altercado con el oficial político de la unidad, quien aprovechó para darle al asunto un matiz político de tal magnitud que el joven médico fue llevado días después a una corte militar en la que el director de turno de aquel del hospital, el Dr. Carlos García, leyó una resolución ministerial firmada por el entonces ministro de las Fuerzas Armadas, Raúl Castro, que ordenaba su expulsión deshonrosa de las FAR. Acto seguido, el Dr. mayor Félix Ulloa Quintanilla, jefe del servicio de Medicina Interna del hospital, procedió a degradar a dicho oficial quitándole ambas charreteras y tirándolas al suelo. De esta manera, arrojaron a la calle al mejor médico de aquel hospital y posiblemente de toda la región central del país, alguien que vivía por y para la Medicina pero, para ellos, su talón de Aquiles era carecer de valores políticos, por lo que desde hacía tiempo formaba parte de la lista negra del hospital y lo usaron como chivo expiatorio, un ejemplo fehaciente del poder destructivo de quienes dirigían aquel lugar.

Aquel hospital, antes paradigma de la excelencia médica, que mostraba orgullosamente la moral de sus médicos al punto de que la población lo consideraba un motivo para enorgullecerse, que servía de comparación cuando se hablaba de malos tratos o falta de ética de médicos o personal paramédico debido a la disciplina que allí reinaba, fue invadido también por la corrupción y este doloroso episodio lo inició, nada más y nada menos, que uno de sus viejos lobos, alguien con el grado de mayor de los servicios médicos, especialista en medicina interna, el doctor Lahera que por años fue jefe de servicio de esa especialidad e hizo mucho daño por su manera extremista y rígida de exigir la disciplina, usando sus grados para aplastar sin piedad a muchos de sus subordinados.

Durante los años más duros del Periodo Especial, se construyó una residencia de varias habitaciones en la conocida playa de Varadero, utilizando obreros a los cuales les otorgaba previamente certificados médicos (por enfermedades inexistentes), ayudados por algunos soldados a los que retiró de sus unidades militares de la misma manera (con la particularidad de que a estos los pasaba por la comisión médica para obtener la baja de las FAR por enfermedad), así garantizó la fuerza de trabajo; los materiales de construcción los obtuvo también de una manera ilícita, pero no pudo justificar su procedencia ante los oficiales de la contrainteligencia durante las semanas en que estuvo detenido, aunque, como era un viejo lobo, pudo lograr su liberación sin necesidad de ir a prisión y solo fue expulsado de las FAR.

La comisión médica

La comisión médica, creada para dictaminar la liberación de las FAR por enfermedad, funcionaba una vez a la semana, generalmente los viernes, y la integraban varios especialistas: cirujanos, psiquiatras, oftalmólogos, especialistas en garganta, nariz y oídos, dermatólogos, ortopedicos y especialistas en medicina interna. En los primeros años de la década de los noventa, su directora era la capitana Martha Betancourt,[142] y la función de cada uno de sus miembros era presentarle todos los documentos necesarios para procesar a un determinado paciente en dicha comisión. Se debían incluir informaciones como el libro médico del oficial o del solda-

---

[142] Capitán jefe de Comisión Médica de la FAR, seudónimo.

do que se iba a analizar, resumen de la historia clínica (exámenes de laboratorio que corroboraran el diagnóstico), así como la firma de todos los integrantes del servicio que apoyaban el diagnóstico presentado. Aquí, el miembro de la comisión discutía el caso y se llegaba a un consenso respecto al paciente.

En 1997, el doctor Ángel Torna,[143] capitán de los servicios médicos y especialista en medicina interna del Hospital Militar de Santa Clara, era el representante de la comisión médica de Medicina Interna y llevó a esta cinco casos de soldados con diagnóstico de hipertensión arterial esencial con repercusión orgánica, los cuales recibieron la baja del servicio militar. Seis meses después, volvían al ruedo, los tribunales de honor, y en el anfiteatro del hospital se efectuó otra corte militar en la que dicho oficial reconoció que cobraba de tres mil a cuatro mil pesos por los "servicios" prestados. Recibió una sentencia de veinticinco años de privación de libertad por estos delitos.

Una investigación ultra secreta

A finales de 1992, en el Hospital Militar de Santa Clara comenzó una investigación ultra secreta siguiendo los principios de confidencialidad a los que son tan adictas este tipo de instituciones. Era un proyecto del MINFAR que decidieron practicar en cuatro provincias —Ciudad Habana, Matanzas, Santa Clara y Santiago de Cuba—, referente a la búsqueda de la posible cura del cáncer (de quién provino la idea, nunca lo supimos). Lo cierto es que se invirtió una importante cantidad de dinero en compras (según las limitadas informaciones que nos han llegado) en laboratorios ubicados en Colombia y Panamá de un medicamento conocido como cartílago de tiburón, el cual venía empaquetado en sobres con muy buena presentación, ocultos en cajas con la etiqueta de secreto. El proyecto consistía en que, una vez seleccionado un universo de pacientes en fase terminal de cáncer de próstata y mama, comenzarían a tratarlos con ese "polvo mágico" que se usaba diluido en agua y se administraba oralmente a razón de uno o dos litros diarios, o por

---

[143] Capitán de los servicios médicos del Hospital Militar de Santa Clara, seudónimo.

vía rectal a través de enemas cada seis horas. Previamente, a estos enfermos se les confeccionó su historia clínica y se les practicaron exámenes de laboratorio, radiografías y ultrasonidos, se localizaron sus metástasis (siembra a distancia de células malignas) en huesos y piel y, a partir de allí, se inició el estudio.

Se estudiaron un total de cuarenta y dos pacientes divididos en dos grupos (mama y próstata), por un periodo de noventa días (ingresados en el hospital), con seguimiento macroscópico (visual) de las lesiones en la piel y de las metástasis (siembra del tumor en otros órganos) a través de ultrasonidos y radiografías. Al cabo del tiempo fijado, se convocó a una reunión en el Hospital Militar Naval de Ciudad Habana para discutir todos los resultados. Asistieron unas cien personas entre investigadores e invitados, y el resultado fue inesperado: el estudio ¡no era concluyente!, se evidenciaron signos de mejoría en las pocas biopsias que se hicieron, con bandas de fibrosis alrededor del tumor, pero como no se realizaron estudios inmunológicos que certificaran los posibles beneficios del cartílago de tiburón en la respuesta inmunológica de los pacientes, el proyecto fracasó. Concluyeron que en un tiempo futuro se volvería a efectuar el estudio y ahí, sencillamente, terminó todo.

Para ellos fue muy fácil, pero para los pocos enfermos que sobrevivieron y para sus familiares, la noticia fue devastadora. El MINFAR y sus asesores en la esfera investigativa demostraron una vez más su incapacidad movilizando una gran cantidad de recursos a nivel nacional en un proyecto que realmente no sabían ni cómo efectuar y mucho menos cómo concluir y, lo peor, crearon falsas expectativas en familiares y pacientes a los cuales obligaron a permanecer hospitalizados durante un tiempo prolongado, con todos los inconvenientes que de esto se derivaba. Y nos preguntamos, ¿quién asumió todo este gasto de recursos en avituallamiento, medicamentos, costos por estadía hospitalaria, alimentación, desvío de recursos humanos para atender esta actividad médica, además de todos los gastos de traslado para las reuniones en la capital, quién fue el responsable de este despilfarro, alguien tuvo que rendir cuentas?

Las mezquindades cotidianas

A partir del año 1992, la dirección de las FAR creó un nuevo programa de mejoramiento de la vida de los oficiales para evitar que estos se dedicaran al mercado negro y empañaran así la imagen de esta organización. Cada mes, recibían una bolsa de alimentos y artículos básicos como jabón y pasta dentífrica, además, se confeccionó un plan de otorgamiento de artículos para la vivienda (televisores, refrigeradores, juegos de cuartos, de sala, etc.) en dependencia del comportamiento, así como la oportunidad de asistir a diferentes centros turísticos para los cuales los jefes de Cuadros de las unidades militares recibían un número de plazas y muchas veces hasta dinero en efectivo. En las unidades militares, el adulador es sin lugar a dudas el Jefe de cuadros, quien se encarga del papeleo de cada uno de los oficiales y soldados, por ende, colabora directamente con los oficiales de la contrainteligencia para obtener o brindar la información que se necesite en cualquier investigación. Si alguien disfrutó de las separaciones, encarcelamientos, cortes militares y llamadas de atención a los oficiales médicos durante aquellos finales de los ochenta y principios de los noventa en el Hospital Militar de Santa Clara, fue el jefe de Cuadros de dicha unidad, el capitán Luis G. Moreira Águila,[144] pero como suele suceder, que el extremismo esconde el oportunismo, él mismo cayó en desgracia. Todos sintieron gran júbilo cuando, años después, fue degradado y separado del hospital por manejo turbio de dinero.

Aún hoy existe un grupo de médicos[145] perteneciente al servicio de cirugía que se dedica a la indecorosa tarea de pedirle a sus pacientes productos alimentarios o de otra índole, en dependencia de quién sea el paciente o a lo que se dedique. Lo practican sobre todo con campesinos de los poblados de Ranchuelo, San Juan de los Yeras, Horquita, o cualquier otro poblado perteneciente al municipio de Ranchuelo; incluso, uno de ellos logró comprarse un auto soviético Moscovich valorado en varios miles de pesos cubanos.

---

[144] Ver Certificado de Licenciamiento al final de este capítulo.

[145] Doctores Raúl Álvarez, Jorge Aquino Gutiérrez, especialistas en cirugía general y de campaña, médicos del Hospital Militar de Santa Clara Manuel Fajardo Rivero.

Los pobres campesinos que deben operarse en frío, es decir, realizarse operaciones de patologías quirúrgicas crónicas tales como hernias inguinales o escrotales, litiasis vesiculares, ulcus péptico, hemorroides, fisuras anales entre otras, tienen que acudir a este hospital y permitir que ellos abusen de su ignorancia utilizando la vieja estrategia de poner las cosas peores de lo que están, chantajeándolos con las listas de espera o la falta de recursos; les pintan una situación mucho más mala que la real y demuestran un interés poco corriente en sus casos para crear las condiciones ideales de expectativa y temor para hacer el pedido en dependencia de los recursos que pueda brindarle el paciente o sus familiares. De esta manera, obtienen alimentos que ya no tienen que comprar o que venden (cuando tienen sus necesidades cubiertas), lo mismo hacen con otros recursos materiales, por ejemplo el petróleo o la gasolina. Tal vez no lo hacen por dinero, pero basándonos en el poco poder adquisitivo de tales cirujanos, no han logrado enriquecerse precisamente con el miserable sueldo que reciben.

Por último, quisiera mencionar a otro grupo de médicos, en este caso civiles de las FAR, expulsados del hospital. Entre 1995 y 1997 fueron separados los trabajadores Dr. Sierra Enriques, eminente cirujano y profesor interconsultante de cirugía, acusado de violar la Directiva 01 que prohíbe cualquier tipo de relación con extranjeros, así como los negocios que deriven en ganancias de dólares (vale la pena aclarar que los médicos en sentido general no pueden bajo ningún concepto tener negocio alguno), y el cirujano Emilio Pérez Anchía, eminente profesor en su especialidad, cirugía. En enero de 1996 fue expulsado el intensivista y especialista en medicina interna el Dr. Joaquín Valdés Sosa, acusado también de violar la Directiva 01.

Continuaron mutilando al grupo de oficiales médicos por diferentes causas, aunque de manera inteligente el mando no aceptó por resolución la solicitud de licenciamiento de las FAR por otros motivos que no fueran homosexualismo o contrarrevolución y, de este modo, tuvieron que continuar en la misma situación el grupo de oficiales que aspiraba a abandonar el hospital por esta vía. En mayo de 1996 fue expulsado deshonrosamente el Dr. José Luis Comas Mendiola, debido a incompatibilidad con el servicio por violar la

Directiva 01, así como el Dr. Aquiles,[146] expulsado unos meses después por el cargo de insubordinación. Y en 1997, fue expulsada la capitana de los servicios médicos, la doctora Elisa[147] también por una violación de la Directiva 01.

Estos médicos fueron doblemente sancionados. Una vez que obtenían su licenciamiento de las FAR y se presentaban en la Sectorial Provincial de Salud, eran injustamente reubicados en zonas rurales lejanas por tiempo indefinido y sin motivo alguno, porque cada uno de ellos ya había realizado su servicio social en su momento. Desde luego, todo obedecía a un acuerdo ilegal entre la dirección de salud y el hospital militar, a fin de frenar, también de esta manera, la emigración de los médicos militares.

---

[146] Médico, oficial de la FAR, seudónimo.

[147] Médico, oficial de la FAR, seudónimo.

Arriba fotos del entrenamiento militar que tenían que recibir como parte del plan de estudios de Medicina.

Abajo el Certificado de graduado en "Medicina Militar" y el ascenso a grado de teniente de uno de los autores.

CERTIFICADO DE LICENCIAMIENTO

(1) Al Estado Mayor Municipal de: *Santa Clara.*

(2) Primer Apellido	(2) Segundo Apellido	(2) Nombres
Combs	*Mendiola*	*José Luis*

(3) No. Expediente	(4) Grado Mili.	(5) No. Ord. Alt.	(6) Día	Mes	Año	(7) De cuáles es la Ord.
339642	*1T*	*45*	*26*	*7*	*93*	*J' EC.*

(8) Cargo que ocupaba: *Espec. Medicina Int. y Campaña.*   (9) Unidad Mter. *9988*   (10) Preparación Militar *Médico*

(11) Ha sido licenciado del Servicio Militar Activo y pasado a la Reserva según: *La Orden # 546.*
de fecha 30.3.96 del Ministro FAR por Incompatibilidad con el Servicio.

(12) Se ha hecho entrega del carné militar No. *69577* y todas las pertenencias propiedad de la Unidad Militar

(13) Fue inscripto del Registro de la Unidad con fecha: *31.5.96*

(14) Ingresó en las FAR el/la *20* de *Marzo* de 19 *91* acumulando *5* años y *2*. fecha de Servicio Militar Activo.

(15) Lugar de residencia: *Avenida Canaleyes # 18 c/ Avenida Oeste y Carretera Central/Balizas del Oeste SQ V. C.*

(16) DATOS SOBRE EL CUMPLIMIENTO DEL SERVICIO MILITAR ACTIVO

Unidad Militar	Cargos ocupados por el oficial	Desde	Hasta
9988	*Alumno Residente Med. Interna.*	*1-9-91*	*20.3.95*
9988	*Espec. Med. Interna Campaña.*	*20.3.95*	

(17) Cargos que se recomienda puede ocupar en la reserva: *Cargo de especialista en Medicina Interna.*

(18) Certifico que los datos anteriores obran en la documentación de registro del Oficial.
Jefe Cuadro Unidad Militar *9988*
Grado, nombre y apellidos:
Cp. Luis G. Moreira Aguila.

No es válido con borrones o enmiendas y si carece del sello de la Unidad Militar.

16.

Certificado de licenciamiento del Servicio Militar Activo por la Orden 546 del Ministro de las Fuerzas Armadas Revolucionarias confeccionada y firmada por el capitán Luis G. Moreira, quien disfrutó a su máxima expresión este tipo de trabajo que involucraba la expulsión deshonrosa de un médico. Intransigente e intolerante oficial que encabezó los juicios sumarísimos efectuados en el hospital militar Manuel Fajardo de Santa Clara durante la década de los noventa. El tiempo se encargó de demostrar su verdadero rostro. Degradado y expulsado de las FAR años después por corrupción y malversación de bienes del gobierno de los Castros.

CAPÍTULO IX
Misión médica internacionalista

Palabras clave

Colonización comunista • verdadero objetivo de las misiones •
la candonga • si usted es cubano, entonces no es extranjero • médicos
guardianes de casas • Cuito Cuanavale • el triste regreso a casa • bolsa del
internacionalismo • el verdadero propósito del internacionalismo médico
cubano

En nuestros ratos libres, los médicos[148] solíamos sentarnos en el vestíbulo del internado médico del hospital (dormitorio con un *pantry* y una pequeña salita para ver TV, fumar o tomarse un receso; allí duermen los médicos de guardia) y conversábamos acerca de muchas cosas, podía ser de algunas carencias, digamos que de gasolina (el litro oscilaba en el mercado negro entre los ocho y los diez pesos cubanos, estamos refiriéndonos a los años comprendidos entre 1981 y 1989), que si en el mercado se podía obtener algo de carne de cerdo, algún vegetal para la ensalada, frijoles o huevo, entre otros asuntos. Las mujeres casi siempre comentaban sobre el calzado o la ropa (tengamos en cuenta que un jean costaba ciento cincuenta pesos). Siempre hablábamos de la supervivencia diaria, el tema científico, que debía de ser el primero que se tratara casi nunca se tocaba, eran tantas las carencias y tan difícil y violenta la subsistencia, que quedaba relegado a un segundo plano. Además, contábamos con muy poca bibliografía para realizar cualquier investigación, pues en la biblioteca personal o del hospital solo yacían empolvados textos con diez años o más de editados. Pero lo que no faltaba nunca, que se discutía como si de una asignatura obligatoria se tratara, era el de la misión médica internacionalista.

Este tema hacía que en nuestras conversaciones nos contáramos las más disímiles anécdotas, muchas de ellas tristes, otras con

---

[148] Dr. Luis Ovidio González González. Especialista en Pediatría.

cierto humor negro o a manera de sátiras, a veces espeluznantes, narradas por aquellos que habían laborado en otros países, incluso con estadía de dos años y que, al regresar, les habían dado como recompensa el mismo salario y un automóvil ruso marca *Moscovich*. En su sangre llevaban las huellas de uno o varios ataques de plasmodium (malaria) y quizás hasta de tuberculosis, habían malgastado dos años de sus vidas en un país extranjero para llenar los bolsillos de otros que trataban de exportar un sistema político que no tenía ningún sentido, muchas veces arriesgando sus vidas por enfermedades o por la guerra que se desarrollaba en muchos de esos países. Numerosos colegas se marcharon sin saber que ya nunca más volverían a ver a sus familiares queridos, pero era tal la labor de convencimiento de la UJC y del PCC, tal la desinformación y la manipulación, que se optaba por ir a esos lugares, ninguno quería quedar como un "rajao" (cobarde), calificativo que en aquel momento era casi sinónimo de desmoralizado o contrarrevolucionario.

Como muchos, caímos en aquel furor de las misiones y, sin terminar aún la residencia, un día nos hicieron firmar una planilla donde preguntaban si estábamos de acuerdo con cumplir una misión internacionalista; por supuesto que aceptamos, si respondíamos lo contrario la residencia en pediatría corría peligro y jamás podríamos hacernos especialistas. A los pocos meses, la dirección del hospital nos comunicaba que debíamos estar listos para partir hacia la República Popular de Angola (R.P.A) como médicos cooperantes. Corría el año 1988 y tan solo contábamos con un año de experiencia.

Algunos colegas se nos acercaron para aconsejarnos y contarnos acerca de la vida en una misión, nos decían que debíamos cuidarnos mucho de los nativos, de las enfermedades, de los disparos, pero sobre todo de nuestros compatriotas, pues cualquiera de ellos podía ser agente de la seguridad del Estado, informante o simplemente envidioso, que te podían denunciar ante los jefes por cualquier regalo que aceptáramos alegando que cobrábamos por nuestros servicios.

Debemos aclarar que durante este tiempo, la tenencia de dólares estaba penalizada en Cuba, por lo que el gran objetivo de los que viajaban al exterior era obtener al menos, algunos objetos materiales con los que aliviar las carencias que teníamos en nuestro país (ropas, jabones, zapatos, cosméticos), incluso algunos hasta pudieron traer televisores a color y videocaseteras (algo que en la Cuba de los años ochenta y parte de los noventa era un lujo extremo). Todas estas circunstancias de continuas carencias condicionaba que existiera la envidia y la vigilancia entre los mismos cubanos, por eso, quienes ya habían pasado por esto sabiamente nos aconsejaban que nos cuidáramos de los cubanos.

Preparación para la misión internacionalista

La primera dificultad fue el boleto para viajar a la ciudad de La Habana; hubo que llamar más de cinco veces a la Dirección Provincial de Salud porque, como siempre, un pasaje a La Habana era algo extremadamente difícil. Al fin llegó el momento de despedir a toda la familia, que con lágrimas en los ojos decían adiós a un hijo, hermano o primo que partía quien sabe adónde y con qué objetivo. Atrás quedaban nuestros seres más queridos, sus mejores momentos, viejos y queridos rincones, todo un arcoíris de emociones, aquellos años mozos, las costumbres, es decir, la vida entera, ya sentíamos cómo la madre de la nostalgia: la patria, comenzaba a quedar rezagada.

Llegamos a La Habana, a un lugar en Miramar llamado Villa Flores, se trataba de dos edificios con departamentos desolados, literas llenas de polvo, sin agua corriente, sentíamos un hambre atroz. Nos recibió un déspota de la empresa Cubatécnica (empresa encargada de enviar a los profesionales al exterior) que a partir de ese momento nos representaría, prácticamente nos gritó que por la tarde nos visitaría un miembro del Comité Central del PCC para explicarnos en qué consistiría nuestra tarea.

Al anochecer apareció, en un auto blanco nuevo, un señor de edad avanzada, de aproximadamente setenta años, vestido de guayabera y con varios bolígrafos de lujo en los bolsillos, un buen puro de exportación entre sus dedos, un flamante reloj Seiko en su muñeca izquierda y varios anillos de oro (la típica estampa del dirigente en la Cuba de aquellos tiempos); entró sin saludar y alguien nos reunió a todos en el comedor de aquel lugar para escucharlo.

Comenzó diciendo lo mismo de siempre. Hizo un recuento en el que mencionó a los mártires de la guerra de independencia y de la revolución, entre ellos al Che Guevara y a Máximo Gómez como dignos ejemplos de verdaderos internacionalistas, lo mismo que nos exigía la revolución que fuéramos nosotros en tierras extranjeras ahora; recordó las vicisitudes que sufrió el apóstol nacional José Martí en el exilio y, cuando ya tenía todo este marco histórico armado, comenzó a particularizar: íbamos a enfrentar una situación muy difícil en un país en guerra pero debíamos mostrarle al mundo cómo un pueblo pobre y bloqueado brindaba a sus mejores hijos...bla, bla, bla..., la misma retórica de siempre, con la idea fija de que somos un patrón digno a seguir, que debemos demostrar que la sociedad cubana es la sociedad ideal. Luego prometió que a nuestras familias no les faltaría nada (aunque todos sabíamos que esta era una gran mentira) y que en Angola tendríamos todo lo necesario (otra de sus falacias); aprovechó el momento para atemorizarnos con la fuerza opositora al gobierno angolano, la Unión Nacional para la Independencia Total de Angola (UNITA), movimiento armado cuyo fundador y líder principal era Jonas Savimbi; con las cobras, el paludismo, los nativos, los animales feroces, de manera que nos mantuviéramos dentro el mismo temor que existe en el país, que no nos olvidáramos del policía que todos los cubanos llevamos dentro, como muchos le dicen a la paranoia cubana que cree que siempre nos vigilan.

La estancia en aquella villa fue horrenda, la mayoría de las veces no teníamos agua, sufríamos un calor agobiante, la comida era poca y mala; finalmente, nos vendieron un módulo de ropa igual para todos, hasta en eso querían ellos la uniformidad. A los cinco días de estancia nos dieron los pasajes para viajar, nos recogió un ómnibus en el que debían caber unas ciento cincuenta personas con sus equipajes, así que no hay que ser muy imaginativo para visualizar lo atropellado de aquel viaje hacia el aeropuerto; una vez allí, con la ropa estrujada y todas las maletas iguales, esperamos otras tres horas en un salón, pero como no teníamos divisas (entiéndase dólares) no pudimos ni comprar una botella de agua durante la espera.

Al fin abordamos el avión y otro personaje de la empresa Cubatécnica nos entregó el pasaporte en el instante de subir la escalerilla (tal vez por temor a que una vez dentro del aeropuerto nos montáramos en otro avión, con otro destino). La aeronave era IL-62 (avión comercial soviético) que nos impresionó de mala manera, porque más bien parecía diseñado para cargar reses que personas, con tres largas filas de asientos sin mucho espacio, que nos hacían recordar las narraciones de las largas y sufridas travesías que hacían los esclavos africanos a América, solo que ahora en sentido contrario y con la diferencia de que vestíamos todos iguales, con las típicas guayaberas cubanas.

Fueron catorce horas de vuelo, con escala en la Isla de Sal, Cabo Verde, a las ocho horas de salir de La Habana, un inmenso aeropuerto en medio de una gran piedra rodeada de agua, con unos mulatos de ojos verdes y cara de robots que cuidaban las instalaciones. Nos hicieron bajar de uno en fondo, nos dieron un refresco de naranja y un pan con jamón que nos supo a gloria. Luego el sobrecargo del avión (oficial de la seguridad del Estado) y otros que se encontraban allí se encargaron de vigilarnos estrechamente durante la hora de estancia en ese lugar. Si íbamos al baño, en la puerta se quedaba uno de ellos (temían que alguien se escondiera). El IL-62 levantó el vuelo. Cuántas cosas pasan por la mente de un hombre que sobrevuela el océano Atlántico a 50 000 pies de altura, lleno de incertidumbre al no saber lo que nos esperaba.

Al amanecer del 7 de noviembre de 1988 empezamos a ver bajo nosotros un terreno rojizo y arenoso, con escasa vegetación debido a la sequía, unas casitas de barro y techo de hierbas (*capin*), que me hicieron recordar el cuento infantil de los tres cerditos. ¡Dios!, ¿a dónde habíamos llegado? No se veían rastros de civilización por ningún lado, parecía que en la máquina del tiempo habíamos retrocedido a la edad de las cavernas. El avión tocó tierra, descendimos más de un centenar de personas, casi todas vestidas iguales, como una gigantesca comparsa que no iba para el carnaval precisamente sino a tratar de danzar en un nuevo escenario de la vida. Las instalaciones del aeropuerto eran unas naves rústicas, todo el personal que allí se veía estaba vestido de camuflaje; ya dentro de estos locales llegó un señor de la empresa Cubatécnica, muy elegante (como de costumbre) y también sin saludar, exclamó: ¡arriba todo el mundo, con el pasaporte en la mano! Nos arrebataron aquel documento a uno por uno y nos indicaron que montáramos en un ómnibus, con equipaje y todo, a más de ochenta personas. Como a dóciles sardinas, nos enlataron y llevaron a unos albergues mugrientos que llamaban Cuatro de Febrero; ese fue nuestro primer aposento, el noble recinto que acogería a aquellos profesionales de la salud y la educación que iban a curar y educar gratuitamente (al menos para ellos) al pueblo angolano.

Al día siguiente nos llevaron al Centro de Entrenamiento Militar (CEM) de Funda, a unos pocos kilómetros de Luanda, la capital. Los equipajes se quedaron en un cuarto en el albergue y al regresar los encontramos llenos de agua, pues el único aguacero que había caído aquel año en Angola se encargó de mojarnos nuestras pertenencias: fotos, libros, ropa formaban parte de una gran sopa, de lo mojado que estaban. En Funda, aquello fue terrible, nos vistieron de camuflaje, holgado para unos y estrecho para otros, advirtiéndonos que aunque viniéramos de civiles, en Angola estábamos en guerra, que debíamos comportarnos como militares y estar subordinados al feroz y cruel general Leopoldo Cintra Frías. Nos enseñaron historia de la guerra de Angola, infantería, tiro, táctica y supervivencia; pensábamos mucho en el motivo y el fin de aquella guerra, nunca le encontramos un sentido real porque no tenía nada que ver con Cuba, mucho menos con nosotros que éramos profesionales civiles. Allí pasamos unos quince largos días, los cinco primeros sin bañarnos, solo había agua para llenar las cantimploras y no hacíamos más de dos comidas al día, eso sí, mucho entrenamiento militar y, por vez primera, el contacto con los soldados angolanos.

Ya desde el camino hacia este centro, vimos a unos niños muy alegres parados a ambos lados de la carretera, nos hacían gestos con sus manitas, abriéndolas y cerrándolas, nosotros no entendíamos el significado de sus gestos hasta que luego supimos que trataban de simular una garra con el mensaje: *araña cubano que Angola es tuya*, esa era la filosofía que habían sacado del conflicto, era cómo lo interpretaban, porque para ellos la presencia de los cubanos en sus tierras era otra forma de colonización, una verdadera injerencia en la vida de otro pueblo al que querían transformar completamente al estilo cubano, como tratando de construir una pequeña Cuba en el centro de África.

En nuestro recién llegado grupo no solo había médicos y profesores sino también un asesor de los Comités de Defensa de la Revolución (CDR),[149] Elio Hernández, residente del Mariel, quien obviamente soñaba con trasplantar los CDR a Angola. Además, había asesores de la Federación de Mujeres Cubanas para conformar también esta organización en ese país.

Un médico amigo, que regresó de vacaciones conmigo, traía las orientaciones de crear las bases para el surgimiento del médico de la familia angolano en la provincia de Sumbe, lugar en el que era jefe de brigada. Así funcionaba aquello, todo dirigido hacia la cubanización de Angola, olvidando que este era un país independiente, con sus propias características, queriendo hacer con aquella ayuda "desinteresada" una colonización comunista, de ahí que aquellos angolanitos analfabetos se burlaran de nosotros. Ese era el concepto sobre nosotros arraigado en la población pobre, porque los angolanos ricos, los verdaderos dueños de aquel país, solo explotaron y aprovecharon la oportunidad para mantenerse en el poder.

Esta descabellada idea de la guerra de Angola le costó a Cuba la vida de más de 2200 cubanos, en su mayoría jóvenes, según se expresó en la despedida de duelo de los combatientes internacionalistas en el Cacahual, provincia de La Habana, el 8 de diciembre de 1989.[150]

Después de catorce días en el CEM y como clímax de aquella amargura, nos pasamos dieciséis horas en un campo de tiro realizando prácticas con proyectiles reales, soportando dentro de una trinchera, el tableteo de una ametralladora soviética RPK durante más de treinta minutos. Los oficiales que nos entrenaban decían que aquello era para acostumbrar los oídos a los tiros, pero parece que también querían acostumbrar el estómago al hambre, porque ese día solo comimos un pequeño pedazo de pan con un embutido

---

[149] Los Comités de Defensa de la Revolución (CDR) se fundaron el 28 de septiembre de 1960 en La Habana, con el papel de desempeñar tareas de vigilancia colectiva, es decir, para suministrar información sobre cada ciudadano que reside en su barrio, lo mismo de carácter personal que laboral o de integración revolucionaria.

[150] Castro Ruz, Fidel: Discurso en la despedida de duelo de los combatientes internacionalistas en el Cacahual, el 8 de diciembre de 1989, *Vanguardia*, 9 de diciembre de 1989.

maloliente y picante al que luego supe que llamaban *vanderlan*. A los tres días apareció un funcionario de apellido Torres, quien era el máximo representante de la empresa Cubatécnica, acompañado por el Dr. Ángel Echeverría, un fornido mulato de la provincia Granma que era el jefe de la misión médica en aquel país, y por el Dr. Francisco Ulloa, un santiaguero de unos 50 años que era el segundo jefe; nos reunieron para decirnos, con la misma aburrida verborrea y retórica de siempre, cuál era nuestro papel allí, dijeron que lo fundamental era mantener en alto la imagen de Cuba, que nuestro trabajo tenía que ser desinteresado, no podíamos aceptar regalos, que debíamos tener mucho cuidado con la UNITA y, sobre todo, aumentar el entusiasmo para convertirnos en una especie de transformadores de la RPA, creando las bases sobre las que implantar el modelo del médico de la familia cubano. Más tarde nos fueron identificando uno a uno, sobre todo a las mujeres jóvenes, para luego retirarse durante una hora aproximadamente y regresar con nuestras ubicaciones.

La futura ubicación estaba determinada en primer lugar por el sexo del cooperante. A las mujeres, sobre todo si eran jóvenes, bonitas y solteras, las dejaban en la capital, pues allí eran una especie de carnada en muchas ocasiones para los altos oficiales de las FAR, funcionarios de la embajada cubana, jefes de Cuba técnica, de la misión médica o de la Unión Nacional de Escritores y Artistas de Cuba (UNEAC); casi todos los que provenían de Ciudad de La Habana se quedaban también en Luanda gracias a que conseguían alguna recomendación por diferentes vías, pero los que proveníamos del interior del país éramos enviados irremediablemente a las provincias de Angola en las que no solo existían peores condiciones de vida y mayor peligro, sino que las posibilidades de obtener artículos como ropa, electrodomésticos, cosméticos, zapatos, etc. (la famosa "pacotilla") y enviarlos a Cuba eran menores, lo cual es el verdadero objetivo de los que trabajan en las misiones, a pesar de que el gobierno cubano siempre haya tratado de minimizarlo afirmando que la ayuda solo obedece a principios humanitarios y a la tradición solidaria del pueblo cubano, una de las eternas banderas esgrimidas para justificar su injerencia en los asuntos internos de muchos países en los que se han involucrado.

La verdadera razón por la cual miles de profesionales han dejado sus hogares, abandonando a su familiares y a su patria, ha sido la de buscar una vida mejor. Todos los que conocí (sin excepción) buscaban, valiéndose de cualquier vía, una forma de hacer dinero para comprar allá de lo que carecían en Cuba (casi todo) y enviarlo con alguien o llevarlo personalmente; conocí algunos casos de personas que gracias a esas cosas que enviaban, lograron construir sus casas y hasta comprar autos. Este tema merece un mayor análisis que no es el objetivo de este libro, pero sabíamos que los jefes civiles y los altos oficiales de las FAR hacían esto a gran escala y obtenían ganancias suculentas (recordemos al general Arnaldo Ochoa y es bueno aclarar que no fue el único), ese enriquecimiento ilícito era lo común y normal para la alta jerarquía del ejército cubano en Angola y, si el jefe lo hacía, qué esperar de los subordinados.

Después de los primeros avatares de nuestra llegada, quedaba el objetivo en sí de aquel viaje: el trabajo asistencial y cómo era este. El hospital provincial de Malanje, al norte de la RPA, solo contaba con un médico angolano que prestaba servicios, el Dr. Nejo, y otro médico que era el delegado provincial de salud, el doctor Joao Kisakoca Lembo; el primero era el director del hospital, a pesar de haberse formado en Cuba era un acérrimo detractor de los cubanos, mostraba una rabiosa y contradictoria envidia profesional, saboteaba todo lo que decíamos o creíamos que debía hacerse, en el mejor de los casos respondía con una sonrisa de soslayo cuando alguien preocupado le informaba que no había oxígeno o algún medicamento. Siempre achacaban las carencias a la guerra, más tarde descubrimos cómo vivían estos médicos, sus residencias lujosas, sus autos Mercedes Benz del año, las decenas de sirvientes a su disposición; solo trabajaban dos o tres horas al día, el resto era para descansar, cada dos o tres semanas se tomaban unas vacaciones, casi siempre a Lisboa (Portugal), Francia o Brasil. La indolencia y la indiferencia en ellos era una cuestión medular, claro, ya ellos habían dejado todo en manos de sus empleados, los cooperantes cubanos, con un cerebro lleno de ideas equivocadas y la frescura de la juventud en su gran mayoría.

El trabajo comenzaba a las nueve de la mañana después de llegar hasta allí en un viejo auto ruso Gaz-69 al que le fallaban todas sus piezas o a veces en alguna ambulancia; a las once de la mañana ya se terminaba la actividad hospitalaria y pasábamos a la consulta.

El primer día de trabajo tocó examinar a un lactante de seis meses de edad que ya desde lejos exhibía un cuadro de insuficiencia respiratoria aguda, su corazón estaba a punto de claudicar y rápidamente pedí todo lo que necesitaba: *canalicen una vena periférica...* y la respuesta fue *¡no hay borboletas!* (así le llaman en portugués a las agujitas finitas con dos orejuelas para manipular y canalizar venas finas de bebé). *Administren oxígeno... ¡no hay!*. *Bicarbonato, epinefrina... ¡no hay!*, y así sucesivamente, con mi estetoscopio pegado a su corazón, oía apagarse poco a poco los latidos hasta verlo fallecer sin poder hacer nada. Era la primera vez que esto me ocurría, dos lágrimas corrían por mis mejillas y se me escaparon mil palabrotas, insultando a todas aquellas inertes e insensibles enfermeras angolanas (todavía no comprendía que ellas no eran culpables). Salí al patio y consumí casi una cajetilla de cigarros, no entendía esas indiferencias ni para qué estaba yo allí, para ver morir a un niño no hace falta ser médico, nadie se inmutó con aquello, esto era muy común, casi cotidiano para los nativos. Una jefa de enfermeras del servicio de pediatría de aquel hospital llamada doña Esperanza, se me acercó sigilosamente y solo me dijo: *fica sosegado so dotore, paciencia, paciencia* (*quédese tranquilo, doctor, tenga paciencia*). Poco a poco fui valorando y acostumbrándome a aquella filosofía, interiorizando lo inútil de nuestros esfuerzos, porque estábamos haciendo algo en aquel país sin el apoyo de las autoridades, sin ningún agradecimiento ni reconocimiento, todo en vano y lo peor, privando a nuestro pueblo de nuestros servicios.

Una noche me llaman al hospital (estaba de guardia y, cuando esto ocurría, duraba una semana completa, por lo que era localizable) porque habían ingresado a la hija de un teniente coronel de las Fuerzas Armadas para la Liberación de Angola (FAPLA), que luchaban junto al ejército cubano contra Savimbi y la UNITA. Al examinarla me doy cuenta de que tenía paludismo cerebral, se me acercaron dos soldados con una enorme caja de madera con todo tipo de medicamentos e instrumental para el tratamiento de esa patología (todos de procedencia portuguesa y de última generación).

No perdí tiempo y le puse el tratamiento indicado y como ya había encontrado a una monja mexicana que prestaba sus servicios allí, la hermana Ofelia, esta, muy caritativa, permaneció toda la noche al lado de la niña, pues nosotros debíamos regresar al departamento por estrictas normas de seguridad que si violabas eras severamente castigado; al día siguiente, la paciente estaba mejor y pocos días después logramos egresarla sin secuelas.

Otra noche que estaba de guardia, aproximadamente a las tres de la madrugada, se presentó una paciente en estado grave, esta era una niña pobre, de unos 10 años de edad, hija de Narcizo y nieta de El Soba (una especie de cacique), en la aldea de Kamatete Encima (provincia de Malanje), a unos veinte kilómetros de la ciudad, su examen demostró que también era portadora de paludismo cerebral; el enfermero, ante mis reclamos de medicamentos, solo me respondía que no había ni siquiera un antipirético para la fiebre. La niña no dejaba de convulsionar, fue tal mi indignación que en el mismo jeep que me fue a recoger me dirigí a la residencia del ya mencionado Dr. Kisakoca y, después de discutir con los dos soldados que protegían su casa, al cabo de treinta minutos se levantó, le conté lo que sucedía y, debido a mi determinación de que hasta que no aparecieran los medicamentos para aquella paciente no me iría de allí, pausadamente, tratando de ocultar su cólera, me dijo que eso se resolvería, que regresara al hospital y, efectivamente, al regresar encontré todo cuanto necesitaba la paciente, la cual pudo recuperar su salud al cabo de los siete u ocho días. El pobre y casi indigente Narcizo no hallaba la manera de expresarme su alegría; ese será un día inolvidable.

Las consultas las dábamos después del pase de visita, con órdenes precisas de ver hasta el último paciente, pues había que dar una buena imagen. Los médicos cooperantes rusos, vietnamitas, búlgaros y alemanes solo atendían como máximo a quince pacientes, aunque el número dieciséis viniese agonizando. Debido a esto (en los albores de 1990), el mismo jefe del contingente médico que nos exigía la buena imagen de Cuba reconsideró lo dicho y se puso en sintonía con los otros, nos ordenó que solo atendiéramos entre quince y veinte pacientes como máximo para darnos nuestro lugar y para que el gobierno angolano comprendiera lo necesarios que éramos, una manera de presionarlos con el objetivo de que adoptaran el nuevo sistema que funcionaba a través de corporaciones, las cuales cobraban sus honorarios en divisas. La primera de su tipo en el territorio angolano fue dirigida por el general Antonio Enrique Lussón Batlle, exministro de Transporte; así se iniciaba la retirada de los cubanos de Angola y comenzaba otro capítulo del emblemático internacionalismo cubano.

La subsistencia de los cubanos en aquel país estaba regida por las leyes de la candonga, que en kimbundu, dialecto natural de Angola, significa mercado negro o subterráneo y que adoptaba varias formas:

1. Trueque o intercambio de objetos.
2. Venta de objetos. ¿Qué se vendía? Pues de Cuba se llevaban jeringas para enemas evacuantes (peritas) que valían centavos y se obtenían en las farmacias sin necesidad de receta, además de artículos tan disímiles como camisetas de farol chino, que los angolanos llamaban camisolas de petromax, las primeras se vendían a un precio de 3 000 a 5 000 kwanzas (kz), la moneda angolana, la segunda a unas mil kz; también se llevaban tenis (mientras más colores, más cotizados eran), radios, relojes de procedencia rusa (los de mayor demanda), y los cubanos (con su famosa inventiva) crearon sus propios productos en tierras africanas: óleo para cabellos (una mezcla de aceite de comer y un poquito de perfume que se envasaba en pequeños frascos vacíos de penicilinas) y perfumes, los cuales traían de Cuba y luego mezclaban con alcohol (nada más y nada menos que en dos o tres litros) y agua (se envasaban en pequeños frascos para su venta), costaban unas mil kz.

Todas estas artimañas las tenían que hacer los médicos, pues era vital para sobrevivir si tenemos en consideración lo que recibían en honorarios. Los señores de Cubatécnica nos desembolsaban tan solo 5000 kz por mes de trabajo, y para tener una idea de lo que esto significa, vamos a enumerar algunos productos que se ofertaban en la conocida candonga:

Un mazo de cebollas: 1500 kz

Una latica de ajos: 1500 kz

Una libra de papas, tomates o ajíes: 1500 kz

Una cerveza o un refresco: 1 000 a 1500 kz

Un jabón de baño: 1 000 kz

Un pantalón de mezclilla (*jeans*): 15 000 a 20 000 kz

Los artículos de primera necesidad tenían un precio muy elevado, la inflación era algo corriente, los cubanos no gozaban de derecho alguno de acceso a las famosas Lojas Francas (tiendas que vendían artículos en divisas), como disfrutaban el resto de los cooperantes extranjeros que podían comprar todo lo que necesitaban en esos lugares (a ellos les pagaban en dólares); nosotros debíamos denigrarnos y hasta arriesgar nuestras vidas, en las putrefactas y malolientes candongas en las que a diario había algún tiroteo o riña. Era un panorama triste ver a aquellos profesionales de la salud convertidos en vulgares negociantes, con mochilas en los hombros, proponiendo mercancías en tan singulares plazas.

En todos los edificios (predios de moradores) existían unos pequeños almacenes en los que se vendía, a un precio que oscilaba entre 3 000 y 5 000 kz, la porción de alimentos que se nos entregaba, conocida como la "jaba mensual", que finalmente constituía una especie de canasta básica (consistía en 5 kg de arroz, 3 kg de frijoles, 4 latas de leche condensada, 2 latas de carne prensada, 2 latas de sardinas, 1 lata de jamón prensado, 4 kg de azúcar, 0,5 kg de café, 20 cajetillas de cigarros, 2 botellas de ron) para una persona por todo un mes; si sobraba arroz o azúcar, el jefe de la misión tenía la potestad, previa autorización de sus superiores, de hacer el trueque con los angolanos para obtener carne de res, sacrificaban una vaca y les vendían a los cooperantes unas libras, en dependencia de la cantidad que fuera, así como por el tamaño y peso del animal; en realidad no se pasaba hambre (si el punto de comparación es Cuba), pero era necesario hacer un sinnúmero de piruetas para satisfacer todas las necesidades, aunque se debe destacar que con la compra de la jaba mensual, prácticamente agotábamos nuestro estipendio.

Todos los productos que nos daban en la canasta eran de origen cubano, llevados a la RPA con el objetivo de alimentar a los cooperantes, en vez de ser los angolanos quienes lo garantizasen, sus autoridades siempre fueron muy indiferentes en este tema, veían aquella misión como un asunto de nosotros y que solos debíamos resolverlos (*ustedes entraron sin que nadie los invitara, así que resuelvan ustedes sus problemas*). Éramos para ellos una especie de intrusos a los que obviamente no querían, solo se lograba alguna ayuda si establecías personalmente relaciones con miembros de la clase pudiente o militares de alto rango.

Al año y medio de vivir en ese país, me tocó atender a la señora del Delegado Provincial del Banco, un señor de origen portugués perteneciente a la clase adinerada, el cual, a manera de agradecimiento, quiso brindarme, al regresar de sus vacaciones en Portugal, un sobre con unos dólares dentro. Obviamente, no lo podía aceptar, miré muy atemorizado para todos lados por si alguien me había visto y le rogué que lo guardara, que yo no podía aceptar ese regalo, que se lo agradecía eternamente, pero podía comprometerme seriamente si los órganos de control se enteraban de aquello. Entonces, ingenuamente, me solicitó que lo acompañara en los próximos días a un viaje a Río de Janeiro, él no podía comprender que no nos dejaran salir de ese lugar, que no poseyéramos pasaporte o tarjetas de identificación para viajar, lo cual estaba totalmente prohibido y si por alguna razón existía la más mínima sospecha en tal sentido, éramos inmediatamente expulsados hacia nuestro país, con todo un rosario de problemas cuando llegáramos. No le quedó otra alternativa que quedarse con la boca abierta y llevarse las manos a la cabeza del asombro, entonces decidió invitarme simplemente a un *yantar* (una comida), que era lo máximo que se permitía en estos casos.

Si usted es cubano, entonces no es extranjero

En cierta ocasión tuve que viajar de la provincia a la capital por asuntos de trabajo, todo el transporte era aéreo pues por carretera se corría el riesgo de explosiones a causa de una mina o caer bajo una emboscada de la UNITA, además, las carreteras estaban en muy mal estado debido a la guerra. Llegué al aeropuerto y me encontré a decenas de angolanos, algunos de pie, otros tirados en el piso con su cargamento para el negocio, con niños en los brazos, era tal el tumulto que no se podía estar allí y se corría el riesgo de que en el hacinamiento te robaran; me detuve antes de entrar al salón principal a observar una puerta con el cartel de Sala de protocolo para extranjeros, pensé que me había salvado pero cuando logré entrar, enseguida se me acercó un guardia de seguridad angolano armado, le explique quién era y que quería viajar a Luanda... me miró a los ojos y me dijo: *¡si usted es cubano, entonces no es extranjero. Salga de aquí inmediatamente!* Por fortuna encontré a dos jóvenes soldados cubanos custodiando una puerta de salida para autos y me pude refugiar con ellos hasta que salió mi avión, de esa manera evité entrar a aquel salón; una vez más experimenté en carne propia la posición denigrante y humillante que tenemos que sufrir los cubanos en cualquier lugar del mundo adonde nos envía el gobierno castrista, incluso en un país pobre y en guerra.

Esto era así por la forma en que fuimos vendidos al gobierno angolano, nos inmiscuyeron en un asunto puramente doméstico, esa era su guerra, enfrentada a su manera, en un pueblo con sus características y que nunca nos aceptó, por ende, no nos respetaban, ni nos veían como a verdaderos profesionales, ni siquiera como foráneos, sino que nos bautizaron como "primos", y esa fue nuestra verdadera identidad en la RPA.

En los meses de julio y agosto nuestros profesores (es decir, los maestros cubanos que impartían clases en todos los niveles de enseñanza) se iban de vacaciones a la patria, la mayoría de ellos vivía en Luanda, en un reparto llamado Primero de Mayo, en varios edificios que hicieron los constructores cubanos. Durante este periodo vacacional reunían a todo el personal de salud que estuviese en Luanda y los trasladaban sin posibilidades de discrepancias para esos departamentos, pues temían que los angolanos se adueñaran de las casas vacías (en aquel entonces, estaba establecido por ley que cualquier morada desocupada podría ser ocupada por cualquier angolano), lo cual obedecía a una estrategia gubernamental para adueñarse de las propiedades de los portugueses que estaban diseminadas por todo el país; de esta forma, teníamos que convertirnos en verdaderos guardianes, permanecer armados y despiertos y nunca dejar las propiedades desprotegidas pues los nativos estaban al acecho, entraban en cualquier departamento y los cooperantes perdían todas sus pertenencias. El gobierno nunca participó en la protección de dichos inmuebles, nosotros teníamos que cuidar las casas de aquellos profesionales de la educación que enseñaban gratuitamente a sus hijos, hasta ese punto llegó a denigrarse la cooperación en ese país. Sin embargo, si establecemos un paralelismo con Cuba nos quedaría claro que ¡pobre de aquel cubano que penetrara en la residencia de un ruso o en la de cualquier extranjero que viviera en el territorio nacional! Desde luego este comentario no podía expresarse en voz alta porque podría ser motivo de expulsión de la misión.

Una tarde de agosto vi que regresaba la escuadra de pilotos de los cazas MIG-23 ML (fabricación soviética) que vivía en nuestro edificio, me llamó la atención que el jefe de grupo[151] andaba cabizbajo, triste, desplomado, como si le pesara dar un paso. Era buena persona, con frecuencia compartíamos en nuestro apartamento, me preocupé mucho al verlo de esa manera. Luego de dos o tres dobles de ron Caney Carta Blanca, me arriesgué a preguntarle si tenía algún problema con su familia en Cuba o de salud, el hombre no levantaba la cabeza ni me miraba a los ojos, pero después de un momento exclamó: *¡Coño, esto no puede ser!*, y entre lágrimas comenzó a hacer catarsis:

Como cada mañana, recibí mi misión combativa, en este caso exploración aérea, cuando ya mi escuadra estaba en el aire recibo la orden de abatir un blanco, me dan las coordenadas y en un pase de reconocimiento por el lugar veo que se trataba de una aldea de civiles: niños, mujeres, ancianos, y así lo transmito por la radio a mis superiores, pero la respuesta fue: ¡cumpla la orden!, no me quedó otra alternativa que dejar caer sobre aquella pequeña población mortíferos kilogramos de fuego y metralla.

Ya en un tercer vuelo sobre el lugar vio una mezcla de humo y llamas que cubría todo el perímetro de aquel blanco, consumiendo prácticamente toda la aldea.

No difiere mucho de lo que el mismo Fidel Castro señaló en el discurso de despedida de duelo de los mártires de Angola en el Cacahual, provincia Habana, el 8 de diciembre de 1989:

Siempre se aplicó rigurosamente el principio de alcanzar los objetivos con el menor sacrificio de vidas posibles; para ello

---

[151] Teniente coronel Francisco Ayala, piloto de la DAAFAR en Pinar del Río.

se requería ser fuertes, actuar con el máximo de sangre fría y estar siempre, como siempre estuvimos, dispuestos a todo.[152]

Después de esta "admirable hazaña", este alto oficial quedó mentalmente descompensado, de tal modo que ni el magnífico ron cubano ni mis nerviosas palabras de aliento surtieron efecto, fue necesaria una interconsulta con un psiquiatra en la capital, con la posterior culminación de su misión en ese país y su traslado hacia Cuba.

En el escenario de uno de los combates más sangrientos de Angola

Según testimonios del Dr Nemesio Pérez [153], un amigo ortopédico, enviado en 1987 a la RPA por las autoridades de salud cubanas en combinación con las FAR, estando ya en Angola fue trasladado a Menongue, capital de la provincia de Cuando Cubango, en el suroeste, fronteriza con Namibia, Bostwana y Zambia, a unos 1 051 kilómetros de Luanda, la más conocida de las nueves ciudades que conforman esta provincia, no por su belleza o tradición, sino por ser escenario de uno de los combates más sangrientos de la guerra civil de Angola (1975-2002): el combate de Cuito Cuanavale (noviembre de 1987 a marzo de 1988). Mi colega partió en un convoy militar enviado para llevar armamentos y víveres a las tropas integradas por unos 20 000 hombres, destinados a la defensa de las posiciones cubano-angolanas emplazadas en el lugar. Esta caravana fue una verdadera odisea, se demoró aproximadamente trece días en su recorrido y efectuó unas once acciones combativas durante ese tiempo (entre emboscadas y minas) para arribar finalmente al lugar el 7 de diciembre de 1987.

El puesto médico de estas posiciones militares contaba con un reducido número de profesionales de la salud, básicamente un cirujano ortopédico, un cirujano general, un técnico en anestesia y dos enfermeros.

A finales de 1987, en pleno apogeo de la batalla y con todos los hombres que allí se encontraban jugándose la vida, supieron por

---

[152] Castro Ruz, Fidel: *Op. Cit.*
[153] Especialista en Ortopedia, provincia Villa Clara, seudónimo.

la propia radio angolana que el entonces presidente del país, José Eduardo Dos Santos, disfrutaba de unas inmerecidas vacaciones en Lisboa, mostrando así su marcado desinterés por su pueblo, víctima de una guerra planificada por los rusos, ejecutada por los cubanos y en la que el mayor número de víctimas la pusieron los angolanos. Pero no solo mostraba ese desinterés por su país el primer mandatario, sino sus altos oficiales exhibían muy poco entusiasmo por la batalla: existe una anécdota acerca de una llamada de atención que le hizo el comandante de las fuerzas cubanas, el general Leopoldo Cintra Frías, a su homólogo de las fuerzas angolanas, el cual se hacía llamar Vietnam, porque había desaparecido del escenario de la batalla por unas cuarenta y ocho horas y el general cubano, enfurecido, lo mandó a llamar (lo encontraron durmiendo plácidamente), espetándole en un tono de pocos amigos, *¡quédese a mi lado y no pegue más el ojo, que esto es mío, pero suyo también!*

Este poblado se asienta en la confluencia de dos ríos: Cuito y Cuanavale, de los que toma su nombre, al otro lado estaba el aeropuerto que utilizaban como base los aviones de combate MIG y era el principal motivo de que se protegiera tanto. Inicialmente, su defensa estaba a cargo de unos ciento cuarenta soldados (en su mayoría cubanos), pero luego se redujo a cien, pues el jefe de aquella unidad, el coronel Álvaro López Viera, ordenó arrestar a cuarenta de sus efectivos por la sencilla razón de que huyeron y abandonaron sus posiciones durante uno de los ataques de las fuerzas sudafricanas.

Durante cuatro largos meses, el Dr. Nemesio aprendió a sobrevivir al constante hostigamiento del enemigo. A menudo recibía cartas de los familiares y lloraba cuando recordaba a su hija, a la que hacía diecinueve meses que no veía; sus vacaciones fueron pospuestas en varias ocasiones debido a que pertenecía a una pequeña unidad militar que solo dejaba salir a un oficial cada cierto tiempo. Compartía suerte con un cirujano de unos cuarenta años de edad, originario de Morón, Ciego de Ávila, especialista de II grado y candidato a doctor en traumatismo hepático, el Dr. Pedro Montes[154], médico especialista en cirugía general de Santa Clara; contaba que abría un abdomen en tiempo récord y, a través de una

---

[154] Especialista en cirugía general, seudónimo.

incisión en forma de L, abordaba el hígado o cualquier otra víscera abdominal. Durante este prolongado tiempo de combates intensos, por las manos de estos dos cirujanos pasaron treinta y cinco soldados cubanos despedazados por la metralla, la mayoría jóvenes de entre dieciséis y veinte años de edad. Un día el coronel Urbelino, jefe de Asistencia Técnica Militar (ATM) de aquella región, estaba comiendo y le llamó la atención que el cirujano no probara la carne, al indagar la causa el cirujano, malhumorado, le respondió: *Mire, llevo cinco meses en esta carnicería y toda la carne que veo me parece humana, prefiero comer otra cosa.*

El general Miguel A. Lorente León dirigió la etapa final del combate de Cuito Cuanavale, y después de treinta y tres largos meses en África se negaba a darle al Dr. Nemesio el certificado de cumplimiento de su misión, este quizás víctima de un estrés postraumático no encontró otra salida que amenazar al jefe de los servicios médicos cubanos en el lugar, el teniente coronel Montero, con desviar un avión AN-26 piloteado por cubanos hacia la capital, y una vez allí, granada en mano, desviar otro avión IL-62 hasta llegar a Cuba, donde explicaría a las autoridades todas las violaciones que contra él se cometieron. Lógicamente el coronel Montero se percató de su deteriorada salud mental y mediante susurros preguntaba a sus subordinados si estaba loco, por lo que le dio el certificado de cumplimiento de la misión. Como relevo enviaron a una doctora debido a que ya no habían combates y se iniciaban las conversaciones sobre la paz, que concluirían con el Acuerdo de Nueva York, en el que se contemplaba la firma de la paz entre Sudáfrica y el resto de las naciones, la celebración de elecciones libres en Namibia y la salida de las tropas cubanas de África.

El regreso ansiado

Por fin llegó el momento de nuestro regreso, que coincidió con el retiro de los militares (1990). El aeropuerto internacional de Luanda era un verdadero caos, a su entrada había una enorme pancarta con unas palabras del general de ejército Raúl Castro: *Al retirarnos de Angola, solo nos llevaremos los restos de nuestros muertos*, y de esa premisa partieron los representantes de Cubatécnica y jefes de la misión médica a la hora de arrebatarnos nuestras pertenencias, reduciendo al mínimo nuestros equipajes, las cosas que con tantos sacrificios habíamos acumulado durante ese tiempo, objetos materiales de muy poco valor, regalos baratos y sencillos para nuestros familiares, alguna ropa, relojes e incluso algunos podían llevar la tan anhelada radiograbadora, para la cual se crearon macabros mecanismos que establecían sus medidas, es decir, no podían sobrepasar de los sesenta centímetros de largo, de lo contrario, corrías el riesgo de que te la decomisaran.

Nos llevaron a una tienda y nos vendieron una muda de ropa, un par de zapatos y un paraguas de color negro en kwanzas, ese fue el pago para el regreso. Tuvieron menos atenciones con los cooperantes médicos y los maestros que con los militares, sobre todo si tenían los grados de altos oficiales, pues a ellos les dieron la autorización de comprar en el lugar conocido como Loma Blanca, en La Habana, artículos de mayor valor; incluso los constructores de la empresa UNECA recibieron tarjetas con una suma aceptable en divisas con las cuales podían comprar valiosos productos electrodomésticos.

Después de dos semanas esperando el vuelo de regreso, llegó el día feliz, por fin en nuestra tierra, todos suspiramos. En el aeropuerto José Martí, en el mismo salón de llegadas, nos volvieron a arrebatar los pasaportes (qué temor a que tuviéramos ese documento con nosotros, aunque fueran solo 24 horas), luego nos enviaron a un parque del aeropuerto a esperar más de doce horas al sol, con el equipaje entre las piernas, a que llegaran los ómnibus de las diferentes provincias para regresar a nuestros hogares. Durante todo ese tiempo no nos visitó ningún funcionario, nadie vino a darnos ni siquiera la bienvenida, ya no podíamos regresar a los salones del aeropuerto, este privilegio era solo para los extranjeros, solo se ocuparon de acomodarnos una letrina en una esquina y no nos dieron ni agua. Pudieran imaginar que fue muy triste esa acogida, no la esperábamos, pero fue una forma de expresarnos cuán bienvenidos éramos a la patria, como diciendo: *esto es lo que les espera.*

Fuimos los últimos en llegar y la ilusión de tener un automóvil luego del cumplimiento de una misión internacionalista (uno de las mayores motivaciones en ese momento) se desmoronaba. Hasta 1990 vendían autos rusos Moscovich, pero cuando fuimos a la Sectorial Provincial de Salud para llenar la aplicación, la entonces secretaria del Director Provincial de Salud nos dijo: *siéntense a esperar por su auto*; habían paralizado las entregas de autos, estaban en su apogeo las políticas rusas de la *Glasnot* (apertura) y la *Perestroika* (reestructuración) llevadas a cabo por su líder Mijaíl Gorbachov y en Cuba ya se estaba cortando la cinta que inauguraba el mal llamado Periodo Especial.

Los diferentes matices que adoptaron las misiones internacionalistas

A partir de 1990, la salida de médicos hacia otros países adoptó diferentes formas, las ofertas se redujeron, la RPA dejó de ser el destino mayoritario, ahora se veía desde una nueva óptica que descansaba sobre un rígido esqueleto económico. Se comenzaban a abandonar los principios socialistas y las prebendas del gobierno se fueron retirando paulatinamente. La caótica economía exigía un cambio, pero no en el sentido que esperaban los cubanos, sino en el del abandono obligado de la política de subsidio por parte del gobierno, siempre bajo la máscara justificativa del odiado bloqueo económico de los Estados Unidos.

Se comenzaron a cobrar los comedores obreros (en muchos centros laborales, el almuerzo era gratuito), la entrada a los estadios de pelota o fútbol, desapareció la tarjeta con la que podías comprar ropas, zapatos y otros artículos (esta siempre fue insuficiente, aunque indudablemente se vendían a precios razonables) o la ropa y zapatos que se entregaban gratuitamente en algunos centros de trabajo (entre otras cosas), es decir, que se comenzó a cobrar todo lo que antes era gratuito, iniciándose de esta manera una nueva variante de la capitalización de la economía socialista cubana y la cooperación médica no escapó a esto, distinguiéndose tres modalidades de la misma:

1. **Misión internacionalista:** esta respondía al llamado plan integral de salud, según el cual le pagaban al médico un estipendio en pesos convertibles cubanos .Para dar una idea, recibían trescientos dólares mensuales en el país donde estuvieran cumpliendo su misión y los familiares su salario íntegro en pesos cubanos (como si estuviera trabajando físicamente en el país), además de cincuenta pesos conver-

tibles mensuales y el compromiso de esto sería vitalicio (aunque muy pronto se retractarían).

2. **Cooperación médica:** esta es más selectiva debido a que aporta jugosas ganancias al médico, aunque tiene que enviar al gobierno cubano casi el noventa porciento de lo que recibe.

3. **Contrato de trabajo:** es una modalidad que sirvió inicialmente a muchos como puerta de escape (buscaban un contrato por su cuenta a través de algún familiar o amigo en el extranjero), pero en la actualidad solo los altos funcionarios del gobierno pueden mover a sus familiares, amigos y a quienes se les antoje gracias a sus contactos en el Ministerio de la Salud, el único que puede autorizar a los médicos a trabajar en otro país. De esta manera, el gobierno también recibe ganancias, pero corren los riesgos de que no regresen y del posible enriquecimiento de los mismos.

En cualquiera de las variantes es muy importante contar con un padrino, ya sea amigo o familiar, en la alta cúspide del gobierno o, en su defecto, conocer a alguien que tenga un contacto al que se pueda sobornar, que también funciona debido a la corrupción que existe dentro del sistema.

Algunos dirigentes a nivel municipal que ya habían establecido buenas relaciones con sus homólogos a nivel de provincia y nación, una vez que cesaban en sus posiciones de dirección tenían prácticamente resuelta su salida del país y de esta manera mejoraban por un tiempo su futuro (para muchos valía la pena ser dirigente y hacer lo que fuera, no importaba, la misión estaba segura).

Pongamos al Dr. Felipe Caraballo Obregón, especialista en anestesiología y reanimación, como ejemplo de aquellos agradecidos médicos, quien una vez terminada su función de director municipal de salud, fue enviado a una misión a Colombia dentro del rango de cooperación médica; regresó de vacaciones a los seis meses y, según fuentes allegadas a él, venía con una suma de ocho mil dólares, suficiente para ser agradecido con quienes lo enviaron,[155] y

---

[155] Doctor José Hernández, médico especialista en cirugía general, Morón, Ciego de Ávila y Doctor Lorenzo Somarriba, director provincial de salud en ciudad de La Habana, exdirector provincial de salud en Villa Clara.

que trajo como resultado que los mismos le otorgaran otro año más para que continuara con su generosa misión. La historia se repitió al segundo y tercer año, fue un tiempo muy bien empleado que le facilitó alcanzar un mejor nivel de vida que le permitía disfrutar de un segundo auto, casa y una respetuosa cuenta en el banco. Al cuarto año regresó para trabajar dos meses en un hospital provincial y luego de ponerse de acuerdo con sus contactos, regresó a Colombia por más.

Durante esta etapa de los noventa, la mayoría de los profesionales de la salud que podían aspirar a esas prebendas, eran de ciudad de La Habana, pues es allí donde se distribuyen las plazas y existen los contactos.

Después que el huracán Mitch azotara con sus vientos y lluvias a gran parte de Centroamérica (26 de octubre de 1998), las autoridades cubanas crearon el famoso Plan Integral de Salud y enviaron a médicos en condición de misión internacionalista a estos países. Para poder salir del territorio nacional, los aspirantes, como primer requisito, debían tener un aval del PCC y el visto bueno del Departamento de la Seguridad del Estado. Como era de esperarse fueron muchos los interesados (teniendo en cuenta el salario que iban a devengar y las ganancias ulteriores), pero pocos los elegidos. El gobierno, como de costumbre, le impregnó su acostumbrada dosis de política basándose en el carácter desinteresado de los médicos cubanos y el supuesto papel de ángel protector de la revolución cubana respecto al mundo, esgrimiendo la controversial tesis de solidaridad, que por años ha servido de justificación a su injerencia en los asuntos internos de otros países.

De ningún modo ponemos en duda que existan médicos cubanos con verdadera vocación humanitaria y que no sea el interés el motor de sus actos altruistas, de hecho conocemos a muchos que así actúan. Sin embargo, no nos cabe duda que a la mayoría la mueve el interés material; pero lo más doloroso es que el gobierno, conociendo esto (si no por qué implementó el favoritismo salarial a los médicos internacionalistas y en vez de pagar estas altas sumas se dedicó a crear un fondo para la UNICEF u otra agencia de la Organización Mundial de la Salud) le presente al mundo una versión edulcorada.

Innumerables pueden ser los ejemplos, pudiéramos mencionar al Dr. Hubiel López Delgado, neurocirujano camagüeyano que cumplió misión internacionalista en Mali, África[156] y que en un año de trabajo en ese país logró amasar una considerable fortuna, según sus propias palabras publicadas en un artículo del periódico *Granma*, (y se brindó a pagar una operación de uno de sus pacientes en una actitud humana y altruista que aplaudimos) a expensas de un desdichado pueblo, muy distantes de la supuesta motivación profesional esgrimida por las autoridades de salud cubana como razón principal de estas misiones médicas. Hablando de pueblos pocos favorecidos, mencionaremos un último ejemplo, no por algo en especial sino por el lugar tan desdichado a donde fueron a hacer su fortuna un grupo de médicos de villa clara, nada más y nada menos que al ombligo de la desgracia del mundo, al país más pobre: Haití. Es vergonzoso llevarse de ese lugar un contenedor de ropa y objetos materiales si tenemos en consideración que allí se va a ayudar, no a buscar; si realmente nuestros médicos tuvieran la suficiente dosis de conciencia e hidalguía, no traerían ni un alfiler de esa tierra, al contrario, dejarían lo poco que pudieran llevar. Muchos conocedores de esta situación, tenemos que ver en la televisión o leer en la prensa reportajes y entrevistas ficticias (trasmitidas prácticamente a diario) que se empeñan en demostrar que los médicos cubanos brindan salud por amor. Por desgracia no tenemos prensa libre, de lo contrario sería muy interesante que los recién llegados mostraran a los televidentes sus equipajes y sus bolsillos para demostrar con hechos y no con palabras, el verdadero carácter de su misión.

Quienes practican las misiones internacionalistas logran, sin lugar a dudas, producir un verdadero cambio en su estatus social y no criticamos que así sea, porque es un esfuerzo inmenso el que realizan en intrincadas y olvidadas zonas de la geografía que muchas veces son verdaderas hazañas, merecen su dinero como en cualquier otro trabajo. Nuestra crítica descansa en el carácter falso y manipulador, al ser usadas para defender una idea, que funciona como piedra angular para sostener la ideología gubernamental.

---

[156] Ver recorte de periódico al final de este capítulo.

De manera que con la esperanza de mejorar en algo sus vidas, la mayoría de los profesionales de la salud integra la denominada Bolsa del internacionalismo, una lista de espera de la que se surten las autoridades de salud para seleccionar a quién y adónde va (previa autorización del PCC y la seguridad del Estado). De más está decir que las mejores plazas siempre quedan reservadas para un amigo, un familiar o el mejor postor (previa promesa de ofrendas y regalos).

Es este y no otro, el verdadero propósito del internacionalismo médico en Cuba, su objetivo y su verdadera intención. Durante esta última etapa, el Estado cubano cobra a cada país una importante suma de dinero por cada profesional enviado, una muestra vergonzosa es la brigada médica que partiría hacia Zambia (lista desde noviembre del 2001 hasta mediados del 2002) que estuvo retenida, esperando a que dicho país liquidara con el gobierno cubano sus deudas financieras como condición primordial, sin importarle en lo más mínimo la crítica situación de salud de ese pueblo africano. Este dato comprometedor lo dejó escapar el exdirector de salud en la provincia de Villa Clara, el Dr. José Ramón Ruiz Fernández, en un conversatorio privado con médicos que partirían hacia una misión. Todo lo expuesto niega rotundamente las recientes declaraciones de la directora general de la Comercializadora Servicios Médicos Cubanos S.A. del MINSAP, Yilian Jiménez Expósito,[157] quien comentó a la prensa, que la razón principal por las que los trabajadores de la salud cumplen servicios fuera del país es la "motivación profesional".

---

[157] *Granma* digital del 25 de marzo del 2014.

Un neurocirujano, con el corazón en la mano

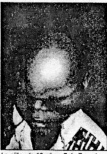

La niña, de 12 años, Saly Traoré antes de la operación

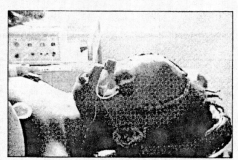

Obsérvese que ha desaparecido el tumor al término de la operación

■ Texto y fotos: Oscar Bravo Fong
Enviado especial de Granma

No sólo por ser cubano de la tierra de Agramonte, este neurocirujano se ha ganado el cariño y el respeto en estas tierras africanas. La fama le viene del trabajo diario en el quirófano. Por ello, no es extraño que entre los más de 270 pacientes que ha operado exitosamente en poco más de un año y siete meses, se encuentren quienes atraviesan el desierto de Mali y vienen de Nigeria, Benin, Guinea, Camerún y hasta de Costa de Marfil.

Desde que llegó aquí el camagüeyano Hubiel López Delgado, único neurocirujano en este país, no se realizan traslados para operar, como antes, en otras naciones de más desarrollo.

Pero él no se envanece con estos resultados y atribuye el éxito a la formación que le diera la Revolución cubana, al igual que el colectivo de 101 cooperantes antillanos en Mali, nación del Africa del Sahel, que con más de 11 millones de habitantes tiene una extensión territorial 12 veces mayor que la de Cuba.

■ UN CASO POCO COMÚN

Con bata verde y botas quirúrgicas presenció algunas operaciones en el departamento de traumatología del hospital nacional Gabriel Touré. Saltan a la vista las dificultades: disponen de equipos rudimentarios para el monitoreo del paciente y no cuentan con un laboratorio de terapia intensiva. Se emplean, por otro lado, métodos empíricos para el soporte anestésico y en la mayoría de los casos las intervenciones se realizan con técnicas de anestesia.

"A nuestra consulta —dice Hubiel— acuden personas con problemas de columna y estenosis espinales congénitas y degenerativas, para la que la raza negra tiene predisposición natural; he aprendido a tratar, como experiencia valiosa, la tuberculosis de la columna vertebral o mal de Pot".

"Es un cirujano capaz y por el bien que hace, es de esos hombres que andan por la vida con el corazón en la mano", nos dice en idioma bambará, Mamadi Diarrá, joven estudiante de Medicina, mientras se prepara también para la operación. Junto a Hubiel aprende él el ABC de la neurocirugía y es ase-

sorado en el trabajo de diploma que presentará próximamente.

La confirmación de aquellas palabras vendría muy pronto. Había que intervenir quirúrgicamente con urgencia a la niña de 12 años Saly Traoré. Permanecía postrada en el suelo con un tumor que sobresalía casi 20 centímetros de su cabeza.

Los quejidos de la niña sobrecogían al corazón más duro. La paciente se moría, pero en esos momentos no había sangre disponible en el hospital. La donada por los familiares de Saly fue empleada en otro paciente que no la necesitaba tanto.

No se habían pagado, por otra parte, los 70 000 francos de la operación y la farmacia se negaba a entregar, sin previo abono, los medicamentos necesarios. Ante tantos contratiempos, el médico cubano se irguió y dijo: "Si no aparece el dinero, lo pongo yo". Pero no fue necesario aquel acto tan conmovedor y humano, alguien pagó la suma.

Comienza al fin la operación. Son las 19 y 20 de la mañana en Mali y las 6 y 20 del amanecer en Cuba. No hay nervios. Tres reflectores iluminan el quirófano. Intubación. Se aplica anestesia general endotraqueal. Las pinzas, de diferentes tamaños, y el bisturí se mueven en manos ágiles. El equipo de oxígeno se conecta. Con el accionar del bisturí mecánico comienzan a sentirse los efluvios de la carne chamuscada.

Tras extirpar el primer tumor se hace necesaria la trepanación de una parte del cráneo. Los huesos saltan con la acción del equipo hasta dejar ver la masa gris, y próximo a ella, otro tumor que también es extraído. Más anestesia. Apremia el tiempo: por los síntomas de la paciente se nota la necesidad de sangre. Suturas y ya está. Tres horas y media han transcurrido. La pequeña se reanima en el post operatorio.

Hubiel, quien es también intensivista en el hospital provincial de Camagüey, parece confirmar en la niña operada la sonrisa del pequeño de 18 meses de nacido, Moussa Koné. Un nuevo acto salvó la vida de éste, a quien vimos juguetón en los brazos de su madre.

"Este niño —explica al acariciarlo— padecía de un meningocele occipital gigante, provocado por el cierre imperfecto del cráneo, asociado en este caso a una hidrocefalia.

El doctor Hubiel junto a la paciente

■ LOS RATOS DEL DOCTOR HUBIEL

Como muchacho con zapatos nuevos anda el médico. Saber de sus hijos, en medio de temperaturas de más de 40 grados es bajar, como un elixir, la del cuerpo. En sus ratos libres escribe cartas tiernas a Shandor y Sandra, a quien felicita por haberle llegado la vocación. También encuentra tiempo para ir a la discoteca Tempo, en Bamako, bailar salsa y escuchar a la Aragón, una de las orquestas cubanas más conocidas entre los malienses.

Y ríe nuevamente feliz, ahora metido en la cocina. "Hay que hacer, periodista, lo que el momento requiera", dice al degustar un pan con tortilla. Es el mismo joven de 37 años de edad que con espíritu indagador obtuvo premio relevante en el Forum de Ciencia y Técnica en su Camagüey natal, con la innovación Traumatismo raquimedular cervical, cadena de pasos para la manipulación del paciente con este tipo de afección.

Quien sabe cuántas vidas más se hayan salvado gracias a sus trabajos sobre el monitoreo de la presión intracraneal y oxigenación cerebral. Para él el mayor premio no son, sin embargo, las glorias, sino el poder seguir investigando, como único modo de saber, y que la humanidad viva y cante feliz.

El Dr. Hubiel López Delgado, neurocirujano camagüeyano que cumplió misión internacionalista en Mali, África y que en un año de trabajo en ese país logró amasar una considerable fortuna.

CAPÍTULO X
El papel del sindicato de trabajadores en la salud cubana

Palabras clave

Sindicato • los méritos políticos • electrodomésticos • ¿trabajo médico o agrícola? • vigilado hasta en la ducha • las MTT • donaciones • voluntarismo a punta de pistola • vacaciones

> *Sea el sindicato instrumento de paz,*
> *no arma de guerra.*
> José Gascón y Marín[158]

Los sindicatos tal y como fueron concebidos son agrupaciones de trabajadores identificados en una misma forma productiva, unidos, autónomos, apolíticos, enfocados solo en la defensa del bien común de sus miembros. Funcionan como una organización que vela por los intereses de sus integrantes y por su bienestar.[159]

Desde hace más de un siglo (1884) se manejan conceptos medulares a la hora de postular los principios que regulan el funcionamiento de los sindicatos: "El creer que la idea de asociación de

---

[158] José Gascón y Marín. Abogado y político español, fue ministro de Instrucción Pública y Bellas Artes después de la dictadura del general Primo de Rivera. (14/2/1875-2/9/1962). Autor de un extenso trabajo bibliográfico sobre su especialidad académica, entre sus obras destacan *Nociones de derecho político* y *Tratado de derecho administrativo*, además de **Los sindicatos y la libertad de contratación.** Desde el 3 de marzo de 1953 hasta el 2 de noviembre de 1962 ocupó la presidencia de la Real Academia de Ciencias Morales y Políticas, en las universidades de Sevilla y Zaragoza.

[159] José Gascón y Marin. *Los sindicatos y la libertad de contratación,* Madrid. Real Academia de Ciencias Morales y Políticas, 1904, pp. 2-21

individuos según sus afinidades profesionales, es más que arma de combate, un instrumento de progreso material, moral e intelectual".[160] La ley francesa del 21 de marzo de 1884 (país al cual le debemos el resto del mundo muchos de los principios de libertad civil y social) definía que los sindicatos profesionales tienen por objeto el estudio y defensa de los intereses económicos, industriales, comerciales y agrícolas. Que pueden constituirse libremente, sin autorización del gobierno, por personas que ejerzan la misma profesión, industrias similares o profesiones conexas en la elaboración de determinados productos.[161]

Desde el surgimiento de los sindicatos hasta la actualidad el principio que rige el funcionamiento de los mismos es el de velar por el derecho de los trabajadores, porque se cumplan por parte de los patronos los deberes en aras de que estos no sean explotados. Se trata de bienestar y respeto, por eso se unen, pagan sus cuotas y cumplen con normas establecidas.

Los puntos de partida del sindicalismo obrero recogen "la necesidad apremiante de organizarse para la defensa de sus propios intereses y sus legítimos derechos, así como la idea de que las condiciones normales de la existencia de trabajador (*standard of life*) deben ser protegidas y no abandonadas a los efectos de la ocurrencia"[162]. Entiéndase por ocurrencia en este caso, la ideología de un partido o los intereses de un grupo de octogenarios manipuladores.

Desde su mismo surgimiento, el sistema socialista ha manipulado los sindicatos a su antojo como parte de sus mecanismos para perpetuarse en el poder y los ha utilizado para justificar su falta de tolerancia política, al hacer valer la famosa frase sobre la que se ha asentado el socialismo: la dictadura del proletariado como fuerza rectora de los procesos revolucionarios. Como es de esperar, esta agrupación de trabajadores debería defender las conquistas alcanzadas frente a los burgueses, este era el verdadero poder, de ahí la indisoluble mezcla de gobierno y sindicato. El socialismo supo adaptar los sindicatos de obreros a sus fines tergiversando la naturaleza de su afiliación, utilizando a esta organización como baluarte

---

[160] *Ídem.*

[161] *Ídem.*

[162] *Ídem.*

de la defensa de sus principios y sus intereses y no los del obrero, confundiendo y manipulando mediante la vieja táctica de anteponer los intereses colectivos a los personales. Y como una parte más del mecanismo perteneciente al mismo engranaje diabólico, totalitario, antidemocrático, servil e hipócrita del comunismo en Cuba, existe el sindicato de la salud. Este organismo es, en su misma esencia, un importante tentáculo para manejar al obrero de la salud, subyugarlo, aparentando una representatividad que no existe, como otro instrumento del PCC que manipula al obrero y defiende sus derechos, al menos ante los ojos de los ilusos y confundidos que desde el exterior miran este controversial proceso.

Desde el mismo triunfo de la revolución, la Central de Trabajadores de Cuba (CTC) ha servido a los intereses del Estado, se ha convertido en uno de sus más firmes guardianes. Con su carácter de obligatoriedad, acorrala a los obreros cubanos, quienes se ven forzados a pertenecer a esta organización para poder trabajar y deben pagar una cuota mensual, ser supervisados y controlados a través de ella en cada una de las actividades que la revolución necesite, llámese un trabajo voluntario, marcha del pueblo combatiente o una de las ya olvidadas tribunas abiertas, actos todos de apoyo a la revolución y que distan mucho de reflejar los intereses particulares de los trabajadores o los relacionados con su actividad laboral. Durante todos estos años, no conocemos ningún caso en que el sindicato haya actuado en defensa del trabajador frente al Estado.

En lo que respecta al campo de la salud, nos gustaría hacer especial referencia a muchos de los médicos que han dedicado toda su vida a la profesión pero que, en determinado momento, deciden marcharse del país por cualquier circunstancia para residir en otro. Estos son retenidos injustamente por un periodo de cinco años o más y, desde que toman esta decisión, son reubicados lejos de su actual puesto de trabajo y de su casa. ¿Qué hace el sindicato?, pues admitir y acatar esa disposición que aceptó e impuso un ministro de Salud; frente a esta, el sindicato no alza su voz, no convoca a sus miembros para discutir este tema; a los médicos que querían emigrar se les exigía una evaluación firmada por el secretario general de la CTC de su centro de trabajo, esta era la condición para iniciar el proceso de la liberación.

En cuanto a las liberaciones solicitadas por los médicos y personal paramédico para poder salir del país, los dirigentes sindicales no hacen nada por solucionar este atropello contra los trabajadores que ellos indignamente representan. Todo lo contrario, apoyan estas medidas aunque vayan contra la prestación de esenciales servicios a la población. Especialistas valiosos son separados de sus puestos de trabajo y reubicados en intrincadas zonas rurales por el solo hecho de molestarlos y castigarlos.

Otro de los ejemplos del vano e inútil trabajo de los sindicatos socialistas se ve reflejado en los mal llamados trabajos voluntarios, nombre que recibe el trabajo al cual convocan el sindicato y el PCC, a los trabajadores cubanos y que tiene carácter obligatorio, además de no ser retribuido. Consiste en hacer labores de limpieza de calles, recogidas de basura y muchas otras tareas no vinculadas al trabajo propio de los médicos. Vale la pena aclarar que el carácter voluntario de tal trabajo es pura fantasía, pues lo usan como termómetro para medir el apoyo de las personas al gobierno y que a veces premian con la venta de artículos materiales, tales como electrodomésticos, viajes turísticos dentro del país, o con alguna que otra medalla o diploma.

Durante aquellas jornadas de trabajo productivo (que por lo general se efectuaban los fines de semana, dando pie a la hipótesis de que era una forma de romper la tradición de reunirse los domingos por la mañana en las iglesias), nunca se produjo nada, los trabajadores asistían a esos eventos para no caer en las listas negras de los órganos de control (PCC, UJC, FMC y CDR), para no señalarse, evitando así tener problemas en el futuro en el caso de que quisieran mejorar el empleo o aspirar a una carrera para sus hijos. El gasto de combustible para movilizar a cientos de personas los domingos a las seis de la mañana hacia los campos de cañas, jamás pudo ser amortizado con el resultado productivo del trabajo. Quienes asistían no se entregaban nunca a la labor y después de que garantizaban su nombre en las listas de participantes (que era lo más importante) se dedicaban a deambular por los campos, hacer cuentos bajo la sombra, tomar bebidas alcohólicas, buscar frutas, en fin, cualquier actividad que no fuera trabajar, hasta las 11:00 a.m., que regresaban los camiones a las ciudades.

La otra función de los sindicatos socialistas, en este caso de la CTC, es la de garantizar la participación masiva de los trabajadores en los actos de apoyo a la revolución, llámense desfiles por el Primero de Mayo, marchas del pueblo combatiente, tribunas abiertas, y en las cobardes maneras de enfrentar a la oposición, donde los sindicatos de importantes empresas trabajan en combinación con los oficiales de la seguridad del Estado para propinarle golpizas y maltratos a grupos de opositores a lo largo y ancho del país, como se evidenció con la participación de los trabajadores del contingente Blas Roca aquel 5 de agosto de 1994, durante la revuelta popular habanera conocida como el Maleconazo o, como lo hemos visto en los diferentes videos, de la represión a las Damas de Blanco (madres y familiares de los 75 presos de conciencia de la primavera negra de 2003), o como sucedió aquel 13 de julio de 1998, en otro malecón, en este caso el de Caibarién, durante el acto recordatorio que efectuaron los miembros del grupo opositor "Asociación de Balseros: Paz, democracia y Libertad" liderado por Margarito Broche Espinoza, a las víctimas del hundimiento del remolcador *13 de Marzo*[163] y a todos los balseros desaparecidos. El sindicato de la Empresa Reparadora de Coches y Carahatas,[164] perteneciente a Ferrocarriles de Cuba, pararon la producción y movilizaron a todos

---

[163] En la madrugada del 13 de julio de 1994, cuatro barcos equipados con mangueras de agua a presión rodearon e embistieron al viejo remolcador 13 de marzo que huía de Cuba con 72 personas a bordo, a 7 millas de la bahía de La Habana. La embarcación se hundió, dejando un saldo de 41 muertos, de los cuales 10 eran menores de edad. Según testimonios de los sobrevivientes (31 personas), la tripulación de los también remolcadores Polargo 2 y Polargo 5 embistieron intencionalmente al 13 de marzo, y negaron auxilio a las personas que se encontraban en el agua. Durante más de una semana los medios de comunicación cubanos mantuvieron silencio en torno a los hechos, a pesar de las insistentes denuncias en los medios internacionales. Posteriormente, el 5 de agosto del mismo año, el presidente cubano Fidel Castro calificó como "esfuerzo verdaderamente patriótico" la actuación de las personas involucradas. El expresidente justificó el crimen como una acción "espontánea" de los miembros del sindicado de la Empresa de Servicios Marítimos del Ministerio de Transporte para proteger el robo de una de sus embarcaciones.

Hasta la fecha el gobierno cubano asegura que el hecho fue un accidente; y no ha juzgado, ni condenado a ninguno de los participantes en este hecho.

[164] Carahata: pequeño coche motor.

sus trabajadores hacia el lugar y allí, armados con palos y barras de hierro, imposibilitaron el paso de aquel grupo de valientes disidentes, cuyo único objetivo era depositar flores en el mar.

Por último, los sindicatos tienen la innoble función de la divulgación y propaganda a favor del sistema. En cada una de las instituciones de salud del país se encargan de esta labor, utilizando para ello murales y otras manifestaciones con este fin, comprometiendo a los trabajadores con su confección y actualización (ver fotos al final del capítulo).

De esta manera, garantizar la asistencia masiva de los trabajadores a los actos políticos es la tarea fundamental de esta organización. En los desfiles, en especial, en el del Primero de Mayo, se pone de manifiesto esta tarea sindical. Como para el sistema político es primordial demostrarle al mundo el apoyo del pueblo a la revolución a través de actos masivos, ese día no hay trabajo, la tarjeta de asistencia se marca en el desfile y la presencia en este tipo de evento es de obligatoriedad absoluta. Para lograrlo, primero, se hace una labor propagandística durante varios días e incluso semanas, luego se pasan listas para ver cuál es el compromiso de cada uno de los trabajadores y, después, viene la fase de intimidación para quienes muestren pasividad o anuncien abiertamente su inasistencia. Aglutinar a una gran cantidad de trabajadores que apoyen a la revolución es la palabra de orden, para la cual utilizan diferentes técnicas que abarcan desde los festejos al final del evento político, hasta la intimidación.

Los actos políticos tienen la magia de hacer que los que en ellos participan, por lo general se abstraigan y se pongan a pensar en asuntos ajenos a lo que se dice. Al final del acto, todos aplauden automáticamente sin enterarse de lo que se dijo, pero cumplieron.

En cierta oportunidad, un trabajador de la salud, de esos que son abnegados en su trabajo y aman su profesión, pero que a su vez no están comprometidos con el PCC o el sindicato, planteó públicamente en una reunión con todos los trabajadores del Hospital General de Caibarién (en la que había más de 100 asalariados), que para ser vanguardia lo único que hacía falta era participar en los trabajos voluntarios, tener la cotización del sindicato adelantada, si es posible el año completo, y asistir a todos los actos políticos programados, que para nada importaba si el trabajador era un buen cirujano que operaba a diez o quince pacientes en una semana y salía del centro de trabajo después de diez horas de jornada laboral, y que las guardias médicas no las contemplaban como trabajo voluntario ni como horas laborables extra, eran solo eso: guardias y nada más. La alocución de aquel prestigioso médico dejó atónitos a los dirigentes administrativos, políticos y sindicales que presidían el matutino, quedaron desarmados, sin argumentos que esgrimir.

La cotización sindical es la médula de este artefacto político. Lo primero que hacen los dirigentes profesionales de esta asociación el día del pago mensual de los trabajadores, es situarse frente al sitio donde se efectúa el pago y ahí, mirándote cara a cara, le dicen: *¡arriba!, que paguen los que tienen atrasos en las finanzas*, por lo que no queda otra alternativa que entregarle el dinero demandado para no poner una nota discordante y exponerse a recibir una evaluación desfavorable sobre su persona, tanto frente a   la administración como ante cualquier órgano jurídico o policial. Además, de no hacerlo, tienes que olvidarte de cualquier aspiración a obtener uno de los artículos electrodomésticos que se ofertan a los vanguardias. Los médicos cotizan cuatro pesos y cincuenta centavos mensuales por ser miembros de una organización que no los representa; pero no pagar este dinero significa comportarse como un desafecto recalcitrante y, como tal, atenerse a las consecuencias.

El sindicato también se encarga de cobrar el pago voluntario de una jornada laboral al año por cada trabajador (llamado día de haber), destinado a cubrir los gastos de las Milicias de Tropas Territoriales (MTT), otra de las ideas guerreristas del gobierno cubano, el cual, para ocultar su ineficiencia administrativa y económica, crea y enfatiza las amenazas de los Estados Unidos y la posibilidad de un ataque inminente, inculcando la idea de que hay que estar preparados para la defensa de la patria socialista. Así surgieron estas tropas en el año 1981, gracias a las cuales el pueblo ha tenido que donar la cantidad de 540 millones de pesos y que, en cierta medida, vinieron a desplazar los trabajos voluntarios de los domingos.

Con el final de la llamada guerra fría y el derrumbe del campo socialista el mundo se hizo unipolar y no quedó otra alternativa que aceptar que los Estados Unidos no tenían intención alguna de atacar a Cuba, por lo tanto, las MTT se convirtieron en algo sin razón de ser, inconsistentes a tal punto que ya nadie las menciona, olvidadas

como otros inventos, entre ellos, la Sociedad de Educación Patriótico Militar (SEPMI), fundada por el teniente coronel Arnaldo Tamayo Méndez, primer latinoamericano en subir al cosmos en la
nave Soyuz-38, el 18 de septiembre de 1980 (asesorado por el soviético Yuri Romanenko), quien posteriormente fue motivo de burlas en voz baja y chiste populares por el bajo coeficiente de
inteligencia demostrado en las entrevistas realizadas y en las publicaciones relacionadas con el vuelo.

De las odiadas MTT ya no queda ni rastro de sus escuelas, de
sus polígonos, sus campos de tiro y uniformes verde olivo, solo
quedó el famoso día de haber para sufragar sus gastos (parece que
todavía no se ha logrado recuperar todo el dinero que se invirtió en
ellas), solo que ahora pasó a llamarse "Mi aporte a la Patria", el
obrero tiene que seguir pagando ese dinero sin saber para qué, por
qué, ni para quién. El diario *Granma* del miércoles 24 de abril de
2002 publicó un artículo titulado "Apoyar el movimiento sindical
posición de principios de Fidel y la Revolución", en el cual se hizo
un reconocimiento al pueblo, a los trabajadores y a la comisión nacional organizadora por el financiamiento de las MTT, cuyo arduo
y sostenido trabajo hizo posible que en 2001 se recaudaran más de
21,6 millones de pesos.

Una de las formas que utiliza la CTC para lograr la participación de los trabajadores bajo su nombre, es el invento de los vanguardias, que como vimos con anterioridad, no se refiere a los
buenos trabajadores, sino a aquellos que representan los intereses
del Estado, los que participan activamente en los actos políticos,
trabajos voluntarios, pagan las MTT y el sindicato desde los diferentes niveles municipales, provinciales y nacionales, y que son
estimulados con prebendas materiales obtenidas en diplotiendas
(comercios especiales y selectivos que solo venden en dólares mercancía importada) creadas a tal efecto, o facilitándoles la visita a
hoteles a los cuales por esos años (2000) solo tenían acceso los turistas y los altos dirigentes políticos. De esta forma incitan a la
competencia (buscando masividad) entre sus miembros.

A los vanguardias nacionales los estimulan con un cheque para un hotel en la cadena Isla Azul, con gastos pagados de alojamiento, desayuno y comida, excepto bebidas alcohólicas. Allí,

estos trabajadores premiados disfrutan cómo cualquier persona con dólares, confirmando la doble moral del sistema. Recordamos ahora a Juan Carlos Sánchez, médico de profesión y secretario general del PCC en el municipio de Caibarién desde el 2005, quien disfrutó quince días del verano del 2001 en el Hotel Hanabanilla de Villa Clara, antes de convertirse en secretario general. Una vez ascendido en el escalafón del poder político, sus vacaciones tomaron otro nivel, con estancias en hoteles de la famosa playa Varadero y centros turísticos lujosos y exclusivos en Holguín o Cienfuegos.

El compromiso de la CTC con el gobierno cubano queda evidenciado en las palabras pronunciadas por el Secretario General de la CTC, Salvador Mesa, apoyando las declaraciones de Raúl Castro, quien planificó echar a la calle a cincuenta mil obreros en el primer semestre del año 2011, en correspondencia con el proceso de actualización del modelo económico y las proyecciones de la economía para el periodo 2011-2015, argumentando que *hay que mejorar la disciplina y la eficiencia, el deber de los cubanos es trabajar y hacerlo bien, con seriedad y responsabilidad, lograr un mejor aprovechamiento de los recursos de que disponemos para satisfacer así nuestras necesidades.* En ningún momento la Central de Trabajadores Cubana habló en defensa de los obreros que quedarían despedidos.

Ese es el verdadero sindicato de trabajadores de Cuba, otra fuerza política y represiva de un régimen que ha sabido utilizar la experiencia organizativa de otros países exsocialistas para mantener bien controlada a la sociedad civil.

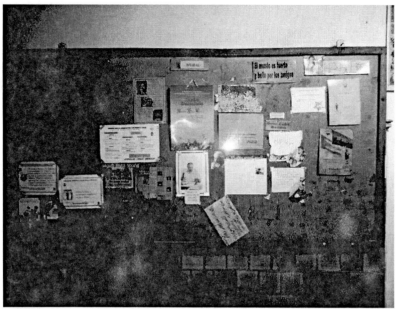

Mural informativo del sindicato. La actualización del mismo es una de las
tareas de choque de esta organización. Hospital General Caibarién, 2010

La propaganda. Una de las priorizadas tareas de los sindicatos socialistas.
Hospital General de Caibarien, 2010.

CAPÍTULO XI
El Sistema Integrado de Urgencias Médicas (SIUM)

Palabras clave

Emergencias • las ambulancias • SIUM cubano • cuando llega la urgencia • tecnologías ausentes • reanimarlos • cómo tranferirlos a otros hospital • desfibrilación • paro cardíaco y muerte

Hagamos una breve introducción histórica para ubicar al lector en el tema que vamos a tratar en este capítulo. En 1792 Dominique Jean Larrey, médico francés al servicio de las tropas napoleónicas, presenció atónito la obsoleta organización de los servicios médicos militares durante el inicio de la guerra franco-austriaca,[165] situación que lo inspiró a crear los principios de la sanidad militar moderna y el trasporte por ambulancias. Hasta entonces, los heridos permanecían en el campo de batalla hasta veinticuatro horas después de concluida y los servicios médicos de campaña se ubicaban a unos cinco kilómetros del lugar. Larrey observó que eran una distancia y tiempo suficientes para que la mayoría de los heridos falleciera antes de recibir la asistencia médica. Estos dos principios (tiempo y distancia) son la clave para el manejo de las urgencias médicas y, reducirlos al mínimo, eleva el porcentaje de sobrevivencia. Desde hace más de dos siglos, la humanidad dispone de estos conocimientos y diferentes países a lo largo de estos años han implementado políticas para proteger, cuidar y elevar la sobrevivencia de sus ciudadanos.

El Soporte Vital Avanzado (SVA) constituye uno de los eslabones de la cadena de supervivencia e incluye acciones encaminadas a prevenir, tratar y mejorar la supervivencia de los pacientes

---

[165] Major, R.M.D: *A History of Medicine*. Springfield, III, 1954, Charles C. Thomas.

341

que sufren un paro cardiorrespiratorio (PCR). También conocido como apoyo vital avanzado a la atención cardiológica, enfocado en el tratamiento del PCR, el SVA debe estar apoyado por un rápido reconocimiento del PCR, la activación temprana de los sistemas de respuesta de emergencias médicas, un adecuado soporte vital básico, una rápida desfibrilación y los cuidados posresucitación, es decir, el resto de los eslabones de la cadena de supervivencia (la cual se explicará más adelante); aunque el apoyo vital avanzado también es un término que incluye la atención al trauma como parte integral del concepto de una emergencia médica.

El Apoyo Vital Avanzado en Trauma (del inglés *Advanced Trauma Life Support* o ATLS) es un programa de entrenamiento dirigido a los médicos para el manejo agudo de pacientes traumatizados, creado por el doctor James Styner en 1978 y desarrollado por el Colegio Americano de Cirujanos; este programa ha sido adoptado en más de treinta países y su objetivo es enseñar un método de abordaje estandarizado para pacientes traumatizados. Su primera edición apareció en 1980.

El ATLS tuvo su origen en los Estados Unidos en 1976. El Dr. James K. Styner tuvo un accidente cuando pilotaba una avioneta en un campo en Nebraska. Su esposa murió inmediatamente y tres de sus cuatro hijos sufrieron heridas graves. Se realizó la clasificación inicial de sus hijos en el lugar del accidente. El Dr. Styner tuvo que detener un coche para llevarlos al hospital más cercano, a su llegada, lo encontró cerrado. Una vez que el hospital abrió y se llamó a un médico, se encontró que la atención de emergencia prestada en el hospital regional donde fueron atendidos, era insuficiente e inadecuada. Al regresar al trabajo, se dedicó a desarrollar un sistema que salvaría vidas en situaciones de trauma. Styner y su colega Paul, con la ayuda de personal experto en soporte vital avanzado cardíaco y la Fundación Lincoln en Educación Médica, produjeron el primer curso ATLS que se celebró en 1978. En 1980, el American College of Surgeons Committee on Trauma aprobó el ATLS y comenzó a difundirlo en todo el país. Hoy el ATLS se ha convertido en el modelo estándar para la atención traumatológica en las salas de emergencia de Norteamérica.

En el caso del apoyo vital básico, estamos hablando de la atención que puede recibir un paciente en el lugar de los hechos por un personal entrenado en maniobras de reanimación cardiopulmonar. Solamente con el reconocimiento del paro cardiorrespiratorio se sabe que el paciente está en una emergencia. El emergencista debe reconocer el tipo de ventilación que presenta el paciente y la presencia o no de pulsos e iniciar una serie de maniobras que incluyen compresiones toráxicas para que el corazón bombee sangre, así como apoyo a la ventilación mediante respiración boca a boca, estableciendo un orden en la frecuencia de compresiones/ventilaciones y esperando una ayuda solicitada a cualquier transeúnte o activando él directamente un número de emergencia.

Es decir, que la diferencia entre básico y avanzado la determina la presencia de recursos para ejecutar la asistencia, el básico solo se hace con las manos, boca y entrenamiento previo en maniobras de resucitación, mientras que el avanzado, se realiza cuando llega la ayuda con una ambulancia equipada o se arriba a un centro hospitalario donde están todos los recursos a disposición.

El SIUM en Cuba

El SIUM está integrado por quince coordinaciones provinciales de emergencias, treinta y cinco subcentros coordinadores en distintos lugares del territorio nacional y 169 coordinaciones municipales, con un policlínico de urgencias y su red. Está compuesto por 17 000 médicos, enfermeras y personal paramédico (1999), en cursos de capacitación de apoyo vital prehospitalario, cardiorrespiratorio y cerebral avanzado del trauma, y por unas 1100 ambulancias, de las cuales cuarenta y ocho están equipadas para apoyo vital avanzado.[166]

Según el Dr. Carlos Dotres Martínez, ministro de Salud de Cuba hasta el año 2003,[167] el Sistema Integrado de Urgencias Médicas del sistema de salud cubano se está implementando por

---

[166] Alfonso, Carmen R.: "Cadena de supervivencia", periódico *Trabajadores*, lunes, 15 de abril de 2002, p. 2.

[167] Dr. Carlos Dotres Martínez: Conferencia del Ministro de Salud de la República de Cuba en la apertura del Primer Congreso Internacional de Urgencias y Atención al grave URGRAV-99, Palacio de las Convenciones, 14 de abril de 1999.

etapas, a través de tres subsistemas que, según él, *le ofrecen una elevada satisfacción a la población.*

El primer subsistema tiene el objetivo de coordinar o regular la urgencia municipal por medio de un policlínico o unidad principal de urgencia, que cuenta con ambulancias básicas, y una red de servicios de urgencias para responder a las llamadas de médicos y enfermeras de la familia, que estando o no de guardia, soliciten la búsqueda o rescate de un enfermo, o una atención más especializada en el caso de los pacientes cuya vida no esté en peligro.

El segundo subsistema es el hospitalario, formado por los servicios de urgencias y emergencias con las unidades de terapia intensiva e intermedia, que deben brindar de forma cohesionada en cada centro el destino final a los pacientes más graves.

El tercer subsistema es el de emergencias, que con un rango provincial y regulador de los tres subsistemas por medio de un centro coordinador, dispone de las ambulancias intensivas, con fuerzas calificadas para trasladar pacientes cuyas vidas están en riesgo a partir de solicitudes de los médicos de guardia o médicos en otras funciones como los médicos de la familia en sus recorridos o visitas, los enfermeros, bomberos, policías, defensa civil, cruz roja y socorristas voluntarios (esto parece muy bien, pero solo en el papel, como veremos después).

Comenzaremos nuestro análisis de cada uno de estos subsistemas (como los clasificó el ministro, quien le añadió su dosis política a la frase: *que tanta satisfacción ofrecen a la población*). El primer subsistema, conocido como Policlínico o Unidad Principal de Urgencias (PPU) —que según las estadísticas ya está presente en cada uno de los ciento sesenta y nueve municipios del país, e incluso en la mayoría de ellos existen varios PPU por localidades— funciona solo en determinados lugares, sobre todo en las capitales de provincia, donde se seleccionó un policlínico que ya estaba establecido y que contaba con todos los servicios básicos, incluyendo la red telefónica y el servicio de ambulancias; por ejemplo, en el municipio de Santa Clara (capital de la provincia de Villa Clara), el policlínico José R. León Acosta responde a tal calificativo, sin embargo, para el resto de los municipios de la provincia, este calificativo de PPU se le ha adjudicado a cualquier local donde se pueda colocar una gran pancarta bien visible en la que se lean estas siglas, principalmente cuando vienen a inspeccionarlas de las instancias superiores, incluso hasta en lugares bien apartados (utilizado como recurso político, para demostrar las bondades de la revolución) en los que no existen las condiciones mínimas para tratar una urgencia médica: no cuentan con aparatos para permeabilizar la vías aéreas, bolsas para ventilar, cánulas que se colocan en la boca o en la nariz para garantizar que por las vías aéreas circule el flujo de aire, elementos clave durante una reanimación cardiopulmonar debido a que cuando no llega el aire a los pulmones, este no produce el oxígeno, necesario para la mayoría de las células del organismo, y cuando este no existe o demora en llegar, aparecen daños en los órganos, en el caso del cerebro el daño se inicia a los cuatro minutos, se establece a los seis minutos y es irreversible a los diez minutos, por lo tanto, esta es la prioridad número uno que se debe resolver. En estos apartados lugares, a duras penas, las direcciones municipales de Salud pueden colocar un balón de oxígeno, que la mayoría de las veces no sustituyen cuando se agota, pero el problema consiste solo en cumplir con las orientaciones superiores, crear el local y disponer de un grupo de médicos de la familia que hagan guardia.

En realidad, un elevado porciento de estos PPU no dispone de teléfonos ni de ambulancias, estas no existen y solo se cuenta con una o dos ambulancias por municipio. Veamos el ejemplo del municipio de Manicaragua, específicamente la localidad de Matagua; allí existen tres PPU, uno situado en el propio policlínico de esta intrincada zona del centro del país (el cual funciona de manera parcial), existe un médico de guardia y un enfermero, quienes disponen de teléfono, pero la mayoría de las veces les faltan las ambulancias y los elementos esenciales para asegurar una vía aérea permeable. Un segundo PPU, ubicado en Palo Prieto (pequeña comunidad rural de unos 6900 habitantes), que cuenta con un médico y un enfermero, pero que carecen de teléfono y de los elementos esenciales para permeabilizar las vías aéreas, así como de ambulancias. Y la misma situación se reproduce en el pequeño poblado de La Yaya, situado al sur de Manicaragua, a unos catorce kilómetros de distancia, compuesto por poco más de mil personas. Nos limitamos a mencionar a estos tres lugares, pero lo mismo sucede en casi toda la provincia de Villa Clara y en todo el territorio nacional, en particular en las provincias más atrasadas del oriente del país.

Tanto los pacientes como los familiares conocen esto perfectamente, por lo que una vez implicados en una urgencia médica, exigen su traslado al hospital más cercano, obviando pasar por dicho PPU, al que no solo consideran una pérdida de tiempo, sino que incluso puede comprometer su vida de estar en peligro porque, además de que esos lugares no cuentan con los medios necesarios para brindar una asistencia médica de urgencia adecuada, no confían (lo que es peor) en el joven médico de la familia y quieren ir al hospital para ser atendidos por el clínico o el pediatra, en dependencia de la edad del paciente.

Continuando con lo dicho en la conferencia magistral que impartió el ministro de Salud (que sirvió para dar inicio al Primer Congreso Internacional de Urgencias y Atención al Grave UR-GRAV-99) a nivel de este primer subsistema, además del local para el PPU, al menos se requiere un médico con una enfermera capacitados previamente en los cursos de apoyo vital, con los conocimientos necesarios para atender a un politraumatizado o una urgencia cardiológica; sin embargo, la realidad demuestra que no todos pasaron estos cursos, que en dichos lugares laboran médicos que han solicitado la salida del país y recibieron como recompensa su reubicación en estas apartadas zonas a manera de castigo, porque la política del Estado ha sido marginar a estos profesionales, a quienes considera sus enemigos, que (según ellos) no pueden educar a su población como médicos de la familia, de modo que son ubicados en lugares difíciles para frenar en cierta medida las solicitudes de liberación. Así sucedió en el Policlínico I de Caibarién durante los años 2001-2002, según testimonios del Dr. González,[168] los cuatro médicos que laboraron allí habían solicitado la salida del país y así ocurrió hasta el 2010, hacían guardias médicas de 24 horas por 72 horas de descanso y ninguno de ellos había recibido los famosos cursos de apoyo vital.

En el PPU del Policlínico II de Caibarién Pablo Agüero Guedes, así como en el PPU de localidades como Reforma y Dolores, los médicos que hacen guardia no han recibido los referidos cursos de apoyo vital, no disponen de los elementos indispensables para permeabilizar las vías aéreas ni cuentan con teléfonos o ambulan-

---

[168] Dr. Darwin González, exmédico del PPU I de Caibarién.

cias propias. Supuestamente, estos PPU disponen de ambulancias básicas de tipo convencional para trasladar enfermos que no están en peligro vital, se usan para el traslado de los mismos hacia una unidad asistencial de mayor envergadura, en el caso de los municipios es el hospital del lugar, pero la práctica demuestra que para la mayoría de estos PPU no hay ambulancias. En los PPU de localidades como La Yaya, Palo Prieto, Esperanza, Buena- vista, Remate Ariosa, Dolores, Cayo Las Vacas, Refugio, Reforma en la provincia de Villa Clara y decenas de lugares más intrincados en el resto del país no existen.

Habitualmente, en cada municipio del país existen una o dos ambulancias, las cuales, en sentido general, no reciben mantenimiento y menos aún piezas de repuesto, por lo que gran cantidad de Centros Coordinadores Municipales (CCM) de emergencias no pueden recibir sus servicios. Para citar un ejemplo, el CCM de Caibarién, según testimonios de Armando Fernández,[169] recibió en el otoño de 1999 una ambulancia Chevrolet de donación , que incluso circuló hasta sin chapa (matrícula), pero un mal día fue montada sobre ladrillos porque sus gomas estaban en mal estado y así se mantuvo por un periodo de once meses, ya que, inexplicablemente, en los almacenes del gobierno no había gomas; esta situación era conocida por todas las autoridades de salud a nivel municipal y provincial, así como por la dirección del gobierno y el Partido Comunista de Cuba de esta localidad, sin embargo, no tomaron acción alguna, se justificaban diciendo que no disponían de los recursos necesarios, por el contrario, todos ellos andaban en automóviles confortables, con buenos neumáticos.

Desafortunadamente los médicos, enfermeros y paramédicos que laboraban en este CCM no fueron escuchados por quienes debían solucionar este problema, de esta manera el municipio de Caibarién estuvo casi un año sin la ambulancia de apoyo vital avanzado, porque además no había dinero para comprar el resto de las piezas de repuesto necesarias (bate-ría, caja de velocidad y obturadores del motor). Al menos, estas eran las respuestas que se le ofrecían a la población, la cual continuaba sufriendo los riesgos, incluso perdiendo a algunos de sus hijos, sobre todo aquellos que

---

[169] Chofer del Centro Coordinador Municipal de Caibarién. Seudónimo.

necesitaban cuidados emergentes que no se podían brindar en el hospital municipal de la localidad y que se debían trasladar de inmediato en un transporte equipado a un lugar en el que se pudiera brindar un apoyo vital avanzado, es decir, que dispusiera de espacio suficiente para realizar técnicas de reanimación, dotado de equipos para la ventilación, aspiración o cualquier otra maniobra imprescindible para mantener con vida a un paciente. Mencionaremos dos casos de víctimas de esta situación. Según testimonio del Dr. José Luis Comas, clínico del Hospital General de Caibarién:

El 26 de enero de 2002, a las 11:30 a.m., en el cuerpo de guardia del Hospital General de Caibarién se recibió al paciente Rigoberto Rodríguez López, de 35 años de edad, vecino de Paseo Martí, localidad de Caibarién, con una herida por arma blanca, a nivel del quinto espacio intercostal izquierdo y línea medioclavicular (exactamente encima del corazón). En un inicio el paciente estaba consciente y apenas sangraba. Después de tomadas las medidas elementales para asegurar su vida, es decir, una vía aérea permeable, apoyo a la ventilación y fluidoterapia por dos venas periféricas, ya estaban creadas las condiciones para su traslado hacia un hospital donde existiera servicio de cirugía, que no tenía que ser necesariamente en la capital de la provincia de Santa Clara debido a que tan solo a ocho kilómetros, en el Hospital General de Remedios, se cuenta con este servicio; solo necesitaba ser llevado al quirófano para hacerle una toracotomía (abrir el tórax, buscar el órgano sangrante y tratar de yugular el sangramiento). Si la ambulancia de apoyo vital avanzado —el Chevrolet de donación a este municipio— hubiera tenido gomas (las que no les faltan a los autos del PCC, del gobierno o de las diferentes corporaciones de turismo del municipio, que no detienen sus autos por ninguna carencia) quizás los familiares de Rigoberto no lo hubiesen tenido que llorar, pero se le negó esta última oportunidad a un joven lleno de salud en un país que dice ser una potencia médica. Fue necesario solicitar al subsistema de emergencias de Santa Clara una ambulancia de apoyo vital avanzado, la cual demoró una hora y veinte minutos en arribar al hospital: debido a ello, el señor Rodríguez López falleció después de un largo batallar por parte de los médicos, enfermeros y el personal paramédico.

Si se hubiese contado con el transporte adecuado, las posibilidades de supervivencia hubieran sido elevadas teniendo en consideración el reporte de anatomía patológica que certificó una herida de un centímetro en la aurícula derecha.

El 7 de mayo de 2002 asistió al PPU de Buena Vista, localidad ubicada a unos veintidós kilómetros de la ciudad de Remedios, la paciente Yanelys A. M.,[170] de 21 años de edad, vecina de Independencia S/N, quien presentaba un intenso dolor abdominal localizado en el bajo vientre; estaba ansiosa y con dificultad respiratoria, sus pulsos eran débiles, la piel estaba fría y sudorosa, tenía historia de faltarle la menstruación desde hacía ocho semanas. El médico de guardia hizo el diagnóstico de embarazo ectópico (fuera de la cavidad uterina) roto, la paciente se encontraba en un estadio III de shock, en este caso por hipovolemia (disminución de su volumen sanguíneo). De inmediato se canalizaron dos venas periféricas y comenzaron la fluidoterapia (administración de líquidos intravenosos) con soluciones cristaloides. Como la ambulancia básica de este PPU había sido ubicada en el Hospital Municipal de Remedios (las de allí tenían desperfectos técnicos), el galeno llamó para que se la enviasen, pero con la mala fortuna que la habían enviado a Santa Clara con un paciente remitido; por lo que hubo que esperar casi dos horas hasta que, finalmente, fue llevada al quirófano por los especialistas en ginecología, quienes extrajeron gran cantidad de coágulos de la cavidad abdominal y casi dos litros de sangre.

Efectivamente, existía un embarazo ectópico ubicado en la trompa de falopio derecha que estalló convirtiéndose en el responsable de aquella urgencia, aquella joven fue arrancada de los brazos de la muerte, unos minutos más de espera rompían el umbral de la vida.

La joven Yanelis emergió con éxito de aquella situación, pero nunca olvidará que por una casual jugarreta se salvó de la muerte. Aquella noche de mayo pudo ser la última de su vida, por minutos no falleció en el PPU de Buenavista debido a la ausencia de una ambulancia para su traslado.

---

[170] Paciente de la ciudad de Remedios, seudónimo.

Las unidades de terapia

El segundo subsistema es el hospitalario, formado por los servicios de urgencias y emergencias, que incluyen unidades de terapia intensiva e intermedia. Este subsistema funciona mejor, con unas treinta camas para la Unidad de Terapia Intensiva (UTI) y unas sesenta y cinco camas para la Unidad de Cuidados Intermedios (UCIM) en la provincia de Villa Clara. Los médicos, enfermeras y personal paramédico que laboran en ellas están preparados con los conocimientos y las destrezas necesarias para enfrentar al paciente en estado crítico, aquí el dilema estriba en la falta de recursos, no disponen de un laboratorio habilitado que les permita hacer exámenes específicos, sobre todo dosificaciones de enzimas cardiacas o digestivas, elementales en algunas emergencias médicas, ni definir los gases en la sangre porque el equipo con el que se hace (gasómetro) no funciona la mayor parte del tiempo. El déficit es marcado y abarca casi todos los accesorios médicos: no disponen de dispositivos para canalizar las venas (bránula, punzocat o catéter, utilizados para pasar medicamentos, drenar líquidos o bien para el acceso de otros instrumentos), sondas para introducirlas por los orificios naturales, ya sea para el drenaje de líquidos o para la alimentación, mascarillas o catéter nasal para administrar oxígeno, colchones antiescaras y un largo etcétera.

Nos remitiremos a la sala de cuidados intensivos del Hospital Provincial de Santa Clara Celestino Hernández durante el año 1999 (mientras Fidel Castro pregonaba los logros de la medicina revolucionaria). Existían allí todos estos déficits y limitaciones para trabajar (en uno de los lugares menos indicados) y se añadían de manera inconcebible, otros como la falta de un laringoscopio (instrumento médico que se utiliza para ver la glotis y cuerdas vocales y que le permite a los médicos y paramédicos colocar un tubo en la tráquea para ventilar a un paciente), de modo que cuando se presentaba un paro cardiorrespiratorio (muy común en las salas de terapia) había que llamar a la guardia de anestesia, si esta estaba desocupada no había problemas, pero si estaban operando, el paciente no sobrevivía porque obviamente no se podía colocar el tubo en la tráquea y, por ende, no se podía ventilar. Esta situación se señaló a todos los niveles de dirección y nunca se resolvió, con la constante justificación de que la culpa era del bloqueo norteamericano, que no permitía comprar este simple instrumento. Por esta causa fallecieron decenas de pacientes.

Y en cuanto a cosas tan sencillas como lámparas, muebles, cortinas, mamparas, conforman un conjunto de muebles en estado deplorable, los médicos no tenían dónde escribir. A las camas de los pacientes les faltaban las ruedas, con bastidores rotos, al igual que sus colchones, casi siempre manchados de sangre o alguna secreción, muchas veces carecían de mecanismos para levantarlas y colocarlas en posición *fowler* (semisentado), con espaldar fijo (no se puede quitar de esta posición durante las maniobras de resucitación, entorpeciéndolas). No disponían de monitores suficientes en todas las camas para registrar los signos vitales de los pacientes con rangos de alarmas que avisan de una emergencia, los viejos equipos de ventilación Bird Mark-7 y Bird Mark-8, presiométricos, no regulaban los volúmenes, así como los ventiladores volumétricos SERVO 900 C, como deberían; en más de una ocasión hemos visto utilizar un ventilador presiométrico Mark-7 u 8 para ventilar a un asmático por no existir un ventilador volumétrico disponible (solo había uno), como resultado, han fallecido y fallecen decenas de pacientes.

Debido a lo trabajoso que resulta para los médicos hacer un ingreso en las unidades de cuidados intensivos, porque tienen que confeccionar la historia clínica del paciente, muchas veces deben pasar un catéter venoso central para medir las presiones del corazón y los grandes vasos, además de administrar fluidos o medicamentos, colocarles sondas por la uretra para evacuar la vejiga y medir la cantidad de orina por horas, así como sondas por la nariz para alimentarlo, por todo ello, existe una tendencia negativa por parte de algunos médicos que laboran en estos servicios, a no aceptar este tipo de paciente, en especial durante el horario de la madrugada.

¿Cuál es el mecanismo para que un paciente ingrese en este servicio que, por lo general, solo existe en los hospitales ubicados en las cabeceras de provincias? Está previsto que primero debe existir un contacto entre el médico remitente del caso y quien lo va a recibir, pero este tipo de comunicación se ha ido tornando cada vez más áspera y engorrosa debido a los cuestionamientos innecesarios, muchas veces de quien debe recibirlos, el cual, sin ética ni pudor, lo cuestiona todo y hace la comunicación más dificultosa, a veces hasta convertirse prácticamente en una trifulca telefónica en la que el primero tiene que demostrar que su enfermo posee elementos de examen físico o exámenes complementarios que comprometen la vida de su paciente y, el segundo, decidido a no aceptarlo contra viento y marea.

Lo más triste es que, en muchas ocasiones, la comunicación se establece desde hospitales municipales, policlínicos o PPU ubicados en lugares donde hay un solo teléfono, por lo que no existe privacidad, de manera que este tipo de presentación del caso se realiza delante de los familiares, quienes asisten atónitos al debate. El médico que recibe este tipo de solicitud, se reserva el derecho de aceptar o no el caso. En años anteriores prevalecía la mentalidad de ayudar y tratar de solucionar el problema, en estos momentos la situación es lo opuesto: trabajar lo menos posible, así que la respuesta más común es, *no tengo camas disponibles en estos momentos, llama a otro hospital.*

Y las ambulancias ¿dónde están?

El tercer subsistema es el de emergencias, que con el rango de provincial, al ser regulador de los tres subsistemas por medio de un Centro Coordinador Provincial (CCP), dispone de ambulancias intensivas (apoyo vital avanzado) con fuerza de trabajo calificada para trasladar a pacientes con riesgos para la vida a partir de solicitudes de los médicos de guardia, médicos de la familia que detecten casos en sus recorridos, bomberos, policías, defensa civil, cruz roja y socorristas. Este CCP de la provincia de Villa Clara radica en el Hospital Provincial Clínico Quirúrgico Arnaldo Milián Castro, que es la única opción de la que disponen los médicos de guardia en los diferentes municipios del territorio. La situación es tal que incluso ni en el mismo CCP dispone a veces de este transporte vital, las dos ambulancias utilizables se encuentran realizando rescates en otras zonas o simplemente tienen problemas mecánicos (aunque, para ser justos, debemos aclarar que, por regla general, estos vehículos se mantienen trabando a tiempo completo).

Para realizar el traslado sucede lo mismo que cuando se discute con los médicos de las unidades de terapia, el médico que solicita este tipo de vehículo tiene que convencer al médico del CCP de que se basa en criterios emergentes para hacerlo, no se puede efectuar el rescate hasta que el enfermo no se ponga muy malo (como se dice popularmente), de lo contrario, es mejor ni llamar, la respuesta es la de esperar debido a que el paciente no tiene criterios emergentes para aceptarlo; el problema es que no se puede ser tan llano a la hora de tomar decisiones como estas, existen patologías en las que es muy difícil pronosticar el momento en que se presenta el compromiso para la vida, al cual ellos clasifican como situaciones de emergencia de acuerdo con el tiempo del que disponen para la resucitación, según un orden alfabético:

Clasificación de A: cuando existe un compromiso de permeabilidad de las vías aéreas, por ejemplo: fractura de Lefort (maxilar) o cuerpos extraños en vías aéreas, trauma con hematomas del cuello, quemaduras de la cara, entre otros.

Clasificación de B: si existe un compromiso de la ventilación como tal, por ejemplo: neumotórax (aire entre las membranas que cubren el pulmón, que lo comprimen), hemoneumotórax (aire más sangre en el mismo espacio que comprometen el funcionamiento de los pulmones), entre otros.

Clasificación de C: cuando existe un estado de shock secundario a hipovolemia (pérdida de volumen sanguíneo por hemorragias, quemaduras, deshidratación, vómitos, diarreas, etc., o por infección, fallo cardíaco, entre otros).

Clasificación de D: si existe un compromiso neurológico.

Clasificación de E: cuando existen lesiones de las extremidades, con compromiso circulatorio o no.

Evidentemente, los primeros tres puntos reflejan situaciones clínicas emergentes y los dos restantes también lo son, pero de menos compromiso inmediato para la vida.

Existen entidades clínicas que motivan serias discusiones entre los médicos remitentes y los receptores, la razón estriba en que la Medicina no es una ciencia exacta en la que se cumple el viejo eslogan de $2 + 2 = 4$. Por ejemplo, digamos que existen condiciones médicas en las que el paciente luce bien, pero está gravemente lesionado, las cuales dominan muy bien los especialistas, pero que ignoran muchas veces los médicos del SIUM, quienes en su totalidad son médicos de la familia mejorados porque han pasado cursos de apoyo vital, maestrías en emergencias o cursos cortos de terapia intensiva, pero que en cualquiera de sus variantes carecen de conocimientos que sí dominan los especialistas en medicina interna, pediatría o ginecoobstetricia, quienes son los que finalmente llaman al CCP, como veremos más adelante con el trauma craneoencefálico, que puede conducir a errores graves.

La pérdida de valores que predomina en nuestra sociedad también se hizo patente en el sector de la Medicina. Nuestros jóvenes médicos vinculados a este tipo de accionar (SIUM) no cumplen con las normas de educación formal y no hablamos solo de principios éticos entre profesionales, sino de conductas impropias, faltas de respeto y violaciones de la jerarquía médica. Este tipo de médicos (protegidos por las autoridades de salud y por absurdas resoluciones ministeriales) son capaces de dudar de cualquiera de los especialistas ya mencionados, que muchas veces han sido sus profesores, enviando quejas a la Dirección Provincial de Salud a través de una llamada fallida.

La llamada fallida consiste en dar el viaje inútilmente porque al llegar al lugar donde se solicitó la ambulancia, el paciente no cumple con los requisitos de emergencia ya mencionados (A, B y C) o porque, por desgracia, este ha fallecido. Por esta causa el médico implicado puede ser sancionado. Apadrinados por la Dirección Provincial de Salud, los médicos emergencistas se sienten en el derecho de ofender sin el más mínimo pudor a sus colegas, debido a que es política de la dirección cuestionar a los médicos remitentes (como recurso para ahorrar combustible, piezas de repuesto, etc., sin que les importen para nada la vida de los pacientes, otro ejemplo de la doble moral del gobierno cubano). Han llegado al punto de utilizar la intimidación enviando cartas a las sectoriales municipales de salud, en las que se les exige el análisis del viaje fallido.[171] Esta carta fue firmada por el exvicedirector de Asistencia Médica y Social de la provincia de Villa Clara en aquel entonces, Dr. Juan A. Falcón Álvarez, uno más de los dirigentes corruptos de nuestro país, al que no le tembló la mano para firmar este tipo de documento intimidatorio o cualquier otro tipo de sanción administrativa frente a indefensos profesionales de la salud, condición esta

---

[171] Ver carta al final del capítulo.

que le facilitó un rápido ascenso en su carrera, llegando incluso a convertirse en viceministro de Salud durante los años 2006-2008. Lo curioso es que tampoco le tembló para malversar y enriquecerse, motivos que llevaron a su sustitución e invalidación del título de médico, para ahora (año 2014) englosar la fila de los "cuentapropistas" (modo en que se denomina a los pequeños comerciantes privados) de la ciudad Habana.

Estas medidas han provocado la reducción en el número de solicitudes de traslados hacia centros con mejores equipamientos y recursos, con el consecuente maltrato que de ello se deriva. De esta manera, y haciendo uso de la intimidación, la Dirección Provincial de Salud ahorra combustible y trata de no pasar por la desdicha de exigir a los niveles superiores más cantidad para su sectorial (recuérdese la fórmula mágica del dirigente vitalicio).

Para decirlo en el lenguaje llano, el exdirector provincial de salud (José Ramón Ruiz) evitó exigirle más combustible y ambulancias al ministro de salud, para ello usó métodos que obligaron a los médicos a hacer lo que pudieron con las dos ambulancias de apoyo vital avanzado que cubría una población de casi un millón de habitantes (817 070 en el 2004) o practicando políticas de enfrentamientos desiguales entre médicos, que lo único que logró fue sembrar el rencor y la enemistad entre colegas. Sin embargo, lo más triste es que mediante estas acciones ponen en riesgo la vida de los ciudadanos cubanos, quienes la mayoría de las veces viven ajenos a tal situación.

Es común en nuestros cuerpos de guardia, recibir a pacientes con traumas craneoencefálicos (TCE) provocados por un accidente de tránsito (en el mundo fallecen 1,24 millones de personas anualmente por accidentes de tránsito[172] y, en Cuba, desde 1999 ocupa la quinta causa de muerte; en 2004 fallecieron 4394 pacientes, con una tasa bruta de 39.1 x 100 000 habitantes.[173]

---

[172] Organización Mundial de la Salud "Lesiones causadas por el tránsito", marzo de 2013 Disponible en:

http://www.who.int/mediacentre/factsheets/fs358/es/ [Consulta 20 de octubre 2013]

[173] Cueto Medina A., Jaime Parellada Blanco, Wilfredo Hernández Pedroso, Alberto Gómez Sánchez. "Comportamiento epidemiológico de la mortalidad

Basados en datos del Ministerio de Salud Pública, en 1991 la tasa por accidente para ambos sexos era de 40,7 x 100 000 (entre 15-49 años de edad), y desde 2004 a menos de 35 x 100 000; ya en 2010 se anunció una reducción significativa con bombos y platillos, al parecer por la disminución de autos en las carreteras, no por otras razones. Al cubano lo distingue el mal hábito de no usar cinturones de seguridad (no están acostumbrados a montar en autos a diario y, la mayoría de los que circulan en el país, son anteriores a la década de los ochenta) ni cascos protectores en el caso de los motoristas, tal vez como expresión de un inconcebible y tradicional machismo o la consecuencia de años de escasez, lo cierto es que no usan estos medios de protección.

Para poder remitir a un paciente con un TCE se impone un cuadro clínico en el que exista inconsciencia, salida de líquido cefalorraquídeo por los oídos o la presencia de anisocoria (pupilas de tamaños diferentes); si no cumple con ninguno de estos tres elementos, el médico emergencista ubicado en el CCP no acepta realizar el rescate, obviando de esta manera la cinemática del trauma (el accidente como tal, las fuerzas y el movimiento) y su posible daño secundario, ignorando que existe el llamado periodo lúcido, una fase de recuperación de la conciencia que media entre la pérdida inicial de esta, provocada por la conmoción cerebral y el comienzo de una nueva degradación mental (empeoramiento) por una complicación expansiva, generalmente relacionada con un hematoma epidural (acumulación de sangre entre el hueso y la capa externa del cerebro), de rápida evolución mortal si no se actúa urgentemente.[174]

Por lo tanto, a este paciente que llega consciente a un cuerpo de guardia, sin alteraciones pupilares, déficit motor (limitación de movimiento de una de las cuatro extremidades) ni dificultad respiratoria, pero con un gran trauma en la región lateral del cráneo,

por accidentes de tránsito en el ISMM en el periodo 2004-2005". *Revista Cubana de Medicina Intensiva y Emergencias*, 2007, 6 (1) pp. 614-623. Disponible en: http://bvs.sld.cu/revistas/mie/vol6_1_07/mie04107.htm [Consulta 20 abril 2013]

[174] Véase P.A. Pons y Valentín Carreras: *Tratado de Patología y Clínicas Médicas*, tomo IV, Editorial Ciencia y Técnica, La Habana, 1969, p. 618.

tenga fractura evidente o no, el médico remitente está obligado a trasladarlo a un hospital provincial para evaluarlo con un neurocirujano y poder realizarle una Tomografía Axial Computarizada del cráneo, que en Cuba es el procedimiento diagnóstico de elección. Para ello, precisa de una ambulancia llamada básica, lo que significa que no está equipada, y va acompañado de una enfermera o un médico de la familia, porque en esos momentos el paciente no tiene los criterios emergentes exigidos, pero sucede que a mitad de camino el aumento progresivo del hematoma determina el incremento de la presión intracranial y aparecen signos de carácter deficiente sensitivo-motor, alteraciones pupilares, depresión respiratoria, con paro respiratorio del cual no es posible que salga debido a que en este tipo de vehículo no existe espacio suficiente para la reanimación cardiopulmonar, ni el equipamiento necesario, además de que el personal médico y paramédico no dispone de las habilidades necesarias para la entubación endotraqueal y el manejo del paro; entonces sucede lo presumible, un evento que ha ocurrido decenas de veces: fallece el paciente antes de llegar al hospital.

Otro ejemplo frecuente es el de los pacientes provenientes de accidentes de tránsito portadores de un neumotórax cerrado (por un fuerte golpe en el tórax), sucede lo mismo que con el TCE debido a que inicialmente son de pequeña o mediana cuantía (la cantidad de aire dentro de las membranas que rodean al pulmón al inicio no es mucha) lo que se traduce en síntomas pobres, que más que todo se expresa en dolor torácico de ligera a moderada intensidad, poca dificultad respiratoria o ninguna, por lo tanto no se puede llamar al CCP, pero si a esto se une la desgracia de que no se dispone de una ambulancia básica para su traslado y, además, de que no existan radiografías (por equipo roto o falta de materiales) como sucede cientos de veces, los médicos se ven en la necesidad de acudir al taxi de guardia (carros destinados a apoyar la guardia, siempre uno solo y con la función de sustituir a las ambulancias), es decir, si no llegáramos al colmo de la desdicha y este vehículo esté fuera del municipio con otro caso previamente remitido. Cuando esto ocurre, —lo que es muy frecuente—, el paciente tiene que trasladarse hacia otro centro hospitalario por sus propios medios. Decenas de pacientes con posibles diagnósticos de embarazo ectópico, amenaza de aborto, síntomas iniciales del parto, apendicitis, neumotórax de mediana cuantía, etc., han utilizado ómnibus regulares (repletos de personas, sin poder ni sentarse) para trasladarse, por ejemplo, del municipio de Caibarién al de Remedios (nueve kilómetros de distancia) donde existe otro hospital con mejores recursos. Así ocurre a lo largo y ancho de nuestro sufrido país, donde la gente está obligada a usar carretones guiados por caballos y bicicletas para arribar por sus propios medios al hospital más cercano.

Debemos tener en cuenta que en el transcurso de minutos o de horas, el neumotórax puede convertirse en una grave complicación que afecte seriamente la función respiratoria, sobre todo cuando ocurren otras lesiones o se produce en personas con alteraciones previas de la función respiratoria, o si se convierte en neumotórax a tensión, al producirse estas temidas complicaciones ocurre un aumento de la presión dentro de la cavidad pleural (espacio virtual que existe entre las dos capas o membranas que rodean al pulmón) por lo que el pulmón se colapsa cada vez más (el aire lo presiona y no lo deja expandirse), el mediastino (espacio por donde pasan los grandes vasos del tórax) se desplaza hacia el lado sano y provoca angulaciones y estrechamientos venosos que comprometen el retorno venoso sanguíneo al corazón, todos estos son fenómenos se suceden de manera rápida y finalmente desencadenan un paro cardiorrespiratorio.

Como hemos dicho con anterioridad, la Medicina es una ciencia compleja que muchas veces trata de burlar la inexactitud, aunque no siempre lo consigue, por lo que nadie puede regular o condicionar un traslado hasta que no se cumplan ciertos síntomas, porque de esta manera se compromete innecesariamente la vida de las personas.

Los doctores Ricardo Pereda González y Jorge Luis Herrera Varela, respectivamente subdirector y funcionario del SIUM Nacional, describen la conocida cadena de supervivencia, en la cual le asignan eslabones a cada una de las acciones o factores determinantes que puedan aumentar la supervivencia en cinco patologías trazadoras como: cardiopatía isquémica, politrauma, enfermedad cerebrovascular, insuficiencia respiratoria aguda y estado de shock:

• detección precoz
• reanimación cardiopulmonar básica (RCP)
• reanimación avanzada

- cuidados intensivos

De estos cuatro eslabones, el más importante es la desfibrilación temprana, que se incluye en el eslabón número 3 y cuya acción principal sería la de llamar de inmediato a un servicio de emergencias, dotado de un personal que conozca las maniobras de Resucitación Cardiopulmonar (RCP) y que cuente con un equipo desfibrilador (ese famoso equipo que se ve en las películas, por medio del cual le dan descarga eléctrica a un paciente utilizando dos paletas para que reinicien el ritmo cardíaco); una vez estabilizado el individuo, debe llevarse rápidamente a una sala de cuidados intensivos o intermedios.

La desfibrilación es el uso terapéutico de la corriente eléctrica para tratar un ritmo cardiaco, conocido como fibrilación ventricular, que es un verdadero caos en el funcionamiento del corazón ya que no lo deja bombear la sangre lo cual conlleva a un paro cardíaco en un tiempo breve si no se trata con urgencia. Con este proceder se despolarizan todas las células miocárdicas al unísono (se ponen en blanco) a la expectativa de restablecer la circulación espontánea.[175]

Tengamos en consideración que la causa número uno de muerte en Cuba fueron las enfermedades del corazón, hasta hace poco años y, dentro de estas, la cardiopatía isquémica (infarto miocárdico o del corazón), que conlleva un paro cardíaco por diferentes mecanismos, ya sea por el tamaño del infarto, de la zona del corazón afectada o por la producción de ritmos malignos, y dentro de estos se encuentra la conocida fibrilación ventricular (ritmo más frecuente durante el paro) como antesala de la muerte, por eso se habla de la desfibrilación temprana. Muchos pacientes con fibrilación ventricular (FV) pueden sobrevivir sin ningún déficit neurológico, incluso cuando la desfibrilación no ocurre hasta después de seis a diez minutos del inicio del paro. La prontitud con que se efectúa la desfibrilación determinará la posibilidad de éxito. Casi todos los

---

[175] *Texto de procedimientos avanzados de resucitación y cuidados cardiacos de urgencia*, Nueces County Medical Education Foundation, 1995, p. 14.

sobrevivientes de FV conservan su estado neurológico intacto si se desfibrilan temprano.[176]

Es significativo el hecho de que los doctores Pereda González y Herrera Varela se limitaran a señalar, en su intervención publicada por el periódico *Trabajadores* bajo el título de "Cadena de supervivencia", un solo eslabón de esta, específicamente el de la RCP temprana (segundo eslabón), que sin lugar a dudas es muy importante debido a que se necesita de un socorrista para identificar e iniciar el apoyo básico para la vida en el lugar de los hechos, pero lo asombroso es que en ningún momento hablaron del eslabón más importante de esta cadena: la desfibrilación temprana, porque para realizarla hacen falta dos cosas: un desfibrilador y un vehículo que lo transporte, junto con el personal médico y paramédico que llevaría además elementos clave (laringoscopio, tubos, cánulas, bránulas, equipos de sueros, medicamentos, etc.).

Es impresionante ver los diferentes videos que se exhiben en los denominados cursos de apoyo vital avanzado, en los que se muestra la atención dada a un paciente que sufre una parada cardiorespiratoria en el lugar de los hechos y cómo otra persona (un vecino o un familiar) es capaz de iniciar la RCP básica, pedir ayuda para que alguien llame al 911 y, en un tiempo de tres a seis minutos, llega la ayuda, primero los bomberos o policías y luego la ambulancia de apoyo vital avanzado con el desfibrilador.

Los países que pueden desarrollar esta cadena de supervivencia están ubicados en el primer mundo, que son los que tienen el dinero para costear este sistema de cuidados emergentes utilizando el aporte de los contribuyentes y los fondos destinados por el gobierno a estos programas.

Al finalizar la década de los noventa, las autoridades de salud cubana inyectaron una dosis de optimismo a la depauperada situación sanitaria que imperaba en esos momentos, agravada por los duros años del Periodo Especial al que había sobrevivido milagrosamente la mayoría de la población del país. Para ello, además del médico de la familia existía una nueva reestructuración del sistema de emergencias y su funcionamiento a nivel de la comunidad (sub-

---

[176] Cobb, LA and Hallstrom, AP: *Community-based cardiopulmonary resuscitation: what have we learned?* ANN N.Y Acad. Sci., 1982, 382 pp., 330-342.

sistemas). Basados en esos elementos, se incorpora el término "potencia médica" a la retórica de los dirigentes cubanos quienes tratan de elevar la moral de la población creando la falsa imagen de que el pueblo tenía asegurada su salud, tanto o más que un ciudadano del primer mundo.

La experiencia demostró que este nuevo proyecto (SIUM) pasó a formar parte de los fracasos de la revolución cubana. El controversial exministro de Salud Pública, Carlos Dotres Martínez, pensó que en algún momento se convertiría en dirigente vitalicio al crear este aparatoso y novedoso movimiento en la salud, que involucraba enormes gastos gubernamentales debido a la compra de algunos equipos médicos, ambulancias bien equipadas, construcción de inmuebles, medicamentos y, sobre todo, con el adiestramiento de un gran número de profesionales (varios miles), quienes se encargarían de llevarlo a la práctica.

Al comienzo, pensaron que con la ejecución de los diferentes cursos de apoyo vital, primero en la capital del país y luego en las cabeceras de las provincias, se resolvería el problema. Eran tres cursos en uno (Atención prehospitalaria al trauma, Atención a la urgencia cardiológica y Atención avanzada al trauma), cada uno con una duración de tres días: en las mañanas se daban las conferencias y en la tarde las estaciones de destrezas. Durante los primeros dos cursos efectuados en la provincia de Villa Clara en el año 1997, se garantizaron los suministros alimentarios, ofreciéndole a los participantes algunas golosinas, café, meriendas fuertes (bocaditos de jamón y queso, toda una novedad) y almuerzos con proteínas (algo inusual en estos eventos), además, en las prácticas se disponía de diferentes tipos de maniquíes para el entrenamiento de los participantes en la reanimación cardíaca, intubación de las vías aéreas, oclusión de vías aéreas, etc. (que también era sorprendente en aquellos momentos) debido a que contenían dispositivos que permitían examinar los pulsos periféricos o en el cuello, facilitándole al examinador la comprobación de la habilidad de los estudiantes. El entusiasmo era tal que se maquillaban a las supuestas víctimas, tratando de recrear el accidente de la manera más realista posible; por último, se podían realizar prácticas de procederes tales como traqueostomía y uso de la vía intraósea utilizando diferentes animales como perros y gatos vagabundos, cazados por los propios profesores del curso (en Cuba existe muy poca protección para estos animales vagabundos, por lo que es común que cualquiera pueda abusar e incluso matar a un perro o un gato sin que casi nadie se moleste).

En lo que respecta al Estado, el tiempo se encargó de echar por tierra aquel proyecto, porque obviamente demandaba muchos recursos, primero desaparecieron los padrinos que garantizaban los suministros gastronómicos (empresas estatales como la Industria Nacional de Productos y Utensilios Domésticos, que por orientaciones del PCC provincial enviaba suministros), se agotaron los caramelos y los suculentos almuerzos y meriendas, dando paso a una combinación letal que saboteaba el correcto desenvolvimiento del curso: estrés más hambre.

Aquellas largas jornadas de estudio, asociadas con la ansiedad artificial creada por los profesores, estimulaba el apetito. El agotamiento era tal para aquellos alumnos (quienes muchas veces no habían ni desayunado) que, en ocasiones, era necesario detener aquellas secciones de estudio para permitirles que salieran a buscar algo de comer, lo cual, unido a los ya deteriorados maniquíes, falta de pintura para los maquillajes y la extinción de los perros y gatos del vecindario, condicionaron que aquel que llegó a ser el mejor curso que se impartía en la Escuela de Medicina de Villa Clara, se convirtiera en otro curso más del instituto, por el cual los participantes y profesores perdieron el interés y las motivaciones.

Los cursos de apoyo vital estaban diseñados para que los recibieran todos los médicos y enfermeros de la provincia en un periodo no mayor a cinco años. Definitivamente, esto nunca ocurrió, la cifra de graduados fue ínfima en comparación con la cantidad de profesionales de la salud en el territorio central de Cuba. Estos demostraron lo eficiente y duraderas que son las llamadas "tareas de choque" de la revolución, las cuales funcionan con la óptica del estímulo o fervor del momento, se emprenden con gran intensidad y poco a poco se van apagando; se hablaba incluso de que estos entrenamientos serían vitalicios porque lo irían recibiendo paulatinamente otros profesionales como policías, bomberos, cederistas, federadas, obreros, etc. Lo único cierto es que el curso desapareció con los años y que el sueño de formar miles de socorristas quedó empantanado, al igual que decenas de proyectos como este que involucraban la participación de la población.

La tarea quedó incompleta tanto por parte de los afamados cursos de apoyo vital (que desaparecieron con los años por no recibir la ayuda gubernamental requerida) como por la marcada escasez de teléfonos para la población, tanto fijos como móviles (estos últimos aparecieron en escena solo a partir de 2008). A pesar de que las autoridades se empeñen en demostrar un crecimiento sostenido de estos en los últimos tiempos, que elevan a un millón siete mil líneas por red inalámbrica (según el señor Máximo Lafuente, vicepresidente de la firma telefónica ETECSA), esta cantidad de teléfonos móviles está en manos del gobierno, de los oficiales de Seguridad del Estado, la contrainteligencia militar o CIM, dirigentes de todas las esferas, cuadros de organizaciones políticas como CDR, FMC, PCC, UJC, CTC, oficiales de las FAR y del MININT, funcionarios de los diferentes ministerios, representantes de las corporaciones foráneas, extranjeros radicados en el país, diplomáticos y un sinnúmero de comprometidos gubernamentales.

El ciudadano de a pie tiene muchas limitaciones para acceder a este servicio sobre todo debido a que en la actualidad, su contratación vale unos cuarenta y tres CUC (cuatro veces el salario mensual mínimo de un obrero). Es decir, que la falta de socorristas y la imposibilidad de una llamada temprana limitaron el funcionamiento y la cohesión de los dos primeros eslabones, que unidos a la marcada escasez de ambulancias, alargaron el tiempo de espera en una urgencia médica y, por ende, disminuyeron los niveles de sobrevivencia.

Como mencionamos con anterioridad, el eslabón más importante de la cadena de supervivencia es la desfibrilación temprana y para que se efectúe necesita la presencia del equipo en sí y del operador. Según el libro citado *Texto de procedimientos avanzados de resucitación y cuidados cardiacos de urgencia* (véase la bibliografía), es necesario que exista uno de estos aparatos por cada diez mil habitantes para que de esta manera se eleven las probabilidades de supervivencia de los pacientes con diagnóstico de FV.

En la provincia de Villa Clara, que contaba con una población de 839 101 en 2002, era necesario tener ochenta y tres desfibriladores para poder brindar esta opción terapéutica a la población. Sin embargo, la suma de todos los equipos que existían en los diferentes hospitales y policlínicos no llegaban a diez, es decir, solo el 12 % de los necesarios.

Es incomprensible la escasez de estos equipos en un país que se vanagloria de invertir cualquier cantidad de recursos en la salud de su pueblo, que incluso es capaz de desviar un porcentaje de las fuertes sumas recibidas por concepto de turismo médico (como han dicho en múltiples ocasiones sus funcionarios), para la inversión en tecnología médica en aras de mejorar los servicios de salud a la población. Esto es un ejemplo más de la doble moral que existe en Cuba.

Sin embargo, para la mayoría de los polos turísticos del país, existe el dinero necesario para la compra del equipamiento médico. En cada uno de los hoteles importantes que disponen de servicios médicos, está presente el desfibrilador. Mencionemos un ejemplo:

El complejo turístico de Los Cayos de la costa norte de la cayería villaclareña, se ha convertido en un destino común para gran número de turistas extranjeros, quienes pueden disfrutar de sus catorce kilómetros de playas vírgenes, arenas muy finas, extraordinaria belleza y aguas transparentes, rodeadas por una vegetación exuberante, un lugar donde pueden calmar sus mentes y almas, alejados de la agitada vida del primer mundo, con instalaciones hoteleras de gran comodidad ubicadas en cayos de la costa norte de Caibarién.

Están unidos a tierra firme a través de un pedraplén de cuarenta y ocho kilómetros de largo con cuarenta y seis puentes, conocido como Pedraplén Caibarién-Cayo Santa María, que es el último y más lejano de los cayos y ostenta el título de ser la segunda barrera coralina más extensa del planeta, por lo que el mundo submarino allí es un verdadero paraíso.

Dispone de modernas y cómodas edificaciones de un lujo refinado, incluyendo puestos médicos.

Estos puestos médicos exhiben un mobiliario de altos quilates, equipado con dos eslabones clave de la discutida cadena de supervivencia, una moderna ambulancia básica marca Toyota y un flamante monitor-desfibrilador, elementos que están ausentes en el Hospital General de Caibarién, la instalación médica más importante de ese municipio en el que se encuentra esta red turística, lo que pone en evidencia la enorme diferencia existente entre la atención médica que reciben los ciudadanos cubanos y los turistas extranjeros que visitan el lugar.

Durante casi todo el 2002, el municipio de Caibarién no contó con ambulancias, situación que llegó a su clímax durante marzo, abril y la primera quincena de mayo, meses en los que no hubo ningún vehículo en el que se pudiera mover a los pacientes que lo requirieran; sin embargo, la ambulancia Toyota solo realizó dos rescates de ese cayo turístico al hospital del municipio durante el primer semestre de ese año, postura que refleja el maltrato que recibieron decenas de pacientes a los cuales tuvieron en riesgo sus vidas al no poder ser trasladados en su momento.

Este accionar discriminatorio viola todas las normas, incluso las de de la propia Constitución de la República, que en su artículo 42 (Capítulo V) prohíbe que *los ciudadanos cubanos sin distinción de raza u origen nacional sean discriminados respecto al uso de transportes automotores*. La ambulancia Toyota nunca fue utilizada para trasladar a cubanos, sencillamente porque su función era estar a disposición de los turistas, quienes también cuentan con una infraestructura (que no solo incluye el transporte sanitario), que no estará nunca al alcance del ciudadano cubano de a pie.

El moderno desfibrilador automático que se encontraba en dicho lugar todavía no se había usado, en primer lugar porque nunca hizo falta (por lo general, las personas que practican turismo son sanas o enfermos controlados, independientemente de las urgencias que puedan presentarse), y en segundo lugar, porque en caso de que fuera imprescindible un tratamiento eléctrico, tampoco se podría utilizar debido a que los médicos y personal paramédico no son precisamente conocedores de tal equipo, la mayoría desconoce sus principios de uso.

El municipio de Caibarién, con aproximadamente 38 172 habitantes, necesitaría un total de cuatro desfibriladores (según la proporción que vimos anteriormente), sin embargo, el único equipo con que contaba este municipio durante el periodo 2000-2008 fue adquirido gracias a una donación y solo pudo ser utilizado durante un año, desde comienzos de 2001 guardaba reposo en uno de los talleres de electromedicina de Santa Clara porque no existían las piezas de repuesto necesarias para su arreglo, al final lo declararon inservible por la falta de un transistor de alta frecuencia imposible de conseguir en el país. Sin mayores esfuerzos por parte de las autoridades de salud, se conformaron con esto, haciéndose cómplices de la condena de no dar una segunda oportunidad a quienes acudían al servicio de emergencias de este lugar con un paro cardíaco, cuyo ritmo más frecuente es la fibrilación ventricular, y ya sabemos lo imprescindible que es este equipo para tratarla.[177]

Según el libro o registro de defunciones del Hospital General de Caibarién, tan solo durante los primeros cuatro meses y la primera quincena del mes de mayo de 2002, habían fallecido en dicha institución un total de setenta y seis pacientes, de ellos dieciséis por paro cardiorrespiratorio como desenlace de una complicación eléctrica o mecánica, o en el curso de una cardiopatía isquémica aguda, para un veintiún porciento de las causas directas de muerte en estos pacientes. En cada uno de estos casos fue necesario el uso de un monitor-desfibrilador, teniendo en cuenta que la única forma de revertir el ritmo de fibrilación ventricular es desfibrilando, aunque con este aparato también se puede usar otra modalidad que es la cardioversión, imprescindible para otros ritmos no tan dañinos, pero que sí vienen acompañados de un deterioro manifiesto de la hemodinamia (presión arterial muy baja y pulso arterial por encima de los 150 latidos por minuto), que son muy peligrosos y pueden desencadenar un paro cardíaco.

De esos dieciséis pacientes, algunos fallecieron al presentarse un estado de shock de origen cardíaco, que deteriora en un cuarenta

---

[177] Fletcher, G.F. and J.D. Cantwell: *Ventricular Fibrilation in a Medically and a Medically Supervised Cardiac Exercise Program: Clinic Angiographic and Surgical Correlation*, JAMA 1977, pp. 2627-2629.

porciento más su masa miocárdica, pero con seguridad que otros hubieran sobrevivido de existir tal equipo desfibrilador en el servicio de emergencias de dicho hospital, debido a ello, queremos dejar constancia en este libro de los nombres de aquellos pacientes fallecidos, quienes fueron privados del mencionado tratamiento:

NOMBRE	EDAD	CERTIFICA-DO DE DEFUNCIÓN	FECHA DÍA/MES/AÑO	DIRECCIÓN	DIAGNÓSTICO
Reineria Martínez Ruiz	82	805869	10-01-2002	Calle 22 #507	IMA
Teófilo M. Faife González	84	805940	24-01-2002	Calle 22 #2117	FV
Esther Parrado Rodríguez	68	805725	28-01-2002	Calle 18 #3907	FV
Ana J. Araque Serpa	79	805758	30-01-2002	Calle 14 #505	PC
Amalia Ferrer Fernández	84	805743	14-02-2002	Marcelo Salado #24	FV
José R. Galindo Benitez	65	805935	25-02-2002	Ave. 21 #1076	FV
José Pardo López	59	805745	26-02-2002	Ciudad Pesquera #30	IMA
Blanca B. Pérez Blanco	82	805937	26-02-2002	Calle 8 #319	IMA
José L. Cepeda Abreu	71	805938	05-03-2002	Ave. 3 #1607	IMA
Josbel M. Hernández	89	801926	12-03-2002	Rpto. Las torres S/N	IMA
Ana M. Armas Boffil	54	805933	16-03-2002	Calle 14 #114	PC
Ana Sánchez Cordero	63	805936	21-03-2002	Calle 8 #1516	IMA
Cipriano González Guerrilla	61	117505	20-04-2002	Calle 19 #1612	IMA
Gustavo H. Carbonel Soa	76	117512	22-04-2002	Ave. 13 #1217	SC
Caridad M. Rodríguez	72	117508	26-04-2002	Ave. 23 #2602	FV
Paula M. Gómez Jiménez	86	117514	10-05-2002	Calle 16 #712	AS

IMA: infarto agudo del miocardio / **PC:** paro cardiaco / **AS:** arritmia supraventricular / **SC:** shock cardiogénico / **FV:** fibrilación ventricular.

La principal causa del fracaso del SIUM descansa en que necesita de una considerable inversión monetaria para la compra de costosos equipos, imprescindibles para que funcione medianamente este sistema de cuidados emergentes. El gobierno, con su habitual política de exaltar solo el potencial humano, ha tratado de justificar la falta de inversión para la compra de ambulancias, monitores-desfibriladores, equipos de ventilación o de aspiración entre otros, sin los cuales es imposible reducir la letalidad por enfermedades mortales como la cardiopatía isquémica y la enfermedad cerebrovascular o por accidentes de tránsito. De ninguna manera estamos preparados para enfrentar una emergencia médica en casi ninguno de los municipios del territorio nacional, existen ambulancias de apoyo vital avanzado que puedan acudir a un hogar, puesto de trabajo o centro recreativo ante una llamada de emergencia, es tan crítica la situación que ni siquiera una ambulancia básica se logra ubicar en un número telefónico que responda a esas solicitudes y, mucho menos, disponen de personal entrenado que cuente con equipos imprescindibles para solucionar una situación médica que comprometa la vida de los pacientes; ni la policía ni los bomberos se han logrado insertar en este sistema porque carecen de entrenamiento y de transporte, sobre todo en los municipios, ya que los autos que poseen son viejos y tan escasos que no se pueden utilizar en este tipo de actividad.

Los pacientes que presentan una parada cardíaca en sus hogares suelen fallecer, eso también puede suceder en cualquier lugar del mundo, la particularidad estriba en el dramatismo que están obligados a vivir los cubanos cuando un familiar presenta tal emergencia y tienen que lanzarse a la calle en busca de un vehículo que les haga el favor de trasladarlos al hospital más cercano, muchas veces ni siquiera lo consiguen, en especial durante el horario nocturno, así que deben usar el ingenio y llevar al enfermo en bicicletas, coche de caballos, "bicitaxis" (bicicletas que son taxis), carretones, cualquier vehículo de tracción con ruedas con los que puedan llegar al hospital o a los mencionados PPU, donde encuentran a un médico que muchas veces no pose ni el instrumental necesario para una inyección (en Cuba no se utilizan equipos desechables, sino antiguas jeringuillas de cristal y agujas, las cuales se lavan y esterilizan posteriormente para su nuevo uso) o para suturar una simple herida.

Este es el verdadero SIUM que poseemos en nuestro país, no el sofisticado Sistema de Cuidados Emergentes que presentó el exmininstro de salud, Dr. Carlos Dotres Martínez, en su intervención en el Congreso Internacional URGRAV-99. Tampoco están preparadas las instituciones hospitalarias de carácter provincial de la región central de Cuba, como el Hospital Provincial Docente Clínico Quirúrgico Arnaldo Milián y su homólogo, el Hospital Celestino Hernández, para el arribo masivo de lesionados en caso de un desastre o catástrofe natural, según lo demostraron los doctores Camacho Tenorio y Machado Lubián en su trabajo "Desastres: ¿estamos preparados para enfrentarlos?", publicado en la revista *Medicentro Electrónica,* en 2001,[178] donde concluyen que:

> *De un total de 207 médicos encuestados que laboraban en dichos hospitales, solo el 7,7 % conocían las diferencias entre emergencia rutinaria y desastre. Al explorar los conocimientos que deben de tener los médicos sobre si su centro hospitalario tiene riesgos de desastres internos, el 65,2 % respondió de manera afirmativa, sin embargo, solo el 31,8 % conocía la capacidad del departamento de emergencias del hospital.*

> *Solo el 22,2 % conocía el Plan de Desastres de su institución, se determinó además que el 29,9 % sabía a quiénes tenían que avisar, y solo el 53 % de los encuestados tiene sus datos personales actualizados para su localización; además, el 51,2 % conoce dónde presentarse en caso de desastre.*

> *Únicamente el 24,1 % de los encuestados ha recibido en algún momento cursos sobre el tema de desastres.*

Con todos estos elementos, concluimos que nuestro SIUM está muy lejos de proporcionar la alta satisfacción a la población de la cual hablaba el ministro de Salud de turno en su intervención, publicada con el título "Historia de la medicina intensiva y el adve-

---

[178] *Revista Medicentro Electrónica,* ISSN 1029-3043, vol. 5, No. 1, año 2001.

nimiento del SIUM" y distribuida a bombo y platillo en el mencionado Congreso Internacional URGRAV-99. Sencillamente, no so-
brevivió con el decursar de los años y una década después, la
situación empeoró al punto de que existen menos de la mitad de las
ambulancias y del personal médico y paramédico con que se inició
este proyecto, tan solo fue una buena intención que se estrelló contra el muro del ineficiente sistema político cubano.

Santa Clara, 25 de Febrero del 2002
"Año de los Héroes Prisioneros del Imperio"

Dr. Angel Luis Sosa Sánchez
Director Municipal de Salud
Caibarién.

Compañero:

Por medio de la presente le informo que su municipio realizó en el mes de Enero una activación de la Emergencia que resultó un viaje fallido. El médico que activó el sistema fue José Luis Comas para un paciente nombrado **RIGOBERTO RODRIGUEZ LOPEZ** de 35 años con una **Herida Blanca** por arma blanca en el tórax. El paciente falleció antes de llegar la ambulancia.

Necesitamos que se analice este caso y nos dé respuesta por escrito.

En espera de su acostumbrada atención le saluda,

Dr. Juan A. Falcón Alvarez
Vice Director Asistencia Médica y Social
Villa Clara.-

CC. Jefe SIUM VC

Archivo

Copia de la carta enviada por el Vicedirector de Asistencia Médica y Social de la provincia de Villa Clara (Dr. Juan A. Falcón Álvarez) al Director Municipal de Salud de Caibarién (Dr. Ángel Luis Sosa Sánchez) donde se solicita el análisis y medidas a tomar contra un médico que activó el centro provincial de emergencias para solicitar una ambulancia de apoyo vital avanzado para un paciente que recibió una herida por arma blanca que le daño su corazón y cuando la misma arribo al hospital municipal 1 hora y 20 minutos después el paciente ya había fallecido. Considerado esto como un viaje fallido y un gasto innecesario de gasolina. Paradójicamente este rudo y exigente dirigente unos años después fue separado de su cargo de viceministro de Salud Pública por corrupción y desvío de recursos.

CAPÍTULO XII
Programa de Atención Materno Infantil (PAMI)

Palabras clave

El PAMI • natalidad infantil • muerte prematura • índices manipulados • ¿crímenes de prematuros? • medicamentos • complicidad de la prensa • las estadísticas alteradas • alimentación del recién nacido • un éxito fraudulento • después del año ¿qué?

En medio de los numerosos descalabros y frustraciones de un sistema económico fallido queda como una de las banderas de la superioridad del gobierno cubano la baja tasa de mortalidad infantil en Cuba. Si tenemos en cuenta que la Organización Mundial de la Salud (OMS) establece este indicador como índice que mide el grado de salud y bienestar de un pueblo es una estadística perfecta para la propaganda.

Tanto a nivel nacional como internacional, no hay un discurso en el que el gobierno de Cuba no proclame con desenfrenado delirio las bajas tasas de mortalidad infantil, comparándolas atrevidamente con las de países desarrollados como Japón, Estados Unidos y Canadá, y arremetiendo contra los vecinos latinoamericanos, los cuales, según ellos, no han establecido un "gobierno bueno" como el de Cuba, que se preocupa por la atención materno infantil.

A partir de esos criterios tratan de lograr lo que se proponen: ofrecer una buena imagen, con proyección a nivel mundial, del sistema social perfecto que goza de un excelente gobierno. Desenmascarar la realidad de la mortalidad infantil en Cuba es el objetivo de este capítulo.

¿Cuál es la verdadera mortalidad infantil en Cuba?

La mortalidad infantil es un tema medular en la lucha ideológica que ha entablado el gobierno de los Castros en su afán por demostrar los logros de la revolución cubana con una lente de proyección mundial, destacando los avances y conquistas de este proyecto social por medio de una página de Internet denominada Infomed, que es la web sobre la salud en Cuba.[179]

La tasa de mortalidad infantil mide el riesgo de morir durante el primer año de vida —el más crítico en la supervivencia de un ser humano—, es expresión de la calidad con que un país atiende y protege a la madre y al niño, su salud, su seguridad material, su educación y socialización. Es por ello un indicador demográfico internacional que muestra de forma sintética esos avances.

Según el libro *Estadísticas de Salud* editado para los estudiantes de Medicina, publicado por el Instituto de Ciencias Médicas de La Habana en 1980, se define la mortalidad infantil como la mortalidad de los niños menores de un año y está conformada por tres componentes:

- Mortalidad neonatal precoz o temprana: comprende el periodo entre cero y seis días de edad.
- Mortalidad neonatal tardía: abarca el periodo entre siete y veintisiete días de edad.
- Mortalidad posneonatal o infantil tardía: la que ocurre a los niños entre veintiocho días y once meses de edad.

La mortalidad infantil es un tema recurrente en los discursos de Fidel Castro (cuando quiere demostrar los beneficios del sistema socialista, que para ser sinceros es un punto constante en casi todas sus presentaciones), el cual lo ha enarbolado como un logro irrefutable del gobierno socialista cubano. Veamos tan solo tres ejemplos donde se menciona:

- Discurso del 26 de julio de 2002: *No tienen lugar aquí negocios turbios, saqueos de fondos públicos, lavado de dinero,*

---

[179] http://www.sld.cu

tráfico de drogas, no existen niños sin escuelas, el índice de mortalidad infantil es de los más bajo del mundo.

- Discurso del 21 de enero de 2003: *(...) mortalidad infantil en niños menores de un año, 80 por 1000 nacidos vivos... hoy 7,33.*

- Discurso del 7 de abril de 2003: *(...) después de 44 años, al reducirse la mortalidad infantil a menos de siete por cada 1000 nacidos vivos en el primer año de vida.*

Tan solo hemos querido mencionar algunos discursos en los que Fidel Castro se ha empecinado en demostrar los logros de la revolución utilizando este dato como verdad indiscutible, comparándolo cada vez que pueden con los índices de salud de la Cuba prerrevolucionaria, que dicho sea de paso, el señor Pedro Pablo Arencibia Cardoso en su artículo "Una primera aproximación a la República 1902-1958", de la revista *Vitral* no. 49, echó por tierra el dato ofrecido en el discurso del 21 de enero de 2003, al plantear que: *La esperanza de vida al nacer era de 58,8 años y la mortalidad infantil en menores de un año era de 32,5 por cada mil nacidos vivos, la cual desde principios de siglo seguía una tendencia decreciente (Zuaznábar).*[180]

Sería conveniente clasificar al producto de la concepción según el tiempo de embarazo en que sea expulsado para lograr comprensión de lo que queremos demostrar:

- Aborto: hasta las 19,9 semanas.

- Partos inmaduros: de 20 a 26,6 semanas

- Pretérmino no viable: de 27 a 33,6 semanas

- Pretérmino viable: de 34 a 36,6 semanas

- Embarazos a término: de 37 a 42 semanas

Las defunciones también se clasifican en defunciones fetales, que pueden ser de tres tipos:[181]

---

[180] Tomado de la Revista *Vitral* No. 49, año IX (mayo-junio de 2002). La cita fue extraída de "La economía cubana en la década del 50", Zuaznábar, Ismael, Editorial de Ciencias Sociales, La Habana, 1989.

[181] *Estadísticas de Salud*, Ministerio de Salud Pública, Instituto Superior de Ciencias Medicas de La Habana, 1980, pp. 169-170.

- Tempranas o precoces: Son las de menos de 20 semanas de gestación o menos de 500 gramos de peso o menos de 25 cm de longitud fetal.

- Intermedias: Abarcan a las que tienen entre 20 y 27 semanas de duración del embarazo o entre 500 a 999 gramos de peso o de 25 a 34 cm de longitud.

- Tardías: Son las que tienen 28 semanas o más de gestación, 1000 gramos o más de peso y 35 cm o más de longitud.

En Cuba los índices de salud que se brindan anualmente a la Organización Mundial de la Salud y que se ofrecen a la opinión pública nacional e internacional como banderas victoriosas son adulterados con el ánimo de ser utilizados como logros indiscutibles de la revolución. Veamos la burda manera en que esto ocurre, en particular respecto a la mortalidad infantil.

Con el transitar de los años, nuestros obstetras se han educado en el temor constante hacia las direcciones de salud, desde el nivel municipal hasta nacional y, respecto a este último, el temor se ha convertido en terror, lo que ha sido utilizado, incluso, como técnica de dirección. Como dijimos en el capítulo VI, cuando en las reuniones, entregas de guardias, etc., el médico que llena un certificado de defunción debe plasmar como causa de muerte directa, indirecta o funcional, como por ejemplo, asma bronquial (por más de diez años esta ha desaparecido de los diagnósticos pos muerte en el 99 % de los certificados de defunción de los médicos cubanos), casi todos la omiten, prefieren cerrar estos certificados de defunción con cualquier otra complicación respiratoria sin mencionar este resultado, es decir, le dan la clasificación de bronconeumonía, tromboembolismo pulmonar, entre otros. Por esta causa son llamados a la dirección de la entidad a la cual pertenecen, luego a la dirección municipal, provincial y, por último, son intimidados para que lo discutan directamente con el ministro de Salud. En cada caso se le cuestionará el diagnóstico, lo que debió o no hacer, si el tratamiento fue el adecuado, cuál fue la calidad de sus evoluciones médicas, en fin, el trabajo completo. Por lo tanto, un gran porcentaje de los médicos cubanos prefiere mentir para evitar este mal momento. Pero volvamos al ejemplo de los ginecoobstetras.

El término mortalidad infantil engloba a todo nacido vivo que fallece después del parto. Sin embargo, constituye una práctica entre muchos ginecoobstetras[182] —heredada de sus profesores y que se ha establecido como una especie de código secreto entre ellos—, que para evitar represalias por no contribuir a mejorar las estadísticas, cuando asisten a una embarazada que por una razón u otra expulse un feto en el tiempo comprendido entre las 20 y 26,6 semanas, es decir, un parto que se corresponde a la clasificación de inmaduro y en el que la posibilidad de sobrevivencia es mínima, no brindan la atención adecuada al recién nacido, sencillamente lo dejan morir. No le realizan las medidas de reanimación, lo separan de manera inmediata de la madre para que esta no lo escuche llorar o lo dejan a la intemperie para que muera por hipotermia; luego lo informan como una muerte fetal anteparto, independientemente de que nazca o no vivo y, de esta manera, ya no entran en los casos que conforman la mortalidad infantil.

Aquellos jóvenes especialistas que tratan de oponerse o rechazar este proceder son recriminados por los de mayor jerarquía, quienes les recuerdan que "para eso son ginecólogos". Esta es una dura verdad que pertenece a los oscuros secretos del ejercicio de la medicina en la Cuba de los Castros y que quizás el hecho de mencionarla aquí sirva de inspiración a quienes conocen de esta práctica en la isla y quieran denunciar este tipo de crimen.

Si el parto inmaduro ocurre entre las 20 y las 32 semanas, aparecen en las estadísticas como abortos tardíos, siempre teniendo en cuenta el factor peso.

Si el feto pesa menos de 500 gramos, no hay problemas, pero si pesa mucho, por ejemplo de 800 a 900 gramos, ya se sabe que tiene más tiempo, por lo tanto en la historia clínica no se puede poner que se trata de un aborto tardío, entonces se recurre a otra técnica: cambiar el peso.

La Organización Mundial de la Salud (OMS) sugirió primero y acordó después[183] que el término parto prematuro no podía ser

---

[182] Según testimonios de tres ginecólogos, dos de la provincia de Villa Clara y uno de la provincia de Camagüey quienes, a pesar de haber salido del país, prefieren el anonimato por la gravedad del asunto y el temor constante a que el régimen tome algún tipo de medida represiva contra sus familiares en Cuba. Una de estas doctoras estuvo en tratamiento psiquiátrico, luego que enfrentó esta situación.

[183] Bristol, 1972.

empleado y recomendó la designación de parto pretérmino, entendiendo como tal aquel que se produce antes de la semana 37 de la gestación y después de las 20 semanas.[184] En la actualidad han surgido otros conceptos relacionados con el recién nacido pretérmino, clasificando a este según su peso en: recién nacido pretérmino de muy bajo peso al nacer, que son aquellos que pesan 1500 gramos o menos y en pretérminos extremadamente bajo peso al nacer, refiriéndose a los niños que pesan 1000 gramos o menos.[185]

Por lo tanto el término de parto inmaduro, a pesar de ser universalmente aceptado[186] en la actualidad queda englobado dentro de los partos pretérminos de extremadamente bajo peso al nacer, como una mejor manera de contemplarlo en las estadísticas. Aunque a pesar de los esfuerzos en reagrupar las diferentes clasificaciones, todavía en la literatura existen referencias tanto a partos prematuros, como a inmaduros.

El parto pretérmino constituye el principal problema obstétrico de nuestro país pues, aunque se presenta entre el 8 y el 9 % de los nacimientos, está relacionado con más del 75 % de la mortalidad perinatal, este último término comprende las defunciones fetales tardías (fetos nacidos muertos, los conocidos como macerados) y las neonatales precoces (fetos nacidos vivos que fallecen antes de los seis días de edad).[187]

Si tomamos como referencia la investigación y revisión bibliográfica de las doctoras Lelyem Macell Rodríguez y Victoria E. González Ramírez, del Instituto de Ciencias Básicas y Preclínicas "Victoria de Girón", La Habana,[188] quienes plantean que en Cuba antes del año 2000, el nacimiento pretérmino representaba del 8 al 9 % de todos los partos, sin embargo en el periodo de tiempo del 2005 al 2010, estos disminuyeron entre 4 y el 4,8 % del total de

---

[184] *Manual de diagnóstico y tratamientos en obstetricia y perinatología*, Editorial Ciencias Médicas, Colectivo de autores, La Habana, 1997, pp. 406-420.

[185] Millar E, Keyes H. *Factores perinatales que inciden en el parto pretérmino*. Rev Med Panamá 2001: 43-50.

[186] Botella Ll., Clavero NJ. *Tratado de Ginecología*. 14. Madrid. Díaz de Santos; 1993 p. 285-95.

[187] Millar E. Kelles H, Op. Cit.

[188] *Rev Cubana Obstet Ginecol,* vol. 37 no.4 Ciudad de la Habana oct.-dic. 2011.

nacimientos; paradójicamente en casi la totalidad de los países del mundo que brindan estadísticas confiables estos aumentaron, según contempla la Nota Informativa número 363 de la Organización Mundial de la Salud, noviembre del 2013[189] pudiéramos preguntarnos ¿ por qué en Cuba ocurre de manera diferente?

Dentro de los 65 países que muestran datos fiables sobre tendencias (continúa la nota informativa de la OMS) todos menos tres, han registrado un aumento en las tasas de nacimientos prematuros en los últimos 20 años. Ello puede explicarse, entre otras cosas, por una mejora de los métodos de evaluación, el aumento de la edad materna y de los problemas de salud materna subyacentes como diabetes e hipertensión, un mayor uso de los tratamientos contra la infecundidad que dan lugar a una mayor tasa de embarazos múltiples y los cambios de las prácticas obstétricas como el aumento de las cesáreas realizadas antes de que el embarazo llegue a término.[190]

Considerando como ciertas las estadísticas que aparecen en el periódico Granma del 17 de enero 2003 (donde se plantea que en el año 2002 se produjeron en Cuba 141 110 nacimientos, con 922 fallecidos, para un índice de mortalidad infantil de 6,5 por cada 1 000 nacimientos) pudiéramos hacer un breve análisis matemático utilizando como referencia el *Manual de diagnóstico y tratamiento en obstetricia y perinatología* así como la revisión bibliográfica del tema efectuado por la Dra. Rodríguez y la Dra. González Ramírez, que registran la frecuencia del parto pretérmino para ese tiempo entre el 8 y 9 % de todos los partos, si la aproximamos al 8,5 % resultarían 12 000 partos pretérminos en el año 2002. Un gran porcentaje de esos 12 000 partos pretérminos no se reanimaron, no recibieron cuidados, se les negó el derecho a la vida por una simple razón: exhibir una baja mortalidad infantil.

No queremos ser absolutos a la hora de hablar de cifras, y mucho menos generalizar, pero el hecho de que el gobierno participe con un control estricto de la mortalidad en esta edad de la vida y utilice estadísticas infladas para demostrar su mayúsculo esfuerzo

---

[189] "Nacimientos prematuros", Noviembre 2013, Centro de Prensa, OMS www.who.int/mediacentre/factsheets/fs363/es
[190] *Ídem.*

en favor de la salud de su pueblo, utilizándolo como bandera de victoria, facilita la aparición de estos códigos secretos o formas de trabajo, que no las certifica, ni legaliza, pero las extiende a todos sus centros, apoyándose en sus núcleos del partido, Unión de Jóvenes Comunistas y sindicato.

Otras serían las estadísticas si en Cuba respetaran el principio de reanimar a todo recién nacido vivo, sin considerar la semana en que se produzca el parto, y no existieran clasificaciones y subclasificaciones del producto de la gestación. Se utiliza el término de inmaduro a su conveniencia, prácticamente como tabla salvadora, para justificar aquellos niños nacidos vivos, que según ellos no tienen posibilidades de vida. Si no se politizara el asunto y se le otorgara autonomía al médico ginecólogo para ejercer su trabajo, estamos seguro de que la cifra de fallecidos por año y la mortalidad infantil del país no serían las reportadas, serían superiores, pudieran incluso ser el doble.

Un documento de Robert M. González[191] avala con métodos estadísticos que el índice de mortalidad infantil es manipulado por el gobierno. El resultado de esta investigación concluye:

La tasa de mortalidad infantil (TMI) es quizás uno de los indicadores más utilizados por los medios de comunicación y académicos para citar Cuba como ejemplo de país desarrollado que ha alcanzado los indicadores sociales de las naciones ricas. Por ejemplo, en el año 2008 solamente, Cuba reportó una tasa de mortalidad infantil más baja que la de Canadá y los EE.UU. Sin embargo, en este trabajo se muestra que las estadísticas sobre la tasa de mortalidad infantil reportada por las autoridades sanitarias cubanas parecen ser muy engañosas. Mediante el estudio de una aguda brecha entre dos indicadores que están estrechamente relacionados con la tasa de mortalidad infantil, —la tasa de mortalidad fetal tardía (TMFT) y la tasa de mortalidad neonatal precoz (TMNP)—, y haciendo uso de un grupo de datos que permite

---

[191] "Underreporting of the Infant Mortality Rate in Cuba", Robert M. Gonzalez, Departamento de Economía, Universidad North Carolina-Chapel Hill. Presentación en la 23 Conferencia de la Asociación para Estudios de la Economía Cubana, celebrada en Miami el 20 de mayo de 2014. (Traducción de los autores).

comparaciones entre los países, he desarrollado un método muy simple para ajustar la tasa de mortalidad infantil reportada en Cuba. El método es ampliamente aplicable a otros países o regiones que puedan exhibir las disparidades de informes similares. Los resultados indican que la tasa de mortalidad infantil podría ser hasta dos veces más alta que la rereportada. Después de los ajustes según el método propuesto, el lugar de Cuba en la TMI, aunque superior al de América Latina y los países de ingresos medios, no parece estar a la par con el de los países de altos ingresos como antes se había creído.

La emulación socialista en la atención materna infantil

Los gobiernos municipales y provinciales (Poder Popular y PCC) incluyen en sus agendas el Programa de Atención Materno Infantil (PAMI) y lo utilizan para evaluar la emulación con otras zonas de la provincia y del país. Poco o casi nada aportan a este programa desde el punto de vista material, como veremos más adelante, pero sí mantienen una alta cuota de represión, hostigamiento y acoso contra los médicos que, según ellos, son los responsables de obtener tales logros. La situación de los niños menores de un año (lactantes) y embarazadas se analiza mensualmente en reuniones municipales del PAMI, donde clasifican de problemáticos a aquellos infantes que tienen un nivel de vida cercano a la indigencia, que viven en cuartos o habitaciones que son casi inhabitables, en barrios insalubres que constituyen las verdaderas favelas cubanas, alejados de la vista de los turistas y visitantes extranjeros de alto nivel.

En el municipio de Caibarién existen barrios como Aguas Indias, La Picadora, La Línea, El Chigüete que son fieles exponentes de esta marginalidad, todos los lactantes y embarazadas de esos lugares, por no contar con otras posibilidades, son clasificados como problemáticos, no reciben ninguna ayuda monetaria ni alimentaria, tampoco les ofrecen facilidades o subsidios para salir de esos barrios marginales, eso sí, el médico de la familia, el pediatra y el obstetra son emplazados y obligados a visitar decenas de veces a estos pacientes y, aunque algunos no hacen tantas visitas normadas, sí las consignan en sus historias clínicas como si las hicieran, en ellas consta la preocupación de ellos y de la institución sanitaria municipal y, para hacer más gigantesca y grosera la mentira, las historias clínicas de los lactantes y los tarjetones de las embarazadas están en poder del médico de la familia, de manera que cuando la precaución y el hostigamiento del gobierno se exaltan, le agregan falsas visitas y consultas fantasmas a estas personas. En el momento en que los casos tildados de problemáticos necesitan ir a consultarse debido a algún proceso morboso, se evidencia que nunca han sido visitados por el médico, aunque sus historias clínicas estén llenas de visitas y consultas. Este fraude se lo enseñaron a los médicos desde el mismo inicio de su formación.

Un viejo refrán de nuestra tierra asegura que *el papel aguanta todo lo que le ponen* y, en este caso, es cierto. Estas historias clínicas fraudulentas son las armas que tiene el médico para defenderse cuando el paciente fallece o la embarazada da a luz un niño con bajo peso (menos de 2500 gramos), con malformaciones o muerto.

A la discusión de fallecidos (especie de juicio que hacen en estos casos) asisten todos los implicados responsables de la salud de la víctima, la preside el director provincial de Salud seguido por el responsable del PAMI provincial, por un funcionario del PCC o del gobierno (que no es un profesional de la medicina), el médico de la familia y el pediatra o el obstetra a cargo del paciente. Llenan una bonita historia clínica repleta de visitas al hogar, recomendaciones para mejorar la higiene, consultas de terreno, exámenes de laboratorios y todo un bagaje de falsedades bien hilvanadas, escritas con diferentes tintas y fechas, de manera que quede demostrado que la atención fue buena. Son verdaderos artífices del fraude. No obstante, en esta suerte de juicio carnavalesco el director provincial arremete siempre contra el eslabón más débil (el médico de la familia) y nunca menciona el verdadero causante de este mal, que no es otro que el hacinamiento, la insalubridad, la pésima e insuficiente alimentación, así como el analfabetismo cultural y sanitario que campean por estas favelas socialistas.

¿Un gazapo en el periódico *Granma*?

Todos los años durante los primeros días de enero, publican en *Granma* en grandes titulares, la cifra de mortalidad infantil (tasa) y un edulcorado comentario del periodista José A. de la Osa. Todos los numeritos pueden ser arreglados y bien colocados de manera que coincidan y las estadísticas, como son hechas por ellos mismos, tienen sus arreglos y acomodos de forma tal que la cifra de mortalidad infantil sea la preconcebida por ellos. Pero en el año 2002 pasó algo impensable, parece que el proceso no fue bien hilvanado y este grandilocuente periodista falló al publicar en la edición del *Granma* del 8 de enero de 2003, lo siguiente: *En el 2002 hubo 141 110 nacimientos, con 991 fallecidos (según datos estadísticos de la dirección nacional del MINSAP) para una tasa de mortalidad infantil de 6,5 por cada 1000 nacidos vivos.*

Sin embargo, en una edición del *Granma* del 17 de enero de ese mismo año, aparece otro comentario en el que reportan igualmente los 141 110 nacimientos, pero esta vez con 922 fallecidos. ¿Cómo es posible que en once días de diferencia hayan desaparecido 69 fallecidos? ¿Cuál edición dice la verdad? ¿Dónde están los 69 fallecidos de diferencia? ¿Por qué fueron omitidos? ¿Fue un error de imprenta? Otro dicharacho popular sentencia que *primero se agarra a un mentiroso que a un cojo.* Parece que aquí este fue capturado. Quizás cosas como estas y otras que expondremos más adelante, expliquen por qué la mortalidad infantil en 1960 era de 37,3 por cada 1000 nacidos vivos y en 2002 está fijada en 6,5 por cada 1000 nacidos vivos.

Según está establecido, al recién nacido (niños hasta los 28 días de edad) debe examinarlo su médico de la familia antes de cumplir los siete días y debe ser interconsultado por el pediatra antes de este tiempo; luego, hay que visitarlo diariamente (la primera semana) y más tarde una vez por semana hasta que cumpla un mes; la interconsulta con el pediatra debe ser todos los meses. Esto no se cumple en ninguno de los casos, excepto si se trata de un paciente con una enfermedad crónica (cardiopatía congénita), en cuyo caso lo visitan con frecuencia para remitirlo al hospital municipal ante el primer síntoma y, de este, al pediátrico provincial donde, de existir el menor índice de complicación, lo trasladan a una sala o Unidad de terapia intensiva (UTI) o a una Unidad de Cuidados Intermedios (UCIM) la cual es una especie de santuario previsto para que, en caso de que fallezca allí, la dirección de Salud nunca cuestione a estos pediatras intensivistas, sino que dirige sus dardos hacia los niveles más bajos de los municipios, es decir, al médico de la familia que lo atendió.

Un ejemplo: el paciente Kolia

Recordamos el caso del paciente Kolia Beovides, quien reside en avenida 22 no. 3509, entre 35 y 37, Caibarién, el cual nació con una cardiopatía congénita compleja de pronóstico sombrío, con una mortalidad casi de un 100 % antes del primer año de vida, esta es la denominada de tronco común o tronco aortopulmonar común, en la que solo un gran vaso sale de la base del corazón y no dos. Por el delicado estado de salud de este paciente, antes del primer año de vida recibió a diario en su domicilio la visita del médico y enfermera de la familia y, con frecuencia, la del pediatra del policlínico y otras autoridades de salud; este paciente, ante el menor síntoma, era trasladado de inmediato al hospital provincial. En el Instituto Nacional de Cardiología y Cirugía Cardiovascular le comunicaron que era imposible efectuar su operación por el alto riesgo de mortalidad que esta representaba y porque en el país no existía el conducto que debía ponerse para su reparación cardiovascular. La abuela del paciente, la señora Ofelia Mederos, se dirigía incansablemente a las instituciones caritativas internacionales, así como a las autoridades de salud cubanas, sin encontrar soluciones para el caso. Mientras tanto, las visitas al domicilio de Kolia se efectuaban de manera periódica pues no había cumplido aún el primer año de vida.

En las reuniones del PAMI municipal lo tenían contemplado como fallecido aun sin estarlo, hasta que por fin cumplió el año de vida y, a partir de ese momento, se suspendieron las visitas frecuentes al paciente. Sus familiares seguían buscando desesperadamente una solución para el niño que desarrollaba un deterioro progresivo, con desnutrición proteico calórica y episodios de cianosis (coloración azul de la piel y mucosas) muy frecuentes producto del daño cardiovascular preexistente.

Por el propio esfuerzo e insistencia de los familiares, logran conseguir el conducto y se dirigieron de inmediato a la ciudad de

La Habana, contactaron al doctor Pablo Nodarse,[192] renombrado cirujano cardiovascular, el cual accedió a operar al niño, pero sin garantías de supervivencia. El acto quirúrgico duró 11 horas y Kolia logró salir con vida del quirófano. A partir de aquí, comenzó una lenta recuperación hasta alcanzar los siete años (hasta esta edad pudimos hacer un seguimiento del caso). En la última consulta les comunicaron que el conducto ya no se adaptaba al tamaño de su corazón, por lo que Kolia debía ser intervenido nuevamente, pero con siete años cumplidos no tiene nada que ver con el PAMI y solo le interesa a sus familiares, a los cuales les comunicaron que en el país no existe el conducto. Kolia deberá enfrentar esta carencia, más la ausencia del único doctor que estuvo dispuesto a operarlo, Pablo Nodarse, quien se vio obligado a marcharse a los Estados Unidos valiéndose de una visita de trabajo a un tercer país, optando por esta vía como la única forma de lograr su libertad económica, política y civil.

Negligencias sin consecuencias

Según los planes del MINSAP, desde que el niño nace debe recibir 12 vacunas que ayudarán a protegerlo de igual número de enfermedades. Pero lo que no contemplan estos planes ministeriales es la ocurrencia de casos como los que publicó *Granma* el 31 de mayo de 2002, donde explicaba que el 22 de mayo de ese año varios niños fueron vacunados con bulbos contaminados de la vacuna antisarampión, fabricada por el Instituto de Sueros de la India, certificada por la OMS, que fue adquirida por Cuba a través de la OPS. Cuarenta y dos niños vacunados se vieron afectados y tres de ellos fallecieron, hasta ahí lo esencial de la noticia, luego hicieron una melosa referencia a lo bueno y funcional del programa de vacunación en Cuba, pero nunca explicaron la causa de esta negligencia. ¿Cuáles fueron las medidas tomadas contra los responsables? Se desconocen. Este detalle pasa al olvido, solo los familiares cargan con la tristeza de lo ocurrido. La prensa cubana nunca cuenta el final de esas supuestas investigaciones, ello forma parte de la censura y las restricciones que el gobierno hace a sus medios.

---

[192] Cirujano cardiovascular, seudónimo.

Veamos ahora otra anécdota interesante relacionada con la vacunación. El hecho ocurrió el 13 de enero de 2003 en el Policlínico II Pablo Agüero Guedes de Caibarién, se trataba de la vacunación contra el *Haemophilus influenzae*. La población ya tenía información de que solo habían llegado al municipio 150 dosis, para un total de 362 niños, es decir, más del 50 % no lograría la inmunización, lo que provocó que los padres de los infantes necesitados hicieran frente al policlínico, largas filas a la intemperie desde las dos de la madrugada del día en que se efectuaría la vacunación. A las 8 y 30 de la mañana todo un mar de madres con bebés en sus brazos se apretujaban frente a las puertas del departamento de inmunización; la enfermera responsable de esta unidad, parada encima de un banco, trataba de arreglar aquel desorden, el clímax fue una riña entre dos señoras por su turno. De las 150 dosis, solo ofrecieron a la población 90, las restantes 60 quedaban reservadas para amigos, colegas, dirigentes y, por qué no, para el mejor postor.

Los privilegiados pacientes menores de un año

Los pacientes menores de un año reciben toda una gama de privilegios que tienen el objetivo de brindar una cobertura eficaz al proyecto del gobierno para tratar de conseguir una baja tasa de mortalidad infantil; pero después de cumplir un año son destetados políticamente, ya no son importantes para ser mencionados en los discursos y compararlos con los países desarrollados. Existen varios ejemplos de esta abismal diferencia entre la atención que recibe un niño menor y uno mayor de un año; así, vemos que los hogares materno infantiles son instituciones que internan a aquellos menores de un año con enfermedades de riesgo de muerte, que viven en extrema pobreza, en barrios insalubres y que cuentan con bajo peso o marcada desnutrición proteico calórica. Allí les facilitan la alimentación así como la atención médica y de enfermería hasta que cumpla un año. El mismo día en que arriban a esta edad son lanzados de nuevo a sus favelas, sin que les importe la alimentación ni sus necesidades más elementales, ya no sirven para hacer política a pesar de que siguen siendo niños en riesgo de muerte, porque para los padres tienen la misma importancia independientemente de su edad.

El médico general integral y el pediatra del Grupo Básico de Trabajo respiran aliviados al arribar estos niños al primer año de vida porque ya se terminan las visitas de terreno, las consultas y las preocupaciones, ahora les corresponde a sus padres lograr que un médico atienda a sus hijos.

La mayoría de las veces el lactante es ingresado si muestra cualquier proceso morboso o banal por el solo hecho de ser menor de un año y, aun cuando los facultativos cuenten con elementos clínicos y de diagnóstico para clasificar su enfermedad como de etiología viral, le administran antibióticos, preferentemente parenterales, pues los médicos no actúan siguiendo un criterio científico en estas circunstancias, sino por miedo, preocupados de que aparezca una complicación y luego sean enjuiciados por la autoridades. Por esa razón, existe un uso inadecuado de los antibióticos con estos niños, quienes son tratados como elementos políticos, hecho que obliga a que el médico prefiera olvidar la ciencia y cuidar su cabeza adoptando políticas terapéuticas agresivas.

En 1987, cuando recién aparecía en los hospitales el ceftriaxone (antibiótico perteneciente a las cefalosporinas de tercera generación), muy útil en infecciones graves causadas por gérmenes grampositivos y negativos, su uso quedó reservado para las UTI y en particular, para los menores de un año que estaban internados allí. Según testimonios del Dr. Luis Ovidio González González, especialista de pediatría, que en esos momentos hacia su residencia en el hospital pediátrico provincial de Villa Clara, a los niños mayores de un año diagnosticados con meningoencefalitis bacteriana, la dirección provincial de Salud orientaba que se combinaran penicilinas cristalinas más cloranfenicol endovenoso aunque estuviera críticamente enfermo, pero si eran menores de un año, autorizaban el uso del ceftriaxone, porque al lactante había que salvarlo de cualquier manera.

Noche tras noche se recibía la llamada telefónica o la visita en la UTI del responsable provincial del PAMI y siempre hacía las mismas preguntas: ¿Cuántos menores de un año hay ingresados? ¿Tienen posibilidades de recuperación? ¿Qué medicamentos necesitan? Por los mayores de un año no se preocupaba ni por cortesía, ni tan siquiera como un gesto humano.

Cuando llegaba el 28 de diciembre de cada año se repetía la misma historia, los jefes del PAMI daban instrucciones a los pediatras intensivistas para mantener vivo (me refiero al uso de la ventilación mecánica endotraqueal) al lactante aunque estuviese bajo muerte neurológica (estado irrecuperable en el que solo se mantienen los signos vitales con el uso de máquinas); luego, el día primero o dos, los desacoplaban del ventilador mecánico y les daban la terrible noticia a los familiares, lo importante para ellos era que no falleciera ni un niño más antes del primero de enero para no aumentar la mortalidad infantil del año que terminaba.

Por otro lado, alrededor de esa fecha, estos mismos funcionarios daban indicaciones precisas a los obstetras ofreciéndoles luz verde para aumentar el número de cesáreas, olvidando los famosos y rigurosos criterios que hay que tener en cuenta para hacer una cesárea en Cuba. Pero había que aumentar de cualquier manera el número de nacimientos y así disminuir la tasa de mortalidad infantil en la provincia.

Cuando existe un paciente grave con una emergencia pediátrica en la cual hay peligro inminente para su vida, debe llamarse por teléfono desde los municipios a la Unidad de Cuidados Intensivos Pediátricos a nivel provincial y desde allí se activa el mecanismo del Sistema Integrado de Urgencias Medicas (SIUM) para el traslado inmediato del paciente. En el momento de la llamada, lo primero que preguntan es la edad del paciente; si este tiene menos de un año, la ambulancia llega a los lugares más recónditos de la provincia en pocos minutos y el médico a bordo es un profesional de experiencia y vastos conocimientos, más aún si se trata de un recién nacido, pues hay que salvarlo, pero si el paciente tiene más de un año, la ambulancia puede demorar varias horas y muchas veces comunican que esta se encuentra en otros sitios, además, el personal médico que envían es un recién graduado en la casi totalidad de los casos.

La lactancia materna

A pesar de la publicidad en la que se destaca la importancia de la lactancia materna exclusiva hasta el cuarto o sexto mes de vida, en las cifras reales solo la reciben menos del 10 % de los lactantes hasta los cuatro meses, es decir, que cada 100 niños con esta edad, menos de diez son lactados por sus madres sin que les administren leches artificiales, por tal motivo, y por otros elementos morbosos (EDA infecciosa o enfermedad diarreica aguda infecciosa), existe un gran número de pacientes que hacen intolerancia a la leche de vaca (que en nuestro país es la más usada) o la producida por la Empresa de Productos Lácteos ECIL (leche de vaca pasteurizada, según ellos); ante este problema, a los menores de un año se les emite una dieta de leche evaporada que los padres pueden comprar de manera racionalizada en las bodegas, donde se ofertan solo 25 litros al mes, el resto de los días el niño se queda sin leche, lo que obliga a los padres a adquirirla en la bolsa negra o en las tiendas recaudadoras de divisas (tiendas que solo venden en moneda convertible).

Esta leche es más digerible, hipoalergénica e hipercalórica; esta dieta se les mantiene hasta que cumplan un año, después no tendrán derecho a adquirirla aunque persista el déficit enzimático o la alteración de la mucosa intestinal y los padres tendrán que utilizar leche de cabra o yogurt de fabricación casera (pues no existe en el mercado en moneda nacional). Solo en muy contados casos, tras pasar por el análisis de comisiones a nivel municipal y provincial, se les dará la dieta durante seis meses más; si los pobres infantes arriban a los tres años de edad con una diarrea crónica por dicha intolerancia, ya no existe ninguna forma ni método para adquirir la dieta, su única alternativa es comprarla en esas tiendas recaudadoras de divisas.

A pesar de todos estos cuidados extremos hacia los pacientes menores de un año sabemos que, por ejemplo, en el Hospital Pediátrico Docente Provincial José Luis Miranda de Santa Clara, siempre hay quienes incumplen estos cuidados. Citamos solo dos casos para no ser extensos:

Anyelis González Carrillo, de 22 días de edad, residente en ave. 37 No. 96-A Caibarién, fue remitida a este centro el 22 de septiembre de 2002 por el pediatra de su policlínico con el diagnóstico de sepsis urinaria, adquirida probablemente en la UCIM de ese hospital desde donde la habían egresado hacía cuatro días. La regresaron hacia su municipio de origen, con evolución y pronóstico desconocidos.

Pedro Yoel Parlay Pascual, 26 días de edad, residente en Calle Zayas No. 2116, Caibarién, fue remitido al Pediátrico el 21 de octubre de 2002 con el diagnóstico de bronconeumonía del recién nacido (Rx de tórax con lesiones de aspecto inflamatorio); cuando lo egresaron, empeoró su estado, lo que provocó un segundo remitido hacia ese centro, en el cual lo ingresaron y reportaron de grave.

Como todos sabemos, la nutrición es un factor determinante en el desarrollo psíquico y físico del ser humano, en especial durante los primeros años de vida. En el discurso pronunciado por Fidel Castro en la clausura del congreso Pedagogía 2003, en el teatro Carlos Marx de Ciudad de La Habana el 7 de febrero de 2003, publicado por el diario oficial *Granma* del 8 de febrero de ese mismo año, señala:

Es imprescindible que ellas, ya adultas y madres, y también el padre, conozcan lo que debe o no hacerse con el niño, desde el tono de la voz a emplear, hasta cada uno de los detalles en la forma de atenderlos, todo lo cual influirá en la salud física y mental de estos. Entre otros deberes, jamás deberían descuidar la forma en que se alimenta, ya que es decisivo en el desarrollo de su capacidad intelectual durante los primeros dos a tres años de su vida. De lo contrario, arribará al preescolar con una capacidad mental por debajo del potencial con que nació.

Veamos ahora lo que recibió un niño de tres años del municipio de Caibarién en todo el año 2000, según consta en la tarjeta de control de venta para productos alimenticios número 706180:

* Un litro de leche pasteurizada al día, que anualmente significan 365 litros. (Leche que viene a granel en pipas, que luego

390

depositan en tanquetas sin refrigeración y de ahí se vende al consumidor, pasa por tres personas antes de llegar al núcleo familiar, que la recibe adulterada).

- Carne de res: una libra (16 onzas) el 14 de enero, 10 de mayo, 8 de junio, 9 de agosto, 23 de septiembre, 21 de octubre y 14 de noviembre; es decir, siete veces en un año, lo que significa siete libras al año, que es igual a 112 onzas para un total diario de 0,3 onzas por día, lo que equivale a: 1 onza = 29 gramos, por lo que recibe un promedio de 9,5 gramos de carne cruda por día.

- Huevos de gallina (enero-noviembre de 2000): tres huevos mensuales, que es igual a 33 huevos al año, es decir, 0.99 fracciones de huevos al día.

- Pollo: 0.

El *Tratado de Pediatría Nelson*, en su tomo I, página 128, tablas 3-7, tituladas Ingesta recomendada para una buena nutrición según los diferentes grupos de alimentos y el tamaño medio de las raciones a diferentes edades, recomienda:

Para niños de tres años:

- Necesidades de proteínas (gramos) al día (carne roja) = cuatro cucharadas (cda), 1 cda = 15 mL, que es igual a 15 gramos de carne. Es decir, 60 gramos de carne roja diaria.

- Huevos: Un huevo diario, elaborado de diferentes maneras.

Es verdad que la alimentación es responsabilidad de los padres, pero en Cuba estos tienen que recurrir a un mercado negro peligroso y con un alto grado de inflación para alimentar a sus hijos.

Por desgracia, caemos de nuevo en un círculo vicioso que constituye en realidad un verdadero agujero negro en el universo de la realidad cubana. Quizás para muchos ciudadanos de otras partes del mundo sea poco comprensible, al punto de querer contradecir nuestros argumentos. Ciertamente, en el mundo existen múltiples ejemplos de extrema pobreza. Sin embargo, lo irritante está en la manipulación política que hace el gobierno cubano del tema y en el esfuerzo por silenciar la voz de quienes denunciamos sus falacias en el interés de que el mundo comprenda que es una gran mentira que el pueblo cubano sea el espejo de una sociedad justa y feliz.

Casi siempre que los dirigentes cubanos se refieren en los órganos de difusión a un tema como este, es con el objetivo único de buscar puntos de comparación con el sistema capitalista y demostrar que el camino en busca de una sociedad perfecta es a través de socialismo.

Una anécdota como colofón

En Cuba es costumbre casi generalizada mentir para no buscarse problemas. Desgraciadamente, existen las condiciones objetivas y subjetivas para que el médico cubano carezca de criterio propio y no defienda sus opiniones. Es decir, el temor a las consecuencias de no seguir los patrones establecidos ha sido unos de los pilares que sustentan los índices de salud de la revolución cubana.

Por último, queremos mencionar el testimonio del Dr. Luis Ovidio González, pediatra de asistencia del Hospital General de Caibarién:

El Dr. González tenía bajo sus cuidados a un niño de unos cuatro años de edad, internado en la cuna #9 de la sala de pediatría del recinto. El pequeño ingresó con el diagnóstico de crisis aguda de asma bronquial. La enfermedad había empeorado durante los últimos meses entrando en la categoría de difícil control, por lo que era necesario utilizar todos los recursos terapéuticos para poder revertir el bronco espasmo de sus vías respiratorias. En esos momentos solo se estaba utilizando un broncodilatador (aminofilina) y era imperativo recurrir a los esteroides (hidrocortisona)[193] que actuaría como antiinflamatorio y supresor de la respuesta alérgica en su árbol bronquial. Mediante constantes evaluaciones el médico comprendió que el cuadro clínico de su paciente se agravaba, ya el pequeño estaba más ansioso, había aumentado considerablemente su frecuencia respiratoria; el pánico comenzaba a rondar, el galeno sospecha la posibilidad de que una severa complicación del ataque de asma bronquial pudiera estar instaurándose.

---

[193] La hidrocortisona es un medicamento imprescindible para tratar una crisis aguda de asma bronquial. Al pediatra de guardia le entregaban 2 o 3 bulbos para 24 horas de guardia. Esto constituía un dilema ético para decidir a cuál niño se le brindaba el tratamiento. En muchas ocasiones no existía el medicamento.

El Dr. González en lenguaje entrecortado le sugirió al padre que si él podía conseguir el mencionado medicamento fuera del hospital lo hiciera, porque esto pudiera salvar la vida de su niño, debido a que la única ambulancia disponible demoraba en regresar. El padre conocía a alguien que le entregó tres bulbos de hidrocortisona de 500 mg, luego de administrar una dosis del medicamento, el niño comenzó a mejorar, hasta quedar fuera de peligro.

Este doctor ocupaba un lugar en la larga lista de profesionales de la salud que esperaban pacientemente la mencionada liberación del sistema nacional de salud. Como pólvora ardiente este suceso llegó al otro día al director municipal de salud (Dr. Ángel Luis Sosa Sánchez) y a la presidenta del gobierno en aquellos momentos, Cristina Mendiondo, quienes le comunicaron al médico que de continuar haciendo ese tipo de comentarios jamás saldría del país, debido a que esto ponía en evidencia los déficit de la asistencia médica revolucionaria, que actos como ese pudieran incluso considerarse contrarrevolución y que no se podían permitir bajo ningún concepto. Ese fue el mensaje que recibió en boca del director municipal el Dr. Luis Ovidio González, quedando una vez más en claro cuál es la posición del gobierno, quien no admite ninguna mancha que pudiera traducirse en negligencia estatal.

El politizado tema de la mortalidad infantil y los factores que a ella se relacionan, a veces dejan de ser una bandera política para convertirse en un arma de control y amenazas constantes para los profesionales de la salud en Cuba. Esa es la realidad.

CAPÍTULO XIII
Grandes epidemias en Cuba

Palabras clave

Dengue • higiene urbana • ¿dónde pica el mosquito? • infección
meningocócica • las ESBEC • insalubridad contaminante • neuropatía
epidémica • neuritis óptica • ceguera y dificultad para caminar • hambruna
• las epidemias a la orden del día • canasta básica "defondada" • planes
alimenticios • avitaminosis y otros déficit mortales
• los planes alimentarios estatales

En el Archivo General de Indias, en la ciudad de Sevilla, España, creado en 1785 por deseo del rey Carlos III con el objetivo de centralizar en un mismo lugar la documentación relativa a las colonias españolas, se recoge lo que al parecer es el primer reporte de una epidemia en Cuba, bautizada como "pestilencia", que afectó a los pobladores de La Villa de San Cristóbal de La Habana entre los años 1603 y 1604.[194]

Dos hechos de trascendental importancia sanitaria se produjeron al iniciarse el siglo XIX: la introducción de la vacuna antivariólica descubierta por el doctor Tomás Romay[195] (1804-1849) y la práctica de las inhumaciones fuera de las iglesias.[196] Ambos evitaron la propagación de epidemias.

---

[194] *Teoría y Administración de la Salud.* Texto básico de estudiantes de Medicina, 1982, pp. 56-65.

[195] Tomás José Domingo Rafael del Rosario Romay y Chacón se convirtió el 12 de septiembre de 1791 en el trigésimo tercer graduado de medicina en Cuba y, como bien señaló Villaverde, "abrió una época que con justicia se podría llamar la del inicio de la Medicina cubana".

[196] Usar las iglesias para los enterramientos era un hecho común antes de la construcción del cementerio de Espada en 1806; en dependencia de la clase social, ocupaban determinado lugar en el interior de la capilla, cercano al coro o hacia la puerta de entrada. El cementerio de Espada (1804-1806) se construyó por iniciativa del obispo Juan Díaz Espada y Landa, quien con el apoyo del doctor Tomas Romay y las corporaciones de La Habana acordaron la

En los primeros años de la década de 1800, la fiebre amarilla era el principal azote y, solo en La Habana, llegó a causar casi 99 muertes por cada 1 000 habitantes. El cólera, que hizo su primera aparición en 1833, también produjo muchas defunciones, y reapareció a mediados de siglo provocando serios estragos en la salud de los pobladores de la Isla.

No fue hasta el 14 de agosto de 1881 en que el doctor Carlos J. Finlay presentó a la Academia de Ciencias Médicas, Físicas y Naturales de La Habana, su trabajo titulado "El mosquito hipotéticamente considerado como agente de transmisión de la fiebre amarilla", gracias al cual logró una reducción del número de muertes por esta enfermedad. Entre 1930 y 1934 se registraron 2420 muertes por fiebre tifoidea, así como 3000 enfermos de lepra y un millón de casos de paludismo.

Después de triunfo de la revolución cubana en enero de 1959 se han producido varios brotes epidémicos en el país, aunque tan solo nos vamos a referir a lo que consideramos las tres grandes epidemias de los últimos 40 años en Cuba, enmarcadas entre las décadas de los 80 y los 90: el dengue, la enfermedad meningocócica y la neuropatía epidémica. Las tres tienen como factor común el gran número de personas que afectaron, así como la categorización por parte del gobierno de que las mismas fueron el resultado de las acciones desencadenadas por el gobierno de los Estados Unidos contra el país, ya sea por medio de una supuesta guerra biológica o a consecuencia del embargo económico impuesto como respuesta a la confiscación de propiedades de ciudadanos norteamericanos en el año 1960.

El Estado cubano basa sus acusaciones sobre la guerra biológica en un informe preparado en mayo de 1969 para el subcomité especial sobre la Fundación Nacional de Ciencia del Comité sobre el Trabajo y Bienestar Social del Senado de Estados Unidos, en el que se hace mención de *los agentes de guerra biológica* contra las personas:

---

construcción de un cementerio a fin de acabar con las antihigiénicas costumbres de los enterramientos en las iglesias (Fuente: *La Jiribilla*, año IV).

Agentes biológicos	Enfermedades
Bacterias	ántrax - muermo - disentería - meloidosis - brucelosis - fiebre para-tifoidea - cólera - tuberculosis - difte-ria - tularemia - gastroenteritis fiebre tifoidea
Rickettsias	tifus - fiebre de las montañas rocosas - fiebre Q
Virus	fiebre amarilla - psitacosis - enfermedades encefalíticas - influenza -viruela - **dengue**
Hongos	coccidioidomicosis - histoplasmosis
Toxinas	botulismo - envenenamientos de ali-mentos por estafilococos

En el discurso pronunciado por el expresidente de la República el 26 de julio de 1981 en Las Tunas, aparecieron las primeras acusaciones: *En los últimos dos años han azotado a nuestro país cuatro nocivas plagas que han afectado animales, plantas y por último también a las personas: la fiebre porcina africana, la roya de la caña, el moho azul del tabaco y, en la actualidad, el virus número dos del dengue. No pocos ciudadanos en este país están profundamente convencidos de que estas enfermedades, especial-mente el dengue, fueron introducidas en nuestro país por el impe-rialismo yanqui.*[197]

El gobierno cubano ratificó estas acusaciones en el Informe de Cuba al Secretario General de las Naciones Unidas sobre la Reso-lución 56/9 de la Asamblea General de la ONU, presentado en el mes de noviembre del año 2002: *En 1981, y ante una epidemia de dengue hemorrágico introducido en Cuba por un agente de los grupos terroristas que aún actúan hoy contra Cuba desde los Esta-dos Unidos.*

---

[197] Discurso pronunciado por Fidel Castro Ruz, presidente de la República de Cuba, en el acto central con motivo del XXVIII Aniversario del asalto al Cuartel Moncada, celebrado en Las Tunas, el 26 de julio de 1981 (versiones taquigráficas, Consejo de Estado).

En cuanto a la enfermedad meningocócica que se presentó durante la década de los 80, se acusó indirectamente al bloqueo de los Estados Unidos sobre Cuba como el responsable de la escasez y el hacinamiento que posibilitó la aparición de la enfermedad en muchos lugares.

Respecto a la neuropatía epidémica, que alcanzó su pico culminante en el periodo comprendido entre 1992-1994, el Dr. Jorge Antelo Pérez, viceministro de Salud Pública de Cuba, se encargó de presentar la acusación ante el plenario de la 46 Asamblea Mundial de la Salud, efectuada en la ciudad de Ginebra el 4 de mayo de 1993: *No descartamos la mano enemiga en los orígenes de la enfermedad,* dijo y a continuación explayó un discurso incoherente en el que culpaba al bloqueo norteamericano de la situación favorable para el surgimiento de la enfermedad.[198]

Para comenzar, el dengue

Es una enfermedad viral aguda producida por el virus del dengue y transmitida por el mosquito *Aedes aegypti*, que se cría en el agua acumulada en recipientes y objetos en desuso. El dengue es causado por cuatro serotipos del virus del dengue: dengue 1, dengue 2, dengue 3 y dengue 4, estrechamente relacionados con los serotipos del género flavivirus.[199] Cada año, millones de personas contraen la infección, principalmente en países de África, Asia, las islas del Pacífico y las Américas. La vasta mayoría de estas infecciones responde a la forma clínica del dengue, a la fiebre indiferenciada o a las infecciones asintomáticas. Por otra parte, todos los años se notifican decenas y cientos de miles de casos de la forma más grave del dengue, es decir, la fiebre hemorrágica de dengue y el síndrome de shock de dengue (FHD/SSD). La mayor parte de estos casos se producen en el sudeste asiático, donde los niños son

---

[198] Pérez Cristiá, R. y Pedro Fleites Mestre: "Análisis y discusión de la hipótesis tóxico nutricional como posible causa de la neuropatía epidémica", en: Almirall Hernández, P., J. Antelo Pérez, J. Ballester Santovenia, et al.: *Neuropatía epidémica cubana* 1992-1994, La Habana, Editorial de Ciencias Médicas, 1995.

[199] Jawetz, E.: *Review of Medical Microbiology*, Lange Medical Publication, 14 ed., 1980.

los principales afectados. FHD/SSD figuran entre las diez causas principales de internación y muerte infantil en, por lo menos, ocho países asiáticos y tropicales que han informado más de 1,5 millones de hospitalizaciones y 33 000 defunciones desde la década de 1950,[200] debidas a esta mortal forma clínica.

La "fiebre rompehuesos", como también se le conoce al dengue, es propia de los países con clima tropical en los cuales se producen periódicamente brotes epidémicos. En la actualidad, los virus del dengue amenazan a 1500 millones de habitantes de 61 países que circundan la zona tropical.[201]

El brote de fiebre hemorrágica de dengue y el síndrome de shock de dengue que afectó Cuba en el año 1981 (desde el primero de junio hasta el diez de octubre) fue el acontecimiento más importante en la historia del dengue en las Américas. Durante esta epidemia, asociada con el virus del dengue 2, fueron notificados un total de 344 203 casos, entre los que se incluían 10 312 clasificados como graves (grados II-IV, según la clasificación de la OMS) y 158 defunciones (de las cuales 101 fueron niños). Se internaron 116 143 personas, la mayoría de ellas durante un periodo de tres meses.

En Cuba, los últimos informes de la enfermedad antes de 1977 corresponden a la década del 40. En 1977 se comienzan a presentar brotes epidémicos en Jamaica, Puerto Rico, Cuba y otros países del área del Caribe, aislándose por primera vez el virus tipo 1 en esta parte del mundo. Con posterioridad, basado en evidencias serológicas, se ha planteado la posibilidad de que este virus hubiese circulado anteriormente en estos territorios.[202]

Los doctores Pedro Más Lago y Rosa Palomera Fuentes en su trabajo ya citado "Dengue: algunos aspectos epidemiológicos", presentaron los resultados obtenidos en la determinación de anticuerpos neutralizantes por el método de reducción de placas a los virus del dengue tipo 1, 2, 3 en sueros obtenidos en 1975, que demostra-

---

[200] Boletín Epidemiológico de la Organización Panamericana de la Salud, vol. 10, no. 1, 1989.

[201] Más Lago, Pedro, Rosa Palomera Puente y Magaly Jacobo Elías, Instituto Nacional de Higiene, Epidemiología y Microbiología: *Dengue: algunos aspectos epidemiológicos*, jul.-sept. 1985; 23(3):225-9.

[202] Jawetz, E.: *Op. Cit.*

ron positividad por pruebas de inmunohistología frente al antígeno del virus del dengue, confirmando las evidencias sobre la circulación del virus dengue 1 en las Américas antes de la epidemia de 1977. Pudo determinarse con certeza que el primer caso de brote de dengue que ocurrió en Cuba en 1977 se aisló en la provincia de Santiago de Cuba, procedente de un viajero que arribó de una isla caribeña en la que prevalecía la enfermedad.[203]

Basándose en el dato epidemiológico de que en Cuba no se había reportado brote alguno de infección por el virus de dengue 2, el entonces presidente de la República, Fidel Castro, insistió en su acusación al gobierno de los Estados Unidos por ser el responsable de la epidemia de dengue del año 1981.

Para incriminar al gobierno de los Estados Unidos, Fidel Castro hizo serias afirmaciones en su discurso efectuado en Las Tunas el 26 de julio de 1981,[204] utilizando bibliografías de veinte o treinta años atrás, por ejemplo, citó el libro *Las armas silenciosas*, de Robin Clarke, escrito en 1952, en el que se describen los resultados de una investigación efectuada por una comisión científica internacional convocada por la academia china para investigar y verificar una sospecha de agresión biológica, desencadenada por los Estados Unidos hacia los territorios de China y Corea del Norte.

Se refirió al libro *Guerra química y biológica: arsenal oculto de Estados Unidos*, del escritor Seymour Hersh, del año 1961, donde se describen algunas de las bases secretas en las que se desarrollaban las armas químicas y biológicas en los Estados Unidos (el arsenal de Edgewood y Fort Detrick). Sugirió que el dengue pudo haber sido utilizado como un arma biológica contra Cuba, porque ya desde 1968 se había reconocido esta variante en la conferencia sobre guerra química y biológica celebrada en el hotel Bonnington de Londres, quedando muy bien definido en dicha reunión que el dengue podía ser un arma humana eficiente.

Prácticamente, Fidel confirmó la teoría de la introducción del virus del dengue 2 en Cuba como parte de la guerra biológica de

---

[203] *Boletín Epidemiológico*, vol. 10, no. 1, 1989.

[204] Discurso pronunciado por Fidel Castro Ruz con motivo del XXVIII Aniversario del asalto al Cuartel Moncada, celebrado en Las Tunas, el 26 de julio de 1981.

los Estados Unidos contra el país al hacer mención de un artículo del periódico *Granma*, en su edición del 30 de octubre de 1980, donde se publicó la noticia siguiente: *El Gobierno de Estados Unidos pensó seriamente usar el mosquito portador de la fiebre amarilla contra la Unión Soviética en 1956 (...). Según documentos militares desclasificados y dados a conocer hoy, el ejército norteamericano consideró la utilización del mosquito Aedes aegypti para infectar con fiebre amarilla el territorio de la URSS.*

Después de hacer este bosquejo sobre la naturaleza e historia de la guerra biológica, se preguntó: *qué tiene, pues, de extraño que el imperialismo se deje arrastrar de nuevo a la tentación de usar traicioneramente armas biológicas contra Cuba.* Concluyó su teoría certificando que: *Este virus nunca antes había sido registrado en nuestro país* (recordar que lo mismo se dijo del virus del dengue 1 en 1977) y convirtiendo con posterioridad en culpables a la infiltración de un grupo de combatientes contrarrevolucionarios por las costas de la provincia de Matanzas como los posibles "introductores" de este en el país, el 4 de julio de 1980, al enfatizar: *lo confesaron como lo confiesan todo rápidamente todos los mercenarios*[205] (se trataba de combatientes de la organización Omega 7, aparentemente al servicio de la CIA, quienes seguramente fueron fusilados después de su captura). De manera contradictoria, también se había planteado con anterioridad la hipótesis de que el virus fuera "bombardeado" a través de uno de los corredores aéreos de la provincia de Matanzas y que era muy sospechoso que previamente se vacunaran a los militares de la Base Naval de Guantánamo, razón por la cual no se había reportado ningún caso en el lugar. Es decir, se manejaron una serie de hipótesis, hasta que finalmente Castro apareció con su verdad absoluta, sin embargo, no recordamos que se presentara ese testigo clave en ninguna tribuna internacional como prueba contra Estados Unidos.

Paradójicamente, un grupo de doctores, entre los que se encuentran Eric Martínez Torres y Bernardo Vidal López, autores del libro *Dengue hemorrágico en el niño,*[206] señalaron en su trabajo: *se*

---

[205] Discurso pronunciado por Fidel Castro Ruz, *Op. cit.*
[206] Martínez Torres, E.; B. Vidal López y otros: *Dengue hemorrágico en el niño: estudio clínico-patológico*, Editorial Ciencias Médicas, La Habana, 1984, p. 9.

desató en Cuba una segunda epidemia, provocada por el serotipo-2 del virus. Los primeros casos se detectaron alrededor del aeropuerto internacional José Martí en La Habana; podríamos preguntarnos: ¿no pudo ocurrir así también la primera vez?... ¿o acaso no es posible que en Cuba se dieran las condiciones ideales para la aparición y propagación de la infección por virus dengue 2 debido a las pésimas condiciones de higiene ambiental que existen y que se recrudecen en algunos puntos de la geografía nacional? ¿En esta segunda aparición del virus tipo 2 también medió el imperialismo yanqui? ¿Acaso en otros lugares, como en el sudeste asiático, el gobierno de los Estados Unidos también ha impuesto su guerra biológica?

Tuvimos una experiencia de primera mano respecto a las investigaciones biológicas en Cuba. En el año 1990 ciertos médicos estuvimos vinculados a las Fuerzas Armadas de Cuba debido a que servíamos como médicos generales en el Complejo Industrial Militar Ernesto Che Guevara, ubicado en el Hoyo de Manicaragua, en la zona central del país, donde se realizaba una producción constante y acelerada de proyectiles de diferentes calibres, granadas de fragmentación, así como minas antitanques y personales. En ese lugar, colaborábamos en investigaciones secretas que realizaban profesores y estudiantes de la Universidad Central de Las Villas pertenecientes a la Facultad de Química.

Liderados por un profesor titular en química, de apellido Primelles, quien junto a otros científicos y asesores militares pertenecientes al ejército central, todos bajo la jurisdicción del MINFAR y la Unión de Empresas Militares del país, hacían diferentes investigaciones. Decir que conocemos las particularidades de estas, no haría honor a la verdad, porque no pertenecíamos al grupo especial y nunca recibimos información sobre lo que se hacía, solo que como médicos del lugar tuvimos una relación cercana con estas personas, quienes solicitaron ayuda para que los fines de semanas alimentáramos a las doce ratas (valiente colaboración) que vivieron por varias semanas en uno de los laboratorios donde se producían los detonadores de las granadas de fragmentación. En julio de ese mismo año, recibimos una invitación para la discusión de una tesis de licenciatura de uno de aquellos estudiantes, nos trasladaron en un transporte militar durante casi una hora del Hoyo de Manicaragua a una zona montañosa, al este de la ciudad de Ranchuelo. Finalmente, arribamos al lugar y pregunté, ¿es aquí?, porque nos detuvimos en pleno camino. Pronto aparecieron dos soldados, mostramos las identificaciones y nos colocaron un distintivo, comenzamos a caminar y en la base de la montaña, detrás de una malla con hojas, estaba la entrada a dicha unidad militar, allí sí había varios oficiales y personas civiles, a través de cómodos pasillos comenzamos a movernos en círculos por largos túneles bien iluminados, con puertas de acero cada ciertos tramos y pasillos con bifurcaciones, hasta llegar a una puerta que nos abrieron desde adentro, era una especie de miniteatro, estábamos separados de quien exponía por una pared de cristal. Se realizó la discusión del trabajo mediante gráficos y tablas en las que se reflejaban las determinaciones sanguíneas de diferentes sustancias químicas realizadas a nuestras ratas blancas. Ahora, con el transcurso de los años, viéndolo en frío, no pensamos que hayan hecho investigaciones ensayando con posibles armas biológicas (al menos, la que yo pude presenciar), pero creemos que el lugar se prestaba para eso; obviamente, esto son solo conjeturas.

Podría parecer ingenuo de nuestra parte darle rienda suelta a la imaginación o, peor aún, dejarse llevar por las aseveraciones de que especialistas norteamericanos en guerra biológica obtuvieron una variedad de mosquito *Aedes aegypti* asociada a la transmisión del virus 2, que fue el que entró en Cuba y que no estaba circulando en esos momentos en el mundo. Pudiéramos caer en el juego mediático comunista, sobre todo si tenemos en consideración que tales argumentos se manejan en páginas oficiales del Gobierno Bolivariano de Venezuela, por ejemplo en YVKE Mundial, donde el 27 de diciembre de 2010 se publicó el artículo "Cómo el gobierno de Estados Unidos utilizó el dengue hemorrágico en una guerra biológica contra Cuba", tratando de reavivar el odio internacional al gobierno de los Estados Unidos en un tema en el que no existen evidencias concretas que lo justifiquen y, más bien, se explota para politizar el asunto. Dejemos bien claro un punto, si estas acusaciones fueran ciertas, las condenamos con todas nuestras fuerzas, en un caso como este, los medios no justifican el fin.

Las distintas formas de presentación de la enfermedad, así como la morbimortalidad que asume en sus diferentes momentos de la historia (como veremos más adelante), nos demuestra que no tiene un comportamiento estable y que esta ha aparecido por años en una zona bien definida del planeta, donde por desgracia está enclavado nuestro país. Los mosquitos *Aedes aegypti* han multiplicado estos cuatro tipo de virus llevándolo en sus glándulas salivales, favoreciendo la aparición de infecciones en muchos países, incluido los propios Estados Unidos; además, tienen que existir malas condiciones de higiene ambiental para que los mosquitos se reproduzcan debido a que no vuelan mucho y para su curiosa reproducción precisan de microvertederos en los alrededores de las comunidades.

El tiempo ha demostrado que los primeros casos de estas epidemias se concentran cerca de las terminales de ómnibus, ferrocarriles y aeropuertos, donde los mosquitos pican y transmiten la enfermedad; de esa manera también lo certificó el Dr. Damodar Peña en el acto de conclusión de la campaña contra el dengue del año 2002: *solo hubo reportes de otros casos de dengue fuera de La Habana, en los alrededores de las terminales de ómnibus y ferrocarriles de las provincias de Pinar del Río, Santiago de Cuba, Guantánamo y Las Tunas.*

Si analizamos los antecedentes de la historia epidemiológica del dengue en las Américas, comprobaremos que la aparición de la infección por virus del dengue (1, 2, 3 y 4) no ha tenido un comportamiento racional, ya que la epidemia aparece y desaparece en los mismos países tropicales, o se incorpora a otros en los que nunca antes había ocurrido. Por ejemplo: en Brasil, el primer brote epidémico se registró en 1982, en la ciudad de Boa Vista, al norte del país, cerca de Venezuela, asociada a los serotipos 1 y 4, e infectó a unas 10 000 personas y, por esta razón, ¿el gobierno de Brasil estaría en condiciones de formular acusaciones a otros países como los responsables de la introducción de la epidemia?

Los vuelos de un mosquito

Una enfermedad similar al dengue se ha venido notificando en las Américas durante más de 200 años. La mayoría de los brotes de dengue ocurrieron con intervalos de uno o más decenios hasta la década de 1960, pero de allí en adelante, los intervalos se han vuelto cada vez más cortos.[207]

La primera epidemia de dengue clásico en las Américas documentado por un laboratorio estuvo asociada con el serotipo Dengue 3 y afectó tanto a la cuenca del Caribe como a Venezuela en 1963 y 1964, respectivamente. Con anterioridad, solo se había aislado el virus dengue 2 en Trinidad y Tobago entre 1953 y 1954, en una situación no epidémica. Desde 1969, la enfermedad se ha mantenido endémica en la América tropical, con epidemias en Colombia y Puerto Rico en 1975, y de 1976 a 1977 en St. Thomas, a excepción de Colombia, donde se había informado el Dengue 2 y 3; el virus más informado en el área fue el tipo 2.[208]

Con posterioridad, hasta 1977, varios brotes de dengue asociados con serotipos de dengue 2 y 3 se confirmaron en el Caribe y en la parte norte de América del Sur. Se estima que tan solo en Colombia, casi 1,5 millones de personas fueron afectadas por la epidemia en la década de los 70.[209]

En febrero de 1977 comenzó una epidemia de dengue en Jamaica que afectó a un sector considerable de la población y se extendió a otros países del área. En esta epidemia se confirma por primera vez el virus dengue 1 en las Américas, además de Jamaica, Puerto Rico, Bahamas, Cuba, República Dominicana, Guyana, St. Martín y Trinidad y Tobago.[210]

En América del Sur se produjeron epidemias en Colombia, Guyana francesa y Venezuela, mientras que en Centroamérica se notificaron epidemias en Honduras, El Salvador, Guatemala y Belice.

Extendiéndose hacia el norte, el Dengue 1 se introdujo en el sur de México a fines de 1978; durante 1979 y 1980 la epidemia se extendió por muchos estados mexicanos. En la segunda mitad de

---

[207] *Boletín Epidemiológico,* Organización Panamericana de la Salud, vol. 13, no. 1, marzo 1992.

[208] *Ídem.*

[209] Groot, H.: *The reinvasion of Colombia by Aedes aegypti: aspects to remember,* Second Soper Lecture, Am. J. Trop. Med. Hyg. 29(3):330-338, mayo de 1980.

[122] Jawetz E., *Op. Cit.*

1980 el virus se propagó al estado de Texas, en los Estados Unidos[211].

La trayectoria del dengue en las Américas durante la década de los 80 se manifestó en epidemias explosivas y graves, epidemias menores y, en ciertas ocasiones, en algunas que pasaron relativamente inadvertidas.

Este era el panorama epidemiológico de las Américas en los años que antecedieron a la mayor epidemia de dengue en Cuba. No cabe duda que el brote de fiebre hemorrágica de dengue y el síndrome de shock de dengue debido a dengue 2 en Cuba en 1981, fueron los hechos más significativos del decenio, responsables de los peores efectos sobre la población jamás observados en la historia del dengue en las Américas.

No obstante, el virus del dengue 2 ya había circulado con anterioridad en toda la cuenca del Caribe y Cuba no había sido el único país afectado por las formas complicadas de la fiebre hemorrágica de dengue y el síndrome de shock del dengue. Antes del brote de FHD en Cuba, se notificaron casos sospechosos en cuatro ocasiones en Curazao, Puerto Rico, Jamaica y Honduras[212].

En 1968, durante un brote de dengue 2 en Curazao, se observaron pacientes con sangramientos transitorios por la nariz (epistaxis), también procedentes del tubo digestivo, o en la piel secundarios a plaquetas bajas. En algunos casos, esta era la primera infección y, en otros, era una reinfección después de una epidemia anterior ocurrida en 1964, durante la cual se aisló el Dengue 2.

En la epidemia de dengue de 1975 en Puerto Rico, tres enfermos confirmados desarrollaron manifestaciones hemorrágicas, ninguno de ellos llegó al estado de shock y ninguno murió; la enfermedad de uno de ellos fue similar a la observada en el sudeste asiático.

Dos casos no fatales sugestivos de síndrome de shock de dengue se informaron en Jamaica, en 1977, durante un brote de dengue 1. En Honduras, en 1978, se notificaron cinco muertes como casos

---

[211] Gubler, D. J.: *Dengue in the United States,* 1981 MMWS 32 (1 SS):23-26, 1983.

[212] Jawetz E., *Op. Cit.*

sospechosos de fiebre hemorrágica de dengue durante un brote también de dengue 1. Sin embargo, después del brote en Cuba (excepto en 1983), ha habido casos confirmados o sospechosos de fiebre hemorrágica de dengue todos los años en las Américas.[213]

La ocurrencia de una epidemia extensa de FHD en Cuba aumenta el temor de que este problema de salud pueda difundirse por el hemisferio, como ha ocurrido en Asia. En esta región, y sin que hayan mediado para nada los Estados Unidos (al menos no existen reportes que lo avalen), apareció una epidemia de FHD muy similar a la de Cuba en el año 1953, la cual reapareció con posterioridad en otros países del área.[214] Los virus de los animales, transmitidos por artrópodos (infecciones por arbovirus), clasificados taxonómicamente en varias familias, pertenecen en su mayoría a las *togaviridae* y *bunyaviridae*, y producen diversos síndromes clínicos, como encefalitis víricas, fiebre amarilla, dengue y fiebre hemorrágica.[215]

El vector más frecuente en las infecciones por *arbovirus* son los mosquitos, con excepción de la encefalitis de Powassan y la encefalitis rusa de primavera y verano, transmitidas por garrapatas. Los mosquitos adquieren la infección al ingerir sangre de un huésped virémico, el virus infecta con rapidez la mayoría de los tejidos del insecto y finalmente se multiplica en sus glándulas salivares. En muchas ocasiones, la picadura es infecciosa durante toda la vida del insecto. Transcurrido el periodo de incubación, que se extiende en un plazo entre cinco y ocho días, a partir de la picadura del mosquito infectado se produce fiebre, la cual dura de cinco a seis días, con remisiones pasajeras hacia el tercer día, asociada a una erupción que ocupa el tórax, extremidades y cara, con dolores articulares intensos, esta es la forma clásica del dengue. La otra forma clínica es la fiebre hemorrágica de dengue, causante de la mayoría de las muertes por esta enfermedad.

---

[213] *Ídem.*

[214] "Program for Dengue elimination and *Aedes aegypti* eradication in Cuba", *Bol. Epidemiol,* 3(1):7-10, 1982.

[215] Hruska, J.F: "Infecciones por bunyavirus y toga virus (encefalitis vírica, dengue, fiebre amarilla)". En: Jay H. Stein M.D.: *Medicina interna,* tomo II, 3ra ed., Barcelona, Ed. Salvat Editores, S.A., 1991.

El dengue que cursa con fiebre hemorrágica y shock se observa fundamentalmente en el sur y sudeste de Asia, y es la variante en la epidemia de 1981. Se observa casi siempre en niños de tres a seis años de edad, con una segunda infección por virus de dengue (recuérdese que ya en Cuba se había reportado la enfermedad en 1977).

De acuerdo a un estudio realizado en el Hospital Pediátrico Docente William Soler de la ciudad de La Habana, en el periodo comprendido entre junio y agosto de 1981, se atendieron un total de 4699 pacientes considerados como enfermos de dengue, la mayor incidencia se produjo en niños cuyas edades oscilaban entre los cinco y los diez años, para un 50 % del total, con muy poca frecuencia de este proceso en edades hasta los dos años, lo cual se explica por la teoría secuencial, la no existencia en estos niños de anticuerpos heterotípicos al virus del dengue, ya que la epidemia precedente, producida por el virus Dengue 1, había ocurrido unos cuatro años antes.[216]

Contra el virus del dengue se desarrollan anticuerpos serotipo-específicos que confieren protección autóloga durante largo tiempo, aunque puede producirse la reinfección por otro serotipo. En el caso de FHD/SSD, el estado de shock puede ocurrir por la formación de inmunocomplejos tras una segunda infección por un serotipo diferente,[217] en estos casos suelen estar reducidos varios elementos del sistema inmunológico del paciente como las plaquetas, que sugieren una activación de este y una coagulopatía de consumo, apareciendo hemorragias en muchos tejidos (en los casos mortales), hemorragias digestivas junto a vasodilatación, congestión, edema, shock y muerte.

El tratamiento de las encefalitis arbovíricas, el dengue o la fiebre amarilla es sintomático, es decir, se tratan los síntomas. Los pacientes con fiebre hemorrágica del dengue y fiebre amarilla deben ser examinados cuidadosamente en busca de shock y coagulopatía de consumo, aplicando entonces el tratamiento de estas entidades. No existe una terapéutica antivírica específica. El principal

---

[216] Boletín Epidemiológico de la Organización Panamericana de la Salud, vol. 13, no. 1, marzo de 1992.

[217] Stein, Jay H.: *Op. Cit.*

método profiláctico frente a esta infección consiste en el control de los mosquitos trasmisores.

Muy lejos de la realidad estaba el expresidente Fidel Castro, al señalar en el discurso de Las Tunas ya citado:

Creo que si un país puede erradicar este mosquito, ese país es Cuba, por su organización, por su nivel de cultura, por el espíritu de disciplina y de trabajo que tiene nuestro pueblo.

Si tomamos como punto de referencia las experiencias higiénico-sanitarias que se derivaron de la epidemia de dengue del año 1981, así como la afirmación anterior hecha por el máximo dirigente de la revolución cubana, entonces no nos podemos explicar el hecho de que tan solo unos años después de la epidemia, se publicara un editorial en la *Revista Cubana de Higiene y Epidemiología* titulado "¿Para qué perfeccionar el trabajo de la inspección sanitaria estatal?" que mostraba la realidad sanitaria de la comunidad en algunas provincias y municipios del país:

Desde que en 1982 la lucha contra la epidemia de dengue nos obligara a perfeccionar el Sistema de Vigilancia Higiénico-Epidemiológica del país, se ha venido intensificando, con el apoyo decisivo del nivel superior, el avance de la Inspección Sanitaria Estatal (ISE), apoyada con recursos humanos y técnicos que brindan un trabajo de alta eficiencia, que nunca antes había tenido tantos recursos para desarrollar su actividad. El trabajo de esta ISE demuestra que aún persisten provincias y municipios del país con insuficiencias, y citemos:

- Inadecuado control en el terreno de los inspectores sanitarios estatales.
- Trabajo rutinario y de baja calidad técnica.
- Poca exigencia sanitaria.

Termina señalando el editorial, *no podemos permitir que la rutina, el acomodamiento y la justificación detengan nuestro trabajo*.[218]

---

[218] Comité de Redacción. *Revista Cubana de Higiene y Epidemiología*, Editorial: "¿Para qué perfeccionar el trabajo de la inspección sanitaria estatal?", abr.-jun. 1989;27(2):117-8.

Si esto sucede después del año 1982, a pesar de las promesas del presidente de la República (quien dejó bien claro que se reforzarían los sistemas de vigilancia higiénico-epidemiológica) y de los recursos que se destinaron a esta actividad y que no existían anteriormente, podemos entonces imaginar cómo era la situación sanitaria de las ciudades antes del año 1981, de qué manera se realizaba la recolección sistemática de los desechos sólidos, si se eliminaban o no los vertederos a cielo abierto, si existía o no un adecuado sistema de disposición de excretas y residuales líquidos, si funcionaba o no una adecuada red hidráulica que les permitiera a los ciudadanos disponer de agua corriente y no tener que almacenarla, que no existieran salideros en las tuberías que contribuyeran a la acumulación de agua para la reproducción del mosquito, que no existieran vertimientos de albañales, fosas de excretas en malas condiciones, etcétera, etcétera. ¿Acaso el imperialismo yanqui también es el responsable de estas violaciones de la sanidad urbana?

¿Tiene que ocurrir una guerra biológica contra nuestro pueblo para que aparecieran enfermedades como el dengue, que se convirtieron en grandes epidemias cuando existen las condiciones que favorecen la multiplicación y crecimiento del vector? ¿Cómo es posible que 20 años después de esta gran epidemia de dengue, un brote que azotó La Habana en los meses de enero-febrero de 2002, se hayan tenido que extraer 2 500 000 metros cúbicos de desechos sólidos para eliminar a la fierecilla alada? ¿Dónde estaba el abnegado trabajo de la inspección sanitaria estatal cuando permitió la aparición de miles de salideros de la red hidráulica de la ciudad, vertimiento de albañales y fosas desbordadas y en mal estado? ¿Es acaso el gobierno de los Estados Unidos el responsable del incompetente sistema higiénico-epidemiológico encargado de la salud de nuestro país?

La periodista Iramis Alonso publicó en la revista *Bohemia,* del 22 de febrero del 2002, el trabajo titulado "El ojo en la lupa. Ofensiva contra el enemigo" en el que escribe:

Es curioso que uno de los más altos índices de infestación por mosquito en la ciudad esté en la urbanisadísima Rampa (la capital de la capital) aun después del saneamiento de sitios como el antiguo restaurante Moscú, el edificio Focsa y el hueco de F y 21.

410

El 22 de febrero de 2002, cuarenta días después de iniciada la *"batalla de todo el pueblo contra el mosquito Aedes aegypti"*, como la definió el señor Esteban Lazo, jefe supremo de tal campaña, se tenían detectados en ciudad de La Habana, 9467 salideros en las calles y avenidas céntricas, 5939 vertimientos de albañales y más de 5000 fosas.

Sin confirmar el número exacto de casos y negando las muertes por la epidemia, el Dr. Damodar Peña, jefe del Estado Mayor Nacional de la Campaña del Dengue de 2002 en nuestro país, señaló:

Sin contar a ciudad Habana, donde se registró el mayor número de casos, solo hubo reportes de dengue en otras cinco provincias: La Habana, Pinar del Río, Santiago de Cuba, Guantánamo y Las Tunas. Hoy podemos afirmar que, además de no haber dengue en Cuba, el índice de infestación actual en el conjunto de las capitales provinciales es de solo 0,017, muy inferior a lo considerado permisible por la Organización Mundial de la Salud.[219]

Ahora solo nos queda esperar, porque el tiempo demostrará cuán lejos estamos de ser la próxima víctima de este mal, si continúa el desmembramiento del Sistema Nacional de Salud, que tan solo aporta, por rachas, acciones de salud encaminadas a la correcta higiene de las comunidades. Estamos seguros que nuestro pueblo será blanco de muchas otras enfermedades secundarias al indetenible deterioro de la salud ambiental, no solo atacara el dengue, sino muchas otras que exigirán de los profesionales de la salud cubana su máxima entrega.

---

[219] Boletín de la Organización Panamericana de la Salud, vol. 7(1), 2002, p. 4.

Enfermedad meningocócica (EM)

Descrita por primera vez por M. Vieusseux con el nombre de fiebre cerebral atáxica durante una epidemia que tuvo lugar en Ginebra en 1805, la infección meningocócica tiene como agente causal el meningococo (*Neisseria meningitidis*), que es un diplococo gram negativo con forma de bizcocho.

La trasmisión tiene lugar por medio de las microgotas de Flügge (partículas diminutas de saliva), pero no todos los contagiados presentan la enfermedad. El germen se implanta en el istmo de las fauces (bucofaríngea), y desde allí puede alcanzar las meninges (membranas que cubren los hemisferios cerebrales) por vía hemática (sangre). La enfermedad está constituida por un conjunto de manifestaciones clínicas que se producen por la entrada del meningococo en el organismo humano, las cuales incluyen afectación de las vías respiratorias altas, invasión de la corriente sanguínea y afectación de diversos órganos y sistemas, en particular del Sistema Nervioso Central (SNC). La enfermedad puede presentarse como meningitis o como meningococcemia fulminante, que puede llevar a la muerte del paciente en pocas horas en un estado de shock y sangramiento.

La enfermedad meningocócica empezó a convertirse en un importante problema de salud para el pueblo de Cuba a partir de 1966, año en que tomó una tendencia ascendente. Ya en 1983 se registró una tasa a nivel nacional de 14,4 x 100 000 habitantes; la provincia de Villa Clara resultó ser una de las más afectadas, con una incidencia de 31,3 x 100 000 habitantes. La mayor morbilidad se observó en el grupo de menores de un año, con una tasa de 108 x 100 000 habitantes.

En Villa Clara, en 1983, existió una letalidad de un 43,8 % en los niños menores de un año, y se demostró mediante estudios especializados[220] que el contagio ocurrió a partir de adultos y niños mayores portadores del germen.

---

[220] Escandón Rodríguez, Aida, Roberto Martínez Ravelo y Carlos L. García López, Hospital Pediátrico Provincial Docente José Luis Miranda, Santa Cla-

Incidencia y mortalidad por enfermedad meningocócica (EM) en Cuba en el quinquenio 1982-1986

AÑOS	INCIDENCIA		MORTALIDAD	
	Casos	Tasa (%)	Defunciones	Tasa (%)
1982	1 260	12.8	192	2.0
1983	1 411	14.4	206	2.1
1984	1 392	14.0	216	2.2
1985	1 280	12.7	211	2.1
1986	1 103	10.9	198	1.9

Hasta aquí hemos hecho la descripción técnica, demostrada y avalada por los anuarios estadísticos de higiene y epidemiología de Cuba sobre la epidemia de la enfermedad meningocócica que azotó nuestro país, fundamentalmente en el segundo quinquenio de los

ra. "Enfermedad meningocócica: estudio clínico epidemiológico", *Rev Cubana Hig y Epid*, ene.-mar. 1986; 24 (1):70-7.

ochenta. De todas las bibliografías revisadas[221] muchas coinciden en que la mayor incidencia de esta enfermedad ocurrió en los niños y adultos jóvenes, quienes se encontraban imbricados en colectividades cerradas con hacinamiento y malas condiciones higiénicas, ya sea a nivel de un círculo infantil (guardería) o en agrupaciones de estudiantes en escuelas en el campo, centros penitenciarios o unidades militares.

Según la investigación recogida en "Algunas consideraciones epidemiológicas sobre la enfermedad meningocócica en Cuba en niños de 1 a 4 años de edad", obra ya citada: *De los datos obtenidos en las encuestas se confirma que hay una tasa alta de ataque en estudiantes de 10-14 años de edad pertenecientes a escuelas secundarias y primarias, con predominio de los internos* (incluida Villa Clara).

La única provincia que no se ajusta a este patrón es Las Tunas, donde la mayor incidencia estuvo en las edades de 15 a 29 años, y dentro de este grupo de edad, el 69 % de los casos en los reclusorios El Típico y Hospital en Construcción. La casi totalidad de los reclusos que padecieron esta enfermedad en el país durante 1979 pertenecían a las provincias de Las Tunas y Villa Clara: el 48 % de la totalidad de los enfermos en la primera, y el 14 % en la segunda.

Basados en estos elementos de juicio, tratamos de centrarnos en las causas que desencadenaron la epidemia, porque a pesar de todo en esta década el gobierno cubano estaba apuntalado por el Consejo de Ayuda Económica (CAME) de los países socialistas, el cual servía para esconder las economías ineficientes de esos países con precios subsidiados, encabezados por la URSS, que desangró

---

[221] Behrma, R.E. & V.C. Vaughan Eds., Nelson *Tratado de Pediatría*, 13ª edición, Interamericana McGraw-Hill, tomo I, p. 630, 1991.

Valcárcel Novo, M.: "Estudio epidemiológico de 553 casos de enfermedad meningocócica: Cuba, 1979", *Rev Cubana Hig y Epid*, oct.-dic.1980;18 (4):351-9.

Pérez Rodríguez, A.E. y M.C. Méndez: "Algunas consideraciones epidemiológicas sobre la enfermedad meningocócica en Cuba en niños de 1 a 4 años de edad", Instituto de Medicina Tropical Pedro Kourí, *Rev Cubana Hig y Epid*, oct.-dic. 1986;24(4).

Cedeño Agramonte, F.: "Prevalencia de portadores de Neisseria meningitidis en una población en riesgo", *Rev Cubana Hig y Epid*, ab.-jun. 1985;23(2).

su economía en países como Cuba. Dependiente de las importaciones, con una economía centralizada en la que predomina la apatía gubernamental frente a la pésima situación económica del país trajo consigo una pobreza extrema que hizo desaparecer a la clase media, dejando solamente en la cúspide a los dirigentes y sus familiares. La carencia generalizada generada por este sistema socialista condicionó una maltrecha higiene comunitaria, con un marcado deterioro del estado de salud de los individuos y una pérdida de sus valores que en otras épocas eran primordiales, condenando al exterminio a aquel hombre nuevo que quería crear el sistema y que tenía la misión histórica de construir el comunismo.

De esta manera, y como reflejo de todas estas carencias morales y económicas, el grado de deterioro contribuía a que, por ejemplo, en los círculos infantiles o guarderías no se respetasen las normas de higiene, ni existiese la más elemental vigilancia sobre las reglas sanitarias; en ocasiones hervían el agua, pero estos locales no estaban protegidos contra vectores (moscas, cucarachas, ratas) y los utensilios para la alimentación quedaban expuestos; además, se exigía y estaba establecido un pañuelo o servilleta individual para limpiarse las manos y secreciones nasales, pero las empleadas o cuidadoras, en aras de acabar rápido su labor, limpiaban con un solo paño todas las bocas y narices, haciéndose cómplices involuntarias de la propagación de infecciones como esta a la que hacemos referencia, junto a tantas otras. Los padres tenían que llevar un cepillo dental para cada niño, pero en el momento del cepillado los inocentes infantes, que no estaban correctamente supervisados, intercambiaban sus cepillos, convirtiéndose todo aquello en un carnaval contaminante que tenía como máxima expresión a varios niños con síntomas respiratorios agudos que conducían con facilidad a la contaminación general.

En las Escuelas Secundarias Básicas en el Campo (ESBEC), el agua de beber jamás fue sometida a tratamiento sanitario. Los alumnos, que estaban obligados a asistir a una sesión de trabajo agrícola, bebían el agua del mismo bebedero improvisado, una lata con un mango de madera que pasaba de uno a otro y la saliva era repartida entre todos los del grupo. Si aparecía un pedazo de pan u otro alimento, se devoraba entre todos; las bandejas donde se servían los alimentos eran fregadas por los mismos estudiantes, los cuales no se esforzaban mucho por la higiene, unas veces por la escasez de agua y detergente y otras por querer terminar rápido e irse a otras actividades. Por otro lado, la propia edad inducía al desmedido erotismo y al cambio frecuente de parejas, los profesores, que hacían lo mismo, no protegían a los alumnos de aquellos desmanes sexuales, que comenzaba con los besos en cualquier sitio y a cualquier hora y terminaba, en el mejor de los casos, con una enfermedad de transmisión sexual y, en el peor, con un embarazo no deseado, donde su punto culminante era una riesgosa interrupción, muchas veces a espaldas de sus padres.

En esta época de la adolescencia se establece ya para siempre el saludo hacia las damas con un beso en la mejilla, a veces cercano a la boca (si las intenciones sentimentales del varón querían ir más allá del saludo); quedó desfasada, ya para siempre, la sana, gentil y menos contaminante costumbre del beso en la mano, ese que se daba en el siglo XIX y principios del XX, o tan solo estrechar suavemente la mano de la dama amiga. El libertinaje estudiantil, la promiscuidad y la pérdida de valores comenzaron desde edades tempranas de la época comunista en Cuba y trajeron consigo, además del resquebrajamiento de la educación, la cultura y la caballerosidad, toda una gama de enfermedades respiratorias virales, de transmisión sexual y otras más peligrosas, como la que nos incumbe.

Respecto a la situación higiénico-epidemiológica de las tropas militares, queda poco por señalar si tenemos en consideración lo planteado en capítulos anteriores, tan solo la traemos a colación debido a que también se presentaron casos en dichas organizaciones, en las que reinaba el hacinamiento y la falta de higiene ambiental, con la particularidad de que se manejaron en secreto al prohibirse su divulgación.

Estas mismas violaciones, pero ampliadas con una lente de recrudecimiento y discriminación, se presentaron en la población penal cubana; recordemos que el origen de esta enfermedad meningocócica estaba en las cárceles del régimen, específicamente en el Reclusorio Provincial de Santa Clara y en dos mazmorras: El Típico y el Hospital en Construcción de la provincia de Las Tunas, como plasmaron en el libro *La enfermedad meningocócica en Cuba. Cronología de una epidemia,* los doctores Mario Valcárcel Novo, Rodolfo Rodríguez Cruz y Héctor Terry Molinert: *la enfermedad meningocócica durante el año 1980 se catalogó como el principal problema epidemiológico del país, reportándose un total de 583 casos, con una tasa de 5,9 x 100 000 habitantes, incidencia a expensas del 'serogrupo B'. La provincia de Villa Clara aportó el 23,0 % de la incidencia nacional y el municipio de Santa Clara fue el de mayor incidencia en el país.*

En Villa Clara, el 23,4 % de los casos de la población general del municipio de Santa Clara se relacionaba directa e indirectamente con los reclusos... continúan señalando los autores del mencionado libro, quienes además hacen alusión a los reclusorios de Las Tunas de la siguiente manera:

> *La provincia de Las Tunas, a partir del mes de julio del año 1978, empezó a incrementar marcadamente la incidencia debido a un brote de enfermedad meningocócica originado en los reclusorios de El Típico y el Hospital en Construcción, que continuó durante el año 1979, este brote hasta el 5 de junio de 1979 tenía un total de 32 casos, 19 en el Hospital y 13 en El Típico, de ellos murieron 4. En el periodo de enero a noviembre del 1979, en Villa Clara enfermaron 18 reclusos de varias prisiones, principalmente de la cárcel provincial (12 casos) y en la prisión de Sagua (2 casos).*

Todavía nos preguntamos cómo los autores pudieron tener la osadía de referirse al tema de los reclusorios en su obra, si por todos es conocido que ese es uno de los temas tabú de la revolución cubana, lo que pasa dentro de esas rejas, muere allí, no existe manera de divulgar la vida en las prisiones y, mucho menos, hablar de las enfermedades de los reclusos. Es evidente que los habían autorizado a dar esta breve reseña en su trabajo, aunque estamos convencidos de que estas no son las cifras reales de la epidemia, ellos solo se refieren al número de reclusos afectados al inicio de la enfermedad (años 1978 y 1979) y no hablan de 1983 y 1984, cuando la incidencia alcanzó la cifra récord de 14,4 x 100 000 habitantes. Solo mencionan cuatro reclusos fallecidos en Las Tunas en el año 1979. Sería muy interesante conocer cuántas de las 216 defunciones del año 1984 y de las 211 de 1985 eran reclusos. Quizás, sin proponérselo, dejaron bien claro en su libro cómo es la atención médica recibida por los prisioneros del régimen, bajo qué condiciones trabajan los médicos y enfermeros en las cárceles cubanas. En la página 79 de dicha obra, hacen referencia a las conclusiones de una reunión efectuada en marzo de 1980, entre el MINSAP y el MININT a raíz de la elevada incidencia de la EM en los reclusorios, en la cual se exhorta, entre otras directivas, a:

- Eliminar y evitar en todo momento la existencia de hacinamiento en el interior de la institución penitenciaria.

- Que exista un local adecuado donde el médico pueda observar los casos, al parecer negativos de meningoencefalitis bacteriana (de acuerdo con el estudio del líquido cefalorraquídeo).

- Elevar la preparación del personal médico y de enfermería.

Antes de terminar este análisis sobre la epidemia de la enfermedad meningocócica en Cuba, donde evidenciamos la responsabilidad gubernamental respecto a cómo se originó, su contagio y la transmisión de la enfermedad, no queremos pasar por alto el esfuerzo de un grupo de científicos cubanos en la búsqueda de la vacuna frente al serogrupo B de la *Neisseria meningitidis*, que finalmente arrojó resultados positivos en los años 1985 y 1986.

Polineuropatía epidémica en Cuba

Durante el primer trimestre de 1992 se presentó un número inusualmente elevado de casos de neuritis óptica (inflamación del nervio óptico que puede causar una pérdida súbita y parcial de la visión en el ojo afectado) en la provincia de Pinar del Río, en el extremo occidental de Cuba. Los primeros casos ocurrieron con mayor frecuencia en adultos del sexo masculino con una elevada prevalencia del hábito de fumar, residentes en las zonas urbanas de los municipios de San Juan y Martínez y San Luis; propensión que comienzan a analizar los doctores Rafael Pérez Cristiá y Pedro Fleites Mestre y que plasmaron en su libro *Neuropatía epidémica en Cuba, 1992-1994*, en el capítulo referente al análisis y discusión de la hipótesis tóxico-nutricional, indicando una posible causa de la neuropatía epidémica en Cuba.[222]

---

[222] *Neuropatía Epidémica en Cuba, Op. Cit.*

Señalan los autores que en diciembre de ese mismo año, se informaron 472 casos en cinco de las catorce provincias del país (Pinar del Río, Ciudad de La Habana, Sancti Spíritus, Holguín y Santiago de Cuba). Un estudio más profundo de los casos evidenció que en una parte de ellos, conjuntamente con los trastornos visuales, existían manifestaciones neurológicas periféricas (expresada por trastornos en la sensibilidad de sus miembros). De esta manera se pudo comprobar que en los 358 casos diagnosticados en Pinar del Río en el año 1992, el 43,7 % presentaba trastornos neurológicos periféricos. En la medida en que la incidencia de los casos se incrementó, la frecuencia de las manifestaciones neurológicas no visuales se elevó y continuó aumentando de manera proporcional, en muchas ocasiones aparecían como manifestaciones únicas de la enfermedad, sin afección visual.

En los primeros meses de 1993 hubo un aumento exponencial del número de casos que abarcó todas las provincias del país y alcanzó, en el mes de junio, su más alta incidencia, fecha a partir de la cual, según reportó la prensa oficialista, se produjo una disminución progresiva, pero quienes enfrentábamos a los enfermos en esa época sabemos bien que esto era una información del gobierno con matices políticos, que se las agenciaba con amenazas y cuestionamientos a quienes realizaran este tipo de diagnóstico, argumentando que con eso solo se lograba un estado de alarma en la población, que junto al déficit de medicamentos, ponía en jaque al estado socialista. Por lo tanto, quedaba prohibido de manera solapada, el diagnóstico de esta enfermedad.

La tasa de incidencia fue mayor en el grupo etario de 25 a 64 años, fueron excepcionales los casos en las embarazadas y en la población menor de 15 años y mayor de 65 años. La forma óptica afectó predominantemente a los hombres, mientras que la periférica incidió sobre todo en las mujeres.

Desde el inicio de la epidemia, y hasta mayo de 1994, la cantidad total de pacientes afectados fue de 50 933, para una tasa de incidencia de 462,1 x 100 000 habitantes, de los cuales 26 465 pertenecieron a la forma predominantemente óptica y 24 468 a la periférica[223]. El alto número de casos distribuidos en manifestaciones

---

[223] *Ídem.*

neurológicas periféricas con afección visual y la combinación de ambas manifestaciones, llevó a considerar que se trataba de una sola enfermedad con distintas formas de presentación que se denominó Neuropatía epidémica.

Definitivamente, la forma óptica era la más temida por la población, debido a que quienes la presentaban perdían la visión poco a poco, primero aparecía una visión borrosa, con molestias a la luz diurna y bienestar en lugares oscuros, asociadas a dolor de cabeza, lagrimeo o molestia ocular, así como dificultad en la percepción de los colores y manchas en el centro del campo visual.

Mientras la forma periférica se manifestaba de una manera insidiosa, inicialmente como fatiga y pérdida de peso, seguida de parestesias (sensación de hormigueo, ardentía, calambres, pinchazos) en los miembros, sobre todo en los inferiores y a veces acompañados de una rara sensación de molestias al contacto o al roce y acompañada de trastornos de la micción como urgencia miccional y, de manera ocasional, incontinencia, además de disminución de los reflejos en las piernas, con sudoración frecuente de manos y pies.

> Es conveniente mencionar el testimonio de un oftalmólogo de gran experiencia,[224] quien confesó que en el verano del año 1992 fue abordado en el recibidor del Hospital Infantil Provincial José Luis Miranda de Santa Clara por alguien que laboraba como asesor del Ministro de Salud, de quien había sido compañero de estudios, y que le había confesado que desde el primer trimestre del año 1992, en la provincia de Pinar del Río, se estaban diagnosticando cientos de pacientes con neuritis óptica; le aconsejó que pusiera énfasis en todos los pacientes que asistieran a su consulta con pérdida progresiva de la visión en ambos ojos o dificultad para apreciar los colores. En tono confidencial le dio una dirección y un número de teléfono para que le informara solo a él sobre los casos que estuvieran en esta situación.

---

[224] Doctor Orlando   González, especialista en Oftalmología, Villa Clara,. seudónimo.

> Le recalcaron que todo era oficialmente secreto, que era una tarea controlada por el "Jefe", que olvidara la dirección municipal y provincial de salud con sus departamentos de estadísticas. Ni siquiera ellos podían conocer acerca de esto y que, además, solo estaban autorizados a reportar los casos confirmados, es decir, los casos con un fondo de ojo alterado.

Dentro del conjunto de síndromes neurológicos de carácter epidémico observados en otros países, los más parecidos a la neuritis epidémica de Cuba son: neuropatía atáxica tropical (NAT), caracterizada por debilidad muscular, principalmente de las piernas, ardor en los pies, afectaciones visuales, trastornos en la marcha, atrofia muscular y sordera, que está relacionada por lo general con el consumo de ciertos alimentos como la yuca (mandioca), que es uno de los nutrientes energéticos más importantes en los países tropicales (se calcula que unos 300 millones de personas dependen de la yuca para su subsistencia), en particular en América tropical y en África, donde constituye la dieta básica en países como Mozambique, Nigeria, Tanzania, Uganda y Zaire. Desafortunadamente, incluso las variedades de yuca dulce contienen cianuro bajo la forma de un glucósido cianógeno, la linamarina, la cual por acción de una sustancia específica, libera cianuro, la intoxicación crónica por cianuro es la causa de la NAT o latirismo; intoxicación crónica por consumo de harina de altramuz (que se obtiene de las semillas de plantas del género *Lathyrus*, que son plantas muy resistentes a la sequía y en épocas de guerra o hambruna su consumo causa brotes epidémicos de parálisis de las extremidades inferiores, como los observados en Europa (España), en el norte de África y Asia. En ciertos países de África y en algunas comarcas de la India estas mieloneuropatías resultan de la combinación de carencia nutricional y dietas vegetarianas agravadas por la mala absorción intestinal posinfecciosa.[225] Las epidemias de mieloneuropatías tropicales han sido descritas desde hace muchos años en los países ecuatoriales y están relacionadas, además de con la malnutrición, con agentes

---

[225] Toro, G., G. Román y C. Román: *Neuropatía Tropical. Aspectos neuropatológicos de la medicina tropical*, Bogotá, Printer colombiano, 1983.

neurotóxicos tales como el tabaco, alcohol etílico y metílico, arsénico, pesticidas y drogas, entre otros.

Pero el Comandante en Jefe, tenía que dar su propia teoría sobre el surgimiento de la enfermedad, por supuesto bajo un tono de sospechas, dejando entrever la posible participación del gobierno de Estados Unidos como causante de este mal, pasando por alto ejemplos de tragedias sanitarias muy similares a lo largo de la historia relacionadas con situaciones de escasez extrema de alimentos durante acciones de guerra o hambruna.

Quizás el doctor Héctor Terry, antiguo viceministro de Higiene y Epidemiología, conocía con exactitud estos síndromes o enfermedades neurológicas que se presentaban como epidemias en pueblos en estado de hambruna y no pudo controlar sus emociones delante de Fidel Castro en una de sus numerosas reuniones para discutir los casos de polineuropatía en 1993, e ingenuamente trató de explicar que la causa de la epidemia de neuritis óptica en Cuba era la desnutrición de la población. Con estas palabras firmó su destitución como viceministro y fue desterrado a un insignificante asilo de ancianos de la barriada habanera de Marianao.

Sería bueno traer a colación el discurso de Fidel Castro en la clausura del Taller Internacional sobre Neuropatía Epidémica en Cuba:[226]

Se hablaba de lo que había ocurrido en Japón, después se había culpado de ello a la presencia de un medicamento determinado y que la epidemia había desaparecido cuando desapareció aquel producto, se dijo eso. Se hablaba de montones de síndromes que no quiero ni repetir aquí, lo que pasó en Jamaica o lo que pasó en la Segunda Guerra Mundial en algunas partes y cada una de sus características; pero nosotros observamos que esto no se parecía. Empezó, sobre todo, a preocuparnos seriamente la magnitud de la epidemia que rebasaba todos los límites de lo que se conocía hasta entonces.

---

[226] Discurso pronunciado por el comandante en jefe Fidel Castro Ruz, primer secretario del Comité Central del Partido Comunista de Cuba y presidente de los Consejos de Estado y de Ministros, en la clausura del Taller Internacional sobre la neuropatía epidémica, efectuada en el Palacio de las Convenciones, el 15 de julio de 1994 (versiones taquigráficas, Consejo de Estado).

Se preguntó si sería una nueva enfermedad y, sí era realmente una nueva enfermedad, entonces estaba ante un problema que debía interesar a todo el mundo.

Durante la primera parte de su intervención se dedicó a preguntarse por qué era Cuba el país elegido si existían otros países más pobres que el nuestro. Predijo que si la causa era la mala situación alimentaria esta epidemia haría desaparecer al tercer mundo, e incluso a los marginados del mundo desarrollado. Pronosticó el caos y con su aseveración de que *todo es muy raro* dejó abierta la posibilidad de que en el show internacional montado a tal efecto se respirara la intriga de la guerra biológica. ¿No sería esta otra de las acciones encubiertas del brutal enemigo del norte? No lanzó la pregunta, pero dejó el espacio para formularla.

Trató de buscar respuestas en la historia de la humanidad, habló de guerras, países en situaciones de desastres, conflictos internacionales, calamidades, hambrunas, campos de concentración, creó la duda sobre por qué éramos los elegidos para la aparición de esta aparentemente nueva enfermedad, sin embargo, la respuesta a sus interrogantes estaba en las propias memorias de la medicina cubana desde hace casi cien años antes: en 1898, el médico cubano Domingo Madan publicó un artículo titulado "Notas sobre una forma sensitiva de neuritis periférica",[227] en el que ya hace referencia a 80 casos examinados por él en un periodo de tres meses (de noviembre a febrero) en la ciudad de Matanzas; las manifestaciones clínicas observadas por Madan incluían disminución sensible y progresiva de la agudeza visual, trastornos en la visión a color, alteraciones en el fondo de ojo, así como sensibilidad de las extremidades.

En la misma revista, pero en el año 1900, el sabio cubano J. Santos Fernández, en un artículo sobre el tema describe casos similares de neuritis óptica y periférica en La Habana, fundamentalmente en los periodos de guerra, y se plantea como posible causa la *escasez y mala calidad de los alimentos.*[34]

---

[227] Madan, D.: "Notas sobre una forma sensitiva de neuritis periférica. Ambliopía por neuritis óptica retrobulbar", *Crónica Médico Quirúrgica de La Habana*, 1898; 24:81-6.

Las manifestaciones clínicas descritas en las referencias anteriores concuerdan en gran medida con el cuadro clínico de la neuropatía epidémica aparecida en la década de los 90 en Cuba, que definitivamente estaba vinculada a la pésima alimentación de la población y que quedaba enmarcada dentro de los síndromes neurológicos de carácter epidémico que se vienen presentando desde hace siglos en países tropicales que por diferentes motivos viven situaciones de escasez extrema.

La neuropatía epidémica cubana se presenta en un momento en que Cuba atraviesa por el Periodo Especial (justifican los doctores Pérez y Fleites), sumándose a esto una serie de dificultades, como agresiones económicas y fenómenos naturales que ha sufrido el país en los últimos años. La desaparición de la Unión Soviética y del campo socialista en Europa, unida a la agudización del bloqueo de los Estados Unidos, afectaron económicamente a Cuba, la cual se vio obligada a reducir su nivel de importaciones de más de 8000 millones de dólares en 1989, a unos 1700 millones a finales de 1993, es decir, en apenas tres años. Unido a lo anterior, el país se había tenido que enfrentar a adversidades climatológicas que afectaron en especial a la zafra azucarera, todo lo cual agudizó la escasez de divisas para adquirir combustible, alimentos y materias primas.[35] Desde luego, está prohibido hacer alusión a la ineficiente y anticuada economía socialista como generadora del mayor obstáculo para el verdadero crecimiento económico.

El nuestro era un país acostumbrado a recibir las donaciones de la antigua Unión Soviética y otros países socialistas miembros del CAME sin apenas preocuparse por la rentabilidad de su economía interna. Esto, definitivamente, no era importante, porque siempre se cumplían aquellos inflados planes económicos anuales e incluso quinquenales que trataban de demostrar que la economía socialista era una verdadera y planificada forma de mercado, superior a la vituperada economía capitalista. En concepto, era imposible que esta economía planificada cayera en una de las comunes recesiones en las que cae el capitalismo. No solo nos acostumbramos a recibir sin producir, sino que además regalábamos lo que no era nuestro bajo el pretexto o doctrina del internacionalismo proletario.

En el libro ya mencionado, *Neuropatía epidémica en Cuba*, 1992-1994, se publicaron importantes datos referidos a uno de los temas vedados para la prensa, del cual no pueden hablar si no es para resaltar los esfuerzos del gobierno o criticar al enemigo del norte, se trata de la "alimentación del pueblo".

De acuerdo con los datos de la Junta Central de Planificación, que incluyen rubros como el comercio minorista, la alimentación y la gastronomía, la distribución per cápita de energía alimentaria y proteínas diarias en el año 1992 decreció a un 18 y un 25 % respectivamente en comparación con 1989, llegando a alcanzar cifras inferiores a las recomendaciones mínimas de estos indicadores establecidas para la población cubana. Nos imaginamos lo difícil que fue para el gobierno el hecho de tener que abrir esta caja de Pandora y poner al descubierto lo insuficiente de su canasta básica. Según estas estadísticas, durante 1989 se arribó a la disponibilidad de energía alimentaria per cápita en un rango de 2800 Kcal y unos 80 gramos de proteínas, comparados con las 2200 Kcal y los 55 gramos de proteínas del año 1992.

Basándonos en el libro *Teoría y Administración de la Salud*, uno de los textos básicos para el estudio de la Medicina en 1982, en su página 28 se señala que en el año 1978 el Buró Político del Comité Ejecutivo del Consejo de Ministros, adoptó una resolución conjunta relativa a los trabajos para la elaboración de la estrategia de desarrollo, perspectiva económica y social hasta el año 2000, facultando a la Junta Central de Planificación para orientar y dirigir esta actividad, que debería ser ejecutada por los organismos de la administración central del Estado y los organismos provinciales del Poder Popular. Es decir que, legislativamente, recae sobre el Estado y sus cuerpos de dirección la responsabilidad del desarrollo · económico y las repercusiones positivas o negativas que se deriven del mismo, aunque corresponde al Ministerio de Salud Pública velar por su cumplimiento (problema No. 19: "desarrollo de la salud y la asistencia social", para lo cual se definieron las premisas que debían sustentar los pronósticos para el plan a largo plazo), por lo que la aparición y desarrollo de condiciones que favorezcan el surgimiento y la propagación de enfermedades producidas por las malas condiciones de higiene ambiental o la alimentación inadecuada, son responsabilidad absoluta del Ministro de Salud Pública y queda bien definido en este documento que el MINSAP debe velar por:

- Prestar especial atención a las actividades preventivas, tales como: educación para la salud, alimentación adecuada, recreación, deportes y otras que contribuyan a la salud del hombre.

- Garantizar la correcta calidad del agua que se suministra a la población, así como el correcto tratamiento, operación y mantenimiento de los sistemas de disposición de excretas y residuales líquidos, priorizando las industrias del azúcar, la leche y sus derivados, carne, frutas, vegetales y café.

- Exigir la recolección adecuada y sistemática de los desechos sólidos y promover la eliminación de los vertederos a cielo abierto.

El MINSAP ha violado sistemáticamente durante años estas tres premisas y ha contribuido de manera extraordinaria, a la aparición de las mayores epidemias en la historia de la salud de nuestro país. La ineficiencia, la falta de valentía, de entrega, de respeto por el trabajo, además de la politización de la medicina después del año 1959, crearon las condiciones idóneas para ubicar en los puestos de dirección a los militantes del PCC y no a los más capacitados, razón por la cual los diferentes ministros, viceministros y directores provinciales y municipales del MINSAP nunca exigieron al Estado el cumplimiento de estas premisas.

Es obvio que estos puntos fueron olvidados por los doctores Pérez y Fleites a la hora de analizar el carácter multifactorial en la etiología de la neuropatía epidémica cubana. Cabría preguntarse entonces, ¿por qué el MINSAP (que según las autoridades cubanas, es uno de los mejores del mundo) no fue capaz de determinar a tiempo que ya se estaba gestando esta "criatura" producto del recrudecimiento de los bajos niveles de energía y proteínas en la depauperada dieta de los cubanos? Ya desde principios del año 1991 se comentaba, a nivel de salones y pasillos de los diferentes centros de salud del país, acerca de las posibles repercusiones que sobre la salud de la población tenía el estado de hambruna que existía en todo el territorio nacional, aunque era más acentuado fuera de la capital. La dieta del pueblo cubano descansaba fundamentalmente, en los carbohidratos, los cuales fueron sustituyendo a las proteínas y grasas como fuente de energía debido a que se conocía que el consumo excesivo de azúcares, yucas y otros tubérculos, al ser usados como pilares básicos en la dieta, podrían llevar a diferentes enfermedades de nutrición con repercusiones neurológicas y visuales.

Aún nos parece escuchar las proféticas palabras de nuestro profesor de Medicina Interna,[228] quien durante 1990 y 1991 nos motivaba a diario a estudiar las enfermedades relacionadas con la nutrición; él estaba convencido de que la situación de escasez extrema de alimentos en nuestra región conllevaría en algún momento a la aparición de enfermedades secundarias a esta malnutrición y, efectivamente, no se equivocaba. Con asombro recibimos las primeras noticias relacionadas con la epidemia de ceguera y dificultad para caminar que se presentaba en el occidente de la isla.

Debemos aclarar un punto que hace referencia a un momento de la historia poscastrista y que hemos tomado como patrón de comparación, ya que parece que coincidía con el mejor momento en el nivel alimentario del país (del cual se hace alusión en varias partes del mencionado libro sobre la Neuropatía epidémica cubana), y es el que alude al año 1989, año que se convirtió en una encrucijada en el tiempo, en un antes y un después, una especie de año fatídico o de culminación de una época de "vacas gordas" que daba entrada a un periodo apocalíptico marcado por el hambre, las epidemias y escaseces de todo tipo. Fue el momento en que fuimos abandonados por nuestro protector y comenzó un ciclo llamado irónicamente Periodo Especial, pero en realidad consistió en un ciclo de crisis profunda que, curiosamente, fue el propio Comandante en Jefe quien se encargó de darle un toque de angustia y desánimo al llamarlo Opción Cero, nombre más cercano a su verdadero significado y de lo cual luego se mostró arrepentido y abjuró de su autoría.

Según estas comparaciones, ubicaban al año 1989 como una época donde se llegó al clímax económico del socialismo cubano, en la cual estaban cubiertas las necesidades calóricas de la población de una manera balanceada,[229] e incluso, con astronómicas cifras de calorías en algunas provincias (en las que se logró sobre-

---

[228] Doctor Ramón García, especialista en Medicina Interna, Hospital Militar de Santa Clara Comandante Manuel Fajardo, Seudónimo.

[229] *Neuropatía Epidémica en Cuba*, 1992-1994, *Op. Cit.*

pasar las 3100 calorías, por encima de la recomendada por la Junta de Alimentos y Nutrición de la Academia Nacional de Ciencias del Consejo Nacional de Investigación de los Estados Unidos de 1974). Sin embargo, sabemos que esto fue falso y para corroborarlo, invitamos a revisar las llamadas libretas de Control de ventas para productos alimenticios (nombre con el cual fue bautizada la famosa libreta de abastecimiento cubana, porque aparentemente garantizaba una canasta básica de alimentos) de ese año, A manera de ejemplo, solo pudimos conseguir una del año 2001 (casi 13 años después), en el que, supuestamente, todo estaría resuelto, porque debería existir un despertar de la economía cubana tras una década de escaseces y agonías. Pero la realidad era otra.

El siguiente ejemplo se refiere a la libreta de abastecimientos para una familia reducida, se trata de los alimentos recibidos por una persona (de acuerdo con el núcleo No. 57 060-44, perteneciente a la provincia de Villa Clara). Según la impredecible página 26 (donde se refleja la cantidad de proteínas repartidas), tan solo se recogen 21 anotaciones para todo el año 2001. En nueve ocasiones recibió una especie de embutido, conocido como *mortadela*, otras nueve fueron de "picadillo de res con soya" (una suerte de carne molida hecha con partes de res, vísceras y soya), tan solo tres veces recibió carne de res y una de pescado. Es de destacar que en todo momento su asignación gubernamental era de ocho onzas, por tal razón podemos hablar de que la canasta básica solo cubría una libra de proteínas por persona al mes y, como complemento, tres huevos.

Tomando como referencia la dieta básica para adultos que se ofrece en el libro *Manual de normas técnicas para los departamentos dietéticos de las instituciones de salud,* del año 1979, en el que se plantea que las necesidades de proteínas diarias para una persona es de cuatro onzas, distribuidas en dos onzas de carne de res, pollo, pescado o puerco, o dos huevos, en el almuerzo y en la comida, llegamos a la conclusión de que las dieciséis onzas (una libra) que recibe el cubano de a pie al mes solo cubrirían cuatro días y medio, sumándole los tres huevos. Pudiéramos preguntarnos entonces, ¿están realmente cubiertas las necesidades alimentarias de la población cubana?

El Estado cubano solo cubre un 16 % (cinco días) de las necesidades de proteínas de una persona en un mes, las que, por demás, son de muy baja calidad. En ninguna de las más de cinco décadas de vida de la revolución, el gobierno ha logrado abastecer las cuatro onzas diarias de carne al mes, que serían unas 120 onzas al mes (siete libras y media por persona), con la salvedad de que el rendimiento merma una vez cocinado el producto (por ejemplo, se necesitan unos 115 gramos del producto crudo para obtener unos 60 gramos de la carne cocinada, que es a lo que se refiere el manual). Esto es sin entrar a valorar las necesidades adicionales de una gran parte de la población afectada por enfermedades, ya sean infecciones, traumas, procesos malignos avanzados, trastornos del tubo digestivo, anomalías metabólicas, etc., que necesitan suplementos de proteínas, vitaminas, grasas. Alguien podría añadir que en Cuba existe un programa de dietas especiales para enfermedades crónicas debilitantes y que, realmente, es un programa muy bueno, lo que pasa es que no funciona. Estas dietas se reparten de manera irregular, con periodos que oscilan entre los dos y los seis meses e incluso años, donde el beneficiario o sus familiares tienen que invertir incontables horas en gestiones burocráticas, para luego sentirse frustrados cuando evalúa la mala calidad y la exigua cantidad de los productos recibidos. Por ejemplo, un diabético recibe un litro de leche tres veces por semana y una libra de carne de res o ave cada dos o tres meses.

En la revista *Avances médicos de Cuba* no. 19, de 1999, se señala en uno de sus artículos que la epidemia se relacionó con un deterioro de la dieta por afectación de nutrientes como metionina, vitamina B12, vitamina B2 y carotenos en su conjunto, unido a una alta prevalencia del hábito de fumar entre los afectados. Los resultados de las investigaciones epidemiobiológicas y clínicas señalaron un origen multifactorial de esta enfermedad, siendo más consistente la causa tóxico nutricional relacionada con la presencia de un estrés oxidativo.[230]

El estrés oxidativo es un estado de la célula en la cual se encuentra alterada la homeostasis de óxido-reducción intracelular, es decir, el equilibrio entre prooxidantes y antioxidantes. Este desbalance se produce a causa de una excesiva producción de especies reactivas de oxígeno (EROs) o por deficiencia en los mecanismos

---

[230] *Neuropatía Epidémica en Cuba*, 1992-1994, *Op. Cit.*

antioxidantes que conducen al daño celular (para más información, consúltese a Hausladen A. and I.S. Stambler. *Nitrosative Stress. Methods Enzymol.* 300: 389-395, 1999).

Para hacer frente a esta producción de radicales libres y su consecuente daño celular, el organismo tiene varios mecanismos de defensa, entre los que podemos destacar los sistemas antioxidantes no enzimáticos como son la vitamina E y la vitamina C. Sin embargo, cuando la producción de radicales libres excede la capacidad antioxidante del organismo, se genera un desequilibrio que provoca estrés oxidativo y daño celular. Este daño a nivel del sistema nervioso es el que se pensó fuera el causante de la enfermedad, aunque se relacionó principalmente con el hábito de fumar, porque es conocido que los fumadores tienen niveles más bajos de vitamina C sérica y de betacaroteno 21 y un índice antioxidante del plasma menor, con independencia del ingreso dietético de antioxidantes que también puede verse afectado.[231] De hecho, se reportó un alto índice de la enfermedad en pacientes fumadores y que consumían alcohol con frecuencia, que unido a la falta de proteínas y grasas en la dieta, facilitaron un mayor estrés oxidativo como causantes del daño celular. Como médicos, podemos asegurar que muchos de los casos ni siquiera fumaban o bebían, por lo que no le damos crédito total a esta conclusión. Sabemos que los pacientes con ambos hábitos tóxicos tienen comprometido el sistema de antioxidantes no enzimáticos, pero de ahí a clasificarlo de causa principal, va un trecho.

Resulta interesante el hecho de que, según las estadísticas gubernamentales, la epidemia respetó a pacientes en edades extremas de la vida, ya que la mayor incidencia ocurrió en los grupos comprendidos entre los 40 y los 59 años de edad, con una baja incidencia en menores de 15 años y mayores de 60 años, así como en pacientes embarazadas. No tenemos referencias que expliquen este fenómeno y no podemos hacer salvedades debido a que estos grupos consumían los mismos alimentos carentes de proteínas y grasas necesarias al igual que el resto de la población, con la diferencia de que los niños menores de siete años recibían un litro de leche y a las embarazadas, que son casos sociales, les permitían comer en

---

[231] Cross, C.E., M. Traber and T. Eiserich: "Micronutrient antioxidants and smoking", *Br Med Bull.* 1999;55(3):691-709.

algunos comedores de los centros de trabajo, aunque no creemos que estas razones los dejaran inmunes, ni produjeran cambios sustanciales en los valores energéticos de sus dietas.

La canasta básica o alimentos comprados por medio de la libreta de control de ventas para productos alimenticios nunca cumplió sus objetivos (la alimentación decorosa del pueblo) desde su surgimiento hasta la actualidad, incluso la escasez y la ineficiencia gubernamental por resolver este asunto ha dado muchos bandazos, desde mantenerlo en secreto hasta su divulgación por los principales periódicos del país.

Tomemos como referencia la sección Acuse de Recibo del periodista René Tamayo León, publicada en el diario *Juventud Rebelde* del 20 de noviembre de 2002, titulada "La canasta por el asa", en la cual se hace mención a una serie de quejas de la población que el periodista agrupa como asuntos variopintos, unos son estructurales, otros no tienen razón de ser y algunos, dejan mucho que desear. Mencionemos algunos ejemplos que demuestran las innumerables fisuras de este fenómeno:

Tania Ramírez, vecina de Pasaje Infante #31, municipio 10 de Octubre, ciudad de La Habana, preocupada por la calidad de la leche esterilizada que reciben los niños de 0 a 2 años de edad en su zona, narra que al principio tenía un sabor accesible al paladar de los niños, estaba más espesa y hasta su color daba un aspecto de leche pura, pero desde el mes de octubre no tiene las mismas condiciones, el sabor es distinto, viene más líquida y, por último, está llegando a la bodega en mal estado.

Otro de los casos mencionados en el periódico, Coylur Quintero Medina, quien vive en el edificio 20, apto. 27, Junco Sur, Cienfuegos, es maestra y madre de una niña de tres años; su preocupación versa sobre la carnicería de su reparto: cuando llegan productos como la *mortadela* o el pollo, a los niños no se les da su cuota porque, según los dependientes, el abastecimiento para los pequeños viene separado, sin embargo, cuando traen alguna proteína para los infantes, en especial la carne molida, llega en mal estado.

Con estos dos ejemplos se ilustra la realidad de la controversial canasta básica cubana y su libreta de abastecimiento. Por décadas, el cubano común ha recibido maltratos y humillaciones a la hora de comprar sus alimentos normados, siempre carentes de calidad, insuficientes en cantidad, víctima de mala higiene, tanto en la elaboración, traslado y envase como en la conservación, exponiendo a los consumidores a enfermedades digestivas o infecciosas.

Es lógico que la prensa oficialista no publique otros testimonios que comprometan al Estado como máximo responsable, nadie se atrevería a redactar un artículo donde se mencionen los cientos e incluso miles de veces que los niños, a lo largo y ancho de la isla, no reciben a tiempo o llega en mal estado su litro de leche, o el tan rehusado "soyurt" (yogur de soya), rechazado por su sabor repugnante, o el picadillo de soya que llega a las carnicerías verde y con un olor fétido debido a que no se cumplieron las normas de conservación y traslado del producto, ya que el camión donde se reparte no está refrigerado y, en el 95 % de las carnicerías, no existen equipos de refrigeración para su correcta conservación. Cientos de veces la población ha tenido que consumir estos productos en mal estado, los que representan el 98 % de las proteínas que recibe el pueblo cubano.

En el capítulo "Enfermedades de la nutrición", del doctor Nevin S. Scrimshaw[232] hace la siguiente salvedad: las personas que reciben cantidades menores de energía a las recomendadas no están desnutridas, todo depende de sus necesidades individuales, del margen de seguridad inherente a la recomendación y de si existen otras deficiencias más limitantes. El cuerpo necesita una fuente de energía para conservar los procesos naturales de la vida y cubrir las necesidades de actividad y crecimiento, las necesidades calóricas dependen de las dimensiones corporales, metabolismo basal, actividad, sexo, edad, temperatura ambiental, entre otros. Las enfermedades clínicas que acompañan a las deficiencias calóricas son el marasmo en los niños y la caquexia en los adultos.

---

[232] Scrimshaw, Nevin S.: *Enfermedades de la nutrición*, tomo II, volumen I, de la XV edición. Véase también Rubwen, D.: "Necesidades nutricionales", Parte 5: Nutrición, en *Harrison. Principios de Medicina Interna*, 1989, McGraw-Hill Interamericana, 14° edición, p. 475.

En definitiva, estamos en una época en la cual se le adjudica una importancia capital a las calorías o valor energético de los alimentos, por lo que debemos señalar que el nivel calórico óptimo de los ciudadanos depende fundamentalmente de la actividad que realizan, el cual varía desde las 15 calorías por kilogramo de peso deseable para quienes tienen una actividad sedentaria, hasta las 30 calorías por kilogramo de peso deseable para aquellos que realizan una actividad moderada. Los carbohidratos y proteínas proporcionan unas cuatro calorías por gramo y las grasas unas nueve calorías por gramo; si la dieta no proporciona las calorías adecuadas, las proteínas del alimento se utilizarán para cubrir necesidades energéticas, a expensas de cubrir las necesidades proteicas, las cuales aumentan mucho cuando hay enfermedades infecciosas, traumas u otros estados patológicos.

En el *Manual de normas técnicas para los departamentos dietéticos de las instituciones de salud,*[233] de la autora María del C. Toymil, se propone una dieta normal que descansa en un 10-15 % de proteínas, 25-30 % de grasas y 55-65 % de carbohidratos de la ración consumida; esta relación varía en dependencia de la cantidad total de calorías, según la actividad que se realice.

En el texto sobre neuropatía epidémica en Cuba se muestra que la distribución porcentual calórica del consumo per cápita durante el año 1992, se corresponde con un 76 % de carbohidratos, 9 % de proteínas y un 15 % de grasas, de manera que el aporte calórico descansaba en los carbohidratos (76 %), donde el arroz y el azúcar aportaron prácticamente la mitad de las calorías, como mencionan los autores Pérez y Fleites. De lo anterior se deduce que en el país ha habido una real disminución de la disponibilidad de alimentos, lo que, unido a un limitado acceso a fuentes adicionales, ha contribuido a que nuestra población haya estado sometida, a partir del año 1991, a una dieta insuficiente y desequilibrada que no cumple con la mayoría de los parámetros cualitativos y cuantitativos exigidos.

Sin dudas, para escribir algo así los autores recibieron un permiso especial por parte de las autoridades de salud; estamos segu-

---

[233] *Manual de normas técnicas para los departamentos dietéticas de las instituciones de salud,* Editorial de Ciencias Médicas, La Habana, 2007.

ros de que lo hicieron con extremo cuidado, porque conocen muy bien la falta de flexibilidad del régimen en cuanto a temas que pongan en duda su eficacia, pero mienten al tomar como punto de referencia la década de los noventa para afirmar que solo en ese periodo, existió una dieta insuficiente y desequilibrada. Todos sabemos que el problema de la alimentación ha sido una constante desde que llegaron los Castros al poder, nuestro pueblo ha tenido que aceptar con demasiada paciencia la imposición de los alimentos controlados a través de una libreta de abastecimiento que año tras año ha ido perdiendo casillas para anotar; de todos es conocido que después de los primeros años del triunfo de la revolución, las tiendas de abastecimiento de alimentos fueron saqueadas por el Estado como una "medida de ahorro", legitimando una idílica política de repartir lo poco entre todos, pero con el claro objetivo de crear una dependencia del individuo al gobierno (que le dice lo que tiene que hacer, lo que puede leer, ver o comer) y, en última instancia, crear una especie de hombre nuevo, un ente irracional privado de sus derechos, ajeno a la libertad y predispuesto a una obediencia incondicional. Ni siquiera durante la década de los 80 (presunta panacea alimentaria del pueblo) el cubano común dejó de pasar hambre, aunque quizás durante esos años existió un mayor acceso a algunos alimentos que luego desaparecieron, por las razones antes mencionadas.

La década de los 90 en Cuba no podrá ser olvidada fácilmente por quienes la vivieron, los cubanos la recordarán como un verdadero estado de hambruna y han pasado a formar parte de esos recuerdos las más disímiles recetas de cocina, con la particularidad de que no buscaban satisfacer al más insípido de los paladares, sino llenar al más hambriento de los estómagos. Por ejemplo, debido a la ausencia de harina de maíz o de trigo, el ingenio del cubano se vio obligado a utilizar la yuca o mandioca como un elemento alimenticio imprescindible para la confección de pizzas, croquetas rebosadas (recordar la neuropatía atáxica tropical por consumo de yuca ya descrita y no descartada por nosotros como posible cusa de la neuropatía epidémica cubana), sin dejar de mencionar las más ocurrentes recetas como expresión de la jocosidad del cubano (recuérdese el programa clásico de la televisión cubana *Cocina al Minuto* de Nitza Villapol), entre las que se destacaron el picadillo de cáscara de plátano verde y bistec de berenjena o de hollejo de naranja. La situación era propicia para que inescrupulosos ciudadanos hicieran de las suyas en busca de dinero fácil, vendiendo diferentes platos comestibles en los que la carne no tenía un claro origen, pero el rumor popular y la especulación determinaron que se utilizaba para su confección carne de perro, gato y hasta de aura tiñosa.[234]

Según investigaciones llevadas a cabo en 1999, publicadas por la revista médica cubana *Avances Médicos*,[235] se confirman dos mecanismos patogénicos como los causantes de la enfermedad: estrés oxidativo (es un tipo particular de estrés químico inducido por la presencia, en un organismo vivo, de elevadas cantidades de compuestos peligrosos llamados radicales libres) y depresión de los mecanismos de destoxificación.

Siguiendo el artículo publicado por *Avances Médicos*, escrito por los autores Rafael Pérez y Pedro Fleites (que al parecer son los únicos autorizados a escribir sobre el tema), una vez terminada la fase epidémica de la neuropatía epidémica, ellos realizaron este trabajo para profundizar en los diferentes factores relacionados con la etiología tóxico nutricional, se conformó un programa para estudiar los factores de riesgo, su variación estacional y regional, la influencia del tabaquismo, así como los mecanismos etiopatogénicos que desencadenan esta enfermedad.

El proyecto se denominó SECUBA y fue un trabajo conjunto con investigadores franceses. Los resultados de las investigaciones en la población estudiada permitieron establecer como riesgo general un incremento del estrés oxidativo, expresado por valores elevados en los índices de peroxidación lipídica (degradación oxidativa de los lípidos, mecanismo de reacción en cadena en el que intervienen los radicales libres y que pueden llevar a la ruptura de la membrana celular), un estado deficitario de vitamina B2 y una baja disponibilidad de carotenoides (son los responsables de la gran ma-

---

[234] El buitre americano cabecirrojo (*Cathartes aura*) puede tener diferentes nombres comunes, incluyendo jote cabeza colorada (Argentina y Chile); guala cabecirroja (Colombia); zopilote cabecirrojo (Costa Rica); cute (Honduras); noneca (Panamá); aura cabecirroja, aura común, zopilote aura (México); zopilote cabecirrojo (Nicaragua); cuervo cabeza roja (Paraguay, Uruguay). El nombre común recomendado por la Sociedad Española de Ornitología es aura gallipavo.

[235] *Revista Avances Médicos de Cuba*, No. 19, año 1999, p. 25.

yoría de los colores amarillos, anaranjados o rojos presentes en los vegetales), fundamentalmente alfa y betacaroteno. Aunque no se encontraron evidencias de desnutrición proteico calórica en la población (señalan los autores), sí existía un déficit de energía, producido por un insuficiente aporte de grasas, a lo que se añade un fondo de subcarencias y carencias de vitaminas B1, B12 y E, ácidos grasos y calcio.

De acuerdo con los doctores Pérez y Fleites, el número de nuevos casos disminuyó después de iniciada la entrega de suplementos vitamínicos a la población en mayo de 1993, con vitaminas del complejo B, nicotinamida, ácido fólico y vitamina A. En 1994, la epidemia cursó con una endemia muy baja (si una enfermedad persiste durante mucho tiempo en un lugar determinado ya no se habla de epidemia, sino de endemia). En 1995 y 1996 se incrementaron los casos, y ya para 1997 y 1998 se registró una disminución significativa.

Estas son las estadísticas oficiales de cómo se comportó la polineuropatía epidémica cubana en el periodo comprendido entre 1992-1998; aquí lo interesante es aceptarlo o no debido a lo incongruente y forzado de las cifras ofrecidas, que reportaron una tasa de tan solo 3,3 x 100 000 habitantes en el último año analizado, lo que evidenció un descenso marcado de la incidencia de la enfermedad, después del uso de la vitaminoterapia a toda la población (vitaminas del complejo B, que se repartieron solemnemente a nivel de barrio) y un discreto mejoramiento de la dieta. Sin dudas, estas dos medidas contribuyeron a paliarla, pero de lo que no se habla y se convierte en un secreto, es la manipulación de las verdaderas estadísticas, cuyos diagnósticos filtrados pasaron por un sistema que lo tamizó en sus diferentes niveles (municipal, provincial y nacional), mediante el cual se cuestionaba al médico que hizo el diagnóstico, al municipio que reportó más casos y a la provincia en la que estaba incluido ese municipio; por lo tanto, estos últimos peldaños tomaron sus medidas para disminuir forzosamente la epidemia.

El doctor Terry, funcionario de la Dirección Provincial de Salud de Villa Clara (no nos referimos al viceministro con anterioridad mencionado), en una reunión efectuada en el Policlínico #2 de Caibarién, orientó la prohibición de la polineuropatía como diagnóstico y señaló que en su defecto usaran términos como artritis. Es justo decir que como médicos que laboramos durante aquellos años, vimos disminuir la incidencia de la enfermedad, pero no a ese ritmo, y sentimos el acoso de las autoridades de salud a la hora de emitir un probable diagnóstico.

Durante las discusiones médicas efectuadas, primero a puertas cerradas y luego durante el *show* propagandístico internacional montado al efecto, se comparaba el diagnóstico diferencial de esta posible "nueva enfermedad" con el conjunto de síndromes neurológicos de carácter epidémico observado en otros países durante diferentes momentos de la historia de la humanidad producidos por estados de hambruna, guerras o desastres naturales, donde el denominador común era una carencia nutricional provocada por el consumo excesivo de alimentos que pudieran ser tóxicos, como vimos anteriormente (mandioca o las semillas del género *Lathyrus*), asociado o no a síndromes infecciosos intestinales, igual que ha ocurrido en varias regiones del cono sur-africano, trayendo a colación los términos neuropatía atáxica tropical (NAT) por causa nutricional, por mala absorción intestinal o por consumo excesivo de yucas, las que presentaban en común, ya sea en menor o mayor cuantía, los síntomas y signos siguientes:

- Trastornos de la sensibilidad superficial y profunda
- Trastornos visuales
- Ataxia
- Trastornos auditivos
- Lesiones en la piel

Para los autores del libro sobre neuropatía epidémica en Cuba, esta enfermedad se diferencia de las afecciones anteriores en que la ataxia (trastornos caracterizados por la disminución de la capacidad de coordinar el movimiento), es un elemento fundamental presente en la mayoría de los casos, mientras que en la versión cubana solo se presentó en un número reducido de casos.

Sin embargo, vale la pena recordar el testimonio del Dr. Félix Hernández,[236] especialista en Medicina Interna de Villa Clara, el cual afirma que durante el primer trimestre de 2002 hubo un incre-

---

[236] Especialista en Medicina Interna, seudónimo.

mento inusual de los reportes estadísticos de las provincias orientales del país, como Holguín y Sancti Spíritus, lugares en los que aparecieron casos de ataxia (falta de coordinación muscular necesaria para el movimiento), situación que condicionó orientaciones precisas del alto mando del Ministerio de Salud Pública, exigiendo de inmediato que los casos que se diagnosticaran a partir de ese momento se debían informar directamente a la oficina del ministro; este había creado un grupo especial de trabajo, obedeciendo a las orientaciones directas del entonces presidente del país, Fidel Castro, conocedor del peligro inminente de esta afección neurológica que provocaría un sentimiento contradictorio en la comunidad científica internacional, porque las informaciones fueron edulcoradas tratando de convertirla en una nueva enfermedad, pero ahora podían ver que nuestra epidemia era como las demás, otra más en el conjunto de síndromes neurológicos de carácter epidémico ya descritos con anterioridad en prisioneros de guerra o, peor, podrían colocar a nuestro país en las listas de países pobres víctimas de estados carenciales que ya vivieron situaciones similares, tales como Egipto, Ghana, India, Kenya, Liberia, Malasia, Nigeria, Senegal, Sierra Leona, Somalia, Sri Lanka, Uganda y Zimbawe.[237]

Incidencia de la crisis alimentaria en la población

El concepto de seguridad alimentaria queda plasmado en el *Boletín de la Organización Panamericana de la Salud* (OPS), vol. 7, no. 1, 2002:

> *Es el estado en el cual todas las personas gozan de forma oportuna y permanente de acceso a los alimentos en cantidad y calidad para su adecuado consumo y utilización biológica, que les garantice una situación de bienestar que contribuya al desarrollo humano.*

Entonces debemos admitir que el pueblo de Cuba ha sido víctima de una epidemia secundaria producida por la mala administración de su gobierno, el cual no ha garantizado el abastecimiento

---

[237]Román, G. C., P.S. Spencer and B.S. Schoenberg: "Tropical myeloneuropathies: The hidden endemias", Neurology (Minneapolis), 35(S):1158-1170, 1985.

de alimentos, a pesar de todas las promesas efectuadas a lo largo de los años.

Así, la población de Cuba está dentro del grupo de los cientos de millones de personas que carecen de dicha seguridad en el mundo, con la particularidad de que además sufre por la violación constante de sus derechos civiles; por lo tanto, no entendemos las palabras de elogio al gobierno castrista pronunciadas por el señor presi-dente de la FAO, Jacques Diouf, en La Habana durante la XXVII Conferencia Regional de ese organismo perteneciente a la ONU, las que provocaron un efecto *boomerang* en la población cubana cuando enfatizó: si no se alcanza el derecho a la alimentación, que es fundamental, son irreales los demás derechos humanos.[238]

El derecho del pueblo cubano a la alimentación se ha violado durante años y han sido hábilmente manipuladas las posibles causas de este fenómeno por parte del gobierno castrista, quien le ha adosado la mayor responsabilidad al vecino del norte, ingeniándoselas a través de campañas mediáticas para crear una imagen irreal del acontecer cubano, proyectando una moneda de dos caras, la del rebelde y la de la víctima del mayor imperio en la historia de la humanidad, que ha logrado confundir a muchos, desde ciudadanos simples hasta importantes líderes mundiales, como es el caso del señor Diouf, quien quedó atontado con los millones de toneladas de alimentos que le mostró Raúl Castro, en particular con el proyecto de la Agricultura Urbana, que ha logrado el "milagro" de alcanzar los 3 millones de toneladas de vegetales en siete años.

Para nadie en este país es un secreto que la llamada agricultura urbana es un fraude, una exposición transitoria de una idea idílica para mejorar la alimentación del pueblo con poca o ninguna inversión estatal, y que al cabo de los años se autodestruyó por la escasez de fertilizantes, la poca variedad de semillas, la ausencia de sistemas de regadíos y escasez de agua, etcétera, etc., y que en su mejor momento llegó a producir tomates y coles como sus productos de mayor demanda (que obviamente diversifican la alimentación diaria del cubano, pero no sustituyen alimentos de primer orden como carbohidratos, proteínas y grasas). Resulta ridículo es-

---

[238] Ver recorte de periódico al final del capítulo.

cuchar sandeces de este tipo por autoridades mundiales en el género, hablando de alimentación del pueblo, conformándose con mirar una cesta con acelgas, rábanos, cilantros, lechugas y tomates como componentes fundamentales de la canasta familiar.

Los altos dirigentes cubanos han sido muy astutos a la hora de proyectar el problema de la alimentación como un derecho y, en su esfuerzo por quedar bien ante de la comunidad internacional, han creado un rosario de justificaciones con un sinfín de ardides, en los cuales han involucrado a la OPS y a la OMS en diferentes proyectos comunitarios con el aparente objetivo de mejorar la calidad de vida de la población cubana a golpe de falsa publicidad y mentiras inundando espacios informativos de organismos internacionales que se prestan para el juego. En dicho boletín informativo de la OPS se puede leer el desconocido Movimiento Municipio Productivo, que ya para el 2001 incluía 74 municipios para un 43 % de los municipios en todo el país, con el que se beneficiaría a una población de 5 465 997.[239] Supuestamente, con este movimiento quedaría casi la mitad de la población cubana cubierta con un programa alimentario, que en papeles es capaz de alimentar a millones de personas, mostrando un cinismo estatal incomparable al utilizar estos medios de difusión de alcance mundial y, más aún, al llevar este plan gubernamental a la Reunión Interamericana de Ministros de la Salud y Agricultura (RIMSA XXII) celebrada en mayo del 2001 en Brasil, como una alternativa a la solución del problema alimentario del país.

Resulta inexplicable el hecho de que nuestro gobierno no disponga de presupuesto para invertir en la compra de alimentos (justificación gastada, etiquetada con un sello USA por aquello del bloqueo económico) y sin embargo sea capaz de cubrir el gasto de decenas e incluso cientos de congresos, reuniones internacionales o cualquier otro evento de carácter antiimperialista que esté circulando en el planeta; por años hemos servido de anfitriones para cualquier conferencia en la que se culpe y condene al enemigo del norte, esta es la verdadera batalla, la ideológica, las necesidades del pueblo pasan a un segundo plano cuando se trata de desenmascarar

---

[239] Boletín Informativo de la Organización Panamericana de la Salud, vol. 7, no. 1, 2002.

al imperialismo yanqui. La opinión pública internacional no se imagina la cantidad de recursos invertidos en ese sentido, es un tema escabroso conocido como una especie de turismo político, que la mayoría de los países no desea costear. Veamos solo un ejemplo de lo que sucedió en el último trimestre de 2002.

Durante ese año, al igual que en la actualidad (como carta de presentación del periodo posrevolucionario), la vida diaria del cubano ha sido muy limitada como verdadera expresión de la crisis *in crescendo* del comunismo castrista, matizada por una carencia absoluta en todos los renglones de la economía, donde obviamente no escapan los alimentos que no bajan sus precios en ninguno de los tres tipos de mercado: estatal, campesino y mercado negro, donde el cubano de a pie tiene que dejar prácticamente todo su salario para alimentarse. Ese año, al igual que los de la mayor parte de esta década de inicios de siglo, las noches veraniegas transcurrieron en penumbras, es decir, se mantuvieron los apagones como medida gubernamental para ahorrar energía, con lapsos de tiempo que oscilaban entre una hora y 12 horas, en dependencia del lugar de residencia, que muchas veces no respetó ni los intocables barrios capitalinos como el Vedado y, para no variar, los acostumbrados problemas con el agua potable, sin contar que para la compra de artículos de primera necesidad se deben visitar las conocidas tiendas por divisas o *shopping*, en las cuales para adquirir algún producto están obligados a cambiar el dinero que reciben a moneda dura. Y como si todo esto fuera poco, inmiscuidos en este espectro de escaseces, el cubano común tiene que soportar que el gobierno cubano celebre en un mismo momento, tres eventos internacionales con gastos millonarios:

- Segundo Encuentro Hemisférico contra el Área de Libre Comercio de las Américas (ALCA), en el que participaron más de 1 000 invitados.
- XIII Congreso Latinoamericano y Caribeño de Estudiantes (CLAE), en el que participaron más de 1 000 invitados.
- Primera Olimpiada Cubana del Deporte Revolucionario, en la que participaron más de 1 000 atletas, jueces, autoridades del deporte e invitados.

No es necesario conocer las teorías o dominar las fórmulas conceptuales y estadísticas de la economía para imaginar los altos gastos sin reembolso de estos tres mega eventos en cuanto a alojamiento, alimentación, recreación, transporte, utilería y avituallamiento, entre otros.

¿Es en realidad el programa de la alimentación del pueblo el programa número uno de la Revolución?, como señaló el Comandante en Jefe durante la clausura del Taller Internacional sobre la Neuropatía Epidémica en Cuba, celebrado en julio de 1994, o en realidad lo más importante era la imagen con proyección internacional de una revolución victoriosa y antiimperialista, guiada por un líder único al cual el mundo debe venerar por su comportamiento de hermano mayor que advierte sobre los problemas venideros y sus posibles soluciones.

Sería interesante hacer una encuesta entre los periodistas oficialistas que vociferan sobre la verdadera libertad de expresión presente en Cuba, para determinar cuál de ellos se entusiasma por investigar la enigmática suma de dólares que invierte el gobierno en el turismo político practicado desde el mismo triunfo de la Revolución y utilizando las mismas fórmulas, con las cuales acusan a los Estados Unidos por las pérdidas multimillonarias provocadas por el pretexto eterno del bloqueo económico. Porque el cubano corriente no solo debe soportar la vergüenza y la humillación de que por su nacionalidad, no pudo visitar por años las mejores playas, hoteles, restaurantes y otros centros de recreación (medida que no respeta la Constitución de nuestra República, que lo señala como uno de los derechos ciudadanos en su artículo 42), sino que no pueda recibir ni siquiera normados, en cantidad y calidad dignas, alimentos de alto valor proteico como en muchas partes del mundo.

¿Adónde fueron a parar las 712 000 toneladas de productos agrícolas norteamericanos que entraron al país de 2001 al 2002, obedeciendo a acuerdos comerciales con entidades empresariales norteamericanas que se pronunciaron por eliminar el bloqueo y normalizar los vínculos económicos con Cuba desde hace más de 10 años? ¿Cómo es posible que a pesar de esta entrada adicional de alimentos, la cuota per cápita sea de cinco libras de azúcar, cinco libras de arroz, media libra de frijoles y sal para un mes? ¿De qué manera el señor Jacques Diouf puede hablar de seguridad alimentaria del pueblo de Cuba cuando la mayoría de los cubanos, para poder subsistir, tiene que valerse del robo o depender del mercado negro, siempre víctimas del estrés diario relacionado con lo que comerán tanto él como su familia?

Solo los cubanos saben los daños que ha causado esta situación de miseria cotidiana, los causados en la esfera afectiva son incalculables, con una enorme pérdida de valores, porque incluso debemos ir contra las normas de conducta social establecidas por nuestros antepasados para poder sobrevivir, hemos llegado a confundir conceptos como robar, llamándolo "conseguir" o adular, llamándolo "servir", o delatar, llamándolo "subsistir". Estos daños son irreparables y lo peor es que ni siquiera esta actitud nos ofrece una vía de acceso a los alimentos y, mucho menos, para aspirar al bienestar que contribuye al desarrollo humano.

Existen cientos de personas encarceladas por el delito de hurto y sacrificio de ganado mayor, algunos lo hacen como un modo de vida, pero otros lo hacen simplemente para sobrevivir. La difícil y compleja situación que se ha creado en torno a la búsqueda de alimentos ha llevado a muchos ciudadanos que solo viven de la seguridad social que les brinda el gobierno (es decir, unos 70 pesos mensuales, sin derecho a bonos de alimento) a atentar contra sus vidas como única salida.

Los índices de suicidio son tan elevados en nuestra población, que las autoridades de salud han controlado muy bien las estadísticas, prohibiendo cualquier trabajo o investigación científica que se interese por las causas reales del asunto.

Pongamos tan solo un ejemplo de la inseguridad alimentaria vigente en nuestro país (pudiera multiplicarse por 100 o 1000, si tenemos en cuenta el limitado alcance de nuestra información).

El 27 de noviembre de 2002, a las 6:55 p.m., un joven residente en la avenida 27 del municipio de Caibarién fue encontrado ahorcado en el traspatio de su casa después de haber tenido una discusión con su madre, la cual lo había acusado de comerse todo el picadillo de soya que ella había cocinado para la familia; el joven, apenado ante sus amigos, no vio otra salida que quitarse la vida. Esta situación, que en cualquier otro lugar hubiera sido una anécdota o un chiste intrascendental, aquí se convirtió en una desgracia.[240]

A diario asisten a los cuerpos de guardia de los hospitales del país personas víctimas de un intento de suicidio o un suicidio consumado, que obedece a diferentes razones (en muchos de esos casos el tema de la inseguridad alimentaria está presente), llevados a cabo por medio de diferentes métodos que oscilan desde la ingestión elevada de psicofármacos, ahorcamientos, quemaduras del cuerpo, ingestión de fertilizantes y sustancias químicas, hasta métodos inimaginables, como por ejemplo:

Lo sucedido el 2 de diciembre de 2002, cuando los médicos de guardia del Policlínico Buenavista, en Remedios, recibieron a un paciente de 80 años que decidió quitarse la vida agobiado por la escasez; para ello, afiló una barra de acero, se la colocó en la sien y con un golpe de martillo, se la introdujo en su cavidad craneana.

En no pocos ciudadanos que han leído el discurso del Comandante en Jefe en la Clausura del Taller Internacional sobre la neuropatía epidémica en Cuba, efectuado en julio de 1994, les provoca decepción por el incumplimiento de la mayoría de sus planteamientos, relacionados con las esperanzas de mejorar la alimentación propiamente dicha o mediante el uso de suplementos dietéticos. Durante su intervención, el entonces presidente de la República lamentaba que nuestro país no tuviera las pampas argentinas, ni

---

[240] Este caso fue atendido por uno de los autores. La noticia se regó como pólvora en Caibarién.

dispusiera de millones de cabezas de ganado u otros animales que pudieran solucionar el problema alimentario cubano, esa fue la única justificación que encontró para explicar que tan solo así el gobierno cubano podría haber tomado medidas preventivas que evitaevitaran una catástrofe alimentaria de tal magnitud. Olvidando que tan solo un año antes de él tomar el poder por la fuerza, Cuba contaba con estadísticas impresionantes en muchas esferas, incluyendo el tema del ganado vacuno, que promediaba 0,86 cabezas de ganado vacuno por habitante; fue su gobierno el que se encargó de su extinción como consecuencia de su mala administración y una política catastrófica en cuanto a su crianza, reproducción y comercialización, con evidente abandono de sus lugares de cría y pastoreo, contaminación de los ríos, desaparición de los potreros que fueron convertidos en junglas de marabú, invalidando la tierra y consumiendo sus animales. Si Castro tomara por su cuenta un país como Argentina, poco le durarían sus más de 50 millones de cabezas de ganado vacuno, sus 23.7 millones de ganado bovino y sus 4.8 millones de ganado porcino.

Pero ahí no terminan las interrogantes; preguntemos , además, dónde están los complejos vitamínicos prometidos, enriquecidos con vitaminas del complejo B y nicotinamina o vitamina B3, también conocida como niacina, que evita enfermedades de la piel como la pelagra, ya erradicada en gran parte del mundo con la introducción de complementos del ácido nicotínico en la harina desde el año 1939, o recomendando un consumo diario de carnes, leche o huevos, elementos todos ausentes en gran medida en la dieta del cubano. Por años han estado ausentes de las farmacias, ni hablar entonces de los suplementos dietéticos con minerales y oligoelementos que también ofreció y de los cuales dijo no sentir vergüenza de su consumo por nuestro pueblo, porque hasta los países desarrollados los usan, y puso el ejemplo de Suecia.

¿Adónde fue a parar la famosa espirulina (alga microscópica de agua dulce, rica en vitaminas, minerales y proteínas, utilizada como suplemento dietético) que anunció durante su intervención, presentada como una verdadera panacea? ¿Será acaso a las tiendas recaudadoras de divisas bajo el nombre de Spirel (cubana, 100 % natural para hombres de negocio, deportistas y personas que sufren estrés, según su propia publicidad) a un precio de 5 pesos convertibles cubanos (CUC), es decir, 140 pesos cubanos?

¿Adónde fue a parar la producción de millones de hectáreas de tierra estatal, presentada como una de las alternativas para solucionar el problema alimentario, si el tiempo se encargó de demostrar que ni se entregaron las tierras a los campesinos, ni mucho menos se cultivaron?

Serían interminables las preguntas que se le podrían formular al gobierno castrista en asuntos referentes a la alimentación del pueblo; nos gustaría cerrar el tema con otra pregunta dirigida a quienes dentro de los regímenes totalitarios subsisten en el campo de la política acusando a los demás de lo que ellos hacen impunemente: ¿Por qué nuestras más relevantes figuras de la diplomacia son capaces de llamar mentirosos y calificar de maniobras burdas las palabras y acciones de otros sin entrar a analizar las suyas? De *mentiras desfachatadas* calificó el excanciller cubano Felipe Pérez Roque las declaraciones del exsubsecretario de Estado para Asuntos Hemisféricos del gobierno de Estados Unidos, Otto Reich, ante la Heritage Foundation (Fundación para el patrimonio o programa de jóvenes líderes) el 31 de octubre de 2002, quien acusó a Cuba de tener un programa limitado de investigación y desarrollo de armas biológicas ofensivas.

Sin embargo, es contradictorio que en el informe de Cuba al secretario de las Naciones Unidas sobre la Resolución 56/9 de la Asamblea General de la ONU, con el título "Necesidad de poner fin al bloqueo económico, comercial y financiero de los Estados Unidos contra Cuba", presentado por el excanciller, en el capítulo 3.2. Alimentación, pág. 6, segundo párrafo, se plantea:

> *...el consumo de carne y huevos se ha visto drásticamente afectado, las propias fuentes norteamericanas reconocen en sus estadísticas sobre el desarrollo de la industria avícola mundial que en Cuba el consumo de carne de ave y huevos durante el año 1990 era de 12,2 kg y 10,3 kg per cápita respectivamente, sin embargo, en el año 2001 el consumo de estos renglones se estimó en 7,1 kg y 5,1 kg per cápita.*

Al hacer mención de estas estadísticas, Pérez Roque no las confirma, pero tampoco las desmiente, sino que solo las usa para evidenciar que incluso las propias fuentes norteamericanas aceptan el recrudecimiento del bloqueo, pero de una manera sutil toma como suyas las cifras reveladas para decirle al mundo que en nuestro país existe un programa de alimentación para la población que contempla el consumo de carne de aves y huevos, que aunque a valores inferiores a las necesidades diarias, son muy superiores a las cifras reales.

Es una verdadera falacia utilizar estas estadísticas en vez de referirse a las propias, a las hechas en casa; para el que no conoce la realidad cubana y le presentan este informe, quizás pueda imaginar que aunque están presionados por el bloqueo económico, el gobierno de la isla trata de solucionar la gran problemática de la alimentación de su pueblo.

Desde finales de 1988, el cubano común no recibe carne de ave dentro de los productos normados en la libreta de abastecimiento, esta queda reservada tan solo para los distintos tipos de dietas médicas especiales que se reparten con muy poca frecuencia y solo para los privilegiados ciudadanos que viven en la capital del país (como política de Estado, siempre han recibido productos normados un poco mejores que los de provincias, tanto en cantidad como en calidad, tal vez para crear una falsa imagen de la alimentación del pueblo y mantener contentos a los que viven en la capital, evitando así problemas políticos con participación de la prensa extranjera), no se debe olvidar que la población de la capital solo representa el 20 % de la población, por lo que el resto de los cubanos residentes en la isla ha tenido que sufrir la ausencia de esta proteína de su mesa y para poder ingerirla han tenido que pagar elevadas sumas de dinero en el mercado negro o en el estatal (cuando la ofertan), o dedicarse a su cría en casa, modalidad que ha sido uno de los flagelos del mal llamado Periodo Especial, que ha dado el visto bueno a la cría de animales como único medio de consumir su carne; por años los ciudadanos se han dedicado a la crianza de animales (cerdos, pollos, patos, carneros, conejos, etc.) a lo largo y ancho del país como opción alimenticia, utilizando patios, balcones de edificios, azoteas y, en el peor de los casos, conviviendo con ellos; conocemos casos que criaron al puerquito como mascota dentro del hogar, compartiendo el baño, para luego convertirlo en la cena el 31 de diciembre.

Aceptar que en el año 1990 cada individuo consumió 2,23 libras de carne de ave y 17 huevos mensuales (gracias a la planificación y distribución de alimentos que hace el Estado), es una mentira de Pérez Roque, al igual que la mitad de estas cifras en el año 2001; recuérdese el análisis que hicimos de una libreta de abastecimientos de ese año (cuando les convienen las estadísticas, las usan, si no, se explayan contra ellas), sin embargo, no disponemos de toda la información para desmentir al señor Pérez Roque como portavoz del gobierno, pero sí podemos aportar algunos datos de interés.

Durante más medio siglo, el pueblo de Cuba ha sufrido en carne propia la empobrecida y discriminatoria política alimentaria del gobierno, expresada a través del término canasta básica carente de los alimentos más elementales, en cantidad mínima, sin recibir todos los ofertados en tiempo real (es decir, un mes te pueden vender los del mes anterior, o con la mitad del peso que faltó en el anterior), con ausencia total de higiene, envasados a granel (en tanques, sacos o cubetas), sin la adecuada protección contra roedores, sin equipos de refrigeración para su conservación, trasladados en cualquier tipo de vehículo, incluso en carretones tirados por caballo, en cestas expuestas al medio ambiente, etc. Años de descontrol y poca vigilancia epidemiológica han matizado la venta de los alimentos para los cubanos comunes y corrientes. En pleno 2002, el Ministro de la Industria Alimentaria de entonces, el señor Alejandro Roca, propone señalar y discutir en el pleno de la Asamblea del Poder Popular la prioridad de la canasta básica:

En este momento, uno de los principales objetivos del organismo es asegurar la distribución a tiempo del ciento por ciento de los productos que integran la canasta básica, mejorar su calidad y tratar de avanzar en la eliminación de las entregas de productos sin un envase adecuado[241].

El sufrimiento y agonía de este pueblo durante décadas, echa por tierra aquella ley fundamental del anticuado socialismo que planteaba que *el crecimiento del bienestar material y espiritual del pueblo en el socialismo es una ley inherente a la esencia propia del régimen socialista*. Sobran las palabras.

---

[241] Diario *Juventud Rebelde*, 20 de diciembre de 2002, p. 5

Concluimos citando las palabras del señor José Luis Rodríguez, ministro de Economía y Planificación, en el informe que leyó en el pleno de la Asamblea Nacional del Poder Popular sobre los resultados económicos de 2002 y el Plan Económico para el año 2003:

Solo con una estrategia como la aplicada por nuestro Comandante en Jefe, basada en las enormes potencialidades de nuestro pueblo, es que ha resultado posible hacer tanto con tan poco en esferas tan importantes para el bienestar de nuestra población. Una de nuestras prioridades esenciales se refiere a la alimentación básica. En Cuba, a través de la libreta de abastecimientos, el consumo social, diversas ofertas reguladas a bajos precios o de forma gratuita, mediante cuotas dirigidas a diferentes grupos sociales, se contribuye a alcanzar este objetivo.

Microvertedero en uno de los repartos de la ciudad de Santa Clara (2011). La pésima higiene ambiental y comunitaria existente en las ciudades del territorio nacional propicia nuevos brotes de enfermedades tales como el dengue cólera, e incluso paludismo.

Artículo del periódico *Granma*, septiembre 2013, que se refiere a las precarias condiciones en que se encuentran las calles, alcantarillados y depósitos de basuras en el municipio 10 de Octubre, en La Habana.

450

Intervención del director de la FAO reconociendo los resultados de la agricultura cubana.

Es impresionante lo que aquí se está logrando

Afirma Jacques Diouf, director general de la FAO, al conocer los resultados de la agricultura urbana. Concluye hoy en La Habana XXVII Conferencia Regional de ese organismo de la ONU

■ **Félix López**

Jacques Diouf, director general de la FAO, ha venido a La Habana con una gran preocupación: "Yo no entiendo —dice consternado— cómo se puede sostener que la prioridad de los organismos internacionales es la lucha contra la pobreza, mientras disminuyen los recursos que van a manos de los pobres".

Al responder las preguntas de la prensa nacional y extranjera acreditada a la XXVII Conferencia Regional de la FAO para América Latina y el Caribe, este incansable luchador contra el hambre de millones de seres humanos en el mundo, afirmó que está convencido de que la solución de la pobreza es un problema que se resuelve a nivel político y no técnico.

Explicó que existen algunos ejemplos de países que han encontrado soluciones en el tema, e invitó a investigar en qué gastan los gobiernos los presupuestos de las naciones, y cómo marcha la responsabilidad colectiva de los países ricos y los organismos internacionales que se han creado para ayudar al desarrollo del mundo.

En Cuba, ejemplificó Diouf, es impresionante lo que se está logrando con el objetivo de mejorar los niveles de alimentación del pueblo. En particular con el proyecto de la Agricultura Urbana, que ha obrado el milagro de alcanzar 3 000 000 de toneladas de vegetales en 7 años, al tiempo que dio empleo a 300 000 personas. Eso es digno de elogio, como también lo son las políticas que benefician a los pequeños productores, o las inversiones realizadas en función del riego, la lucha biológica y las investigaciones.

Al referirse a las consecuencias de las reformas estructurales en las economías de la región, el Director General de la FAO afirmó que en muchos países hay una tendencia a dar prioridad al equilibrio macroeconómico, y a la importación de productos alimentarios a bajo costo, mientras los programas de ayuda al medio rural o de creación de empleos en la agricultura son casi inexistentes, y sin una relación de equidad.

Al respecto, Diouf sostuvo que la situación económica y la falta de voluntad política tienen hoy un impacto impredecible sobre el hambre: "Hay que reducir 22 000 000 de hambrientos por año, y no 6 000 000 como viene ocurriendo... Pero esto no será posible con una disminución del 40% en los préstamos bancarios al sector agrícola. Es imposible el desarrollo disminuyendo las inversiones", sentenció.

Interrogado por **Granma** sobre las contribuciones de los países ricos al fondo fiduciario de la FAO (solo se ha logrado un 20% de los 500 000 000 que se necesitan), Diouf explicó que se trata de donaciones voluntarias, pero donde se refleja el verdadero interés político de los países desarrollados por solucionar la pobreza. Hasta el momento se cuenta con solo 100 000 000, y hay cinco países integrantes de la OPEP que han expresado oficialmente su compromiso de cooperar.

La próxima Cumbre Mundial de la Alimentación (Roma, mes de junio) debe movilizar, al más alto nivel político, a los gobiernos y representantes de la sociedad civil, para dar una respuesta urgente a los problemas de hambre y desnutrición en el mundo: "Pero se necesita que las declaraciones sean precedidas de hechos. Si no se alcanza el derecho a la alimentación, que es el fundamental, son irreales los demás derechos humanos".

Mientras en la sala de conferencia se seguía discutiendo ayer sobre las tendencias y los desafíos de la agricultura en la región, Jacques Diouf, director general de la FAO, contaba a los periodistas una anécdota que vale para entender los desafíos del organismo que dirige: solo en un mes la página web de la FAO ha llegado a recibir 23 000 000 de demandas.

CAPÍTULO XIV
La atención estomatológica

Palabras clave

Extracciones a sangre fría • el turno • no hay materiales • mercado negro
odontológico • prótesis • despojar a un muerto • pasta y cepillos dentales •
compartir la maquinita • campaña de prevención • la propaganda
• pacientes con paciencia

El modelo de atención que se realiza en los servicios estomatológicos es el de Estomatología General Integral, en el cual se vincula un estomatólogo general a dos consultorios del médico de la familia para una relación habitantes/estomatólogos de aproximadamente 1200. Este modelo solo se aplica a un 46 % de los estomatólogos generales por ser insuficientes los recursos humanos disponibles en los territorios. No obstante, en todos los casos siempre se vincula a un estomatólogo un número determinado de consultorios del médico de familia, lo que permite la ejecución de acciones integrales sobre los grupos de población priorizados, así como actividades de promoción y prevención. Esta cita la tomamos del documento elaborado en la VII Reunión Metodológica del MINSAP, conocido como "Carpeta Metodológica de Atención Primaria de Salud y Medicina Familiar", plasmado en el capítulo referente a la organización y funcionamiento de la estrategia de estomatología en la atención primaria.

Hemos comenzado este capítulo de esta forma para que el lector tenga una idea general de lo que vamos a tratar, ya que queremos demostrar, una vez más, la manera en que se manipula la atención de la población en lo que respecta a la salud. Reconocen que la cobertura que se ofrece adolece de problemas de carácter objetivo y subjetivo y, como es lógico, los dirigentes de la salud piensan que solo se puede modificar el carácter subjetivo, es decir, solo el hombre como exponente de lo subjetivo puede recibir reajustes o transformaciones, y contra él tienen que luchar los dirigentes para que el resultado sea una atención estomatológica de calidad que permita al paciente recibir un buen trato, que se sienta satisfecho al poder contar con un buen examen físico de su cavidad bucal y una correcta "dispensarización". De esta manera, esos dirigentes pueden continuar viviendo en la burbuja ideal de la correcta higiene bucal y la creencia maravillosa de una disminución en la incidencia de lesiones malignas y premalignas de la cavidad bucal, considerado un indicador de confort social.

De más está decir que las palabras con que nos bombardean a diario siguen siempre la política de moda, según la cual se categoriza todo de acuerdo con "el carácter objetivo y subjetivo de las dificultades" (un concepto marxista) y tal parece que ahora, al cabo de más de medio siglo de revolución, nuestros dirigentes se han percatado de que no pueden exigir recursos materiales debido a la maltrecha economía, deudora de la revolución industrial socialista, y se dan prisa en enfocarse en el hombre, presentándolo como el mejor resultado de la revolución y el potencial humano para el cual incluso existen planes de explotación, como reconoció con frialdad el expresidente de la República en uno de sus discursos (28 de septiembre de 2003): *El país vivirá, incluso, de sus producciones intelectuales.* A este hombre, que necesariamente tiene que participar de manera activa en los planes de la revolución o en sus programas, como se les llama en fechas recientes, le crean una dependencia absurda del sistema bajo la norma de, si no haces lo que digo, quedas fuera. Es sobre él donde pueden hacer incidir el binomio objetivo/subjetivo, con énfasis en el último término más que en el primero, es decir: el factor subjetivo, el hombre, no necesita una gran inversión y es fácilmente controlable.

El elevado déficit de los recursos materiales en esta esfera de los servicios de salud (al igual que en las otras) es el pan nuestro de cada día. Es de dominio común que para obtener una buena atención estomatológica, se necesita contar con una serie de requerimientos objetivos: agua, electricidad, gasa estéril y algodón, los cuales forman parte de las necesidades generales, y otros particulares, como sillón estomatológico y equipo compresor en buen estado, materiales o sustancias imprescindibles como amalgama (aleación del mercurio con otros metales como plata, estaño, cobre, zinc u oro), elemento clave para la obturación o empaste, como se conoce popularmente, entre otros.

Por desgracia para los pacientes, el día menos pensado (porque nadie sabe con antelación el momento en que se puede presentar una urgencia estomatológica), cuando tengan que acudir a una clínica, si disponen de suerte, quizás existan todas las condiciones o requisitos generales para recibir la atención, pero normalmente faltan los particulares, y entonces se les dice la manida frase: *no podemos atenderlo porque no hay materiales estériles (anoche se fue la luz), o no disponemos de productos para el empaste, o no hay anestesia.*. Según estadísticas del Departamento Provincial de Estomatología en Villa Clara, en el primer semestre de 2007 se dejaron de atender a 2161 personas, casi todos por dificultades con el abastecimiento de agua a las instituciones.

Igual que ocurre con la atención médica, en la estomatológica también existe el favoritismo y las categorías en la atención al paciente: solo una minoría selecta tiene acceso a los recursos materiales que están en déficit para la gran mayoría; esta preferencia obedece a que, en muchos lugares, el tratamiento estomatológico se realiza mediante pago en divisas, principalmente en la capital del país, donde tenemos referencias de que las tarifas oscilan entre los 5 y los 40 dólares, en dependencia de la patología que se va a tratar y del procedimiento. Las autoridades de salud no son ajenas a esta situación. Por ejemplo, en el balance anual de la rama de la salud celebrado en La Habana y publicado en el diario *Juventud Rebelde* correspondiente al jueves 27 de febrero de 2003, en uno de sus párrafos se señala lo que el titular de salud, Dr. Damodar Peña, planteó:

> *Es necesario eliminar deficiencias que no necesitan de recursos: mala atención al paciente, personal de la salud que fuma, favoritismos en clínicas estomatológicas.*

La situación financiera de los trabajadores estomatológicos es tan precaria que, a pesar de las amenazas gubernamentales, se arriesgan a todo, incluso a perder sus títulos si fuera necesario, porque ellos mismos se dicen, *total, para cómo vivimos, lo mismo da.* Esa es la respuesta que se obtiene por parte de algunos estomatólogos cuando se aborda el tema. El problema ha tomado tal magnitud que el mismísimo presidente de la República lo ha señalado sin tapujos:

Espero que la conciencia de nuestros trabajadores y especialmente de nuestros médicos repudien desde lo más profundo de su alma al mercenario que pretenda sobornar a un médico o a un prestador de servicio de salud, o que quieran estar cobrando por debajo de la mesa un servicio estomatológico, un servicio de la vista u otros.[242]

Las palabras del propio Fidel reconocen con claridad que existe el cobro de los servicios de salud por debajo de la mesa, y califica de pillos a quienes lo practican; él considera que lo hacen para enriquecerse, para vivir mejor, pero no se pregunta ¿por qué lo hacen? si les pagan lo suficiente, si viven de manera decorosa, realmente nunca va al núcleo del problema, a sus raíces, aunque sí lo hace cuando se trata de otros asuntos, digamos más internacionales. Es muy fácil criticar para ganar popularidad y demostrar su carácter antinorteamericano (nos referimos al tema del terrorismo después del 11 de septiembre de 2001), y ha repetido innumerables veces que la lucha contra el terrorismo no es contra quienes lo practican sino contra sus raíces: el hambre, la explotación, etc. Señala que la lucha internacional contra el terrorismo:

...se resuelve poniendo fin, entre otras cosas, al terrorismo de Estado y otras formas repulsivas de matar, poniendo fin a los genocidios, siguiendo lealmente una política de paz y de respeto a normas morales y legales que son ineludibles.[243] En otra comparecencia, señaló: Temo hoy que si existió la posibilidad de derrotar al terrorismo sin guerra mediante la cooperación y el apoyo unánime de toda la comunidad internacional que diera lugar a medidas verdaderamente eficientes y a la formación de una profunda conciencia moral contra el terrorismo, cada día que pase esa posibilidad se aleje.[244]

---

[242] Discurso pronunciado por Fidel Castro Ruz en la Escuela Latinoamericana de Ciencias Médicas, el 3 de diciembre de 2002, publicado en Tabloide Especial, pp. 6 y 7.

[243] Discurso del Comandante en Jefe Fidel Castro Ruz el día de los trágicos hechos ocurridos en Estados Unidos el 11 de septiembre de 2001.

[244] Comparecencia del Presidente de la República de Cuba, Fidel Castro Ruz, en la Televisión Cubana, sobre la actual situación internacional, la crisis económica y mundial y la forma en que puede afectar a Cuba, 2 de noviembre de 2001 (versiones taquigráficas, Consejo de Estado).

Es fácil criticar la paja en el ojo ajeno sin ver la viga en el nuestro, es más factible hablar de las deficiencias de otros países y darles consejos y sin embargo no ofrecer soluciones para tus propios problemas internos, una actitud que ha mantenido durante muchos años y, con ella, no estamos defendiendo a quienes inescrupulosamente tratan de solucionar sus problemas monetarios a expensas del dolor ajeno, pero nos duele la manipulación que hacen del tema. ¿Cómo es que en algunos asuntos hay que buscar su origen y en otros no? ¿Acaso estará en dependencia de las ventajas políticas que se deriven? ¿Por qué utilizar acciones contra los "pillines" (los que cobran por dar un servicio) como recurso represivo y no ir a su causa, que es la necesidad de aumentar los salarios, el pago de un porcentaje del sueldo en divisas o la distribución de la famosa jaba de alimentos o de productos para el aseo personal y del hogar como métodos que podrían ayudar a reducir el favoritismo? ¿O yendo más allá, al injusto sistema político en el que vivimos?

La atención estomatológica, al igual que la médica, se ve limitada por la falta de inversión en los recursos que hacen falta para su práctica, por lo que no constituye una sorpresa para nadie que a la hora de necesitar de esta atención se encuentren con que no existen muchos de los elementos imprescindibles para realizar una obturación (óxido de zinc, eugenol o mercurio), por lo que tranquilamente para unos, y sin otras opciones para otros, se exige la extracción de la pieza como única solución del problema.

El ciudadano cubano es un fiel exponente de las limitaciones o violaciones gubernamentales a sus derechos económicos, civiles y políticos (lo que se dice un ciudadano de última categoría). Aunque resulta contradictorio que en la mayoría de las ocasiones acepta de muy buena gana, e incluso parece agradecer, una maltrecha atención estomatológica. Veamos un ejemplo:

En el Policlínico II de Caibarién Pablo Agüero Guedes, desde hace más de cinco años se realizan las perforaciones o barrenado de las piezas dentarias afectadas por caries con una sola cabeza de aerotor, que es el soporte donde se ubica la barrena, la misma pasa de la mano de un especialista a otro que está en espera, bajo la mirada lacónica y temerosa de los pacientes.

Es increíble que en todo un salón que cuenta con ocho sillones estomatológicos solo se disponga de una herramienta como esta, sin la cual no se puede realizar la acción estomatológica más frecuente: la obturación o empaste.

La pésima gestión administrativa, amparada por el disimulo de las organizaciones políticas (entiéndanse PCC municipal, Poder Popular y otras), se refugia en la tan gastada excusa de que todo es culpa del bloqueo de los Estados Unidos; las autoridades, que ya conocen bien su papel para mantenerse en sus puestos, se hacen las desentendidas y esta situación ni siquiera se plantea a las instancias superiores, nadie se atrevería a molestar con ellas a los jefes inmediatos porque la cadena de transmisión debe continuar y, al final, consideran que no vale la pena hacer ninguna denuncia, esta se podría ver como algo negativo y costarle a un jefe su cómoda plaza, por lo tanto, les dicen a los estomatólogos que sigan tirando con lo que tienen, porque la gente no se va a quejar (y es verdad que no se quejan). Este es el verdadero núcleo del problema, la verdadera razón. Cuando el expresidente Jimmy Carter expresó con bastante contundencia en su memorable intervención en el aula magna de la Universidad de La Habana el martes, 14 de mayo de 2002 que *este tipo de restricciones no son la causa de los problemas económicos de Cuba. Cuba puede comerciar con más de 100 países y comprar medicinas, por ejemplo, más baratas en México que en Estados Unidos*, contra él quisieron arremeter Miguel Fraga (estudiante de cuarto año de Licenciatura en Derecho), Daniel García (estudiante de quinto año de la facultad de Química), José L. Toledo (decano de la facultad de Derecho de la Universidad de La Habana) y Hassan Pérez (graduado de Licenciatura en Historia y presidente de la FEU), todos claramente adoctrinados por el propio Comandante en Jefe, pero no pudieron argumentar nada en contra de tal afirmación.

Tanto es así que el Ministro de Salud de turno, el Dr. Damodar Peña Pentón, en un momento de lucidez señaló que, *las respuestas en salud no admiten paternalismo,*[245] al reconocer que muchas de esas deficiencias están relacionadas con los mecanismos inadecuados, respuestas inoportunas o superfluas de los directivos y falta de acciones de quienes se escudan en las justificaciones con-

---

[245] Periódico *Vanguardia*, 14 de febrero de 2004, p. 8.

tinuas respecto a la situación económica que atraviesa el país. Estos señalamientos solo están destinados a la masa de dirigentes del nivel medio e inferior.

Pero esta no es la manera en que se tratan los problemas en nuestro país, no es el pueblo la máxima preocupación de los que lo dirigen, porque si así fuera, enfrentarían al monarca en jefe y lo presionarían para que destinara los millones necesarios para revitalizar, modernizar, construir y comprar todos los elementos necesarios e imprescindibles para que el sistema de salud en Cuba funcione medianamente bien, y se ahorrarían la propaganda de grandes titulares en la prensa para decir que se reparó tal o más cual policlínico en la capital, que ya existen equipos de ultrasonido en todos los policlínicos del país, que cada municipio cuenta con una sala de terapia intensiva y cientos de mentiras que aparentan no tener una intención política, sino la misión humanitaria de elevar el nivel de salud del pueblo.

Otra vez las "estadísticas"

Los informes sobre la salud que ofrece el gobierno cubano establecen que antes del triunfo de la revolución los servicios estomatológicos eran casi inexistentes, que solo había una facultad de estomatología en la Universidad de La Habana en la que se formaban unos pocos profesionales y, en cuanto al número de clínicas, la situación era similar. Y lo comparan con las cifras después del triunfo revolucionario, explican que el país comenzó de inmediato a cambiar esa cruda realidad, que los logros fueron cosechándose uno a uno y la población disfrutó de las bondades de un sistema de salud que hoy es referente para muchos países. Sin embargo, aunque es muy difícil tener acceso a cifras reales que nos permitan hacer una comparación del antes y el después del año 1959, nos hemos basado en el exhaustivo análisis del investigador Carmelo Mesa-Lago, el cual hace un cuadro comparativo[246]:

---

[246] Mesa-Lago, Carmelo: "Tabla IV. Ordenamiento de indicadores de Cuba en América Latina, 1953-1958 y 2005-2007 (de mejor a peor)", en: *Balance económico-social de 50 años de revolución en Cuba*, América Latina Hoy, Vol. 52, Ediciones Universidad de Salamanca, 2009, pp. 41-61.

Indicadores	1953-1958	2005-2007
Dentistas x 10 000 habitantes	3	3

¿De qué forma pueden hablar de una atención estomatológica priorizada por el Estado si el mismo es incapaz de garantizar de manera regular la simple venta normada de pasta dental y los cepillos de dientes solo los venden en las tiendas recaudadoras de dólares?

Durante el primer semestre del año 2003 al pueblo de la provincia de Villa Clara no se le vendió pasta dentífrica, sin embargo, se podía encontrar a montones en las tiendas de divisas, pero al precio de 90 centavos de dólar o 1.50 dólares (equivalentes a 20 o 40 pesos cubanos; contando con un sueldo promedio de 262 pesos al mes, se necesita laborar entre dos y cuatro días para comprar un tubo de pasta de dientes). Igual ocurre con el cepillo dental, que cuesta 85 centavos de dólar. Se pueden imaginar la gran preocupación del Estado cubano respecto a la atención estomatológica, incapaz de garantizar una correcta higiene bucal. Por un lado (recuérdese el viejo eslogan de *la prevención como premisa),* y por otro, una vez que aparecen las caries dentales, no puede asegurar la obturación de la pieza por falta de materiales para el procedimiento.

Pero aquí no terminan las dificultades, si es necesaria una técnica de extracción masiva por cualquier causa, que conlleva la necesidad de usar una prótesis parcial o total, entonces es cuando viene la debacle... porque se necesita mucho, pero que mucho dinero, para poder hacerse este tratamiento debido a que nuestro sistema nacional de salud es incapaz de garantizar los componentes necesarios para la confección de las mismas, y los pocos que pone a disposición de los profesionales que las confeccionan, son utilizados en un 50 % para cumplir con el trabajo, y el otro 50 % para buscarse la vida, es decir, para realizar prótesis por cuenta propia.

En el policlínico de Buenavista, municipio de Remedios, por ejemplo, existe una lista de espera de más de setecientas personas que aguardan a que les tomen las impresiones para la confección posterior de su prótesis total o parcial. Sin embargo, a pesar de que se les explica que existe una gran demora debido al déficit de materiales y que tan solo en esa localidad se confeccionan una o dos al mes para ese policlínico. Muchos prefieren continuar en la lista antes que abonar los 750 pesos que se exigen en el mercado negro por su confección.

Con el tema de las prótesis estomatológicas le ponemos la tapa al pomo de las calamidades de la atención estomatológica en nuestro sistema, aunque cuando de estas se habla, ya sea oculares, auditivas, u de otro tipo, las autoridades se las han ingeniado para culpar al gobierno de los Estados Unidos como responsable del déficit de materiales para su fabricación o su compra.

CAPÍTULO XV
Eutanasia

Palabras clave

¿Correcto o incorrecto? • quién toma la decisión • suspensión de
medicamentos • secretos profesionales • error profesional
• desconocimientos • Período Especial • un caso criminal

Desde hace cerca de veinte años, el tema de la eutanasia se
ha convertido en un problema muy sensible y controversial, las personas que han estado directamente involucradas con este, comprenden que se trata de algo aceptado como incorrecto, que va más allá de lo fisiológico pero que es, a la vez, necesario, ya sea para los familiares o para la conveniencia del paciente.

En sus comienzos, en nuestro país solo fue practicada por unos
pocos profesores bautizados como "locos". Sin embargo, de manera paulatina su práctica se fue extendiendo y hoy por hoy, se ha
convertido en una práctica a lo largo y ancho del país, ejecutándose
sobre todo en aquellos lugares en los que la muerte es dueña y señora, allí donde es la enemiga diaria que se quiere derrotar, nos
referimos a las salas de cuidados intermedios e intensivos.

Existen pacientes que, en dependencia del estado de salud
previo al evento que enfrentan, son capaces de mantenerse durante
mucho tiempo en estas salas, y no solo nos referimos a aquellos
que necesitan ventilación mecánica y drogas vasoactivas, sino también a quienes por su edad, estado inmunológico, complicaciones
sobreañadidas y enfermedades de base, extienden su estadía a varias semanas e incluso meses.

Por desgracia, este tipo de paciente se convierte, con el transcurso de los días, en alguien molesto.

El estado de inconsciencia, así como la fetidez que acompañan
invariablemente a estos pacientes, provocan el rechazo, el cual aumenta cuando se completa la triada (úlcera de presión, también conocidas como escaras), que se produce cuando la estancia del pa-

ciente en la cama es prolongada (en la mayoría de los hospitales, no existen colchones antiescaras). Cuando el paciente completa estos requerimientos, se convierte en un candidato para que se le practique una eutanasia activa.

Antes de continuar, resulta necesario hacer una referencia histórica sobre el tema. La palabra eutanasia se deriva del griego *eu*, que quiere decir bien, y *Thanatos* (tánatos), que significa muerte, lo que traducido literalmente sería muerte buena, suave, indolora, provocada o sin sufrimiento.[247]

La práctica de la eutanasia no es un invento de la sociedad moderna, ya Platón en su libro *La República*, recomendaba a los galenos no prestar atención a un hombre incapaz de vivir *el tiempo fijado por la naturaleza, por no ser ventajoso ni para el sujeto, ni para el Estado*. En la cultura latina, la palabra eutanasia se utiliza desde los tiempos del emperador Augusto, pues Suetonio, historiador romano, menciona más de una vez el término.

En la edad media, el filósofo y científico árabe Averroes defendió la eutanasia como procedimiento efectivo para que la sociedad no tuviera que hacerse cargo de individuos respecto a los cuales no existieran diferencias entre su precaria existencia y el no existir.

En el siglo XVII, el inglés Francis Bacon, filósofo e iniciador de las ciencias modernas, justificó la eutanasia al expresar:

Compete al médico proporcionar la salud y suavizar las penas y los dolores, no solamente cuando ese suavizamiento puede llevar la curación, sino cuando puede servir para provocar la muerte tranquila y fácil. [248]

En el siglo XX, el tema de la eutanasia llegó a su clímax cuando los nazis tomaron el poder en Alemania. Adolfo Hitler creó centros con el objetivo de practicar la muerte misericordiosa a los enfermos que, dentro de los límites del juicio humano y después de

---

[247] Bello Vázquez, N.: "La eutanasia, una realidad cercana", revista *Espacios*, publicación trimestral diocesana del Equipo Promotor para la Participación Social del Laico (EPAS), Archidiócesis de La Habana, año 6, No. 1, 1er trimestre de 2002, Cuba, pp. 12-13.

[248] Bacón, F.: *Nueva Atlantis. Utopías del Renacimiento*, Madrid-México, 1980.

un profundo examen, hubiesen sido declarados incurables. Más de 10 000 personas fueron asesinadas allí.[249] (2).

Existe una serie de clasificaciones para la eutanasia, pero queremos basarnos en las definidas por el doctor Norberto Bello Vázquez en la revista *Espacios:*[250]

- Eutanasia activa: Son las acciones destinadas directamente a terminar la vida. El médico ayuda a la llegada de la muerte mediante una acción concreta.

- Eutanasia pasiva: Consiste en omitir medidas terapéuticas que si se aplicaran, prolongarían el tiempo de existencia del paciente.

  Ambas pueden ser voluntarias o involuntarias, ya sea porque se realizan a petición del paciente o sin contar con él. La eutanasia activa involuntaria también se conoce como cacotanasia, y en esta se acelera el deceso del paciente violando su autonomía.

- Suicidio asistido: Ocurre cuando la acción de privarse la vida la ejecuta el propio enfermo con ayuda de otra persona.

En realidad, este es un tema candente que se discute constantemente en muchos países desarrollados, e incluso han tratado de legalizarla como práctica médica, como ocurre en Holanda, país en el que el Senado aprobó una ley que legaliza la eutanasia.[251]

La práctica de la eutanasia

En Cuba, la eutanasia no existe como delito, coincidimos con el doctor Bello cuando señala que este tema ni siquiera ha ido a debate en el sistema nacional de salud, ni conocemos profesionales instruido en una causa penal por esta violación (excepto lo sucedido en el hospital pinareño, que veremos más adelante) a pesar de que en el código penal cubano se expresa que *incurrirá en sanción de privación de libertad de 10 a 20 años o pena de muerte, el que*

---

[249] Lifton, J.: *The Nazi Doctors: Medical Killing and Psychology of Genocide*, London, Macmillan, 1986.

[250] Bello Vázquez, N.: "La eutanasia, una realidad cercana", *Op. Cit.*

[251] *Granma*, primera ed. del miércoles, 11 de abril de 2001.

matase a otro cuando el que sea muerto está en estado de indefensión.

Si nos atenemos a las estadísticas, muchos países desarrollados reportan que el 2 % de las muertes obedece a la práctica de la eutanasia, mientras que el 80 % de los galenos la ha practicado alguna vez.[252] Estamos seguros de que en nuestro país no se comporta de esta manera, aunque no existe ningún trabajo o investigación que nos sirva de termómetro para evaluarlo, solo se habla de una encuesta realizada por los doctores Irma A. Peruyera, Ivette M. Santiago y Ubaldo A. Peruyera en el Hospital Provincial Docente de Ciego de Ávila, y los resultados obtenidos fueron alarmantes. El 41,6 % de los profesionales entrevistados están a favor de ese proceder; de un total de 277 médicos encuestados, cuatro reconocieron haberla practicado alguna vez (1,4 %), de ellos solo 15 (5,4 %) la consideraron un acto criminal.[253]

Nuestros diez años de experiencia en salas de terapia intermedia de varios hospitales de la provincia nos avalan para afirmar que la eutanasia activa se ha convertido en una práctica diaria, no solo por parte de los médicos, sino también por parte del personal de enfermería, al punto de convertirlo en un verdadero problema que incide incluso en los índices de salud. Según un testimonio de una enfermera (a quienes no podemos mencionar), *el problema está en hacerlo por primera vez, después es fácil; además, con esto ayudas al paciente y a sus familiares, que llevan días o semanas esperando que esto ocurra, ayudamos al paciente a terminar con sus agonías, total, ya es un vegetal.*

Hemos escuchado testimonios de colegas que han presenciado escenas dantescas en las que los familiares, ahogados en llanto y con el corazón destrozado por el sufrimiento, les dan gracias a una enfermera por el trabajo realizado, por su abnegación y constancia. Sin embargo, cuando estos se retiran del lugar, la han escuchado exclamar: *mira que este mundo es cruel, si supieran que le administré cloruro de potasio y que por eso falleció.*

---

[252] Bello Vázquez, N.: *Op. cit.*

[253] "Eutanasia. Opinión de un grupo de profesionales de la salud", revista *Ethos,* julio-septiembre de 1998.

En el capítulo XII relativo al Programa de Atención Materno Infantil (PAMI), señalábamos la manera en que los gineco-obstetras practicaban la eutanasia activa en nuestro país; en este nos limitaremos a la práctica de la misma por parte de clínicos, intensivistas y personal de enfermería. Antes nos referíamos a qué tipo de paciente es el candidato ideal, ahora veremos las motivaciones.

Aunque no hemos podido hacer una encuesta o investigación que nos permita mostrar los resultados sobre el tema, nos hemos basado en lo que hemos escuchado y visto y nos atrevemos a plantear que tácitamente el motivo principal para la práctica de la eutanasia obedece a una conveniencia de quien la ejecuta, ya sea médico o enfermera. Por regla general, estos pacientes exigen un trabajo excesivo por parte de quienes tienen que atenderlos —el personal de enfermería—, quien tiene que enfrentar cada día los malos olores, la necesidad de higiene frecuente, el cambio de ropa, las curas diarias, a veces hasta dos por días, procederes que involucran grandes superficies de piel putrefactas y fétidas. Estamos hablando de una o dos horas de cuidados médicos y de enfermería.

Este tipo de paciente con un cuadro tan complicado, habitualmente fallece por sí solo, pero los hay que se "encartonan", como vulgarmente llaman muchos médicos, enfermeras y personal de servicio a estos pacientes que son enfermos con una larga estadía en dichas salas, que a pesar de su estado de gravedad burlan los pronósticos de los médicos respecto a su sobrevivencia. Todos saben que van a fallecer de manera irremediable, pero contradictoriamente el desenlace no se produce. Se convierten en candidatos y son los elegidos.

Con frecuencia, las enfermeras son las primeras en traer el tema a colación, desde luego, ya ellos saben a cuáles médicos les gusta o aceptan este proceder, por lo general son quienes han trabajado con ese médico con anterioridad o lo conocen por guardias médicas previas. Les tocan sagazmente el tema y le tiran la carnada para quitarse de encima el trabajo. Aunque es justo reconocer que no todos se prestan a esta práctica.

La otra vertiente de la conveniencia es la del propio médico. Conocemos a galenos que practican la eutanasia activa por desconocimiento o ignorancia, por ejemplo, están tratando a un paciente X que sufre un paro cardiorrespiratorio; si el médico es bueno, trata de permeabilizar la vía aérea, quizás coloca una cánula de Guedel y comienza a ventilar con máscara ambu (balón de resucitación auto-inflable)... si está solo, no dispone de una guardia de anestesia y el paciente continúa en paro respiratorio, se impone colocarle un tubo endotraqueal para lograr la correcta permeabilización de la vía aérea, y es aquí donde surge el dilema, no tiene habilidades para el uso del laringoscopio y el tubo endotraqueal, por lo que prefiere abandonar las maniobras de resucitación cardiopulmonar y dar por fallecido al paciente.

La otra variante es que exista la guardia de anestesia y se logre intubar correctamente al paciente para garantizar la ventilación, pero en el monitor comienzan a aparecer diferentes arritmias malignas contra las cuales administran algunos medicamentos porque desconocen el uso del desfibrilador en el caso de la fibrilación ventricular, o cardiovertir (véase capítulo XI sobre el SIUM) para otras arritmias y prefieren esperar la muerte.

Es bueno recordar que en Cuba existen magníficos médicos intensivistas, quienes dan su esfuerzo diario para salvar a muchos pacientes y hacen todo lo necesario y correcto para lograrlo; lo que sucede es que, debido a la masividad de la medicina y la construcción de improvisadas unidades de cuidados intensivos e intermedios en aislados municipios que no poseen los recursos suficientes para su funcionamiento ni cuentan con los médicos entrenados para laborar con ese tipo de paciente, ocurre muy a menudo que en esos lugares están de guardia médicos incapaces de enfrentar la más mínima urgencia médica, y muchas veces por ignorancia, desconocimiento o por falta de recursos, dejan morir a sus pacientes.

La peor de las opciones es el uso de medicamentos para producir un paro cardíaco. Es de dominio público que los altos niveles de potasio en la sangre (hiperpotasemia) pueden provocarlo: con valores sericos de potasio de 8 mEq/l (miliequivalentes/litros) o más se observa en el monitor ensanchamiento del QRS, bloqueo cardíaco, arritmias variables, ritmo idioventricular y paro por asistolia.[254] ¿Qué tipo de medicamento es el que usan? Utilizan, invariablemente, el cloruro de potasio o el gluconato de potasio, solo con dos o tres ámpulas endovenosas directas alcanzan este objetivo.

---

[254] Lovesio, C.: "Metabolismo del potasio", *Medicina Intensiva,* p. 404.

Hasta donde nosotros hemos podido llegar en este tema, no conocemos ningún caso de eutanasia activa solicitada por los familiares; a pesar de que los mismos piensan con frecuencia en ella como expresión de su impotencia ante el sufrimiento de un familiar o ser querido, ninguno se atreve a ejecutar esta acción porque sencillamente no es legal y correrían el riesgo de ser denunciados con posterioridad.

Los facilitadores de la muerte

Ya sabemos que en Cuba no se le da ninguna publicidad a las acciones que muestren el mal funcionamiento del gobierno, excepto cuando se trata de propaganda política frente a un objetivo determinado. Sin embargo, son muchos los ejemplos de casos que ocurren en la isla, referentes al tema de la eutanasia en los que el gobierno está involucrado de alguna manera y no se les da difusión en la prensa.

Según testimonios del Dr. Alberto Méndez,[255] médico de la más occidental de las provincias de Cuba, durante 1997 y 1998 un grupo de médicos y enfermeras del Hospital Provincial de Pinar del Río Abel Santamaría, fueron procesados legalmente luego de que la policía recibiera la denuncia de que en la sala de terapia intensiva de ese lugar algunos médicos y enfermeros se dedicaban al sucio negocio de "facilitarle la muerte" a los pacientes, previo convenio con familiares que esperaban alguna herencia. En el falso techo de dicha sala de terapia, las autoridades encontraron cientos de medicamentos que debieron administrárseles a los pacientes necesitados de los mismos, los cuales fallecieron con posterioridad porque estaban literalmente sin tratamiento. Desde luego, esta noticia nunca fue pública aunque los culpables sí fueron procesados.

Nos gustaría hacer un pequeño análisis psicológico que tal vez nos permita explicarnos de alguna manera esta conducta aberrada de muchos profesionales de la salud en nuestro país. Así, lo prime-

---

[255] Médico de Pinar de Río, seudónimo.

ro que nos viene a la mente es la pregunta siguiente: ¿influye en esta actitud la actual situación político-económica del país?

Sin lugar a dudas la respuesta es sí. Acudimos a la experiencia de la doctora Raquel Cohen, publicada en el libro *Salud mental para víctimas de desastres*,[256] en la que define las reacciones humanas a un ambiente impredecible de la manera siguiente:

> *Una persona que se desarrolla en un ambiente en el cual su conducta "usual" ya no conduce a un resultado que solía ser predecible, ni tiene un efecto o control sobre ese ambiente, sufre un elevado nivel de ansiedad que puede transitar de agudo a constante o crónico. Esta reacción humana afecta las funciones internas que controlan la conducta (fisiológica y psicológica), lo cual a su vez aumenta la tendencia a:*
>
> - *Exteriorizar emociones a través de la acción.*
> - *Distorsionar la conducta.*
> - *Sufrir una desorganización psíquica (entre otras).*

Veamos qué ha pasado con los profesionales de la salud: antes de 1991, estos trabajadores vivían con cierto decoro de acuerdo a lo que percibían, eran muy humanos y comprensibles, pero se produjo el descontrol de esta situación con la llegada del Periodo Especial, que condicionó un elevado aumento de los precios y no de los salarios, por lo que con el dinero percibido por su trabajo apenas les alcanza para cubrir las necesidades materiales mínimas, sobre todo para el aseo personal y algunos alimentos esenciales; este ambiente, que no se puede cambiar (recuérdese lo que le sucede al que tiene una opinión diferente), condicionan un alto nivel de ansiedad que llega a provocar trastornos en la conducta, los cuales se exteriorizan a través del trabajo. No se trata de que todas estas personas tengan serios problemas psicológicos o se hayan deshumanizado, pero sí le damos importancia a esta teoría porque quizás nos pudiéramos explicar el motivo por el cual el fenómeno de la eutanasia no era tan frecuente antes del Periodo Especial.

Las exigencias constantes hacia los trabajadores del sistema nacional de salud, así como el conocimiento por parte de ellos de

---

[256] (7) Cohen, R.: *Salud mental para víctimas de desastres, Manual para trabajadores*, Editorial El Manual Moderno, 1999, pp. 22, 33, 34.

que no existen perspectivas de mejoramiento, además de la falta de esperanzas y motivaciones, condicionan un estado de crisis grave en ese sector. Definimos el estado de crisis por los postulados de la Dra. Cohen, según los cuales el organismo está en un estado temporal de desequilibrio que precipita un factor estresante caracterizado por una situación intensa inevitable, que abruma nuestros mecanismos habituales de resolución de crisis.

Si aceptamos esto, podemos concluir que el fenómeno de la práctica de la eutanasia en Cuba obedece a una de las habilidades negativas de resolución de crisis que experimenta el ser humano:[257] la conducta es impulsiva, ventila su furia contra los individuos más débiles y los victimiza.

---

[257] Cohen, R.: *Op. cit.*

CAPÍTULO XVI
La atención a la salud mental

Palabras clave

La locura abandonada • salud mental en Cuba • sala Carbó Serviá
• Mazorra • Ordaz • los locos disidentes • electroshock • hacinamiento
• el escándalo de los enfermos muertos

La medicina es tanto un arte curativo como una ciencia.
La dinámica de esta combinación se manifiesta,
más que en ningún otro caso,
en la psiquiatría, que es la rama de la medicina especializada
en la asistencia y la protección de los personas enfermas o
discapacitadas debido a un trastorno o deficiencias mentales.

Revista Científica Gine-web,
número 2, septiembre de 1996.

Durante una intervención especial el 19 de junio de 2012 en uno de los salones del Hospital Psiquiátrico San Juan de Capestrano, ubicado en la capital de la isla del encanto (Puerto Rico), tuvimos la oportunidad de ver a Juan Cecilio Miranda, un joven puertorriqueño con sangre cubana (su padre es un genuino villaclareño) que padecía esquizofrenia. Todos los presentes, es decir, el grupo de médicos cubanos que por diferentes motivos estamos vinculados a un nuevo proyecto de estudio y superación, quedamos anonadados con la presentación de aquel paciente portador de un desequilibrio en sus funciones cerebrales, el cual nos dio una verdadera cátedra de sabiduría, dominio escénico, arte, música e historia. Fue un tiempo que disfrutamos al máximo debido a los estigmas que traemos de nuestro inolvidable país, donde un elevado número de los pacientes con afectaciones en la esfera psíquica quedan confinados y olvidados, no siempre por sus familiares pero sí por el resto de la sociedad que los condena a la marginación y segregación debido a que no están vinculados a la realidad de la misma forma que los demás, es difícil creer que alguien víctima de una enfermedad como esta pueda tener un reconocimiento como Juan Cecilio, quien es la expresión del acercamiento, comprensión, ayuda y nuevos tratamientos experimentados en una población con capacidades mentales limitadas.

Al igual que otros países, Cuba vive un estado de pobreza tal que ha condicionado una situación de estrés colectivo y siempre en aumento. El pueblo experimenta falta de esperanza en una mejoría de su condición humana, con un denominador común caracterizado por la impotencia, la desilusión y un estado mental de depresión permanente frente a una crisis perpetua desde el punto de vista económico, político y cultural.

Este rosario de calamidades ha conducido a un desequilibrio mental de grandes proporciones dentro de la maltrecha población cubana y muchas personas no tienen la capacidad de sobreponerse, es decir, no disponen de adecuados mecanismos de ajuste para asimilar y funcionar bajo la difícil realidad nacional. No queremos decir que la situación reinante por décadas en ese país sea la culpable de la alta incidencia de enfermedades neuropsiquiátricas, pero sí se convierte en uno de los factores que pueden acelerar su aparición, sobre todo en enfermos con carga genética previa, o abreviar los periodos intercrisis en aquellos portadores crónicos.

No es un tema novedoso ni poco común el de los abusos y desmanes con los pacientes psiquiátricos, todo lo contrario, la historia de la psiquiatría se encarga de demostrarlo constantemente. Estos pacientes primero fueron tildados de endemoniados e incluso quemados en hogueras hasta que en 1656 en Francia aparecieron los primeros asilos para la insania, cuyos directores estaban autorizados a detener de manera indefinida a las personas y en los cuales se llegaron a encerrar pacientes mentales junto con indigentes, huérfanos, prostitutas, homosexuales, ancianos, enfermos crónicos, a lo que se sumaba que debían soportar los inhumanos tratamientos: eméticos, purgantes, sangrías y torturas. Así ha ido evolucionando la historia de estas enfermedades, que sacan al individuo de la realidad para colocarlo en un extraño mundo de sensaciones y percepciones, ya por naturaleza terribles, pero peor aún cuando el medio que los rodea se les hace hostil.

No hay dudas de que la actuación del régimen cubano está directamente vinculada al deterioro de la salud mental de su pueblo. Por desgracia no disponemos de estadísticas que demuestren las elevadas incidencias de morbilidad por trastornos o deficiencias mentales durante las últimas cinco décadas.

El Estado cubano es, por naturaleza, un régimen violador de normas, conductas y derechos de sus ciudadanos y, al no preocuparse ni exigirles a los médicos psiquiatras que se opongan a las prácticas discriminatorias que limitan las prestaciones y la asistencia médica, es un facilitador de dicho maltrato y, por lo tanto, incumple la resolución No. 46/119 de las Naciones Unidas, que recoge los principios para la protección de las personas con enfermedades mentales.

Copiando a Stalin

Desde hace años se conoce la utilización por parte del gobierno cubano de las instituciones de psiquiatría, cuya función es, además de recluir a los enfermos mentales, confinar a sus opositores, al estilo de los *psikhushkas* (término coloquial ruso para referirse a un hospital psiquiátrico, donde estos recintos eran utilizados por las autoridades a manera de prisiones con el objetivo de aislar a los prisioneros políticos), como alumnos aventajados del líder comunista ruso José Stalin, quien estableció este método de castigo y aislamiento como forma de enfrentar a sus opositores.

Por décadas ha funcionado así, el gobierno de los Castros se ha encargado de tejer una cortina de hierro alrededor de los temas que tocan sus deberes referentes a la atención médica de los cubanos. Aunque los maltratos a enfermos y opositores han sido motivos de denuncias en múltiples ocasiones, la opinión internacional sigue creyendo en el discurso oficial y sigue actuando de manera incrédula.[258]

---

[258] Véase *The Politics of Psychiatry in Revolutionary Cuba*, Transaction books, 1991, de Charles J. Brown, en el que se registra un total de 31 casos de disidentes internados en hospitales psiquiátricos, objetos de torturas con electrochoques y drogas psicotrópicas, y donde se denuncia que la mayor parte de los abusos sucedió en las salas Castellanos y Carbó Serviá del Hospital Psi-

Los muertos de "frío" de Mazorra

Por desgracia, no fue hasta que un invierno muy fuerte desatado el 9 de enero de 2010, se encargara de cobrar veintiséis vidas inocentes de unos ancianos caquécticos en la institución insignia de la psiquiatría en Cuba, el Hospital Psiquiátrico de La Habana (antes conocido como Mazorra), que no solo caló hondo en los desnutridos cuerpos de aquellos ancianos, sino que produjo enormes fisuras en los pilares que sostienen el desmembrado sistema de salud en Cuba, permitiendo ver su verdadero rostro. Hasta los guerrilleros cibernéticos de su portal Cubadebate criticaron el tema. No entendían cómo podía suceder semejante hecho en su patria modelo, y algunos llegaron a comparar la situación con los desamparados y pobres animales, que en Cuba no disponen de la más insignificante protección. No podían comprender que faltaran ventanas, que no existieran mantas para cubrirlos, ni profesionales de la salud que se encargaran de velar por los cuidados de estos desamparados.

Una imagen vale más que mil palabras. Al contemplar las fotos que pudieron salir del lugar, se observan los huesudos cuerpos de los pacientes fallecidos, al estilo de los ya vistos de los campos de concentración de los nazis durante la segunda guerra mundial. Se puede apreciar verdaderamente los cuidados que recibían estos enfermos en cuanto a la alimentación, higiene personal, uso de adecuada vestimenta, pijamas y frazadas. Si en verdad hubieran estado protegidos del clima, no tendrían que haber enfrentado las marcadas bajas temperaturas que los llevaron a un estado de hipotermia y provocaron la muerte de los veintiséis pacientes en aquellas noches frías entre el 9 y el 12 de enero del 2010.

Los pacientes con desórdenes mentales necesitan una acción de salud enfocada en la prevención como piedra angular de su tratamiento. Es vital que se realice un diagnóstico precoz de su patología para evitar un desenlace fatal que culmine con la vida del paciente o con alguien relacionado con él. El controversial proyecto del médico de la familia en Cuba, contempla que sea el médico de barrio el que se encargue de hacer este pesquisaje, pero sabemos que este proyecto no funcionó, eso por una parte y, por otra, el

---

quiátrico de La Habana, el Hospital Gustavo Machín en Santiago de Cuba y el Hospital Nacional de Reclusos de la Prisión del Combinado del Este.

complicado laberinto de trámites burocráticos necesarios para realizar una interconsulta con un psiquiatra completan la odisea. Así ocurrió por muchos años en la atención primaria de la salud, situación que arreció cuando apretó la crisis con el mal llamado Periodo Especial.

La atención de la salud a nivel hospitalario siempre ha sido deficiente, quizás por las características de este tipo de paciente, que exige una esmerada atención y una infraestructura que garantice su seguridad y la del personal que lo atiende. Confieso que durante nuestros años de estudio de la medicina en los hospitales de la región central de Cuba, la rotación por las salas de psiquiatría era un evento esperado debido a las anécdotas de los estudiantes que nos precedían referentes a las situaciones médicas que se creaban y por el hecho de poder comprobar lo que se rumoraba respecto al maltrato y a la forma en que en muchas ocasiones, los propios enfermeros, personal de servicio e incluso algunos médicos se burlaban de los enfermos psiquiátricos, qué esperar entonces de los estudiantes, quienes muchas veces lejos de cooperar con el tratamiento, fomentaban los delirios de muchos y empeoraban más las cosas.

Con el decursar de los años, entendimos la magnitud del maltrato que presenciamos, recordamos a aquellos enfermos vestidos prácticamente con harapos, mal alimentados, hacinados, amarrados a sus camas con sus propias sábanas, cubiertos con su orina y heces fecales durante muchas horas sin ser cambiados, víctimas de burlas. En realidad era impactante vivir aquello, pero lo peor eran las sesiones de electrochoques (las cuales explicaremos más adelante) que nos tocó presenciar, donde los pacientes recibían descargas eléctricas en su cerebro sin las más mínimas precauciones, en una rudimentaria camilla sin la asistencia de personal entrenado en reanimación cardiopulmonar, aquello era realmente grotesco, parecía más una sala de tortura que una variante de tratamiento médico.

A nuestro modo de ver, una de las principales violaciones que se cometen contra este tipo de paciente es la ausencia de una legislación que abogue por la defensa de los enfermos mentales en Cuba, se trata de una violación a la Declaración Universal de los Derechos Humanos (donde tener una copia de la misma es judicialmente castigable, bajo el pretexto de propaganda enemiga) y pasa por alto los objetivos de la Carta Magna de las Naciones Unidas y otros acuerdos internacionales (Declaración de Madrid de 1996) que exigen el respeto y fijan normas para que exista una legislación de salud mental y se respeten sus postulados. La legislación es necesaria para evitar la discriminación contra las personas con trastornos mentales, quienes muchas veces, sin su consentimiento o el de sus familiares, son aislados, obligados a trabajos forzados, abandonados en instituciones en pésimas condiciones y privados de una atención médica básica, expuestos a tratos crueles, degradantes y hasta abuso físico.

En Cuba, las cuestiones relacionadas con el consentimiento para el ingreso y el tratamiento de este tipo de paciente son ignoradas con frecuencia y no siempre se efectúan evaluaciones independientes relacionadas con el discernimiento suficiente por parte del enfermo para dar su consentimiento, por lo que a muchos se les mantiene compulsivamente en instituciones pese a estar conscientes para tomar decisiones respecto a su futuro.

Cuando existe escasez de camas hospitalarias para los ingresos (hecho bastante común) se viola el derecho del paciente a recibir un tratamiento; muchas veces estos son devueltos a sus hogares o echados a la calle por quienes los llevaron al hospital, con la promesa de que cuando tengan camas disponibles serán internados; además, la ausencia de servicios comunitarios fortalece también la condena al abandono y a la segregación por parte de la sociedad.

El Hospital Psiquiátrico de La Habana (antiguo Mazorra), insignia de la psiquiatría en Cuba

Según testimonios de la doctora Carmen Pérez,[259] especialista en Medicina General Integral, quien laboró en ese centro hospitalario y es hija de uno de los trabajadores de la institución que estuvo durante las dos direcciones de ese centro, la del comandante Eduardo Bernabé Ordaz y más tarde la de Lorenzo Somarribas.

El comandante Ordaz implantó allí, desde su llegada en enero de 1959, una monarquía sui géneris al estilo de Fidel Castro. Su guión funcionaba a base de mandato único hasta en la más mínima decisión. El trabajo asistencial recaía en el personal de enfermería

---

[259] Especialista en MGI, seudónimo.

en un 98 %, los médicos solo laboraban un rato en la mañana: imaginen unas 2450 camas con un promedio de ocupación de unas 1500 de ellas, que convertían el hospital en un inmenso almacén de enfermos mentales.

Dentro del hospital, en la sala Carbó Serviá, existía una cárcel a la cual eran enviados los asesinos y presos con delitos comunes mezclados con disidentes del gobierno. Los interrogadores eran oficiales de la Seguridad del Estado que usaban diferentes métodos de tortura para hacer hablar a los opositores políticos que ingresaban en el lugar bajo el supuesto diagnóstico de una enfermedad mental, muy influenciados por sus viejos profesores rusos, quienes usaban el término de "esquizofrenia lentamente progresiva" como forma especial de la enfermedad, la cual aparentemente solo afectaba al individuo en su comportamiento social, sin ninguna otra manifestación. Se puso muy de moda el tratamiento con terapia electroconvulsiva (TEC), mejor conocido como electrochoque, tratamiento médico que solo puede ser ofrecido por los profesionales de la salud bien adiestrados y bajo la supervisión de un psiquiatra, y que consiste en la aplicación de una pequeña cantidad de electricidad para producir una convulsión terapéutica en el cerebro.[260] Este procedimiento es muy utilizado para el tratamiento de pacientes deprimidos, con agitación psicomotora y esquizofrenia en fase agresiva. Sin embargo, en la sala Carbó Serviá se aplicaba el electrochoque de manera diferenciada a los disidentes, a estos los mojaban lo suficiente para duplicar la descarga eléctrica, triplicando el dolor y el sufrimiento.

Este recinto hospitalario contaba con pabellones donde se torturaba de otras maneras: utilizaban la oscuridad como método de confusión mental, cambiaban el horario de los internados, quienes alcanzaban un nivel de descompensación tal que eran capaces de decir todo lo que sabían y lo que se imaginaban. En estas salas protegidas sufrían todo tipo de calamidades, incluso hubo fallecimientos debido a torturas, desnutrición, neumonías complicadas y hasta

---

[260] Vidal S. Pifarre, J Cardoner N. Terapia Electro–Convulsiva En: *Manual del Residente de psiquiatría*. Sociedad Española de Psiquiatría . SmithKline Beecham, Madrid, 2005.

por tuberculosis pulmonar. Pero eran estadísticas que no salían a la luz porque el diagnóstico lo hacía el patólogo en la morgue, y este era un médico de confianza de Ordaz, por lo que siempre se las ingeniaba para diagnosticar un infarto agudo del miocardio, un tumor maligno o alguna otra enfermedad que no perjudicara los índices de salud del hospital ni reflejara la verdad.

El comandante Ordaz, personaje exaltado por los Castros, sobre todo después de su muerte en mayo de 2006, cuando fue calificado como un héroe de la psiquiatría en Cuba por sus contribuciones a la psiquiatría mundial debido a sus técnicas de rehabilitación psiquiátrica y hogar familiar protegido, trató de buscar un mayor acercamiento y participación de la familia en las solución de los problemas psíquicos de sus pacientes.

Este personaje peculiar reinaba a su manera en su finca, dictando decretos y resoluciones que lo hacían ver como todo un dueño y señor del lugar, no como un simple administrador. A veces se vestía de rey mago e iba por las escuelas aledañas ofreciendo regalitos a los alumnos y llevándoles alguna merienda. El comandante no se subordinaba a ningún mando municipal ni provincial, ni siquiera al ministro de Salud, él solo recibía órdenes de los hermanos Castro (quizás para recordar sus viejos tiempos de la lucha en la Sierra Maestra, donde fungió como médico de la columna uno José Martí, en la cual llegó a ocupar el grado de capitán y ascendido a comandante una vez terminada la guerra).

A este rey del tabaco con sombrero, los extranjeros que necesitaban algún servicio del hospital, tanto para ellos como para algún familiar, le pagaban directamente en dólares, de los cuales él disponía a su antojo, desde que en Cuba se despenalizó la moneda extranjera.

Para concretar sus extravagancias, el comandante contaba con los servicios incondicionales del administrador del centro, conocido como Román, y del contador, Luis Chacha.

En el año 2005, por razones nunca bien esclarecidas (al parecer por problemas de salud), el comandante es destronado y ocupa su lugar el doctor Lorenzo Somarriba (antiguo director provincial de salud de la provincia de Villa Clara), personaje caracterizado por su cinismo, un individuo inepto, arribista, corrupto e incondicional al gobierno, porque aunque no tenía grandes conocimientos de medicina, dominaba a la perfección la ley de oro del dirigente vitalicio en Cuba.

De esta manera, pasó a ocupar el cargo insertándose rápidamente al mecanismo de funcionamiento de aquel hospital: el administrador y el contador les llevaban cada semana una factura de comida, artículos de aseo personal e incluso dinero en efectivo a los funcionarios jerarcas del hospital, incluyendo al propio Somarriba. Muchos trabajadores esperaban la jubilación sentados en sus casas, adonde les llevaban el salario mensual. Estos personajes se adjudicaban el dinero de la pensión de muchos de los pacientes psicóticos internados que no tenían familia. Si un paciente no se portaba bien, el castigo era retirarle la pensión de ese mes, y se conoce de pacientes y trabajadores ya fallecidos por quienes esos personajes seguían cobrando.

Somarriba, como experto en el arte de dirigir en Cuba, decidió traer de Venezuela a un sustituto, el Dr. Wilfredo Castillo, debido a que aquello estaba a punto de explotar, entregándole el hospital/prisión insignia de la psiquiatría de Cuba para que continuara la obra de la revolución.

Las autoridades de salud que actualmente dirigen esta institución con certeza han pasado por un doble filtro de seguridad para asumirla, sobre todo si tenemos en consideración los recientes juicios sumarísimos efectuados a raíz de la muerte por abandono y maltratos de los veintiséis pacientes en enero del 2010, que sentaron al gobierno en el banquillo de los acusados como responsable directo de esas muertes. Aunque no fueron procesados los verdaderos causantes de la tragedia, como el exministro de salud José Ramón Balaguer, la dirección del país tuvo que aceptar el hecho una vez que fue divulgado por la publicación independiente *Penúltimos días*.[261] Este hecho fue muy engorroso para el gobierno cubano debido a que empañaba su imagen de potencia medica, viéndose en la necesidad de asumir la falta de enseres, frazadas, colchones, alimentos, así como un marcado deterioro de la infraes-

---

[261] "Los muertos de Mazorra", publicado en *Penúltimos días*. http://www.penultimosdias.com/2010/03/02/los-muertos-de-mazorra/. La primera noticia fue publicada el 10 de enero de 2010. El periódico *Granma* lo publicó días después, cuando era *vox populi* en La Habana.

tructura del mejor y más grande hospital psiquiátrico de Cuba, con puertas y ventanas rotas, poniendo en evidencia la falta de un plan de contención frente a desastres naturales y, lo peor, la corrupción de la dirección del hospital. El Dr. Wilfredo Castillo tomó las riendas que le entregó Somarriba, pero nunca imaginó tener que responder tan pronto a una rabiosa fiscalía que buscaba un responsable menor, un chivo expiatorio, convirtiéndose también en víctima, al recibir, junto a la vicedirectora Susana Borges, una condena de 15 años de prisión.

Los hechos acontecidos entre los días 9 y 12 de enero del 2010 en el Hospital de Mazorra no son sucesos esporádicos ni responden a una mala gestión de la dirección del hospital en ese momento, sino que demuestran un precario, inestable e insuficiente sistema nacional de salud, que no es capaz de garantizar condiciones mínimas y decorosas para pacientes ingresados, mucho más cuando se trata de enfermos mentales, que necesitan y exigen doble atención por sus conocidas limitaciones y falta de interacción con el medio. Lo acontecido ponen en tela de juicio las gestiones administrativas de quienes deben velar y son responsables de la salud de enfermos que no reciben lo suficiente, pero no exigen ni luchan por el derecho a la salud de los mismos. Si esto sucede en un hospital con categoría de nacional, bandera e insignia de una ciencia, qué sucederá en el resto del país, donde las carencias se multiplican por sí solas.

El irrespeto por el paciente con enfermedades psiquiátricas ha sido la carta de presentación del ejercicio de la psiquiatría como ciencia en Cuba. La falta de una legislación que abogue por los derechos al paciente psiquiátrico permite abusos y maltratos a las víctimas de una enfermedad que los limitan. Esa es la norma y lo cotidiano. Esa es nuestra verdad.

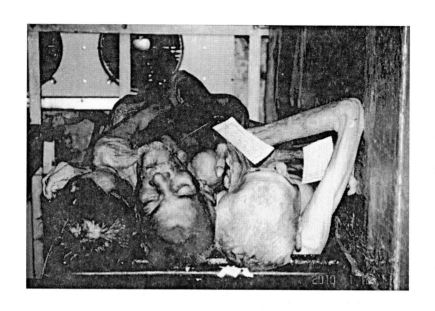

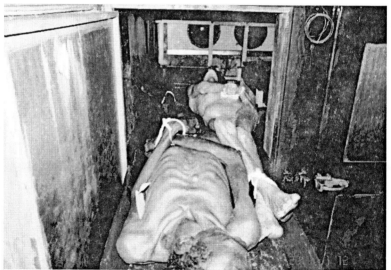

Los muertos de "frío" de Mazorra.
Fotos Cortesía de Ernesto Hernández Busto, editor de *Penúltimos Días*.

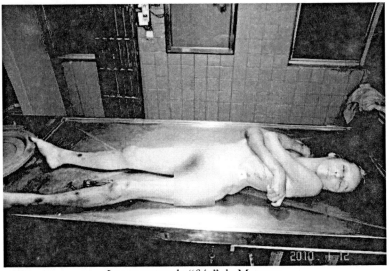

Los muertos de "frío" de Mazorra.
Fotos Cortesía de Ernesto Hernández Busto, editor de *Penúltimos Días*.

Información a la población

En el Hospital Psiquiátrico de La Habana, que dispone de 2 500 camas, se ha producido durante la última semana un incremento de la mortalidad en los pacientes ingresados. En total se reportan 26 fallecidos.

Estos hechos están vinculados con las bajas temperaturas de carácter prolongado que se han presentado (de hasta 3,6 grados centígrados en Boyeros, donde se ubica el hospital) y a factores de riesgo propios de los pacientes con enfermedades psiquiátricas, el natural deterioro biológico debido al envejecimiento, infecciones respiratorias en un año donde esta enfermedad muestra un comporta- miento epidémico y las complicaciones de afecciones crónicas presentes en muchos de ellos, fundamentalmente cardiovasculares y cáncer.

Ante la situación descrita, el Ministerio de Salud Pública decidió crear una Comisión para investigar lo ocurrido, la que hasta el momento de elaborar esta información ha identificado varias deficiencias relacionadas con la no adopción oportuna de medidas.

Los principales responsables de estos hechos serán sometidos a los Tribunales correspondientes.

Ministerio de Salud Pública

Nota del periódico *Granma* informando de los fallecimientos por "frío". Esta nota fue publicada días después de que las anteriores fotos circularon por Internet.

A MODO DE CONCLUSIÓN

El derecho a la salud en la Cuba pos Castro es un tema sensible y muchos lectores quizás no comprendan el verdadero sentido de nuestro punto de vista porque tendrían a mano elementos como la gratuidad que, de hecho, lo coloca en un escalón más alto que el resto de los endebles e inoperantes sistemas de salud del Caribe y América Latina y de los países en vías de desarrollo del planeta. Si a esto se unen las estadísticas infladas, sobre todo en temas álgidos como el de la mortalidad infantil, se evidencia el espejismo de un sistema de salud perfecto. Esta estrategia de camuflaje sostenida por décadas y apoyada por un marketing universal e intenso haría que, para muchas personas, este libro podría calificarse como injusto a la hora de analizar las verdades del sistema de salud cubano.

Hacemos esta reflexión porque sabemos que nos convertiremos en blanco de ataque de las autoridades de salud cubana y de muchos defensores del sistema, que tratarán de ridiculizar y negar nuestros argumentos enfatizando su defensa, precisamente desde estas trincheras: gratuidad y estadísticas.

Nuestro trabajo no se enfocó en establecer comparaciones entre el sistema de salud cubano con ningún otro y, mucho menos, con el de los Estados Unidos. El hecho de que vivamos en este país que nos acoge y protege debido a su postura de flexibilidad y compromisos con la libertad de los cubanos, no nos convierte en defensores de su cuestionable sistema de salud, por lo tanto ese no es el tema del libro y no pretendemos que se vea desde esa perspectiva.

Sustancialmente, el asunto está en que asumimos el deber de decir nuestra verdad. Cada uno de los dieciséis capítulos es un resumen de nuestras vivencias durante más de veinte años como profesionales de la salud en Cuba, así como los testimonios de muchos colegas. Este trabajo no responde a ninguna petición. No tiene patrocinios de principios, razonamientos o conceptos. No obedece a ningún interés ajeno. Es saludable aclararlo porque conocemos las estrategias del régimen cubano, que primero tratara de mancillar nuestros nombres y, posteriormente, de proyectar la imagen de que somos asalariados de sus enemigos. Esa siempre ha sido su forma de actuar. Quienes nos conocen, saben que no mentimos, que el 100 % de nuestros argumentos son reales, comprobables y vivenciales. Todos los datos de las historias clínicas, información de los certificados de defunción y otras estadísticas se obtuvieron de manera secreta, sin contar con el apoyo de ningún empleado de cualquiera de las instituciones cubanas relacionadas con el tema. Con nuestra posición aceptamos todo tipo de responsabilidad y nos disculpamos por el uso de seudónimos como opción para proteger a quienes están en la isla o a sus familiares y por no poder contactar con los seres queridos de las víctimas para obtener sus permisos. En este punto, el fin sí justifica los medios.

Tras la publicación de este libro, anteponemos por escrito una acusación directa al gobierno cubano de los Castros por cualquier tipo de daño físico o psicológico, acoso o infamia que pudieran recibir los autores, sus familiares o amigos. No es suspicacia, es la experiencia vivida por tantas décadas.

El tema del financiamiento y el acceso fácil a los servicios de salud es el talón de Aquiles de la práctica de salud en la mayoría de los países, por lo que los gobiernos que sean capaces de saltar estos dos obstáculos, serán calificados como magníficos y de que hacen valer el derecho a la salud de sus pueblos a toda costa, destinando todos los recursos necesarios en esta noble tarea. Sería un absurdo no entenderlo y, por supuesto, este no es el motivo de esta publicación.

El gobierno de Cuba ha manipulado el tema y, quizás, las buenas intenciones (si es que existieron en algún momento) fueron sustituidas y tergiversadas, vinculando el ejercicio de la medicina a la política del gobierno y, aún más, subordinando la práctica de la medicina a los intereses de la revolución, estableciendo un nexo indisoluble y subordinado del pensamiento científico al pensamiento revolucionario.

La medicina, al igual que el resto de las ciencias, el deporte, la cultura y el arte se convirtieron en armas al servicio de la revolución, pero la salud, por su particularidad de ser una de las mayores voceras debido a la sensibilidad que genera, Fidel Castro se encargó habilidosamente, de convertirla en una de sus favoritas banderas de los presumidos triunfos de su gobierno.

No dejamos de reconocer los logros que, a pesar de las condiciones adversas, muchos colegas han podido alcanzar durante estas cinco últimas décadas en Cuba y, en contra de ellos, de ninguna manera va dirigido este trabajo. Repetiremos hasta el cansancio que nuestro esfuerzo es llevar a la luz pública las prácticas del régimen que se empeñó en demostrar y vender una falsa imagen de un sistema de salud imaginario, fabricado para demostrar la superioridad del sistema socialista sobre el capitalista, un sistema de salud penetrado hasta la médula por la política, abanderado por el partido comunista. Primero, las doctrinas y, luego, la ciencia.

La imagen romántica de un gobierno preocupado por la salud de los pueblos es una pura falacia que confundió a miles de personas por todo el mundo y en la cual se invirtieron cuantiosos recursos con el fin de lograr sus propósitos propagandísticos. Derrumbar este mito es otro de nuestros objetivos. El régimen supo utilizar las necesidades de salud de los pueblos y la simpatía que generan para convertirse en un "ángel protector de los necesitados". Le resultó fácil y barato enviar a miles de colegas a las zonas más apartadas del mundo a brindar una misión humanitaria que distaba mucho de serlo, porque quienes la practicaron lo hicieron en la mayoría de los casos por dinero y prebendas, vendiéndole su profesión al sistema, convirtiéndose en defensores a distancia del régimen, en promotores y propagandistas de una dictadura que solo les entregaba el 10 % de las ganancias generadas por su trabajo y que se apoderaba del resto, como un desleal mercantilismo mercenario.

El sistema de salud cubano, convertido a la fuerza en uno de los paradigmas sociales fundamentales del régimen, con su supuesta esencia humanitaria y justicia social, demostró ser un fracaso. El archi promovido plan del médico de la familia, que sería su principal aporte a la humanidad y al futuro de una aplicación justa de la ciencia médica comunitaria, terminó en abandonados archivos, consultorios en ruinas y la estampida de los galenos hacia el extranjero en busca de una vida digna a la que nunca pudieron aspirar en Cuba. Las principales instalaciones de salud y gran parte de su personal médico continúan radicando en la capital del país, mientras que gran parte de las zonas rurales sobreviven en ascuas, sin cobertura médica, con aislados y empobrecidos hospitales.

Los programas de medicamentos, de asistencia social, del adulto mayor, etc., que en sus momentos fueron utilizados como magistrales soluciones a los problemas existentes en esas esferas, nunca dieron resultados y con el de cursar de los años han regresado al mismo lugar de origen, demostrando la incapacidad del sistema para solucionarlos. Persiste y se incrementa el déficit de medicamentos, la inseguridad social, el abandono estatal al adulto mayor, maltratado e irrespetado a la máxima expresión, abandonado a su suerte con ridículas ayudas gubernamentales.

El país cada día es más vulnerable. Las difíciles condiciones de vida, la escasez, la continuidad de la crisis económica que ha impuesto un Periodo Especial vitalicio crean las condiciones óptimas para el resurgir de nuevas epidemias de dengue, paludismo y cólera, colocando a las infecciones en los primeros lugares de causas de muertes, como cualquier otro país en vías de desarrollo. La imagen que por años se vendió de un renovado, bien articulado y óptimo sistema nacional de salud, el tiempo se ha encargado de desvestirlo y de demostrar que en realidad es todo lo contrario.

El marcado deterioro de la red de hospitales y policlínicos continuará debido a que no es una prioridad del gobierno invertir en su mantenimiento, ni proveerlo de enseres, alimentos y medicamentos que garanticen el verdadero derecho a la salud de los enfermos. Por lo tanto, seguirán ocurriendo muertes como las reportadas en los hospitales de Caibarién y Mazorra, seremos testigos del cierre de numerosos centros de salud, será esta una empresa que, al igual que la azucarera, se autodestruirá.

Los cambios que a bombo y platillos ha implantado el régimen son puro maquillaje que tratan de dibujar una sonrisa en un rudo rostro. Las migajas ofrecidas quedan muy lejos de responder a los deseos de libertad que necesita y exige el pueblo de Cuba. Casi quince años después de que Fidel Castro señalara que los profesionales de la salud recibirían mejor salario, se aparece el actual presidente Raúl Castro a decir que se pagaran las guardias médicas y otras actividades, por lo cual se beneficiarán unos 440 000 trabajadores de la salud, pero con un bochornoso aumento de aproximadamente 50 dólares mensuales para un médico especialista.

No pretendemos ser portadores de malos augurios para nuestro pueblo y no hubiéramos deseado tener que escribir un libro como este, ni tener que abandonar nuestra tierra para convertirnos en exiliados políticos. Nos apena el hecho de escuchar que gente joven muere en Cuba y muchos médicos que pudiéramos evitarlo estamos en el extranjero, quizás este sea el precio que tenemos que pagar.

Nuestras vivencias resumidas en este libro van encaminadas a que se tenga una verdadera imagen de lo que ha sucedido y sucede con la salud del pueblo de Cuba. Es la radiografía del accionar de un sistema de salud en un país al que amamos y defendemos como cualquier otro cubano. No se trata de criticar, sino de sacar a la luz nuestras experiencias y, más que eso, la de decenas de colegas, pacientes y familiares, sus testimonios han sido la fuente de inspiración para este proyecto. La imposibilidad de decir lo que se piensa, no tener acceso a una prensa libre, ni a investigar, publicar o disentir en contra del gobierno fueron las razones que mantuvieron vivo este proyecto por más de quince años. Hoy es tangible y nos complace romper el silencio y ofrecer un aporte testimonial al desenmascaramiento de una dura realidad que el gobierno cubano promueve como una bandera. Estamos seguros que otros podrán hacerlo mejor, solo pretendemos que este trabajo sirva de inspiración, que sea la llave que abra la caja de los secretos guardados sobre el mito de la medicina en la Cuba revolucionaria.

ANEXOS

1: Testimonio de Eduardo Balboa

Testimonio de un proceso de "limpieza" en el Instituto Superior de Ciencias Médicas de Villa Clara. Eduardo Balboa reside hoy en Miami donde ejerce como enfermero.

Su primer nombre es Eduardo, su abuela materna insistió y logró que así lo inscribiesen en memoria de aquel que ella y su abuelo habían seguido, Eduardo Chivás, fundador del Partido del Pueblo Cubano o Partido Ortodoxo. Entiéndase por ese detalle menor, que la filosofía y la tendencia política dentro de la que creció y se formó, siempre estaba aquello de "la justicia, la igualdad, la lucha contra la corrupción y el abuso y el bien común para todo el pueblo". Por lo tanto al tomar el poder Fidel Castro, fueron de los más fácilmente engañados por una prédica llena de carisma y promesas muy parecidas a las que siempre sus abuelos habían deseado escuchar.

En pocas palabras que perteneció a un hogar que de haber sido clase media, pasó a ser "revolucionario", de los ciegos, seguidores del Che, de Camilo, contrarios al monstruo imperial yanqui y participando en toda aquella absurda fanfarria "real-maravillosa" de CDR, FMC, Pioneros, escuelas al campo, recogidas de algodón, manifestaciones en contra de cualquier cosa que oliera a norteamericana. Y este niño de primer nombre Eduardo, que por el santoral lo bautizaron como Eduardo Genaro de apellidos Balboa de León, resultó ser un muchachito muy estudioso, de su casa, de los que se dice, "buenecitos", con sueños de darlo todo por su patria y sobre todo desde pequeño quiso ser médico, salvar vidas, entregarse a la humanidad y toda esa grandilocuencia psicológica que tienen tendencia a desarrollar los no dotados de una envidiable visión de rayos infrarrojos, capaces de ver las mentiras dentro de un agujero negro.

Y pasaron los años leyendo novelas soviéticas, pero también de Víctor Hugo, de Gabriel García Márquez y todo lo que se le ponían por delante y estudiando, estudiando y estudiando mucho y de todo, protegido por su madre, divorciada, por su abuelita materna, la que le puso Eduardo, y por su única tía, que vino a tener hijos cuando ya había cumplido los siete años. Pasando cada nivel escolar con notas sobresalientes, sufriendo tantas separaciones de aquellas mujeres que lo sobreprotegían, alcanzó su meta: le dieron la tan amada carrera de medicina. El muchacho nunca fue aceptado en la Unión de Jóvenes Comunistas, porque "era amanerado", una manera muy bonita de decir que dentro de los comunistas no podían haber homosexuales. Absurdamente a lo que a estas alturas alguien pudiese pensar, ese también fue uno de sus sueños: ser "militante comunista". No entendió nunca cómo el primer expediente del preuniversitario, el chico con calificaciones más elevadas, el mejor alumno del su escuela, no podía ser como la mayoría. Ahí continuó su sufrimiento y la agudización de la ceguera de aquella familia.

El muchacho con veintiún años continuaba sacando sobresaliente en todas las asignaturas del tercer año de medicina. Sin mirar para los lados, solo inmerso en un mundo hermoso ante sus ojos: libros de todo tipo, enfermedades, medicinas, deseos de servir, pero cegado, sin apercibir el veneno, la envidia, la corrupción y la inclemencia de un medio hostil, en que "sin querer", ya se había señalado. Era un estigma. Aunque su promedio de calificaciones estaba entre los tres primeros de su curso, era un muchacho delgadito, alto, de pelo bonito, amanerado, que "caminaba distinto" y gesticulaba demasiado. Pasó a ser una espina, algo "anormal", que no se avenía con lo "correcto" y con las normas de lo que debe ser un estudiante "revolucionario", un "supermacho que caminara cogiéndose los huevos" y hablando las vulgaridades que el propio medio fue imponiendo y que desgraciadamente en la actualidad son erróneamente un signo que distingue a los cubanos dentro del resto de las nacionalidades latinoamericanas. Nunca se le escuchó decir *asere*, *consorte*, ni *que bolá* o *mi ambia*, ni repetir panfletos sacados de los discursos de un tipo que ya le resultaba raro desde el punto de vista mental y lógico. Pero aun seguía invidente hasta que un buen día uno de sus "compañeros de estudio", uno de los que parasitaba de sus conocimientos a pesar del miedo a las consecuencias, tuvo la fortaleza de darle la noticia peor que le pudieran dar a cualquier familia: "Te van a cortar los sueños, no puedes seguir estudiando, te van a juzgar por 'amanerado', no hay pruebas de nada más, pero con eso basta...".

Y en aquel año de 1980, se reunieron el actual "presidente" de la República de Cuba, Raúl Castro, un señor nombrado Luis Orlando Domínguez, Secretario General de la Unión de Jóvenes Comunistas, el Ministro de Salud Publica, Sergio del Valle y en un rimbombante discurso anunciaron al pueblo cubano: "Que iban a limpiar las universidades de contrarrevolucionarios, de diversionistas, de inmorales, que no podían seguir permitiendo que a las Escuelas de Medicinas les pusieran el sobrenombre de 'Jaulas de oro', por la cantidad de homosexuales que tenían en sus filas y que había que depurar"... Palabra que sin pretensión de comparación alguna, tiene que haber sido terrible también para los primeros cristianos y para todos los perseguidos por La Santa Inquisición.

El ambiente caldeado, las vendas que no dejaban ver más allá a tantos millones de ciegos se fueron cayendo y ocurrió un hecho histórico para nuestro país, algo sin precedentes por lo menos en Cuba, La entrada de miles de personas a la Embajada del Perú. El horizonte político social cubano se tornó más gris y más sucio, fueron tiempos horrendos. Abusos, maltratos, encarcelamientos, juicios sumarísimos, atropellos, desahucios, etapa funesta, como funesto siempre ha sido ese desgobierno, pero esta fue de las más terribles.

Y así fueron citados los alumnos del tercer año de medicina del Instituto Superior de Ciencias Médicas de Villa Clara, que en aquel entonces todavía no tenía el nombre de ningún supuesto mártir, el primero de abril del 1980 a las 8:00 p.m. en el anfiteatro del Instituto.

A Eduardo y a muchos de los que fueron juzgados, los acompañaban y esperaban afuera los familiares. En el caso de Eduardo fue su madre, él era su único hijo. Ella esperaba destrozada, abatida, incrédula, pero esperanzada en que sucediera un milagro, como también lo esperaba el mismo Eduardo, y comenzó aquella pantomima, aquella obra de teatro horrenda, con una representante del secretariado nacional universitario, varios de los principales dirigentes de la Unión de Jóvenes Comunistas y de la Federación de Estudiantes Universitarios, de los que la mayoría habitan y viven muy bien en Miami actualmente..

Así se sucedió una larga lista de más de cien alumnos inculpados por "delitos" increíbles, no probados, ilegítimos, muchos de los estudiantes sabían a lo que se iban a enfrentar. No asistieron, se quitaron de arriba ese trauma que Eduardo mantiene vivo cada día de su vida. A la una y treinta de la madrugada, ya del día 2 de abril fue que "uno de sus amigos" —así era como funcionaba el teatrico— pidió la palabra y expuso a la asamblea, que ahora se veían en la necesidad de analizar el caso "más delicado" de aquella reunión, es decir, el de Eduardo Genaro, "el único de los amanerados, que se peinaba mucho y caminaba raro" que estuvo presente en la asamblea.

A Eduardo lo sentenciaron —porque era una sentencia, no tiene otro nombre—, a ser expulsado de la escuela por dos años hasta que "se reivindicara", "se volviera hombre". Algo risible, irracional, dado el caso que hubiese sido probada su homosexualidad, ¿en qué parte de la constitución o del código penal cubano estaba que un gay no puede estudiar en la universidad?, y solo sería vuelto a admitir cuando entregara pruebas de una conducta intachable en un trabajo rudo, como hombre, como revolucionario y como trabajador.

Siempre acompañado de su madre trataron de apelar hasta el mismísimo fiscal provincial, que bajando la cabeza les dijo que eso era imposible, que no se podía acusar por difamación a alguien tan "meritorio y con una tradición tan heroica como la del rector, Serafín Ruiz de Zárate", señor que también revocó la apelación que se le antepuso.

Nunca ese muchacho pudo olvidar el número de la resolución funesta que le entregaron a todos como un simple cliché, era la 138, inciso C del Ministerio de Educación Superior, que entre muchas otras estupideces aseguraba que Eduardo y otros tantos cientos de inocentes "habían cometido actos y hechos en público en contra de la moral socialista"… Ahí entraban lo mismo los supuestos homosexuales, los que tenían la suerte de tener contacto con familiares en el extranjero y algún día fueron con un *jean* o un *T-shirt* importado, los diversionistas, los cristianos, los que eran demasiado decentes, todos los que eran incompatibles y "diferentes" a los monigotes precocinados que esa tiranía moldeaba. Es una pena que toda la documentación, incluyendo la copia del acta de la asamblea, que tuvieron en su poder, fuera destruida por el esposo de la madre de Eduardo, persona muy adepta al régimen que no cumplió nunca la voluntad de ella de ser enterrada con esos documentos. Deseo de una madre que muestra sin palabras los sufrimientos de toda una familia y el dolor padecido, al punto de llegar a sobrevivir un infarto del miocardio unos meses después de aquellos sucesos.

Eduardo y su madre continuaron apelando y llegaron a hacerlo hasta el Consejo de Estado, todavía tenían esperanzas en la "Justicia", todavía y a pesar del dolor que sentían en sus propias carnes, la luz que comenzaba a asomar a sus ojos no les dejaba ver lo sencillo que era entender el lógico proceder de todo gobierno tiránico, sin leyes que protejan a sus ciudadanos, es decir, sencillamente desconociendo e incumpliendo todo el tiempo los derechos humanos.

La agonía se prolongó tanto más de tres años, el ministro de Salud Pública envió una carta para que se personaran a recibir su respuesta el mismo día del cumpleaños de Eduardo y el documento que le entregaron hablaba calumnias peores y supuestamente corroboradas, "cometidas por el muchacho". Ese 19 de septiembre Eduardo y su madre se emborracharon en un bar de un hotel en La Habana. Eduardo había adelgazado tanto, aunque apenas podía comer porque tenía un colon irritado. Las personas de su pueblo que lo querían y lo conocían nunca lo discriminaron, pero nadie se atrevía a desobedecer el régimen y no le daban ningún trabajo relacionado con algo de la medicina, hasta que fue aceptado en la fábrica de bicicletas de Caibarién, como ayudante de electricista y allí trabajó duramente más de dos años y llegó a ganarse el cariño y el respeto de aquellos rudos trabajadores.

En todo ese interín, Eduardo se casó con su novia que nunca tuvo dudas de sus preferencias sexuales, aceptándolo tal y como era y que por encima de todos los estigmas tuvo la valentía de contraer nupcias con un apestado y a instancias de su madre y de su esposa. Sin muchas esperanzas y horrorizado por lo que tendría que volver a pasar, se hicieron los trámites pertinentes y requeridos para intentar que lo readmitieran en la escuela de medicina. Llevó una linda carta del Director de la Fábrica de Bicicletas de Caibarién y como las aguas ya habían bajado la crecida y cogido su curso, fue readmitido con ciertas condiciones, como era de esperar. Y sin ánimo alguno, sin fuerzas y sin fe, que no fuera en Dios, terminó los años faltantes de la carrera, incluso con sobresaliente. Le dieron la especialidad de Medicina Interna, sin tener que hacer el llamado servicio social, se hizo especialista y fue muy querido como profesional durante los años que vivió en Cuba.

Un muy querido amigo de Eduardo Balboa, el ya fallecido Reinaldo Marrero Rubio hubo de padecer similares penalidades. Él no optó por tratar de librar la batalla contra molinos de viento, pero como tantos, sí que tuvo el valor de usar aquel documento difamatorio, la famosa resolución ministerial 138, inciso C que servía como una visa para que te admitieran como "escoria" y te dejaran montar en un barco en condiciones de hacinamiento para poder llegar a tierras de libertad.

2. Guía Spilva de las Especialidades Farmacéuticas

XXVI edición,
Editorial Tecni-ciencias libros,
Caracas 2000, pp. 1-61.

1. Veracef (cefadrina), antibiótico perteneciente al grupo de las cefalosporinas de primera generación. Adultos: 500 mg c/12 h, niños: 100 mg / kg / día, en tomas iguales c/6 h. Cápsulas de 250 mg y 500 mg. Frascos de 80 mL (250 mg/5mL).

2. Ceclor (cefaclor), antibiótico cefalosporínico de segunda generación. Adultos: 250 mg c/8 h o 12 h. Cápsulas de 250 mg y 500 mg. Frascos de 50 mL (375 mg/mL).

3. Longacef (cefixime), antibiótico cefalosporínico de tercera generación. Adultos: 400 mg/día en una sola toma, o dividido en 2 veces/día si la infección es severa; niños: 8 mg / kg / día. Frascos de 30 mL y 60 mL (100 mg/5mL).

4. Cefprozyl: adultos y niños mayores de 12 años: 500 mg c/12 h; niños menores de 12 años: 15 mg / kg c/12 h.

5. Hidroxil (monohidrato de cefadrocilo), cápsula de 500 mg, suspensión de 60 mL (250 mg/5mL).

6. Ceftibuten, bactericida cefalosporínico de tercera generación. Adultos: 400 mg/día, una vez al día; niños: 9 mg / kg / día. Tabletas de 400 mg. Frascos de 30 mL a 60 mL.

7. Seudacín (cefurixima), antibiótico cefalosporínico bactericida. Adultos: 250 a 500 mg / día; niños: 10 mg / kg, dos veces al día. Tabletas de 250 mg y 500 mg. Frascos de 50 mL (125 mg/5mL).

8. Lincomicina. Adultos: 500 mg, 3 veces al día. Cápsulas de 500 mg.

9. Clindamicina. Adultos: 1200 mg a 1800 mg, en 3 o 4 dosis; niños mayores de 1 mes: 8 a 25 mg / kg / día. Cápsula de 300 mg.

10. Sulamp (sulfamicilina), para infecciones por gérmenes grampositivos y negativos. Adultos y niños con pesos superiores a 50 kg: 375 a 750 mg, 2 veces al día. Niños con pesos inferiores a 30 kg: 25 a 50 mg / kg / día. Tableta de 375 mg. Frascos de 60 mL (250 mg/5mL).

11. Orbenin (cloxacilina), penicilina semisintética, bactericida. Adultos: 250 a 500 mg c/ 6 h. Cápsula de 250 mg.

12. Diclocil (dicloxacilina). Adultos: 500 mg-1 gramo c/ 12 h; niños menores de 40 kg: 25-50 mg / kg / día c/ 12 h. Cápsulas de 500 mg.

13. Flexapen (flucloxacilina). Adulto: 500 mg c/ 8 h. Cápsulas de 250 mg y 500 mg.

14. Rifampicina. Adultos: 600 a 1200 mg/día, en dos tomas; niños: 10 a 20 mg / kg / día. Cápsulas de 150 mg y 300 mg. Suspensión: (100 mg/5ml). Frascos de 60 mL.

15. Augmentin (amoxicilina/Ac. clavulánico). Amoxilina: 250 mg a 500 mg con Ac. clavulánico: 62,5 mg a 125 mg. Adultos: una cucharada (5 mL) o 1 tableta c/ 8 h.

16. Quinodis (floroxacina). Adultos: 200 mg, una vez al día en infecciones leves, y 400 mg, una vez al día en infecciones severas. Tableta de 200 mg.

17. Levaquin (levofloxacina). Adultos: 250 mg a 500 mg c/ 12 o 24 h. Tabletas de 250 mg a 500 mg.

18. Liexina (lomefloxacina), antibiótico que al igual que los anteriores, pertenece al grupo de las quinolonas, con actividad bactericida de amplio espectro, sobre todo frente a cocos grampositivos, incluidas las cepas de neumococos con alta resistencia. Adultos: 1 tableta de 400 mg/día.

19. Floxstat (ofloxacina), otra quinolona que de infecciones de leves a moderadas se recomienda 200 mg, dos veces al día. Infecciones severas: 400 mg, dos veces al día. Tabletas de 200 mg y 400 mg.

20. Aruzilina (azitromicina). Adultos: 500 mg/día; niños: 10 mg / kg / 1 toma solamente por tres días. Comprimido de 500 mg. Cápsulas de 250 mg. Suspensión de 200 mg/5mL.

21. Claritromicina, infecciones de leves a moderadas: 250 mg c/ 12 h. Infecciones severas: 500 mg c/ 12 h. Tabletas de 250 mg y 500 mg.

BIBLIOGRAFÍA

"Abortos en Cuba: Abre las paticas". Café Fuerte, 12 de mayo 2012 Disponible en: http://cafefuerte.com/cuba/csociedad/1828-abortos-en-cuba-abre-las-paticas/ [consulta 13 de junio 2012]

Alfonso, Carmen R.: "Cadena de supervivencia", *Trabajadores*, 15 de abril de 2002, p. 2.

Anuario Estadístico de Cuba 2011. Población. Edición 2012. ONEI. Oficina Nacional de Estadísticas e información. República de Cuba. Disponible en:

http://www.one.cu/aec2011/datos/03%20Poblacion.pdf [consulta 10 febrero 2013].

Anuario Estadístico de Salud 2013. Ministerio de Salud Pública. República de Cuba. Disponible en: http://files.sld.cu/dne/files/2014/05/anuario-2013-esp-e.pdf [consulta 20 marzo 2014]

Asociación Mundial de Psiquiatría. "Declaración de Madrid", en *Fundación Bioética* 25 de agosto 1996. Disponible en: http://www.bioeticacs.org/iceb/documentos/DOCUMENTOS1.pdf [consulta 12 enero 2010]

Bacon, F.: *Nueva Atlantis. Utopías del Renacimiento. Grupo cultural Zero, Madrid 1985.*

Bello Vázquez, N.: "La eutanasia, una realidad cercana", revista *Espacios,* Equipo Promotor para la Participación Social del Laico (EPAS), Archidiócesis de La Habana, La Habana, año 6, No. 1, 1er trimestre de 2002, pp. 12-13.

Behrma, R.E. & V.C. Vaughan (eds.): *Nelson. Tratado de Pediatría*, 13ª edición, tomo I. McGraw-Hill Interamericana, Madrid, 1991.

Bergonzoli, G.: *Sala situacional: Instrumento para la Vigilancia de Salud Pública*, 1995. Agencia Sueca de Desarrollo Internacional. ASDI. Guatemala.

Boletín Epidemiológico de la Organización Panamericana de la Salud, 1989;10(1).

Boletín Epidemiológico de la Organización Panamericana de la Salud, marzo 1992; 13(1).

Boletín de la Organización Panamericana de la Salud, 2002; 7(1).

Boloy, Veizant: "El aborto en Cuba: un problema legal más que religioso". Cubanet, 2 de mayo 2013. Disponible en: http://www.cubanet.org/otros/el-aborto-en-cuba-un-problema-legal-mas-que-religioso/. [Consulta 12 octubre 2013]

Brown Charles J. *The Politics of Psychiatry in Revolutionary Cuba.* Transaction books. New Brunswick, 1991.

Camacho T. Machado L. "Desastres: ¿estamos preparados para enfrentarlos?". *Revista Medicentro Electrónica,* ISSN 1029-3043, vol. 5, No. 1, año 2001.

Castro Ruz, F.: Discurso en el acto central con motivo del XXVIII Aniversario del asalto al Cuartel Moncada, Las Tunas, 26 de julio de 1981 (versiones taquigráficas, Consejo de Estado).

_____ Discurso en el acto de constitución del primer destacamento de ciencias médicas Carlos J. Finlay, *Granma,* 12 de marzo de 1982. (versiones taquigráficas, Consejo de Estado).

_____ Discurso en el acto de graduación del primer destacamento de ciencias médicas Carlos J. Finlay, sábado 3 septiembre de 1988. (versiones taquigráficas, Consejo de Estado).

_____ Discurso de despedida de duelo de los combatientes internacionalistas en el Cacahual, el 8 de diciembre de 1989, *Vanguardia*, 9 de diciembre de 1989.

_____ Discurso pronunciado en la clausura del Taller Internacional sobre la neuropatía epidémica, efectuada en el Palacio de las Convenciones. *Granma,* 15 de julio de 1994 (versiones taquigráficas, Consejo de Estado).

_____ Discurso en el acto a los graduados del ISCMVC, Teatro Carlos Marx, Ciudad de La Habana, 9 de agosto de 1999. (versiones taquigráficas, Consejo de Estado).

_____ Discurso pronunciado el día de los trágicos hechos ocurridos en Estados Unidos el 11 de septiembre de 2001. (versiones taquigráficas, Consejo de Estado).

_____ Comparecencia en la Televisión Cubana, sobre la actual situación internacional, la crisis económica y mundial y la forma en que puede afectar a Cuba, 2 de noviembre de 2001 (versiones taquigráficas, Consejo de Estado).

_____ Discurso en el acto de clausura del X Congreso de la FEEM, Granma, 29 de enero de 2002. (versiones taquigráficas, Consejo de Estado).

_____ Discurso pronunciado en el acto de entrega de 254 escuelas de la capital, efectuando en el teatro Astral, ciudad de La Habana, el 13 de agosto de 2002. *Juventud Rebelde*, 14 de agosto de 2002.

_____ Discurso pronunciado en la Escuela Latinoamericana de Ciencias Médicas, 3 de diciembre de 2002, publicado en Tabloide Especial, pp. 6 y 7.

Cedeño Agramonte, F.: "Prevalencia de portadores de *Neisseria meningitidis* en una población en riesgo". *Rev Cubana Hig-Epid*, ab.-jun. 1985;23(2).

Cobb, LA and Hallstrom, AP.: "Community-based cardiopulmonary resuscitation: what have we learned?". *ANN N.Y Acad Sci, 1982, p. 330-342*.

Cohen, R.: *Salud mental para víctimas de desastres, Manual para trabajadores*. Editorial El Manual Moderno, México, 1999, pp. 22, 33, 34.

Colectivo de autores: *Manual de diagnóstico y tratamiento en obstetricia y perinatología*. Editorial Ciencias Médicas, La Habana, 1997, pp. 388 y 402.

Crowdus G. Entrevista a Tomás Gutiérrez Alea, "Un apoyo moral a las víctimas del burocratismo". *Cineaste*, Nueva York, 1979.

Constitución de la República de Cuba, 24 de febrero de 1976. Asamblea Nacional del Poder Popular, La Habana, 10, 11, 12 de julio de 1992.

Cueto Medina A., Jaime Parellada Blanco, Wilfredo Hernández Pedroso, Alberto Gómez Sánchez. "Comportamiento epidemiológico de la mortalidad por accidentes de tránsito en el ISMM en el periodo 2004-2005". *Revista Cubana de Medicina Intensiva y Emergencias*, 2007, 6 (1) pp. 614-623. Disponible en: http://bvs.sld.cu/revistas/mie/vol6_1_07/mie04107.htm [Consulta 20 abril 2013]

Diccionario de las Especialidades Farmacéuticas (26ª edición). Editorial PLM, S.A., México, 1998, p. 809.

Dorca J. y S. Fernández: "Tratamiento de la neumonía nosocomial". *Arch Bronconeumol.* (Supl. 2) 1998;57-62.

Dotres Martínez, C.: Conferencia del Ministro de Salud de la República de Cuba en la apertura del I Congreso Internacional de Urgencias y Atención al grave URGRAV-99, Palacio de las Convenciones, 14 de abril de 1999.

Ebbels Bruce, J.: "Úlcera péptica", en Howard F. Conn: *Terapéutica*, Editorial Médica Panamericana, México, 1982, pp. 459 y 462.

Escandón Rodríguez A, Martínez Ravelo R y C.L. García López. "Enfermedad meningocócica: estudio clínico epidemiológico". *Rev Cubana Hig-Epid*, ene.-mar. 1986;24(1):70-7.

Estudio sobre tuberculosis pulmonar. Orientaciones para la lucha antituberculosa en Cuba. Subsecretaría de Asistencia Médica, Dirección Nacional de Tuberculosis, La Habana, Cuba, 1961.

"Eutanasia. Opinión de un grupo de profesionales de la salud". *Ethos,* julio-septiembre de 1998.

Fernández González J.M, G. Fernández Ychaso: "Principales causas de mortalidad general en Cuba año 2004". *Revista Habanera de Ciencias Médicas,* vol 5 Num 2, Abril-Junio, 2006 pp. 1-6, Universidad Ciencias Médicas de La Habana.

Fletcher, G.F. and J.D. Cantwell: "Ventricular Fibrilation in a Medically and a Medically Supervised Cardiac Exercise Program: Clinic Angiographic and Surgical Correlation". *JAMA 1977, pp. 2627-2629.*

Gonzalez, Robert M.: "Underreporting of the Infant Mortality Rate in Cuba". Paper presented at 23rd Conference of the Association for the Study of the Cuban Economy (ASCE), 20 de mayo 2014.

Granma, edición digital, 25 marzo del 2014.

Granma, primera ed. del miércoles, 11 abril de 2001.

Groot, H.: "The reinvasion of Colombia by Aedes aegypti: aspects to remember, Second Soper Lecture". *Am J Trop Med Hyg. 1980:29(3):330-8.*

Gubler, D. J.: "Dengue in the United States, 1981". *MMWS.* 1983;32 (1 SS):23-6.

Guía Spilva de las Especialidades Farmacéuticas, XXVI edición. Editorial Tecni-ciencias libros, Caracas, 2000, pp. 1-61.

Hruska, J.F: "Infecciones por bunyavirus y togavirus (encefalitis vírica, dengue, fiebre amarilla)", en Jay H. Stein M.D.: *Medicina interna,* tomo II, 3ra ed., Ed. Salvat Editores, S.A., Barcelona, 1991.

"Investigan en Cuba la muerte de pacientes en Hospital Psiquiátrico de La Habana". *Cuba Debate,* 15 de enero del 2010 . Disponible en: http://www.cubadebate.cu/noticias/2010/01/15/investigan-en-cuba-la-muerte-de-pacientes-en-hospital-psiquiatrico-de-la-habana/ [Consulta 20 abril 2013]

Jawetz, E.: *Review of Medical Microbiology*, 14 ed. Lange Medical Publication, Los Altos, California, 1980.

Juventud Rebelde, 20 de diciembre 2002.

Lancis Sánchez F, Fourier Ruiz I, et al: *Medicina legal*, Editorial de Ciencias Médicas, La Habana, 1998, pp. 218-219.

Leal, Rino: "Asumir la totalidad del teatro cubano", *Revista Encuentro de la cultura cubana*, 1997; pp. 4/5:195-7.

Lifton, J.: *The Nazi Doctors: Medical Killing and Psychology of Genocide*, MacMillan, London, 1986.

"Los muertos de Mazorra". *Penúltimos días*. 2 de marzo 2010. Disponible en: http://www.penultimosdias.com/2010/03/02/los-muertos-de-mazorra/. [Consulta 11 abril 2013]

Lovesio, C. "Cap. 84. Metabolismo del potasio". *Medicina Intensiva*, Editorial El Ateneo. Buenos Aires, 2001.

Madan, D.: "Notas sobre una forma sensitiva de neuritis periférica. Ambliopía por neuritis óptica retrobulbar". *Crónica Médico Quirúrgica de La Habana*, 1898; 24:81-6.

"Manual de normas técnicas para los departamentos dietéticas de las instituciones de salud", *Editorial de Ciencias Médicas, La Habana, 2007*.

Martí, J.: *Obras Completas*, tomo 10. Centro de Estudios Martianos, La Habana, p. 189.

_____ *Obras Completas*, tomo 13, Centro de Estudios Martianos, La Habana p. 53.

Martínez Torres E, Vidal López B y otros: *Dengue hemorrágico en el niño: estudio clínico-patológico*, Editorial Ciencias Médicas, La Habana, 1984.

Major, R.M.D.: A History of Medicine. Springfield, IL: Charles C. Thomas, 1954.

Más Lago P, Palomera Puente R y M. Jacobo Elías: Dengue: algunos aspectos epidemiológicos. *Rev Cubana Hig-Epid*, 1985; 23(3):225-9.

Mesa-Lago, Carmelo: "Tabla IV. Ordenamiento de indicadores de Cuba en América Latina, 1953-1958 y 2005-2007 (de mejor a peor)", en: *Balance económico-social de 50 años de revolución en Cuba, América Latina Hoy*, Vol. 52. Ediciones Universidad de Salamanca, 2009, pp. 41-61.

Morillas, F. D y M. Marjorie del Valle Torres: "Noticias sobre los enterramientos en La Habana hasta el siglo XIX con el cementerio de Espada". *La Jiribilla*, año IV, 27 de agosto al 2 de septiembre de 2005.

Moreno Fraginals, M.: *El Ingenio: el complejo económico social cubano del azúcar, tomo II.* Editorial Ciencias Sociales, La Habana, 1978. pp. 60-61.

Neuropatía epidémica cubana, 1992-1994. Editorial de Ciencias Médicas, La Habana, 1995.

Padovani Canton, A.: "Bronconeumonías. Estudios de los fallecidos por esta causa durante 1983 en el Servicio de Medicina Interna del Hospital Provincial Docente Clínico Quirúrgico de Pinar del Río". *Rev Cubana Med.* 1986:25:691-9.

"¿Para qué perfeccionar el trabajo de la inspección sanitaria estatal?". *Rev Cubana Hig-Epid,* Editorial, abr.-jun. 1989;27(2):117-8.

Pons PA y Valentín Carreras: *Tratado de Patología y Clínicas Médicas*, tomo IV. Editorial Ciencia y Técnica, La Habana, 1969, p. 618.

Pérez Cristiá R y P. Fleites Mestre: "Análisis y discusión de la hipótesis tóxico nutricional como posible causa de la neuropatía epidémica", en: Almirall Hernández P, Antelo Pérez J, J. Ballester Santovenia, et al: *Neuropatía epidémica cubana 1992-1994.* Editorial de Ciencias Médicas, La Habana 1995.

Pérez Rodríguez A.E y M.C Méndez: "Algunas consideraciones epidemiológicas sobre la enfermedad meningocócica en Cuba en niños de 1 a 4 años de edad", Instituto de Med. Tropical Pedro Kourí. *Rev Cubana Hig-Epid.*, oct.-dic. 1986;24(4).

Program for Dengue elimination and *Aedes aegypti* eradication in Cuba. *Bol. Epidemiol.* 1982;3(1):7-10.

"Promover las verdades, denunciar las mentiras", *Granma,* 11 febrero de 2002, p. 1.

Proyecto Programa Nacional de Medicamentos. Ministerio de Salud Pública, Centro para el Desarrollo de la Fármaco Epidemiología, La Habana, 2001.

Pulido Touza H.: *Manual Práctico de Toxicología,* Editorial Ciencias Médicas, La Habana, 1988, pp. 428-434.

Revista Avances Médicos de Cuba, No. 19, año 1999.

Revista Cubana de Higiene y Epidemiología, vol. 27 (3) abril/junio 1989.

Rivery, J.: "El acoso a los médicos cubanos". *Granma,* 31 agosto, 2000, p. 1.

Roberts, B. R.: "Infecciones por estreptococos no pertenecientes al grupo A", en Jay H. Stein: *Medicina Interna,* tomo II, vol. I. Editorial Científico-Técnica, La Habana, 1987, p. 1717.

Román, G. C, P.S. Spencer and B.S. Schoenberg: "Tropical myeloneuropathies: The hidden endemias". *Neurology* (Minneapolis). 1985;35(S):1158-1170.

Rubwen D.: "Necesidades nutricionales", Parte 5: Nutrición, en Harrison. *Principios de Medicina Interna,* 14ta. ed., McGraw-Hill Interamericana, México, 1989.

Santa Biblia, versión Casiodoro de Reina, (1569). Revisado por Cipriano de Valera, (1602), 1 Samuel, capítulo 2, versículo 4.

Santos Fernández, J.: "Ambliopía por neuritis periférica debido a autointoxicación de origen intestinal por alimentación defectuosa". *Crónica Médico Quirúrgica de la Habana,* 1900; Año XXVI, tomo XXVI:330-334.

Selman-Housein Abdo, *Eugenio: Guía de Acción para la Excelencia en la Atención medica.* Editorial Científico- Técnica, 959-05-0316-0. Cuba.

Simone, Joseph V.: *Introducción a la Oncología. Cecil Tratado de Medicina Interna,* 2da. edición, Editorial Ciencias Médicas, La Habana,1998, p. 1153.

Sherwin, R.S.: "Diabetes mellitus", en *Cecil. Tratado de Medicina Interna.* 20ª edición. Editorial de Ciencias Médicas, La Habana, 1996, pp. 1449-1974.

Stein, H. Jay: *Medicina Interna,* tomo II, vol. 1, Hruska J.F: *Infecciones por Bunyavirus y togavirus (Encefalitis Vírica, Dengue, Fiebre Amarilla),* 2da Edición. Editorial Salvat , México, 1989.

Teoría y Administración de la Salud. Texto básico de estudiantes de Medicina, ISCMVC, Santa Clara, 1982.

Texto de procedimientos avanzados de resucitación y cuidados cardiacos de urgencia. Nueces County Medical Education Foundation, Corpus Christi, Tx, 1995, p. 14.

Toro, G, Román G. y C. Román: *Neuropatía Tropical. Aspectos neuropatológicos de la medicina tropical,* Bogotá, Printer colombiano, 1983.

"Tratamiento del paciente con enfermedad cerebrovascular izquierda y traumatismo craneoencefálico". *Revisiones de conjunto,* 1987;10(1):24.

Valcárcel Novo, M.: "Estudio epidemiológico de 553 casos de enfermedad meningocócica: Cuba, 1979". *Rev Cubana Hig- -Epid.,* oct.-dic.1980;18(4):351-9.

Vidal S. Pifarre, J Cardoner N. Terapia Electro-Convulsiva En: *Manual del Residente de psiquiatría.* Sociedad Española de Psiquiatría . SmithKline Beecham, Madrid, 2005.

Werlau, María, "¿Son Cuba y Brasil socios en el tráfico humano". Diario de Cuba. 24 de octubre de 2014.

WHO. *Unsafe abortion: global and regional estimates of the incidence of unsafe abortion and associated mortality in 2003*. Fifth edition. Geneva: World Health Organization; 2007.

ARCHIVOS CONSULTADOS

Archivo Nacional de Cuba, Real Consulado y Junta de Fomento, Leg. 37, N° de Orden 1647.

Archivo del Departamento de Higiene y Epidemiología del municipio de Caibarién

.

ACERCA DE LOS AUTORES

José Luis Comas (1963) Remedios, Villa Clara, Cuba. Se gradúa de médico general en Instituto Superior de Ciencias Médicas de Villa Clara (ISCMV) en julio de 1988. Hizo posgraduado en la fábrica de armamentos La Campana, Manicaragua hasta el año 1991. Realizó la residencia en Medicina Interna en el Hospital Militar Manuel Fajardo Rivero, graduándose de especialista en Medicina interna en el año 1994. Laboró como Profesor Auxiliar en la Escuela de Medicina de Villa Clara durante los años 1997 y 1998 en los cursos de Apoyo Vital Avanzado, atención prehospitalaria y hospitalaria al trauma. También, en el Hospital Provincial Celestino Hernández de Santa Clara de 1998-2000. Desde el año 2001 hasta el 2008 labora como médico especialista en Medicina Interna del hospital General de Caibarién. Retenido por las autoridades de salud por un periodo de siete años una vez manifestada su intención de abandonar el país. Vive en el sur de la Florida desde el año 2009.

Luis Ovidio González (1961) Villa Clara, Cuba. Se gradúa de médico general en el Instituto Superior de Ciencias Médicas de Villa Clara (ISCMV) en julio de 1987, comienza su residencia en el Hospital Pediátrico Provincial de Santa Clara. Viaja a Angola para colaboración como médico civil de 1988 a 1990. En el año 1992 se gradúa de especialista en Pediatría. Trabaja en Caibarién, municipio de Villa Clara en el policlínico Pablo Agüero como profesor de Medicina General Integral y luego como pediatra del Hospital General y profesor de médicos residentes e internos. Fue retenido cuatro años cuando comunicó a las autoridades de salud su deseo de viajar a Estados Unidos. En el año 2004 sale de Cuba. Reside en el estado de la Florida.